BERLITZ-matkatulkit

Monikielinen matkatulkkisarja, jossa valmiit lauseet ja sanasto joka tilanteeseen. Lisäksi äännekirjoitus koko tekstissä, tiivistettyä matkatietoutta ja pikkuneuvoja. Matkatulkki, johon voi luottaa.

Englanti	Ranska
Espanja	Ruotsi
Italia	Saksa
Kreikka	Serbokroaatti
Portugali	Venäjä

BERLITZ-kasetit

Useimpiin kieliin on myös saatavana matkatulkkeihin liittyvä kasetti. Sen avulla opitte ääntämään vierasta kieltä. Mukana seuraa 32-sivuinen vihkonen, jonka teksti on hi-fi -äänitetty kasetille.

Berlitz Dictionaries

Dansk	Engelsk, Fransk, Italiensk, Portugisisk, Serbo-Kroatisk, Spansk, Tysk
Deutsch	Dänisch, Englisch, Finnisch, Französisch, Italienisch, Niederländisch, Norwegisch, Portugiesisch, Schwedisch, Serbokroatisch, Spanisch
English	Danish, Dutch, Finnish, French, German, Italian, Norwegian, Portuguese, Serbo-Croatian, Spanish, Swedish
Español	Alemán, Danés, Finlandés, Francés, Holandés, Inglés, Noruego, Servocroata, Sueco
Français	Allemand, Anglais, Danois, Espagnol, Finnois, Italien, Néerlandais, Norvégien, Portugais, Serbo-Croate, Suédois
Italiano	Danese, Finlandese, Francese, Inglese, Norvegese, Olandese, Serbo-Croato, Svedese, Tedesco
Nederlands	Duits, Engels, Frans, Italiaans, Joegoslavisch, Portugees, Spaans
Norsk	Engelsk, Fransk, Italiensk, Portugisisk, Serbokroatisk, Spansk, Tysk
Português	Alemão, Danês, Finlandês, Francês, Holandês, Inglês, Norueguês, Servo-Croata, Sueco
Srpskohrvatski	Danski, Engleski, Finski, Francuski, Holandski, Italijanski, Njemački, Norveški, Portugalski, Španski, Švedski
Suomi	Englanti, Espanja, Italia, Portugali, Ranska, Ruotsi, Saksa, Serbokroaatti
Svenska	Engelska, Finska, Franska, Italienska, Portugisiska, Serbokroatiska, Spanska, Tyska

Sisällysluettelo   # Contents

Alkulause

Julkaistessaan muutamia vuosia sitten taskusanakirjasarjan, Berlitzin pyrkimyksenä oli luoda hyödyllinen käytännön sanakirja turisteja, opiskelijoita ja liikemiehiä varten. Tämä on ollut päämääränä myös sanakirjan uudistettua laitosta valmistettaessa.

Kustannusten vuoksi sanakirjoja uudistetaan yleensä harvoin, sillä se on lisäksi aikaa vievä tehtävä. Berlitzin sanakirjat ovat tässä suhteessa poikkeus. Toimitustyössä on käytetty apuna tietokonetta, jonka ansiosta uudistettuun laitokseen on lisätty noin 40% uutta sanastoa. Tietokoneen avulla sanakirja on voitu tarkistaa täydellisesti varsin lyhyessä ajassa.

Laajennetussa laitoksessa hakusanat on järjestetty selvemmin, monille sanoille annettu lisämerkityksiä ja sanakirja on painoasultaan helppolukuisempi. Se sisältää tavallisten sanakirjojen tarjoamien etujen lisäksi:

- kansainvälistä äännekirjoitusta (IPA) noudattavat ääntämisohjeet
- kätevän ruokalistasanaston jonka avulla tutustuu asianomaisen maan keittiön erikoisuuksiin
- moninaista käytännön tietoutta: kellonajat, lukusanat, epäsäännöllisten verbien taivutus, tavallisimmat lyhenteet ja joitakin avainlauseita jokapäiväisiin tilanteisiin

Uudistetun painoksen kumpaankin osaan on valittu noin 12 500 hakusanaa, ja toimitustyössä on ennen muuta otettu huomioon matkailijan tarpeet. Siksi tämäkin sanakirja, joka suosittujen matkatulkkiemme ja matkaoppaidemme tavoin on helppo sujauttaa taskuun tai käsilaukkuun, sopii erityisesti suihkukauden turistin käyttöön. Se tarjoaa myös opiskelijalle hyödyllisen perussanaston. Jos matkanne aikana satutte tarvitsemaan hakusanaa, joka puuttuu sanakirjastamme, ilmoittakaa asiasta meille – vaikkapa postikortilla.

Preface

Having created this pocket-dictionary series some years ago, Berlitz aimed, then as now, to make each edition highly practical for the tourist and student as well as the businessman.

Ordinarily, updating a dictionary is a tedious and costly operation, making revision infrequent. Not so with Berlitz as these dictionaries are created with the aid of a computer-data bank, facilitating rapid and regular revision. Thus, thanks to computer technology, the current edition of the dictionary has been expanded—with nearly 40 per cent more vocabulary—and completely revised with relative ease.

Satisfied users of some of the 36 editions of our successful series in ten languages will welcome two additional languages—Portuguese and Serbo-Croatian—bringing the total number of editions programmed to 54.

This enlarged edition has an improved, clearer arrangement of word entries, additional definitions per word and a more easily read print. Besides just about everything you normally find in dictionaries, there are these Berlitz bonuses:

- imitated pronunciation next to each foreign-word entry making it as easy to read as your own language

- a unique, practical glossary to simplify reading a foreign restaurant menu and let you know what's in the soup and under the sauce

- useful information on telling time, numbers, commonly seen abbreviations and converting to the metric system in addition to some handy phrases.

In selecting the approximately 12,500 word concepts in each language for this dictionary, it's obvious that the editors have had the traveller's needs foremost in mind. Thus, this book—which like our successful phrasebook and travel-guide series is designed to slip into your pocket or purse easily—should prove valuable in the jumbo-jet age we live in. By the same token, it also offers a student the basic vocabulary he is most likely to encounter and use. And if you run across a word on your trip which you feel belongs in a Berlitz dictionary, tell us. Just write the word on a postcard and mail it to the editors.

englanti-suomi

english-finnish

Johdanto

Sanakirja on laadittu vastaamaan käytännön tarpeita, ja tarpeettomia kielellisiä selityksiä on vältetty.

Kaikki hakusanat ovat aakkosjärjestyksessä huolimatta siitä, ovatko ne yksittäisiä sanoja, yhdyssanoja tai sanaliittoja. Ainoana poikkeuksena ovat kielelle ominaiset ilmaisut, jotka on pantu aakkosjärjestykseen pääsanansa mukaan. Hakusanojen johdannaiset, kuten sanontatavat ja ilmaisut, ovat myös aakkosjärjestyksessä.

Jokaiseen hakusanaan on merkitty äännekirjoitus (ks. Ääntämisohjeet) sekä sanaluokka silloin kun se on mahdollista. Jos hakusana kuuluu useampaan eri sanaluokkaan, kutakin sanaluokkaa vastaava käännös on annettu.

Substantiivien monikko on annettu erikseen silloin kun se on epäsäännöllinen tai muuten epäselvä ja silloin kun monikkomuoto on yleisesti käytössä.

Hakusanaa ei toisteta epäsäännöllisen monikon ja johdannaisten yhteydessä, vaan sen sijasta käytetään ~-merkkiä.

Yhdyssanan epäsäännöllinen monikko on merkitty kokonaisuudessaan, mutta sen vartalo on korvattu pikkuviivalla (–).

Tähti (*) verbin yhteydessä ilmaisee, että verbi on epäsäännöllinen (ks. epäsäännöllisten verbien luetteloa).

Sanakirja noudattaa englantilaista oikeinkirjoitusta, ja amerikkalaiset sanat ja sanontatavat on merkitty erikseen (ks. lyhennysluetteloa).

Lyhenteet

adj	adjektiivi	plAm	monikko	
adv	adverbi		(amerikkalainen)	
Am	amerikkalainen	postp	postpositio	
art	artikkeli	pp	partisiipin perfekti	
conj	konjunktio	pr	preesens	
n	substantiivi	pref	etuliite	
nAm	substantiivi	prep	prepositio	
	(amerikkalainen)	pron	pronomini	
num	lukusana	v	verbi	
p	imperfekti	vAm	verbi	
pl	monikko		(amerikkalainen)	

Ääntämisohjeet

Sanakirjan tämän osan jokaiseen hakusanaan on merkitty ääntämisohjeet kansainvälisin foneettisin kirjaimin (IPA). Äännekirjoituksessa kutakin foneettista merkkiä vastaa määrätty äänne. Alla selitettyjä foneettisia merkkejä lukuun ottamatta muut äännekirjoituksessa esiintyvät kirjaimet ääntyvät suunnilleen samoin kuin suomen kielessä.

Konsonantit

ð soinnillinen s, joka äännetään yläleuan etuhampaiden ja kielenkärjen välistä

ŋ kuten ng sanassa kengän

r äännetään suun etuosassa, mutta pehmeämpänä kuin suomalainen r

ʃ kuten š sanassa šakki

θ soinniton s, joka äännetään yläleuan etuhampaiden ja kielenkärjen välistä

w lyhyt u, jota seuraa häipyvä vokaali

z soinnillinen s, kuten saksan sanassa See

ʒ soinnillinen suhuäänne, kuten j sanassa Jean

Vokaalit

ɑ: kuten a sanassa aamu

æ kuten ä sanassa käsi

ʌ suunnilleen kuten a sanassa talo

ɛ kuten e sanassa keksi

ə heikko katoava ö-äänne kuten saksan sanassa haben

ɔ kuten o sanassa ovi, mutta kieli on lähempänä kitalakea

1) Kaksoispistettä [:] on käytetty silloin kun vokaali ääntyy pitkänä.

2) Ranskankielisissä lainasanoissa on vokaalin yläpuolelle merkitty pieni aaltoviiva (esim. [ɑ̃]), joka ilmaisee että vokaali on nasaalinen. Nenävokaali ääntyy samanaikaisesti suun ja nenän kautta.

Diftongit

Diftongi on kahden vokaalin pariääntiö, joka äännetään yhtenä äänteenä kuten esimerkiksi **ai** sanassa **ai**ta. Englannin kielen diftongeista jälkimmäinen vokaali on aina painoton. Joskus diftongi päättyy [ə]-äänteeseen, jolloin sitä edeltävä vokaali ääntyy vieläkin painottomampana.

Paino

Pääpaino on merkitty painollisen tavun alkuun ['']-merkillä, sivupainollisen tavun alussa on merkkinä [ˌ].

Ääntäminen amerikkalaisittain

Äännekirjoituksemme noudattaa Oxfordin englantia. Vaikka Englannin eri seuduilla kieltä äännetään eri tavoin, Amerikan englanti poikkeaa ääntämiseltään vielä selvemmin Oxfordin englannista. Seuraavassa esitetään muutamia eroja:

1) **r** äännetään jopa konsonantin edellä ja vokaalin jäljessä (englantilaiset jättävät sen ääntämättä) esim. sanoissa bi**r**th ja bee**r**.

2) Usein [ɑː]-äänne muuttuu [æː]:ksi kuten sanoissa ask, castle, laugh jne.

3) [ɔ] äännetään usein [ɑ]:na, toisinaan myös [ɔː]:na.

4) Sanoissa kuten duty, tune, new jne. [j]-äänne, joka edeltää [uː]:ta, jätetään usein ääntämättä.

5) Lisäksi monissa sanoissa paino on eri tavulla kuin Oxfordin englannissa.

A

abbey [ˈæbi] n luostarikirkko
abbreviation [əˌbriːviˈeiʃən] n lyhennys
aberration [ˌæbəˈreiʃən] n poikkeaminen
ability [əˈbiləti] n taito; kyky
able [ˈeibəl] adj kykenevä; pystyvä;
*be ~ to kyetä; voida
abnormal [æbˈnɔːməl] adj epänormaali
aboard [əˈbɔːd] adv laivassa, laivaan
abolish [əˈbɔliʃ] v poistaa
abortion [əˈbɔːʃən] n keskenmeno
about [əˈbaut] prep -sta; koskien jtk;
ympärillä postp; adv suunnilleen,
noin; ympäri
above [əˈbʌv] prep yli prep/postp;
adv yläpuolella
abroad [əˈbrɔːd] adv ulkomaille, ulkomailla
abscess [ˈæbses] n ajos
absence [ˈæbsəns] n poissaolo
absent [ˈæbsənt] adj poissaoleva
absolutely [ˈæbsəluːtli] adv ehdottomasti
abstain from [əbˈstein] pidättyä jstk
abstract [ˈæbstrækt] adj abstraktinen
absurd [əbˈsɔːd] adj järjetön
abundance [əˈbʌndəns] n runsaus

abundant [əˈbʌndənt] adj runsas
abuse [əˈbjuːs] n väärinkäyttö
abyss [əˈbis] n kuilu
academy [əˈkædəmi] n akatemia
accelerate [əkˈseləreit] v kiihdyttää
accelerator [əkˈseləreitə] n kaasupoljin
accent [ˈæksənt] n korostus
accept [əkˈsept] v alistua, hyväksyä
access [ˈækses] n pääsy
accessary [əkˈsesəri] n rikostoveri
accessible [əkˈsesəbəl] adj helppopääsyinen
accessories [əkˈsesəriz] pl asusteet pl,
lisätarvikkeet pl
accident [ˈæksidənt] n tapaturma
accidental [ˌæksiˈdentəl] adj satunnainen
accommodate [əˈkɔmədeit] v majoittaa
accommodation [əˌkɔməˈdeiʃən] n
asunto, majoitus
accompany [əˈkʌmpəni] v saattaa;
säestää
accomplish [əˈkʌmpliʃ] v saattaa päätökseen
in accordance with [in əˈkɔːdəns wið]
mukaisesti postp
according to [əˈkɔːdiŋ tuː] (jnkn) mukaan
account [əˈkaunt] n tili; selonteko; ~
for tehdä tili; on ~ of johdosta

postp

accountable [ə'kauntəbəl] *adj* selitettävissä oleva

accurate ['ækjurət] *adj* tarkka

accuse [ə'kju:z] *v* syyttää

accused [ə'kju:zd] *n* syytetty

accustom [ə'kʌstəm] *v* totuttaa; accustomed tottunut, totunnainen

ache [eik] *v* särkeä; *n* särky

achieve [ə'tʃi:v] *v* saavuttaa; saada aikaan

achievement [ə'tʃi:vmənt] *n* saavutus

acid ['æsid] *n* happo

acknowledge [ək'nɔlidʒ] *v* myöntää; tunnustaa

acne ['ækni] *n* finni

acorn ['eikɔ:n] *n* tammenterho

acquaintance [ə'kweintəns] *n* tuttavuus, tuttava

acquire [ə'kwaiə] *v* hankkia

acquisition [,ækwi'ziʃən] *n* hankinta

acquittal [ə'kwitəl] *n* vapauttaminen syytteestä

across [ə'krɔs] *prep* poikki *postp;* toisella puolella; *adv* toisella puolella

act [ækt] *n* teko; näytös; numero; *v* toimia; käyttäytyä; näytellä

action ['ækʃən] *n* teko, toiminta

active ['æktiv] *adj* aktiivinen; vilkas

activity [æk'tivəti] *n* toiminta

actor ['æktə] *n* näyttelijä

actress ['æktris] *n* näyttelijätär

actual ['æktʃuəl] *adj* varsinainen, todellinen

actually ['æktʃuəli] *adv* itse asiassa

acute [ə'kju:t] *adj* äkillinen

adapt [ə'dæpt] *v* sovittaa; sopeutua

add [æd] *v* laskea yhteen; lisätä

adding-machine ['ædiŋməˌʃi:n] *n* laskukone

addition [ə'diʃən] *n* yhteenlasku; lisäys

additional [ə'diʃənəl] *adj* lisä-; sivu-

address [ə'dres] *n* osoite; *v* osoittaa; puhutella

addressee [,ædre'si:] *n* vastaanottaja

adequate ['ædikwət] *adj* riittävä, asianmukainen

adjective ['ædʒiktiv] *n* adjektiivi

adjourn [ə'dʒə:n] *v* lykätä

adjust [ə'dʒʌst] *v* tarkistaa; soveltaa

administer [əd'ministə] *v* antaa

administration [əd,mini'streiʃən] *n* hallinto

administrative [əd'ministrətiv] *adj* hallinnollinen; ~ law hallinto-oikeus

admiral ['ædmərəl] *n* amiraali

admiration [,ædmə'reiʃən] *n* ihailu

admire [əd'maiə] *v* ihailla

admission [əd'miʃən] *n* sisäänpääsy

admit [əd'mit] *v* päästää sisään; myöntää, tunnustaa

admittance [əd'mitəns] *n* pääsy; no ~ pääsy kielletty

adopt [ə'dɔpt] *v* adoptoida; omaksua

adorable [ə'dɔ:rəbəl] *adj* hurmaava

adult ['ædʌlt] *n* aikuinen; *adj* aikuinen

advance [əd'vɑ:ns] *n* eteneminen; ennakko; *v* edistyä; maksaa ennakolta; in ~ etukäteen

advanced [əd'vɑ:nst] *adj* edistynyt

advantage [əd'vɑ:ntidʒ] *n* etu

advantageous [,ædvən'teidʒəs] *adj* edullinen

adventure [əd'ventʃə] *n* seikkailu

adverb ['ædvə:b] *n* adverbi

advertisement [əd'və:tismənt] *n* ilmoitus; mainos

advertising ['ædvətaiziŋ] *n* mainonta

advice [əd'vais] *n* neuvo

advise [əd'vaiz] *v* neuvoa

advocate ['ædvəkət] *n* asianajaja

aerial ['ɛəriəl] *n* antenni

aeroplane ['ɛərəplein] *n* lentokone

affair [ə'fɛə] *n* asia; rakkausjuttu, suhde

affect [ə'fekt] v vaikuttaa

affected [ə'fektid] adj teennäinen

affection [ə'fekʃən] n kiintymys; sairaus

affectionate [ə'fekʃənit] adj hellä, rakastava

affiliated [ə'filieitid] adj liittynyt

affirmative [ə'fə:mətiv] adj myöntävä

affliction [ə'flikʃən] n kärsimys

afford [ə'fɔ:d] v olla varaa

afraid [ə'freid] adj peloissaan, huolestunut; *be ~ pelätä

Africa ['æfrikə] Afrikka

African ['æfrikən] adj afrikkalainen

after ['ɑ:ftə] prep kuluttua postp; jälkeen postp; conj sen jälkeen kun

afternoon [ˌɑ:ftə'nu:n] n iltapäivä; this ~ tänä iltapäivänä

afterwards ['ɑ:ftəwədz] adv perästäpäin; myöhemmin, jälkeenpäin

again [ə'gen] adv taas, jälleen; ~ and again yhä uudelleen

against [ə'genst] prep vastaan postp

age [eidʒ] n ikä; vanhuus; of ~ täysi-ikäinen; under ~ alaikäinen

aged ['eidʒid] adj iäkäs, vanha

agency ['eidʒənsi] n välitysliike; toimisto

agenda [ə'dʒendə] n päiväjärjestys

agent ['eidʒənt] n agentti, asiamies

aggressive [ə'gresiv] adj hyökkäävä

ago [ə'gou] adv sitten postp

agrarian [ə'greəriən] adj maatalous-, maanviljelys-

agree [ə'gri:] v olla samaa mieltä; suostua; sopia

agreeable [ə'gri:əbəl] adj miellyttävä

agreement [ə'gri:mənt] n sopimus; yhteisymmärrys

agriculture ['ægrikʌltʃə] n maanviljelys

ahead [ə'hed] adv edellä; ~ of edellä postp; *go ~ jatkaa; straight ~ suoraan eteenpäin

aid [eid] n apu; v auttaa, avustaa

ailment ['eilmənt] n kipu; sairaus

aim [eim] n tavoite; ~ at tähdätä, tarkoittaa, pyrkiä jhk

air [ɛə] n ilma; v tuulettaa

air-conditioning ['ɛəkənˌdiʃəniŋ] n ilmastointi; air-conditioned adj ilmastoitu

aircraft ['ɛəkrɑ:ft] n (pl ~) lentokone

airfield ['ɛəfi:ld] n lentokenttä

air-filter ['ɛəˌfiltə] n ilmanpuhdistin

airline ['ɛəlain] n lentoyhtiö

airmail ['ɛəmeil] n lentoposti

airplane ['ɛəplein] nAm lentokone

airport ['ɛəpɔ:t] n lentokenttä

air-sickness ['ɛəˌsiknəs] n lentopahoinvointi

airtight ['ɛətait] adj ilmanpitävä

airy ['ɛəri] adj ilmava

aisle [ail] n sivulaiva; käytävä

alarm [ə'lɑ:m] n hälytys; v hälyttää, pelästyttää

alarm-clock [ə'lɑ:mklɔk] n herätyskello

album ['ælbəm] n albumi

alcohol ['ælkəhɔl] n alkoholi

alcoholic [ˌælkə'hɔlik] adj alkoholipitoinen

ale [eil] n olut

algebra ['ældʒibrə] n algebra

Algeria [æl'dʒiəriə] Algeria

Algerian [æl'dʒiəriən] adj algerialainen

alien ['eiliən] n muukalainen; vieras; adj ulkomainen

alike [ə'laik] adj samankaltainen; adv samalla tavalla

alimony ['æliməni] n elatusapu

alive [ə'laiv] adj elossa

all [ɔ:l] adj kaikki; ~ in kaiken kaikkiaan; ~ right! hyvä on!; at ~ ollenkaan

allergy ['ælədʒi] n yliherkkyys

alley ['æli] n kuja

alliance [ə'laiəns] n liitto

Allies ['ælaiz] pl liittoutuneet pl

allot [ə'lɔt] v osittaa; arpoa

allow [ə'lau] v sallia, suoda; ~ to antaa; *be allowed olla sallittua

allowance [ə'lauəns] n määräraha

all-round [ˌɔ:l'raund] adj monipuolinen

almanac ['ɔ:lmənæk] n almanakka

almond ['ɑ:mənd] n manteli

almost ['ɔ:lmoust] adv melkein, lähes

alone [ə'loun] adv yksin

along [ə'lɔŋ] prep pitkin prep/postp

aloud [ə'laud] adv ääneen

alphabet ['ælfəbet] n aakkoset pl

already [ɔ:l'redi] adv jo

also ['ɔ:lsou] adv myös; sitäpaitsi

altar ['ɔ:ltə] n alttari

alter ['ɔ:ltə] v muuttaa

alteration [ˌɔ:ltə'reiʃən] n muutos

alternate [ɔ:l'tə:nət] adj vuorottainen

alternative [ɔ:l'tə:nətiv] n vaihtoehto

although [ɔ:l'ðou] conj vaikka

altitude ['æltitju:d] n korkeus

alto ['æltou] n (pl ~s) altto

altogether [ˌɔ:ltə'geðə] adv kokonaan; kaiken kaikkiaan

always ['ɔ:lweiz] adv aina

am [æm] v (pr be)

amaze [ə'meiz] v hämmästyttää, ällistyttää

amazement [ə'meizmənt] n hämmästys

ambassador [æm'bæsədə] n suurlähettiläs

amber ['æmbə] n meripihka

ambiguous [æm'bigjuəs] adj kaksiselitteinen; kaksimielinen

ambitious [æm'biʃəs] adj kunnianhimoinen

ambulance ['æmbjuləns] n ambulanssi, sairasauto

ambush ['æmbuʃ] n väijytys

America [ə'merikə] Amerikka

American [ə'merikən] adj amerikkalainen

amethyst ['æmiθist] n ametisti

amid [ə'mid] prep joukossa postp, keskellä prep/postp

ammonia [ə'mouniə] n ammoniakki

amnesty ['æmnisti] n armahdus

among [ə'mʌŋ] prep joukossa postp; parissa postp, kesken postp; ~ other things muun muassa

amount [ə'maunt] n määrä; summa; ~ to kohota

amuse [ə'mju:z] v hauskuttaa, huvittaa

amusement [ə'mju:zmənt] n huvitus, huvi

amusing [ə'mju:ziŋ] adj huvittava

anaemia [ə'ni:miə] n anemia

anaesthesia [ˌænis'θi:ziə] n nukutus

anaesthetic [ˌænis'θetik] n nukutusaine

analyse ['ænəlaiz] v eritellä, analysoida

analysis [ə'næləsis] n (pl -ses) analyysi

analyst ['ænəlist] n analyytikko; psykoanalyytikko

anarchy ['ænəki] n anarkia

anatomy [ə'nætəmi] n anatomia

ancestor ['ænsestə] n esi-isä

anchor ['æŋkə] n ankkuri

ancient ['einʃənt] adj vanha, ikivanha; vanhentunut, vanhanaikainen; muinainen

and [ænd, ənd] conj ja

angel ['eindʒəl] n enkeli

anger ['æŋgə] n suuttumus, kiukku

angle ['æŋgəl] v onkia; n kulma

angry ['æŋgri] adj suuttunut, vihainen

animal ['æniməl] n eläin

ankle ['æŋkəl] n nilkka

annex¹ ['æneks] n lisärakennus; liite

annex² [ə'neks] v ottaa haltuunsa;

liittää

anniversary [ˌæniˈvɜːsəri] n vuosipäivä

announce [əˈnauns] v ilmoittaa, kuuluttaa

announcement [əˈnaunsmənt] n tiedonanto, ilmoitus

annoy [əˈnɔi] v harmittaa, ärsyttää; vaivata

annoyance [əˈnɔiəns] n kiusa

annoying [əˈnɔiiŋ] adj harmillinen, ärsyttävä

annual [ˈænjuəl] adj vuotuinen; n vuosikirja

por annum [pər ˈænəm] vuosittain

anonymous [əˈnɔniməs] adj nimetön

another [əˈnʌðə] adj vielä yksi; toinen

answer [ˈɑːnsə] v vastata; n vastaus

ant [ænt] n muurahainen

anthology [ænˈθɔlədʒi] n antologia

antibiotic [ˌæntibaiˈɔtik] n antibiootti

anticipate [ænˈtisipeit] v ennakoida; aavistaa

antifreeze [ˈæntifriːz] n pakkasneste

antipathy [ænˈtipəθi] n vastenmielisyys

antique [ænˈtiːk] adj antiikkinen; n antiikkiesine; ~ dealer antiikkikauppias

antiquity [ænˈtikwəti] n vanha aika; antiquities pl muinaisesineet pl

antiseptic [ˌæntiˈsɛptik] n antiseptinen aine

antlers [ˈæntləz] pl hirvensarvet pl

anxiety [æŋˈzaiəti] n huoli

anxious [ˈæŋkʃəs] adj innokas; huolestunut

any [ˈeni] adj joku, jokin, mikään

anybody [ˈenibɔdi] pron kukaan; kuka tahansa

anyhow [ˈenihau] adv miten tahansa

anyone [ˈeniwʌn] pron kukaan; kuka tahansa

anything [ˈeniθiŋ] pron mikään; mikä tahansa

anyway [ˈeniwei] adv joka tapauksessa

anywhere [ˈeniwɛə] adv missään; missä tahansa

apart [əˈpɑːt] adv erillään, hajallaan; ~ from lukuunottamatta

apartment [əˈpɑːtmənt] nAm huoneisto, ~ house Am vuokratalo; kerrostalo

aperitif [əˈperətiv] n aperitiivi

apologize [əˈpɔlədʒaiz] v pyytää anteeksi

apology [əˈpɔlədʒi] n anteeksipyyntö

apparatus [ˌæpəˈreitəs] n koje

apparent [əˈpærənt] adj näennäinen; ilmeinen

apparently [əˈpærəntli] adv ilmeisesti; nähtävästi

apparition [ˌæpəˈriʃən] n ilmestys

appeal [əˈpiːl] n vetoomus

appear [əˈpiə] v näyttää jltk, tuntua; ilmetä; ilmestyä; ilmaantua

appearance [əˈpiərəns] n ulkonäkö; ilmaantuminen

appendicitis [əˌpendiˈsaitis] n umpilisäkkeen tulehdus

appendix [əˈpendiks] n (pl -dices, -dixes) umpilisäke

appetite [ˈæpətait] n ruokahalu

appetizer [ˈæpətaizə] n cocktailpala

appetizing [ˈæpətaiziŋ] adj maukas

applause [əˈplɔːz] n suosionosoitus

apple [ˈæpəl] n omena

appliance [əˈplaiəns] n laite, koje

application [ˌæpliˈkeiʃən] n soveltaminen; anomus, hakemus

apply [əˈplai] v käyttää; soveltaa; hakea paikkaa; koskea jtk

appoint [əˈpɔint] v nimittää

appointment [əˈpɔintmənt] n tapaaminen; nimitys

appreciate [əˈpriːʃieit] v arvostaa

appreciation [əˌpriːʃiˈeiʃən] n arviointi;

arvostus

approach [ə'proutʃ] v lähestyä; n menettelytapa; lähestyminen

appropriate [ə'proupriət] adj tarkoituksenmukainen, sopiva, oikea

approval [ə'pru:vəl] n hyväksyminen; **on** ~ nähtäväksi

approve [ə'pru:v] v hyväksyä; ~ **of** antaa hyväksyminen

approximate [ə'prɔksimət] adj likimääräinen

approximately [ə'prɔksimətli] adv likimäärin, noin

apricot ['eiprikɔt] n aprikoosi

April ['eiprəl] huhtikuu

apron ['eiprən] n esiliina

Arab ['ærəb] adj arabialainen; n arabi

arbitrary ['ɑ:bitrəri] adj mielivaltainen

arcade [ɑ:'keid] n kaarikäytävä

arch [ɑ:tʃ] n kaari; holvi

archaeologist [ˌɑ:ki'ɔlədʒist] n arkeologi

archaeology [ˌɑ:ki'ɔlədʒi] n arkeologia, muinaistiede

archbishop [ˌɑ:tʃ'biʃəp] n arkkipiispa

arched [ɑ:tʃt] adj holvattu

architect ['ɑ:kitekt] n arkkitehti

architecture ['ɑ:kitektʃə] n rakennustaide, arkkitehtuuri

archives ['ɑ:kaivz] pl arkisto

are [ɑ:] v (pr be)

area ['tɔəriə] n pinta-ala; alue; ~ **code** suuntanumero

Argentina [ˌɑ:dʒən'ti:nə] Argentiina

Argentinian [ˌɑ:dʒən'tiniən] adj argentiinalainen

argue ['ɑ:gju:] v väitellä, keskustella; väittää

argument ['ɑ:gjumənt] n peruste; väittely

arid ['ærid] adj rutikuiva

*arise [ə'raiz] v saada alkunsa

arithmetic [ə'riθmətik] n laskento

arm [ɑ:m] n käsivarsi; ase; käsinoja; v aseistaa

armchair ['ɑ:mtʃeə] n nojatuoli

armed [ɑ:md] adj aseistettu; ~ **forces** sotavoimat pl

armour ['ɑ:mə] n haarniska

army ['ɑ:mi] n armeija

aroma [ə'roumə] n aromi

around [ə'raund] prep ympäri prep/postp, ympärillä postp; adv ympäri

arrange [ə'reindʒ] v järjestellä, järjestää; valmistella

arrangement [ə'reindʒmənt] n järjestely

arrest [ə'rest] v pidättää; n pidätys

arrival [ə'raivəl] n saapuminen, perilletulo

arrive [ə'raiv] v saapua

arrow ['ærou] n nuoli

art [ɑ:t] n taide; taito; ~ **collection** taidekokoelma; ~ **exhibition** taidenäyttely; ~ **gallery** taidegalleria; ~ **history** taidehistoria; **arts and crafts** taideteollisuus; ~ **school** taidekorkeakoulu

artery ['ɑ:təri] n valtimo

artichoke ['ɑ:titʃouk] n artisokka

article ['ɑ:tikəl] n tavara; artikkeli

artifice ['ɑ:tifis] n juoni

artificial [ˌɑ:ti'fiʃəl] adj keinotekoinen

artist ['ɑ:tist] n taiteilija

artistic [ɑ:'tistik] adj taiteellinen

as [æz] conj niin kuin, kuten; yhtä paljon; kuin; koska, kun; ~ **from** lähtien postp; ~ **if** ikään kuin

asbestos [æz'bestɔs] n asbesti

ascend [ə'send] v kohota, nousta

ascent [ə'sent] n nousu

ascertain [ˌæsə'tein] v todeta; varmistua jstk

ash [æʃ] n tuhka

ashamed [ə'ʃeimd] adj häpeissään;

*be ~ hävetä
ashore [ə'ʃɔː] *adv* maihin, maissa
ashtray ['æʃtrei] *n* tuhkakuppi
Asia ['eiʃə] Aasia
Asian ['eiʃən] *adj* aasialainen
aside [ə'said] *adv* syrjään, sivuun
ask [ɑːsk] *v* kysyä; pyytää; kutsua
asleep [ə'sliːp] *adj* unessa
asparagus [ə'spærəgəs] *n* parsa
aspect ['æspekt] *n* näkökohta
asphalt ['æsfælt] *n* asfaltti
aspire [ə'spaiə] *v* pyrkiä
aspirin ['æspərin] *n* aspiriini
ass [æs] *n* aasi
assassination [ə,sæsi'neiʃən] *n* murha
assault [ə'sɔːlt] *v* hyökätä kimppuun; tehdä väkivaltaa
assemble [ə'sembəl] *v* kutsua koolle; koota
assembly [ə'sembli] *n* kokous
assignment [ə'sainmənt] *n* tehtävä
assign to [ə'sain] antaa toimeksi; lukea (jkn) tilille
assist [ə'sist] *v* avustaa, auttaa; ~ at olla läsnä
assistance [ə'sistəns] *n* apu; avustus
assistant [ə'sistənt] *n* avustaja
associate¹ [ə'souʃiət] *n* työtoveri, kumppani; liittolainen; jäsen
associate² [ə'souʃieit] *v* liittää; ~ with seurustella
association [ə,sousi'eiʃən] *n* yhdistys
assort [ə'sɔːt] *v* lajitella
assortment [ə'sɔːtmənt] *n* valikoima, lajitelma
assume [ə'sjuːm] *v* otaksua, olettaa
assure [ə'ʃuə] *v* vakuuttaa
asthma ['æsmə] *n* astma
astonish [ə'stoniʃ] *v* hämmästyttää
astonishing [ə'stoniʃiŋ] *adj* hämmästyttävä
astonishment [ə'stoniʃmənt] *n* hämmästys
astronomy [ə'stronəmi] *n* tähtitiede

asylum [ə'sailəm] *n* turvapaikka; turvakoti, hoitokoti
at [æt] *prep* luona *postp*, -ssa
ate [et] *v* (p eat)
atheist ['eiθiist] *n* jumalankieltäjä
athlete ['æθliːt] *n* urheilija
athletics [æθ'letiks] *pl* yleisurheilu
Atlantic [ət'læntik] Atlantti
atmosphere ['ætməsfiə] *n* ilmakehä; tunnelma
atom ['ætəm] *n* atomi
atomic [ə'tomik] *adj* ydin-; atomi-
atomizer ['ætəmaizə] *n* sumutin
attach [ə'tætʃ] *v* kiinnittää; liittää; **attached to** kiintynyt
attack [ə'tæk] *v* hyökätä; *n* hyökkäys
attain [ə'tein] *v* saavuttaa
attainable [ə'teinəbəl] *adj* saavutettavissa oleva; luoksepäästävä
attempt [ə'tempt] *v* yrittää, koettaa; *n* yritys
attend [ə'tend] *v* olla läsnä; ~ on palvella; ~ to huolehtia jstk; kiinnittää huomiota, tarkata
attendance [ə'tendəns] *n* osanotto
attendant [ə'tendənt] *n* valvoja
attention [ə'tenʃən] *n* tarkkaavaisuus; ***pay** ~ kiinnittää huomiota
attentive [ə'tentiv] *adj* tarkkaavainen
attic ['ætik] *n* ullakko
attitude ['ætitjuːd] *n* asenne
attorney [ə'tɔːni] *n* asianajaja
attract [ə'trækt] *v* vetää puoleensa
attraction [ə'trækʃən] *n* houkutus; vetovoima, viehätys
attractive [ə'træktiv] *adj* puoleensavetävä
auburn ['ɔːbən] *adj* kastanjanruskea
auction ['ɔːkʃən] *n* huutokauppa
audible ['ɔːdibəl] *adj* kuuluva
audience ['ɔːdiəns] *n* yleisö
auditor ['ɔːditə] *n* kuuntelija
auditorium [,ɔːdi'tɔːriəm] *n* luentosali
August ['ɔːgəst] elokuu

aunt [ɑ:nt] n täti
Australia [ɔ'streiliə] Australia
Australian [ɔ'streiliən] adj australialainen
Austria ['ɔstriə] Itävalta
Austrian ['ɔstriən] adj itävaltalainen
authentic [ɔ:'θentik] adj aito
author ['ɔ:θə] n tekijä, kirjailija
authoritarian [ɔ:ˌθɔri'teəriən] adj autoritäärinen
authority [ɔ:'θɔrəti] n auktoriteetti; valtuus; authorities pl viranomaiset pl
authorization [ˌɔ:θərai'zeiʃən] n valtuutus; hyväksyminen
automatic [ˌɔ:tə'mætik] adj automaattinen
automation [ˌɔ:tə'meiʃən] n automaatio
automobile ['ɔ:təməbi:l] n auto; ~ club autoklubi
autonomous [ɔ:'tɔnəməs] adj autonominen, itsenäinen
autopsy ['ɔ:tɔpsi] n ruumiinavaus
autumn ['ɔ:təm] n syksy
available [ə'veiləbəl] adj saatavissa oleva, käytettävissä oleva
avalanche ['ævəlɑ:nʃ] n lumivyöry
avaricious [ˌævə'riʃəs] adj saita
avenue ['ævənju:] n puistotie
average ['ævəridʒ] adj keskimääräinen; n keskiarvo; on the ~ keskimäärin
averse [ə'vɜ:s] adj vastahakoinen
aversion [ə'vɜ:ʃən] n vastenmielisyys
avert [ə'vɜ:t] v torjua
avoid [ə'vɔid] v välttää, välttyä
await [ə'weit] v odottaa
awake [ə'weik] adj hereillä
*awake [ə'weik] v herättää
award [ə'wɔ:d] n palkinto; v palkita
aware [ə'weə] adj tietoinen
away [ə'wei] adv poissa; *go ~ mennä pois

awful ['ɔ:fəl] adj hirveä, pelottava
awkward ['ɔ:kwəd] adj kiusallinen; kömpelö
awning ['ɔ:niŋ] n aurinkokatos
axe [æks] n kirves
axle ['æksəl] n akseli

B

baby ['beibi] n vauva; ~ carriage Am lastenvaunut pl
babysitter ['beibiˌsitə] n lapsenkaitsija
bachelor ['bætʃələ] n poikamies
back [bæk] n selkä; adv takaisin; *go ~ palata
backache ['bækeik] n selkäsärky
backbone ['bækboun] n selkäranka
background ['bækgraund] n tausta; koulutus
backwards ['bækwədz] adv taaksepäin
bacon ['beikən] n pekoni
bacterium [bæk'ti:riəm] n (pl -ria) bakteeri
bad [bæd] adj huono; vakava, ilkeä; paha
bag [bæg] n pussi; kassi, käsilaukku, matkalaukku
baggage ['bægidʒ] n matkatavarat pl; ~ deposit office Am matkatavarasäilö; hand ~ Am käsimatkatavara
bail [beil] n takaus
bailiff ['beilif] n oikeudenpalvelija
bait [beit] n syötti
bake [beik] v leipoa
baker ['beikə] n leipuri
bakery ['beikəri] n leipomo
balance ['bæləns] n tasapaino; tase; saldo
balcony ['bælkəni] n parveke

bald [bɔ:ld] *adj* kalju
ball [bɔ:l] *n* pallo; tanssiaiset *pl*
ballet ['bælei] *n* baletti
balloon [bə'lu:n] *n* ilmapallo
ballpoint-pen ['bɔ:lpointpen] *n* kuula-kärkikynä
ballroom ['bɔ:lru:m] *n* tanssisali
bamboo [bæm'bu:] *n* (pl ~s) bambu-ruoko
banana [bə'nɑ:nə] *n* banaani
band [bænd] *n* yhtye; yhdysside
bandage ['bændidʒ] *n* side
bandit ['bændit] *n* rosvo
bangle ['bæŋgəl] *n* rannerengas
banisters ['bænistəz] *pl* kaidepuu
bank [bæŋk] *n* pankki; töyräs; *v* tallettaa pankkiin; ~ **account** pank-kitili
banknote ['bæŋknout] *n* seteli
bank-rate ['bæŋkreit] *n* diskonttokor-ko
bankrupt ['bæŋkrʌpt] *adj* maksukyvy-tön, vararikkoinen
banner ['bænə] *n* lippu
banquet ['bæŋkwit] *n* juhla-ateria
banqueting-hall ['bæŋkwitiŋhɔ:l] *n* juhlasali
baptism ['bæptizəm] *n* kaste
baptize [bæp'taiz] *v* kastaa
bar [bɑ:] *n* baari; tanko
barber ['bɑ:bə] *n* parturi
bare [bɛə] *adj* alaston, paljas
barely ['bɛəli] *adv* niukasti
bargain ['bɑ:gin] *n* hyvä kauppa; *v* hieroa kauppaa
baritone ['bæritoun] *n* baritoni
bark [bɑ:k] *n* kaarna; *v* haukkua
barley ['bɑ:li] *n* ohra
barmaid ['bɑ:meid] *n* tarjoilijatar
barman ['bɑ:mən] *n* (pl -men) baari-mikko
barn [bɑ:n] *n* lato
barometer [bə'rɔmitə] *n* ilmapuntari
baroque [bə'rɔk] *adj* -barokki

barracks ['bærəks] *pl* kasarmi
barrel ['bærəl] *n* tynnyri
barrier ['bæriə] *n* este; puomi
barrister ['bæristə] *n* asianajaja
bartender ['bɑ:ˌtendə] *n* baarimikko
base [beis] *n* tukikohta, perusta; ja-lusta; *v* perustaa
baseball ['beisbɔ:l] *n* pesäpallo
basement ['beismənt] *n* kellarikerros
basic ['beisik] *adj* perus-
basilica [bə'zilikə] *n* basilika
basin ['beisən] *n* vati, allas
basis ['beisis] *n* (pl bases) perusta, peruste
basket ['bɑ:skit] *n* kori
bass¹ [beis] *n* basso
bass² [bæs] *n* (pl ~) ahven
bastard ['bɑ:stəd] *n* äpärä; heittiö
batch [bætʃ] *n* erä; kerta
bath [bɑ:θ] *n* kylpy; ~ **salts** kylpy-suola; ~ **towel** kylpypyyhe
bathe [beið] *v* kylvettää, kylpeä
bathing-cap ['beiðiŋkæp] *n* uimalakki
bathing-suit ['beiðiŋsu:t] *n* uimapuku
bathrobe ['bɑ:θroub] *n* kylpytakki
bathroom ['bɑ:θru:m] *n* kylpyhuone; käymälä
batter ['bætə] *n* taikina
battery ['bætəri] *n* paristo; akku
battle ['bætəl] *n* taistelu; kamppailu; *v* taistella
bay [bei] *n* lahti
*be [bi:] *v* olla
beach [bi:tʃ] *n* uimaranta; nudist ~ nudistien uimaranta
bead [bi:d] *n* helmi; beads *pl* helmi-nauha; rukousnauha
beak [bi:k] *n* nokka
beam [bi:m] *n* säde; hirsi
bean [bi:n] *n* papu
bear [bɛə] *n* karhu
*bear [bɛə] *v* kantaa; kärsiä; sietää
beard [biəd] *n* parta
bearer ['bɛərə] *n* kantaja

beast [biːst] *n* elukka; ~ **of prey** petoeläin
***beat** [biːt] *v* lyödä; voittaa
beautiful [ˈbjuːtifəl] *adj* kaunis
beauty [ˈbjuːti] *n* kauneus; ~ **parlour** kauneussalonki; ~ **salon** kauneussalonki; ~ **treatment** kauneudenhoito
beaver [ˈbiːvə] *n* majava
because [biˈkɔz] *conj* koska; ~ **of** takia *postp*, vuoksi *postp*
***become** [biˈkʌm] *v* tulla jksk; pukea
bed [bed] *n* vuode; ~ **and board** täysihoito; ~ **and breakfast** huone ja aamiainen
bedding [ˈbediŋ] *n* vuodevaatteet *pl*
bedroom [ˈbedruːm] *n* makuuhuone
bee [biː] *n* mehiläinen
beech [biːtʃ] *n* pyökki
beef [biːf] *n* naudanliha
beehive [ˈbiːhaiv] *n* mehiläispesä
been [biːn] *v* (pp be)
beer [biə] *n* olut
beet [biːt] *n* juurikas
beetle [ˈbiːtəl] *n* kovakuoriainen
beetroot [ˈbiːtruːt] *n* punajuuri
before [biˈfɔː] *prep* ennen; edessä *postp*; *conj* ennen kuin; *adv* etukäteen; ennen, edellä
beg [beg] *v* kerjätä; anoa; pyytää
beggar [ˈbegə] *n* kerjäläinen
***begin** [biˈgin] *v* alkaa, aloittaa
beginner [biˈginə] *n* vasta-alkaja
beginning [biˈginiŋ] *n* alku
on behalf of [ɔn biˈhɑːf ɔv] nimissä *postp*, puolesta *postp*; eduksi *postp*
behave [biˈheiv] *v* käyttäytyä
behaviour [biˈheivjə] *n* käytös
behind [biˈhaind] *prep* takana *postp*; *adv* jäljessä
beige [beiʒ] *adj* beige
being [ˈbiːiŋ] *n* olento
Belgian [ˈbeldʒən] *adj* belgialainen
Belgium [ˈbeldʒəm] Belgia

belief [biˈliːf] *n* usko
believe [biˈliːv] *v* uskoa
bell [bel] *n* tornikello; soittokello
bellboy [ˈbelbɔi] *n* hotellipoika
belly [ˈbeli] *n* vatsa
belong [biˈlɔŋ] *v* kuulua
belongings [biˈlɔŋiŋz] *pl* omaisuus
beloved [biˈlʌvd] *adj* rakastettu
below [biˈlou] *prep* alla *postp*; *adv* alhaalla
belt [belt] *n* vyö; **garter** ~ *Am* sukkanauhaliivit *pl*
bench [bentʃ] *n* penkki
bend [bend] *n* mutka; kaarre
***bend** [bend] *v* taivuttaa; ~ **down** kumartua
beneath [biˈniːθ] *prep* alla *postp*; *adv* alapuolella
benefit [ˈbenifit] *n* voitto; etu; *v* hyötyä jstkn
bent [bent] *adj* (pp bend) käyrä
beret [ˈberei] *n* baskeri
berry [ˈberi] *n* marja
berth [bəːθ] *n* makuusija
beside [biˈsaid] *prep* vieressä *postp*
besides [biˈsaidz] *adv* sitäpaitsi; *prep* lisäksi *postp*
best [best] *adj* paras
bet [bet] *n* vedonlyönti
***bet** [bet] *v* lyödä vetoa
betray [biˈtrei] *v* pettää
better [ˈbetə] *adj* parempi
between [biˈtwiːn] *prep* välissä *postp*
beverage [ˈbevəridʒ] *n* juoma
beware [biˈweə] *v* varoa, olla varuillaan
bewitch [biˈwitʃ] *v* hurmata, lumota
beyond [biˈjɔnd] *prep* tuolla puolen; yli *prep/postp*; *adv* tuolla puolen
bible [ˈbaibəl] *n* raamattu
bicycle [ˈbaisikəl] *n* polkupyörä
big [big] *adj* iso; suuri; tärkeä
bile [bail] *n* sappi
bilingual [baiˈliŋgwəl] *adj* kaksikieli-

nen
bill [bil] *n* lasku; *v* laskuttaa
billiards ['biljədz] *pl* biljardi
*bind [baind] *v* sitoa
binding ['baindiŋ] *n* nidos
binoculars [bi'nɔkjələz] *pl* kiikari
biology [bai'ɔlədʒi] *n* biologia
birch [bə:tʃ] *n* koivu
bird [bə:d] *n* lintu
Biro ['bairou] *n* kuulakärkikynä
birth [bə:θ] *n* syntymä, synty
birthday ['bə:θdei] *n* syntymäpäivä
biscuit ['biskit] *n* keksi
bishop ['biʃəp] *n* piispa
bit [bit] *n* palanen; hiven
bitch [bitʃ] *n* narttu
bite [bait] *n* suupala; purema
*bite [bait] *v* purra
bitter ['bitə] *adj* kitkerä
black [blæk] *adj* musta; ~ **market**
    musta pörssi
blackberry ['blækbəri] *n* karhunva-
    tukka
blackbird ['blækbə:d] *n* mustarastas
blackboard ['blækbɔ:d] *n* luokan taulu
black-currant [,blæk'kʌrənt] *n* musta-
    herukka
blackmail ['blækmeil] *n* kiristys; *v* ki-
    ristää
blacksmith ['blæksmiθ] *n* seppä
bladder ['blædə] *n* rakko
blade [bleid] *n* terä; ~ **of grass** hei-
    nänkorsi
blame [bleim] *n* syy; moite; *v* moittia
blank [blæŋk] *adj* tyhjä
blanket ['blæŋkit] *n* huopa
blast [blɑ:st] *n* räjähdys
blazer ['bleizə] *n* urheilutakki
bleach [bli:tʃ] *v* valkaista
bleak [bli:k] *adj* paljas; kolea; iloton
*bleed [bli:d] *v* vuotaa verta; nylkeä
bless [bles] *v* siunata
blessing ['blesiŋ] *n* siunaus
blind [blaind] *n* sälekaihdin, kierre-

kaihdin; *adj* sokea; *v* sokaista
blister ['blistə] *n* rakkula
blizzard ['blizəd] *n* lumimyrsky
block [blɔk] *v* tukkia, estää; *n* möh-
    käle; ~ **of flats** kerrostalo
blonde [blɔnd] *n* vaaleaverikkö
blood [blʌd] *n* veri; ~ **pressure** ve-
    renpaine
blood-poisoning ['blʌd,pɔizəniŋ] *n* ve-
    renmyrkytys
blood-vessel ['blʌd,vesəl] *n* verisuoni
blot [blɔt] *n* tahra; häpeäpilkku;
    blotting paper imupaperi
blouse [blauz] *n* pusero
blow [blou] *n* isku; tuulahdus
*blow [blou] *v* tuulla; puhaltaa
blow-out ['blouaut] *n* rengasrikko
blue [blu:] *adj* sininen; alakuloinen
blunt [blʌnt] *adj* tylsä; tylppä
blush [blʌʃ] *v* punastua
board [bɔ:d] *n* lauta; taulu; täysihoi-
    to; johtokunta; ~ **and lodging** täy-
    sihoito
boarder ['bɔ:də] *n* täysihoitolainen
boarding-house ['bɔ:diŋhaus] *n* täysi-
    hoitola
boarding-school ['bɔ:diŋsku:l] *n* sisä-
    oppilaitos
boast [boust] *v* kerskata
boat [bout] *n* vene, laiva
body ['bɔdi] *n* keho, ruumis
bodyguard ['bɔdigɑ:d] *n* henkivartija
body-work ['bɔdiwə:k] *n* autonkori
bog [bɔg] *n* suo
boil [bɔil] *v* kiehua; *n* paise
bold [bould] *adj* rohkea; uskalias,
    röyhkeä
Bolivia [bə'liviə] Bolivia
Bolivian [bə'liviən] *adj* bolivialainen
bolt [boult] *n* salpa; pultti
bomb [bɔm] *n* pommi; *v* pommittaa
bond [bɔnd] *n* obligaatio; side
bone [boun] *n* luu; ruoto; *v* poistaa
    luut

bonnet ['bɔnit] n konepelti
book [buk] n kirja; v tilata; viedä kirjoihin, varata, kirjata
booking ['bukiŋ] n varaus, tilaus
bookmaker ['buk‚meikə] n vedonlyönnin välittäjä
bookseller ['buk‚selə] n kirjakauppias
bookstand ['bukstænd] n kirja- ja lehtikioski
bookstore ['bukstɔː] n kirjakauppa
boot [buːt] n saapas; tavaratila
booth [buːð] n koju; koppi
border ['bɔːdə] n raja; laita
bore¹ [bɔː] v ikävystyttää; porata; n ikävystyttävä ihminen
bore² [bɔː] v (p bear)
bored [bɔːd] adj ikävystynyt
boring ['bɔːriŋ] adj ikävystyttävä
born [bɔːn] adj synnynnäinen
borrow ['bɔrou] v lainata
bosom ['buzəm] n povi; rinta
boss [bɔs] n pomo, päällikkö
botany ['bɔtəni] n kasvitiede
both [bouθ] adj molemmat; both ... and sekä ... että
bother ['bɔðə] v häiritä, kiusata; vaivautua; n kiusa
bottle ['bɔtəl] n pullo; ~ opener pullonavaaja; hot-water ~ kuumavesipullo
bottleneck ['bɔtəlnek] n pullonkaula
bottom ['bɔtəm] n pohja; alaosa; takamus; adj alin
bough [bau] n oksa
bought [bɔːt] v (p, pp buy)
boulder ['bouldə] n lohkare
bound [baund] n raja; *be ~ to täytyä; ~ for matkalla jhkn
boundary ['baundəri] n raja
bouquet [buˈkei] n kimppu
bourgeois ['buəʒwaː] adj poroporvarillinen
boutique [buˈtiːk] n putiikki
bow¹ [bau] v taivuttaa

bow² [bou] n jousi; ~ tie solmuke, rusetti
bowels [bauəlz] pl sisälmykset pl, suolisto
bowl [boul] n kulho
bowling ['bouliŋ] n keilailu; ~ alley keilarata
box¹ [bɔks] v nyrkkeillä; boxing match nyrkkeilyottelu
box² [bɔks] n laatikko
box-office ['bɔks‚ɔfis] n lippumyymälä, lippuluukku
boy [bɔi] n poika; palvelija; ~ scout partiopoika
bra [braː] n rintaliivit pl
bracelet ['breislit] n rannerengas
braces ['breisiz] pl olkaimet pl
brain [brein] n aivot pl; äly
brain-wave ['breinweiv] n neronleimaus
brake [breik] n jarru; ~ drum jarrurumpu; ~ lights jarruvalot pl
branch [braːntʃ] n oksa; haaraosasto
brand [brænd] n merkki; polttomerkki
brand-new [‚brændˈnjuː] adj upouusi
brass [braːs] n messinki; ~ band torvisoittokunta
brassiere ['bræziə] n rintaliivit pl
brassware ['braːsweə] n messinkiesineet pl
brave [breiv] adj kelpo, rohkea; urhoollinen
Brazil [brəˈzil] Brasilia
Brazilian [brəˈziljən] adj brasilialainen
breach [briːtʃ] n rikkominen; riita; aukko
bread [bred] n leipä; wholemeal ~ kokojyväleipä
breadth [bredθ] n leveys
break [breik] n murtuma; välitunti
*break [breik] v rikkoa, murtaa; ~ down mennä rikki

breakdown ['breikdaun] n konerikko, konevika

breakfast ['brekfəst] n aamupala

bream [bri:m] n (pl ~) lahna

breast [brest] n rinta

breaststroke ['brɛststrouk] n rintauinti

breath [breθ] n henkäys

breathe [bri:ð] v hengittää

breathing ['bri:ðiŋ] n hengitys

breed [bri:d] n rotu; laji

*breed [bri:d] v kasvattaa

breeze [bri:z] n tuulenhenkäys

brew [bru:] v panna olutta

brewery ['bru:əri] n olutpanimo

bribe [braib] v lahjoa

bribery ['braibəri] n lahjominen

brick [brik] n tiili

bricklayer ['brikleiə] n muurari

bride [braid] n morsian

bridegroom ['braidgru:m] n sulhanen

bridge [bridʒ] n silta; bridge

brief [bri:f] adj lyhyt

briefcase ['bri:fkeis] n salkku

briefs [bri:fs] pl alushousut pl

bright [brait] adj valoisa; kirkas; valpas, älykäs

brill [bril] n silokampela

brilliant ['briljənt] adj loistava; lahjakas

brim [brim] n reuna

*bring [briŋ] v tuoda; ~ back palauttaa; ~ up kasvattaa; ottaa puheeksi, esittää

brisk [brisk] adj reipas

Britain ['britən] Englanti

British ['britiʃ] adj brittiläinen; englantilainen

Briton ['britən] n britti; englantilainen

broad [brɔ:d] adj leveä; laaja

broadcast ['brɔ:dka:st] n lähetys

*broadcast ['brɔ:dka:st] v lähettää

brochure ['brouʃuə] n esite

broke[1] [brouk] v (p break)

broke[2] [brouk] adj rahaton

broken ['broukən] adj (pp break) rikkinäinen, epäkuntoinen; rikki

broker ['broukə] n välittäjä

bronchitis [brɔŋ'kaitis] n keuhkoputken tulehdus

bronze [brɔnz] n pronssi; adj pronssinen

brooch [broutʃ] n rintaneula

brook [bruk] n puro

broom [bru:m] n luuta

brothel ['brɔθəl] n porttola

brother ['brʌðə] n veli

brother-in-law ['brʌðərinlɔ:] n (pl brothers-) lanko

brought [brɔ:t] v (p, pp bring)

brown [braun] adj ruskea

bruise [bru:z] n mustelma; v saada mustelma

brunette [bru:'net] n ruskeaverikkö

brush [brʌʃ] n harja; sivellin; v harjata

brutal ['bru:təl] adj raakamainen

bubble ['bʌbəl] n kupla

bucket ['bʌkit] n sanko

buckle ['bʌkəl] n solki

bud [bʌd] n nuppu

budget ['bʌdʒit] n budjetti, talousarvio

buffet ['bufei] n seisova pöytä

bug [bʌg] n lude; kovakuoriainen; nAm hyönteinen

*build [bild] v rakentaa

building ['bildiŋ] n rakennus

bulb [bʌlb] n sipuli; kukkasipuli; light ~ hehkulamppu

Bulgaria [bʌl'geəriə] Bulgaria

Bulgarian [bʌl'geəriən] adj bulgarialainen

bulk [bʌlk] n tilavuus; massa; pääosa

bulky ['bʌlki] adj tilaavievä, paksu

bull [bul] n härkä

bullet ['bulit] n luoti

bullfight ['bulfait] n härkätaistelu
bullring ['bulriŋ] n härkätaisteluareena
bump [bʌmp] v törmätä; lyödä; n kolaus, törmäys
bumper ['bʌmpə] n puskuri
bumpy ['bʌmpi] adj kuoppainen
bun [bʌn] n sämpylä
bunch [bʌntʃ] n kimppu; ryhmä
bundle ['bʌndəl] n käärö; v niputtaa, sitoa yhteen
bunk [bʌŋk] n makuusija
buoy [bɔi] n poiju
burden ['bə:dən] n kuorma
bureau ['bjuərou] n (pl ~x, ~s) toimisto; kirjoituslipasto; nAm lipasto
bureaucracy [bjuə'rɔkrəsi] n virkavaltaisuus
burglar ['bə:glə] n murtovaras
burgle ['bə:gəl] v murtautua (jhk)
burial ['beriəl] n hautajaiset pl, hautaus
burn [bə:n] n palohaava
*burn [bə:n] v palaa; polttaa; palaa pohjaan
*burst [bə:st] v haljeta; puhjeta; syöksyä
bury ['beri] v haudata
bus [bʌs] n bussi
bush [buʃ] n pensas
business ['biznəs] n liikeasiat pl, kauppa; liikeyritys; toimi; asia; ~ hours aukioloaika, konttoriaika; ~ trip liikematka; on ~ liikeasioissa
business-like ['biznislaik] adj liikemiesmäinen
businessman ['biznəsmən] n (pl -men) liikemies
bust [bʌst] n rintakuva
bustle ['bʌsəl] n touhu
busy ['bizi] adj kiireinen; vilkasliikenteinen
but [bʌt] conj mutta; vaan; prep paitsi

butcher ['butʃə] n teurastaja
butter ['bʌtə] n voi
butterfly ['bʌtəflai] n perhonen; ~ stroke perhosuinti
buttock ['bʌtək] n pakara
button ['bʌtən] n nappi; v napittaa
buttonhole ['bʌtənhoul] n napinreikä
*buy [bai] v ostaa; hankkia
buyer ['baiə] n ostaja
by [bai] prep avulla postp, kera postp; lähellä prep/postp
by-pass ['baipɑ:s] n ohikulkutie; v kiertää

C

cab [kæb] n taksi
cabaret ['kæbərei] n kabaree
cabbage ['kæbidʒ] n kaali
cab-driver ['kæb‚draivə] n taksinkuljettaja
cabin ['kæbin] n matkustamo; maja; pukeutumiskoppi; hytti
cabinet ['kæbinət] n kabinetti
cable ['keibəl] n kaapeli; sähkösanoma; v sähköttää
cadre ['kɑ:də] n kaaderi; kantajoukko
café ['kæfei] n kahvila
cafeteria [‚kæfə'tiəriə] n itsepalvelukahvila
caffeine ['kæfi:n] n kofeiini
cage [keidʒ] n häkki
cake [keik] n kakku; leivos
calamity [kə'læməti] n onnettomuus
calcium ['kælsiəm] n kalsium
calculate ['kælkjuleit] v laskelmoida
calculation [‚kælkju'leiʃən] n laskelma
calendar ['kæləndə] n kalenteri
calf [kɑ:f] n (pl calves) vasikka; pohje; ~ skin vasikannahka

call [kɔːl] v huutaa; kutsua; soittaa puhelimella; n huuto; vieraskäynti; puhelinsoitto; **be called** olla nimeltään; ~ **names** haukkua; ~ **on** vierailla; ~ **up** Am soittaa puhelimella

callus [ˈkæləs] n kovettuma

calm [kɑːm] adj rauhallinen, tyyni; ~ **down** tyynnyttää; rauhoittua

calorie [ˈkæləri] n kalori

Calvinism [ˈkælvinizəm] n kalvinismi

came [keim] v (p come)

camel [ˈkæməl] n kameli

cameo [ˈkæmiou] n (pl ~s) kamee

camera [ˈkæmərə] n kamera; filmikamera; ~ **shop** valokuvausliike

camp [kæmp] n leiri; v leiriytyä

campaign [kæmˈpein] n kampanja

camp-bed [ˌkæmpˈbed] n telttasänky

camper [ˈkæmpə] n retkeilijä

camping [ˈkæmpiŋ] n telttailu; ~ **site** leirintäalue

camshaft [ˈkæmʃɑːft] n nokka-akseli

can [kæn] n tölkki; ~ **opener** purkinavaaja

can [kæn] v voida

Canada [ˈkænədə] Kanada

Canadian [kəˈneidiən] adj kanadalainen

canal [kəˈnæl] n kanava

canary [kəˈnɛəri] n kanarialintu

cancel [ˈkænsəl] v peruuttaa

cancellation [ˌkænsəˈleiʃən] n peruutus

cancer [ˈkænsə] n syöpä

candelabrum [ˌkændəˈlɑːbrəm] n (pl -bra) haarakynttelikkö

candidate [ˈkændidət] n ehdokas

candle [ˈkændəl] n kynttilä

candy [ˈkændi] n Am makeinen makeiset; ~ **store** Am makeiskauppa

cane [kein] n ruoko; kävelykeppi

canister [ˈkænistə] n peltirasia

canoe [kəˈnuː] n kanootti

canteen [kænˈtiːn] n kanttiini

canvas [ˈkænvəs] n purjekangas; öljyvärimaalaus

cap [kæp] n lakki, päähine

capable [ˈkeipəbəl] adj pystyvä, kykenevä

capacity [kəˈpæsəti] n kapasiteetti; teho; kyky

cape [keip] n niemi; hartiaviitta

capital [ˈkæpitəl] n pääkaupunki; pääoma; adj tärkeä, pääasiallinen; ~ **letter** iso kirjain

capitalism [ˈkæpitəlizəm] n kapitalismi

capitulation [kəˌpitjuˈleiʃən] n antautuminen

capsule [ˈkæpsjuːl] n kapseli

captain [ˈkæptin] n kapteeni; lentokapteeni

capture [ˈkæptʃə] v vangita; vallata; n vangitseminen; valtaus

car [kɑː] n auto; ~ **hire** autovuokraamo; ~ **park** pysäköimisalue; ~ **rental** Am autovuokraamo

carafe [kəˈræf] n karahvi

caramel [ˈkærəməl] n karamelli

carat [ˈkærət] n karaatti

caravan [ˈkærəvæn] n asuntovaunu

carburettor [ˌkɑːbjuˈretə] n kaasutin

card [kɑːd] n kortti; postikortti

cardboard [ˈkɑːdbɔːd] n pahvi; adj pahvinen

cardigan [ˈkɑːdigən] n villatakki

cardinal [ˈkɑːdinəl] n kardinaali; adj pääasiallinen

care [kɛə] n huolenpito; huoli; ~ **about** huolehtia jstk; ~ **for** välittää jstk; **take** ~ **of** huolehtia jstk

career [kəˈriə] n elämänura, virkaura

carefree [ˈkɛəfriː] adj huoleton

careful [ˈkɛəfəl] adj varovainen; huolellinen

careless [ˈkɛələs] adj huolimaton, välinpitämätön

caretaker ['kɛə,teikə] n talonvahti

cargo ['ka:gou] n (pl ~es) lasti

carnival ['ka:nivəl] n karnevaali

carp [ka:p] n (pl ~) karppi

carpenter ['ka:pintə] n puuseppä

carpet ['ka:pit] n matto

carriage ['kæridʒ] n matkustajavaunu; vaunut pl, rattaat pl

carriageway ['kæridʒwei] n ajorata

carrot ['kærət] n porkkana

carry ['kæri] v kantaa; kuljettaa; ~ on jatkaa; ~ out toteuttaa

carry-cot ['kærikɔt] n vauvan kantokassi

cart [ka:t] n rattaat pl

cartilage ['ka:tilidʒ] n rusto

carton ['ka:tən] n pahvilaatikko; kartonki

cartoon [ka:'tu:n] n piirretty filmi

cartridge ['ka:tridʒ] n patruuna

carve [ka:v] v vuolla, veistää

carving ['ka:viŋ] n veistos

case [keis] n tapaus; oikeusjuttu; matkalaukku; kotelo; attaché ~ asiakirjalaukku; in ~ jos; in ~ of siinä tapauksessa että

cash [kæʃ] n käteinen raha; v periä rahoja, vaihtaa rahaksi, lunastaa

cashier [kæ'ʃiə] n kassanhoitaja

cashmere ['kæʃmiə] n kašmirvilla

casino [kə'si:nou] n (pl ~s) kasino

cask [ka:sk] n tynnyri

cast [ka:st] n heitto

*cast [ka:st] v heittää, luoda; cast iron valurauta

castle ['ka:səl] n linna

casual ['kæʒuəl] adj huoleton; satunnainen, pintapuolinen

casualty ['kæʒuəlti] n uhri; vahinko, onnettomuus

cat [kæt] n kissa

catacomb ['kætəkoum] n katakombi

catalogue ['kætəlɔg] n luettelo

catarrh [kə'ta:] n katarri

catastrophe [kə'tæstrəfi] n katastrofi

*catch [kætʃ] v ottaa kiinni; tavoittaa; yllättää, ehtiä

category ['kætigəri] n kategoria

cathedral [kə'θi:drəl] n katedraali, tuomiokirkko

catholic ['kæθəlik] adj katolinen

cattle ['kætəl] pl nautakarja

caught [kɔ:t] v (p, pp catch)

cauliflower ['kɔliflauə] n kukkakaali

cause [kɔ:z] v aiheuttaa; n syy; peruste, aihe; asia; ~ to saada tekemään jtn

causeway ['kɔ:zwei] n maantie

caution ['kɔ:ʃən] n varovaisuus; v varoittaa

cautious ['kɔ:ʃəs] adj varovainen

cave [keiv] n luola; onkalo

cavern ['kævən] n luola

caviar ['kævia:] n kaviaari

cavity ['kævəti] n ontelo, kolo

cease [si:s] v lopettaa

ceiling ['si:liŋ] n sisäkatto

celebrate ['selibreit] v juhlia

celebration [,seli'breiʃən] n juhla

celebrity [si'lebrəti] n kuuluisuus

celery ['seləri] n selleri

celibacy ['selibəsi] n naimattomuus

cell [sel] n selli

cellar ['selə] n kellari

cellophane ['seləfein] n sellofaani

cement [si'ment] n sementti

cemetery ['semitri] n hautausmaa

censorship ['sensəʃip] n sensuuri

centigrade ['sentigreid] adj celsius-

centimetre ['sentimi:tə] n senttimetri

central ['sentrəl] adj keski-; ~ heating keskuslämmitys; ~ station keskusasema

centralize ['sentrəlaiz] v keskittää

centre ['sentə] n keskusta; keskipiste

century ['sentʃəri] n vuosisata

ceramics [si'ræmiks] pl keramiikka

ceremony ['serəməni] n juhlamenot

pl

certain [ˈsəːtən] *adj* varma; tietty

certificate [səˈtifikət] *n* asiakirja; kirjallinen todistus, todistus, diplomi, asiapaperi

chain [tʃein] *n* ketju

chair [tʃeə] *n* tuoli

chairman [ˈtʃeəmən] *n* (pl -men) puheenjohtaja

chalet [ˈʃælei] *n* alppimaja

chalk [tʃɔːk] *n* liitu

challenge [ˈtʃæləndʒ] *v* haastaa; *n* haaste

chamber [ˈtʃeimbə] *n* huone

chambermaid [ˈtʃeimbəmeid] *n* siivooja

champagne [ʃæmˈpein] *n* samppanja

champion [ˈtʃæmpjən] *n* mestari; esitaistelija

chance [tʃɑːns] *n* sattuma; mahdollisuus, tilaisuus; riski; **by** ~ sattumalta

change [tʃeindʒ] *v* muuttaa; vaihtaa; vaihtaa pukua; vaihtaa kulkuneuvoa; *n* muutos, vaihdos; pikkuraha, vaihtoraha

channel [ˈtʃænəl] *n* kanaali; **English Channel** Englannin kanaali

chaos [ˈkeiɔs] *n* sekasorto

chaotic [keiˈɔtik] *adj* sekasortoinen

chap [tʃæp] *n* kaveri

chapel [ˈtʃæpəl] *n* kappeli, kirkko

chaplain [ˈtʃæplin] *n* kappalainen

character [ˈkærəktə] *n* luonne

characteristic [ˌkærəktəˈristik] *adj* ominainen, luonteenomainen; *n* tunnusmerkki; ominaispiirre

characterize [ˈkærəktəraiz] *v* luonnehtia

charcoal [ˈtʃɑːkoul] *n* puuhiili

charge [tʃɑːdʒ] *v* vaatia maksua, veloittaa; syyttää; lastata; *n* maksu; lasti, rasite, kuorma; *n* syytös; ~ **plate** *Am* luottokortti; **free of** ~

maksuton; **in** ~ **of** vastuussa jstk; ***take** ~ **of** ottaa huolekseen

charity [ˈtʃærəti] *n* hyväntekeväisyys

charm [tʃɑːm] *n* viehätys; amuletti

charming [ˈtʃɑːmiŋ] *adj* viehättävä

chart [tʃɑːt] *n* taulukko; kaavio; merikortti; **conversion** ~ muuntotaulukko

chase [tʃeis] *v* ajaa takaa; karkottaa; *n* metsästys, takaa-ajo

chasm [ˈkæzəm] *n* kuilu

chassis [ˈʃæsi] *n* (pl ~) autonrunko, alusta

chaste [tʃeist] *adj* siveä

chat [tʃæt] *v* jutella, rupatella; *n* juttelu, rupattelu, pakina

chatterbox [ˈtʃætəbɔks] *n* lörpöttelijä

chauffeur [ˈʃoufə] *n* autonkuljettaja

cheap [tʃiːp] *adj* halpa; edullinen

cheat [tʃiːt] *v* petkuttaa

check [tʃek] *v* tarkistaa; *n* ruutu; *nAm* lasku; *nAm* šekki; **check!** šakki!; ~ **in** ilmoittautua saapuessa; ~ **out** ilmoittautua lähtiessä

check-book [ˈtʃekbuk] *nAm* šekkivihko

checkerboard [ˈtʃekəbɔːd] *nAm* šakkilauta

checkers [ˈtʃekəz] *plAm* tammipeli

checkroom [ˈtʃekruːm] *nAm* vaatesäilö

check-up [ˈtʃekʌp] *n* tarkastus

cheek [tʃiːk] *n* poski

cheek-bone [ˈtʃiːkboun] *n* poskipää

cheer [tʃiə] *v* hurrata; ~ **up** reipastuttaa

cheerful [ˈtʃiəfəl] *adj* iloinen, ilahduttava

cheese [tʃiːz] *n* juusto

chef [ʃef] *n* keittiömestari

chemical [ˈkemikəl] *adj* kemiallinen

chemist [ˈkemist] *n* apteekkari; **chemist's** apteekki; rohdoskauppa

chemistry [ˈkemistri] *n* kemia

cheque [tʃek] n šekki
cheque-book [ˈtʃekbuk] n šekkivihko
chequered [ˈtʃekəd] adj ruudullinen
cherry [ˈtʃeri] n kirsikka
chess [tʃes] n šakkipeli
chest [tʃest] n rinta; rintakehä; laa-
  tikko; ~ of drawers lipasto
chestnut [ˈtʃesnʌt] n kastanja
chew [tʃuː] v pureskella
chewing-gum [ˈtʃuːiŋɡʌm] n puruku-
  mi
chicken [ˈtʃikin] n kananpoika
chickenpox [ˈtʃikinpɔks] n vesirokko
chief [tʃiːf] n päällikkö; adj pää-, ylin
chieftain [ˈtʃiːftən] n päällikkö
chilblain [ˈtʃilblein] n kylmänkyhmy
child [tʃaild] n (pl children) lapsi
childbirth [ˈtʃaildbəːθ] n synnytys
childhood [ˈtʃaildhud] n lapsuus
Chile [ˈtʃili] Chile
Chilean [ˈtʃiliən] adj chileläinen
chill [tʃil] n väristys
chilly [ˈtʃili] adj kolea
chimes [tʃaimz] pl kellonsoitto
chimney [ˈtʃimni] n savupiippu
chin [tʃin] n leuka
China [ˈtʃainə] Kiina
china [ˈtʃainə] n posliini
Chinese [tʃaiˈniːz] adj kiinalainen
chink [tʃiŋk] n rako; kilinä
chip [tʃip] n lastu; pelimarkka; v loh-
  kaista; chips ranskalaiset perunat
chiropodist [kiˈrɔpədist] n jalkojen-
  hoitaja
chisel [ˈtʃizəl] n taltta
chives [tʃaivz] pl ruoholaukka
chlorine [ˈklɔːriːn] n kloori
chock-full [tʃɔkˈful] adj täpötäysi
chocolate [ˈtʃɔklət] n suklaa; suklaa-
  juoma
choice [tʃɔis] n valinta; valikoima
choir [kwaiə] n kuoro
choke [tʃouk] v tukehtua; kuristaa; n
  rikastin

*choose [tʃuːz] v valita
chop [tʃɔp] n kyljys; v hienontaa
Christ [kraist] Kristus
christen [ˈkrisən] v kastaa
christening [ˈkrisəniŋ] n kaste
Christian [ˈkristʃən] adj kristitty; ~
  name ristimänimi
Christmas [ˈkrisməs] joulu
chromium [ˈkroumiəm] n kromi
chronic [ˈkrɔnik] adj krooninen
chronological [ˌkrɔnəˈlɔdʒikəl] adj
  kronologinen
chuckle [ˈtʃʌkəl] v hihittää
chunk [tʃʌŋk] n kimpale
church [tʃəːtʃ] n kirkko
churchyard [ˈtʃəːtʃjɑːd] n kirkkomaa
cigar [siˈɡɑː] n sikari; ~ shop tupak-
  kakauppa
cigarette [ˌsiɡəˈret] n savuke; ~ to-
  bacco savuketupakka
cigarette-case [ˌsiɡəˈretkeis] n savu-
  kekotelo
cigarette-holder [ˌsiɡəˈretˌhouldə] n
  imuke
cigarette-lighter [ˌsiɡəˈretˌlaitə] n sa-
  vukkeensytytin
cinema [ˈsinəmə] n elokuvateatteri
cinnamon [ˈsinəmən] n kaneli
circle [ˈsəːkəl] n ympyrä; piiri; parvi;
  v ympäröidä, saartaa
circulation [ˌsəːkjuˈleiʃən] n verenkier-
  to; liike
circumstance [ˈsəːkəmstæns] n asian-
  haara
circus [ˈsəːkəs] n sirkus
citizen [ˈsitizən] n kaupunkilainen
citizenship [ˈsitizənʃip] n kansalaisuus
city [ˈsiti] n kaupunki
civic [ˈsivik] adj kansalais-
civil [ˈsivəl] adj kansalais-; kohtelias;
  ~ law siviilioikeus; ~ servant
  valtionvirkamies
civilian [siˈviljən] adj siviili-; n siviili-
  henkilö

civilization [ˌsivəlaiˈzeiʃən] n sivistys

civilized [ˈsivəlaizd] adj sivistynyt

claim [kleim] v vaatia; väittää; n vaatimus

clamp [klæmp] n sinkilä; ruuvipuristin

clap [klæp] v taputtaa, osoittaa suosiota

clarify [ˈklærifai] v selvittää, selventää

class [klɑːs] n luokka

classical [ˈklæsikəl] adj klassinen

classify [ˈklæsifai] v luokitella

class-mate [ˈklɑːsmeit] n luokkatoveri

classroom [ˈklɑːsruːm] n luokkahuone

clause [klɔːz] n ehto; sivulause

claw [klɔː] n kynsi

clay [klei] n savi

clean [kliːn] adj puhdas, siisti; v puhdistaa, siivota

cleaning [ˈkliːniŋ] n siivous, puhdistus; ~ fluid puhdistusaine

clear [kliə] adj kirkas; selvä; v selvittää; puhdistaa

clearing [ˈkliəriŋ] n metsäaukeama

cleft [kleft] n kuilu, halkeama

clergyman [ˈklɔːdʒimən] n (pl -men) pastori, pappi; kirkonmies

clerk [klɑːk] n konttoristi; kanslisti; sihteeri

clever [ˈklevə] adj älykäs; kekseliäs, nokkela

client [ˈklaiənt] n asiakas

cliff [klif] n rantakallio, rantatörmä

climate [ˈklaimit] n ilmasto

climb [klaim] v kavuta; kiivetä; n kiipeäminen

clinic [ˈklinik] n klinikka

cloak [klouk] n mantteli

cloakroom [ˈkloukruːm] n vaatesäilö

clock [klɔk] n kello; at ... o'clock kello ...

cloister [ˈklɔistə] n luostari

close¹ [klouz] v sulkea; closed adj suljettu, umpinainen

close² [klous] adj läheinen

closet [ˈklɔzit] n komero; nAm vaatekaappi

cloth [klɔθ] n kangas; riepu

clothes [klouðz] pl vaatteet pl

clothes-brush [ˈklouðzbrʌʃ] n vaateharja

clothing [ˈklouðiŋ] n vaatetus

cloud [klaud] n pilvi

cloud-burst [ˈklaudbəst] n kaatosade

cloudy [ˈklaudi] adj pilvinen

clover [ˈklouvə] n apila

clown [klaun] n ilveilijä

club [klʌb] n kerho, klubi; nuija, patukka

clumsy [ˈklʌmzi] adj kömpelö

clutch [klʌtʃ] n kytkin; tiukka ote

coach [koutʃ] n linja-auto; vaunu; vaunut pl; valmentaja

coagulate [kouˈægjuleit] v hyytyä

coal [koul] n kivihiili

coarse [kɔːs] adj karkea; hienostumaton

coast [koust] n rannikko

coat [kout] n päällystakki, takki

coat-hanger [ˈkoutˌhæŋə] n vaateripustin

cobweb [ˈkɔbweb] n hämähäkinverkko

cocaine [kouˈkein] n kokaiini

cock [kɔk] n kukko

cocktail [ˈkɔkteil] n cocktail

coconut [ˈkoukənʌt] n kookospähkinä

cod [kɔd] n (pl ~) turska

code [koud] n salakieli, koodi; säännöt

coffee [ˈkɔfi] n kahvi

cognac [ˈkɔnjæk] n konjakki

coherence [kouˈhiərəns] n yhtenäisyys

coin [kɔin] n kolikko

coincide [ˌkouinˈsaid] v sattua samaan aikaan

cold [kould] adj kylmä; n kylmyys; vilustuminen; *catch a ~ vilustua

collapse [kə'læps] v lysähtää, romahtaa

collar ['kɔlə] n kaulahihna; kaulus; ~ stud kauluksennappi

collarbone ['kɔləboun] n solisluu

colleague ['kɔliːg] n virkaveli

collect [kə'lekt] v koota; noutaa; kerätä

collection [kə'lekʃən] n kokoelma; keräys

collective [kə'lektiv] adj yhteis-

collector [kə'lektə] n keräilijä; kerääjä

college ['kɔlidʒ] n korkeakoulu

collide [kə'laid] v törmätä yhteen

collision [kə'liʒən] n yhteentörmäys

Colombia [kə'lɔmbiə] Kolumbia

Colombian [kə'lɔmbiən] adj kolumbialainen

colonel ['kəːnəl] n eversti

colony ['kɔləni] n siirtokunta

colour ['kʌlə] n väri; v värittää; ~ film värifilmi

colourant ['kʌlərənt] n väriaine

colour-blind ['kʌləblaind] adj värisokea

coloured ['kʌləd] adj värillinen

colourful ['kʌləfəl] adj värikäs

column ['kɔləm] n pylväs, pilari; palsta; rivistö

coma ['koumə] n tajuttomuus

comb [koum] v kammata; n kampa

combat ['kɔmbæt] n kamppailu, taistelu; v taistella jtkn vastaan, kamppailla

combination [ˌkɔmbi'neiʃən] n yhdistelmä

combine [kəm'bain] v yhdistää

*come [kʌm] v tulla; ~ across kohdata; löytää

comedian [kə'miːdiən] n näyttelijä; koomikko

comedy ['kɔmədi] n huvinäytelmä; musical ~ musiikkinäytelmä

comfort ['kʌmfət] n mukavuus, hyvinvointi; lohdutus; v lohduttaa

comfortable ['kʌmfətəbəl] adj mukava

comic ['kɔmik] adj koominen

comics ['kɔmiks] pl sarjakuva

coming ['kʌmiŋ] n tulo

comma ['kɔmə] n pilkku

command [kə'mɑːnd] v käskeä; n komento

commander [kə'mɑːndə] n päällikkö

commemoration [kəˌmemə'reiʃən] n muistojuhla

commence [kə'mens] v alkaa

comment ['kɔment] n huomautus; v huomauttaa

commerce ['kɔməːs] n kauppa

commercial [kə'məːʃəl] adj kauppa-, kaupallinen; n mainos; ~ law kauppaoikeus

commission [kə'miʃən] n toimikunta

commit [kə'mit] v jättää, uskoa (jllk); tehdä

committee [kə'miti] n komitea, valiokunta

common ['kɔmən] adj tavallinen; yhteinen

commune ['kɔmjuːn] n kunta

communicate [kə'mjuːnikeit] v kommunikoida

communication [kəˌmjuːni'keiʃən] n viestintä; tiedotus

communiqué [kə'mjuːnikei] n virallinen tiedonanto

communism ['kɔmjunizəm] n kommunismi

communist ['kɔmjunist] n kommunisti

community [kə'mjuːnəti] n yhteisö, yhdyskunta

commuter [kə'mjuːtə] n kausilipun haltija

compact ['kɔmpækt] adj kiinteä

companion [kəm'pænjən] n seuralainen

company ['kʌmpəni] n seura; yhtiö, toiminimi

comparative [kəm'pærətiv] adj suhteellinen

compare [kəm'pɛə] v verrata

comparison [kəm'pærisən] n vertaus

compartment [kəm'pɑ:tmənt] n vaununosasto

compass ['kʌmpəs] n kompassi

compel [kəm'pel] v pakottaa

compensate ['kɔmpənseit] v korvata

compensation [ˌkɔmpən'seiʃən] n hyvitys; vahingonkorvaus

compete [kəm'pi:t] v kilpailla

competition [ˌkɔmpə'tiʃən] n kilpailu

competitor [kəm'petitər] n kilpailija

compile [kəm'pail] v sommitella; laatia

complain [kəm'plein] v valittaa

complaint [kəm'pleint] n valitus; complaints book valituskirja

complete [kəm'pli:t] adj täydellinen, kokonainen; v suorittaa loppuun

completely [kəm'pli:tli] adv täydellisesti, kokonaan, täysin

complex ['kɔmpleks] n rakennuskompleksi; adj monimutkainen, sekava

complexion [kəm'plekʃən] n hipiä

complicated ['kɔmplikeitid] adj pulmallinen, monimutkainen

compliment ['kɔmplimənt] n kohteliaisuus; v kehua

compose [kəm'pouz] v koota; säveltää

composer [kəm'pouzə] n säveltäjä

composition [ˌkɔmpə'ziʃən] n sävellys; sommittelu

comprehensive [ˌkɔmpri'hensiv] adj laaja

comprise [kəm'praiz] v sisältää

compromise ['kɔmprəmaiz] n sovitteluratkaisu

compulsory [kəm'pʌlsəri] adj pakollinen

comrade ['kɔmreid] n toveri

conceal [kən'si:l] v kätkeä

conceited [kən'si:tid] adj itserakas

conceive [kən'si:v] v käsittää, kuvitella; konsipioida

concentrate ['kɔnsəntreit] v keskittää; keskittyä

concentration [ˌkɔnsən'treiʃən] n keskitys

conception [kən'sepʃən] n käsitys; hedelmöittyminen

concern [kən'sə:n] v koskea, kuulua; n huoli; asia; yhtymä, liikeyritys

concerned [kən'sə:nd] adj huolestunut; osallinen

concerning [kən'sə:niŋ] prep nähden postp, suhteen postp

concert ['kɔnsət] n konsertti; ~ hall konserttisali

concession [kən'seʃən] n toimilupa; myönnytys

concierge [ˌkɔsi'ɛəʒ] n portinvartija

concise [kən'sais] adj lyhytsanainen

conclusion [kəŋ'klu:ʒən] n johtopäätös, lopputulos

concrete ['kɔŋkri:t] adj konkreettinen; n betoni

concurrence [kəŋ'kʌrəns] n yhteensattuma

concussion [kəŋ'kʌʃən] n aivotärähdys

condition [kən'diʃən] n ehto; kunto, tila; olosuhde

conditional [kən'diʃənəl] adj ehdonalainen

conduct[1] ['kɔndʌkt] n käytös

conduct[2] [kən'dʌkt] v johtaa; saattaa

conductor [kən'dʌktə] n rahastaja; orkesterinjohtaja

confectioner [kən'fekʃənə] n sokerileipuri

conference ['kɔnfərəns] n konferenssi

confess [kən'fes] v myöntää; ripittäytyä; tunnustaa

confession [kən'feʃən] n tunnustus; rippi

confidence ['kɔnfidəns] n luottamus

confident ['kɔnfidənt] adj luottavainen

confidential [ˌkɔnfi'denʃəl] adj luottamuksellinen

confirm [kən'fəːm] v vahvistaa

confirmation [ˌkɔnfə'meiʃən] n vahvistus

confiscate ['kɔnfiskeit] v julistaa menetetyksi, takavarikoida

conflict ['kɔnflikt] n ristiriita

confuse [kən'fjuːz] v saattaa ymmälle; confused adj hämmentynyt

confusion [kən'fjuːʒən] n hämminki

congratulate [kən'grætʃuleit] v onnitella

congratulation [kənˌgrætʃu'leiʃən] n onnittelu, onnentoivotus

congregation [ˌkɔŋgri'geiʃən] n seurakunta

congress ['kɔŋgres] n kongressi

connect [kə'nekt] v yhdistää; kytkeä; liittää

connection [kə'nekʃən] n suhde; yhteys, jatkoyhteys

connoisseur [ˌkɔnə'səː] n tuntija

connotation [ˌkɔnə'teiʃən] n sivumerkitys

conquer ['kɔŋkə] v valloittaa

conqueror ['kɔŋkərə] n valloittaja

conquest ['kɔŋkwest] n valloitus

conscience ['kɔnʃəns] n omatunto

conscious ['kɔnʃəs] adj tietoinen

consciousness ['kɔnʃəsnəs] n tietoisuus

conscript ['kɔnskript] n asevelvollinen

consent [kən'sent] v suostua; myöntyä; n suostumus

consequence ['kɔnsikwəns] n seuraus

consequently ['kɔnsikwəntli] adv siis

conservative [kən'səːvətiv] adj konservatiivinen, vanhoillinen

consider [kən'sidə] v miettiä; harkita; pitää jnak, olla jtk mieltä

considerable [kən'sidərəbəl] adj huomattava, melkoinen

considerate [kən'sidərət] adj huomaavainen

consideration [kənˌsidə'reiʃən] n huomioonottaminen; harkinta; huomaavaisuus

considering [kən'sidəriŋ] prep huomioon ottaen

consignment [kən'sainmənt] n lähetys

consist of [kən'sist] koostua

conspire [kən'spaiə] v vehkeillä

constant ['kɔnstənt] adj alinomainen

constipated ['kɔnstipeitid] adj ummettunut

constipation [ˌkɔnsti'peiʃən] n ummetus, umpitauti

constituency [kən'stitʃuənsi] n vaalipiiri

constitution [ˌkɔnsti'tjuːʃən] n valtiosääntö

construct [kən'strʌkt] v rakentaa

construction [kən'strʌkʃən] n rakenne; rakentaminen, rakennus

consul ['kɔnsəl] n konsuli

consulate ['kɔnsjulət] n konsulaatti

consult [kən'sʌlt] v kysyä neuvoa

consultation [ˌkɔnsəl'teiʃən] n neuvotelu; ~ hours vastaanottoaika

consumer [kən'sjuːmə] n kuluttaja

contact ['kɔntækt] n yhteys; kosketus; katkaisin; v ottaa yhteys; ~ lenses piilolasit pl

contagious [kən'teidʒəs] adj tarttuva

contain [kən'tein] v sisältää

container [kən'teinə] n säiliö; kontti

contemporary [kən'tempərəri] adj samanaikainen; nykyaikainen; n aikalainen contempt [kən'tempt] *n* ylenkatse, halveksiminen

content [kən'tent] *adj* tyytyväinen

contents ['kɔntents] *pl* sisällys

contest ['kɔntest] *n* kilpailu; taistelu; ottelu

continent ['kɔntinənt] *n* mannermaa, maanosa; manner

continental [,kɔnti'nentəl] *adj* mannermainen

continual [kən'tinjuəl] *adj* alituinen; **continually** *adv* alinomaa

continue [kən'tinju:] *v* jatkaa; jatkua

continuous [kən'tinjuəs] *adj* jatkuva, keskeytymätön

contour ['kɔntuə] *n* ääriviiva

contraceptive [,kɔntrə'septiv] *n* ehkäisyväline

contract¹ ['kɔntrækt] *n* sopimus

contract² [kən'trækt] *v* tehdä sopimus; sopia

contractor [kən'træktə] *n* urakoitsija

contradict [,kɔntrə'dikt] *v* vastustaa; väittää vastaan

contradictory [,kɔntrə'diktəri] *adj* ristiriitainen

contrary ['kɔntrəri] *n* vastakohta; *adj* päinvastainen; **on the ~** päinvastoin

contrast ['kɔntrɑːst] *n* vastakohta; ero

contribution [,kɔntri'hjuːʃən] *n* avustus

control [kən'troul] *n* valvonta; *v* valvoa, säännöstellä

controversial [,kɔntrə'vəːʃəl] *adj* kiistanalainen

convenience [kən'viːnjəns] *n* mukavuus

convenient [kən'viːnjənt] *adj* mukava; sopiva

convent ['kɔnvənt] *n* nunnaluostari

conversation [,kɔnvə'seiʃən] *n* keskustelu

convert [kən'vəːt] *v* käännyttää; muuntaa

convict¹ [kən'vikt] *v* tunnustaa syylliseksi

convict² ['kɔnvikt] *n* tuomittu

conviction [kən'vikʃən] *n* vakaumus; tuomitseminen

convince [kən'vins] *v* saada vakuuttuneeksi

convulsion [kən'vʌlʃən] *n* kouristus

cook [kuk] *n* kokki; *v* keittää; laittaa ruokaa, valmistaa ruokaa

cookbook ['kukbuk] *nAm* keittokirja

cooker ['kukə] *n* liesi; **gas ~** kaasuliesi

cookery-book ['kukəribuk] *n* keittokirja

cookie ['kuki] *nAm* keksi

cool [kuːl] *adj* viileä; **cooling system** jäähdytysjärjestelmä

co-operation [kou,ɔpə'reiʃən] *n* yhteistyö; yhteistoiminta

co-operative [kou'ɔpərətiv] *adj* osuustoiminnallinen; valmis yhteistyöhön, yhteistoiminnallinen; *n* osuustoiminta

co-ordinate [kou'ɔːdineit] *v* rinnastaa

co-ordination [kou,ɔːdi'neiʃən] *n* rinnastus

copper ['kɔpə] *n* kupari

copy ['kɔpi] *n* jäljennös; kappale; *v* jäljentää; jäljitellä; **carbon ~** hiilipaperijäljennös

coral ['kɔrəl] *n* koralli

cord [kɔːd] *n* köysi; nuora

cordial ['kɔːdiəl] *adj* sydämellinen

corduroy ['kɔːdərɔi] *n* vakosametti

core [kɔː] *n* sisus; siemenkota

cork [kɔːk] *n* korkki

corkscrew ['kɔːkskruː] *n* korkkiruuvi

corn [kɔːn] *n* rae; vilja; liikavarvas; **~ on the cob** maissintähkä

corner ['kɔːnə] *n* kulma

cornfield ['kɔːnfiːld] *n* viljapelto

corpse [kɔːps] *n* ruumis

corpulent ['kɔ:pjulənt] *adj* pyylevä; tukeva, lihava

correct [kə'rekt] *adj* moitteeton, oikea; *v* oikaista

correction [kə'rekʃən] *n* oikaisu; korjaus

correctness [kə'rektnəs] *n* täsmällisyys

correspond [ˌkɔri'spɔnd] *v* olla kirjeenvaihdossa; vastata

correspondence [ˌkɔri'spɔndəns] *n* kirjeenvaihto

correspondent [ˌkɔri'spɔndənt] *n* kirjeenvaihtaja

corridor ['kɔridɔ:] *n* käytävä

corrupt [kə'rʌpt] *adj* turmeltunut; *v* lahjoa

corruption [kə'rʌpʃən] *n* lahjominen

corset ['kɔ:sit] *n* korsetti

cosmetics [kɔz'metiks] *pl* kauneudenhoitoaineet *pl*

cost [kɔst] *n* kustannukset *pl;* hinta

*cost [kɔst] *v* maksaa

cosy ['kouzi] *adj* kodikas

cot [kɔt] *nAm* telttasänky

cottage ['kɔtidʒ] *n* mökki

cotton ['kɔtən] *n* puuvilla; puuvillainen

cotton-wool ['kɔtənwul] *n* vanu

couch [kautʃ] *n* leposohva

cough [kɔf] *n* yskä; *v* yskiä

could [kud] *v* (p can)

council ['kaunsəl] *n* neuvosto

councillor ['kaunsələ] *n* neuvosmies

counsel ['kaunsəl] *n* neuvonantaja; neuvottelu

counsellor ['kaunsələ] *n* neuvonantaja; lainopillinen avustaja

count [kaunt] *v* laskea; laskea mukaan; pitää jnak; *n* kreivi

counter ['kauntə] *n* myyntipöytä; tiski

counterfeit ['kauntəfi:t] *v* väärentää

counterfoil ['kauntəfɔil] *n* kanta

counterpane ['kauntəpein] *n* päiväpeite

countess ['kauntis] *n* kreivitär

country ['kʌntri] *n* maa; maaseutu; ~ house maatalo

countryman ['kʌntrimən] *n* (pl -men) maanmies

countryside ['kʌntrisaid] *n* maaseutu

county ['kaunti] *n* kreivikunta

couple ['kʌpəl] *n* pari

coupon ['ku:pɔn] *n* maksulippu, kuponki

courage ['kʌridʒ] *n* urheus, rohkeus

courageous [kə'reidʒəs] *adj* urhoollinen, rohkea

course [kɔ:s] *n* suunta; ruokalaji; kulku; kurssi; intensive ~ pikakurssi; of ~ tietenkin, luonnollisesti

court [kɔ:t] *n* tuomioistuin; hovi

courteous ['kə:tiəs] *adj* kohtelias

cousin ['kʌzən] *n* serkku

cover ['kʌvə] *v* kattaa, peittää; *n* suoja; kansi; päällinen; ~ charge kattamismaksu

cow [kau] *n* lehmä

coward ['kauəd] *n* pelkuri

cowardly ['kauədli] *adj* raukkamainen

cow-hide ['kauhaid] *n* lehmänvuota

crab [kræb] *n* merirapu

crack [kræk] *n* räsähdys; halkeama; *v* räsähtää; särkeä, särkyä

cracker ['krækə] *nAm* keksi

cradle ['kreidəl] *n* kehto

cramp [kræmp] *n* suonenveto

crane [krein] *n* nostokurki

crankcase ['kræŋkkeis] *n* kampikammio

crankshaft ['kræŋkʃɑ:ft] *n* kampiakseli

crash [kræʃ] *n* yhteentörmäys; *v* törmätä yhteen; syöksyä maahan; ~ barrier suojakaide crate [kreit] *n* sälelaatikko

crater ['kreitə] *n* kraatteri

crawl [krɔ:l] *v* ryömiä; *n* krooli

craze [kreiz] *n* villitys

crazy ['kreizi] *adj* mieletön; hullu, hassu

creak [kri:k] *v* narista

cream [kri:m] *n* voide; kerma; *adj* kermanvärinen

creamy ['kri:mi] *adj* kermainen

crease [kri:s] *v* rypistää; *n* laskos; poimu

create [kri'eit] *v* luoda

creature ['kri:tʃə] *n* luontokappale; olento

credible ['kredibəl] *adj* uskottava

credit ['kredit] *n* luotto; *v* hyvittää; ~ card luottokortti

creditor ['kreditə] *n* velkoja

credulous ['kredjuləs] *adj* herkkäuskoinen

creek [kri:k] *n* lahdenpoukama

*creep [kri:p] *v* ryömiä

creepy ['kri:pi] *adj* kammottava

cremate [kri'meit] *v* polttaa ruumis

cremation [kri'meiʃən] *n* polttohautaus

crew [kru:] *n* miehistö

cricket ['krikit] *n* krikettipeli; sirkka

crime [kraim] *n* rikos

criminal ['kriminəl] *n* rikollinen, rikoksentekijä; *adj* rikollinen, rikos-; ~ law rikoslaki

criminality [ˌkrimi'næləti] *n* rikollisuus

crimson ['krimzən] *adj* karmiininpunainen

crippled ['kripəld] *adj* raajarikkoinen

crisis ['kraisis] *n* (pl crises) käännekohta; kriisi

crisp [krisp] *adj* rapea

critic ['kritik] *n* arvostelija

critical ['kritikəl] *adj* arvosteleva; arveluttava, vaaranalainen

criticism ['kritisizəm] *n* arvostelu

criticize ['kritisaiz] *v* arvostella

crochet ['krouʃei] *v* virkata

crockery ['krokəri] *n* savitavara, saviastiat *pl*

crocodile ['krokədail] *n* krokotiili

crooked ['krukid] *adj* käyrä, vääntynyt; kiero

crop [krop] *n* sato

cross [kros] *v* ylittää; *adj* äkäinen, vihainen; *n* risti

cross-eyed ['krosaid] *adj* kierosilmäinen

crossing ['krosiŋ] *n* merimatka; risteys; ylityspaikka; tasoristeys

crossroads ['krosroudz] *n* risteys

crosswalk ['kroswo:k] *nAm* suojatie

crow [krou] *n* varis

crowbar ['krouba:] *n* sorkkarauta

crowd [kraud] *n* joukko, tungos

crowded ['kraudid] *adj* täpötäysi

crown [kraun] *n* kruunu; *v* kruunata

crucifix ['kru:sifiks] *n* krusifiksi

crucifixion [ˌkru:si'fikʃən] *n* ristiinnaulitseminen

crucify ['kru:sifai] *v* ristiinnaulita

cruel [kruəl] *adj* julma

cruise [kru:z] *n* risteily

crumb [krʌm] *n* muru

crusade [kru:'seid] *n* ristiretki

crust [krʌst] *n* kannikka; leivän kuori

crutch [krʌtʃ] *n* kainalosauva

cry [krai] *v* itkeä; huutaa; *n* huuto; huudahdus

crystal ['kristəl] *n* kristalli; *adj* kristalli-

Cuba ['kju:bə] Kuuba

Cuban ['kju:bən] *adj* kuubalainen

cube [kju:b] *n* kuutio

cuckoo ['kuku:] *n* käki

cucumber ['kju:kəmbə] *n* kurkku

cuddle ['kʌdəl] *v* syleillä

cudgel ['kʌdʒəl] *n* nuija

cuff [kʌf] *n* kalvosin

cuff-links ['kʌfliŋks] *pl* kalvosinnapit

pl

cul-de-sac [ˈkʌldəsæk] *n* umpikuja

cultivate [ˈkʌltiveit] *v* viljellä, kasvattaa

culture [ˈkʌltʃə] *n* sivistys; kulttuuri

cultured [ˈkʌltʃəd] *adj* ovela

cunning [ˈkʌniŋ] *adj* ovela

cup [kʌp] *n* kuppi; pokaali

cupboard [ˈkʌbəd] *n* kaappi

curb [kəːb] *n* kadun reuna; *v* hillitä

cure [kjuə] *v* parantaa; *n* parannuskuuri; parantuminen

curio [ˈkjuəriou] *n* (pl ~s) harvinaisuus

curiosity [ˌkjuəriˈɔsəti] *n* uteliaisuus

curious [ˈkjuəriəs] *adj* tiedonhaluinen, utelias; omituinen

curl [kəːl] *v* kähertää; kihartaa; *n* kihara

curler [ˈkəːlə] *n* papiljotti

curling-tongs [ˈkəːliŋtɔŋz] *pl* käherryssakset *pl*

curly [ˈkəːli] *adj* kiharainen

currant [ˈkʌrənt] *n* korintti; herukka

currency [ˈkʌrənsi] *n* valuutta; **foreign ~** ulkomaanvaluutta

current [ˈkʌrənt] *n* virta; *adj* nykyinen, käypä; **alternating ~** vaihtovirta; **direct ~** tasavirta

curry [ˈkʌri] *n* curry

curse [kəːs] *v* kiroilla; kirota; *n* kirous

curtain [ˈkəːtən] *n* verho; esirippu

curve [kəːv] *n* mutka; kaarre

curved [kəːvd] *adj* kaareva

cushion [ˈkuʃən] *n* tyyny

custodian [kʌˈstoudiən] *n* vartija

custody [ˈkʌstədi] *n* vankeus; huosta; holhous

custom [ˈkʌstəm] *n* tapa; tottumus

customary [ˈkʌstəməri] *adj* totunnainen, tavanomainen

customer [ˈkʌstəmə] *n* asiakas

Customs [ˈkʌstəmz] *pl* tulli; **~ duty**

tulli; **~ officer** tullivirkailija

cut [kʌt] *n* viilto; haava

*cut [kʌt] *v* leikata; supistaa; **~ off** katkaista

cutlery [ˈkʌtləri] *n* ruokailuvälineet *pl*

cutlet [ˈkʌtlət] *n* kyljys

cycle [ˈsaikəl] *n* polkupyörä; kiertokulku, jakso

cyclist [ˈsaiklist] *n* pyöräilijä

cylinder [ˈsilində] *n* sylinteri; **~ head** sylinterinkansi

cystitis [siˈstaitis] *n* rakkotulehdus

Czech [tʃek] *adj* tšekkoslovakialainen; *n* tšekki

Czechoslovakia [ˌtʃekəsləˈvɑːkiə] Tšekkoslovakia

D

dad [dæd] *n* isä

daddy [ˈdædi] *n* isä

daffodil [ˈdæfədil] *n* keltanarsissi

daily [ˈdeili] *adj* päivittäinen; *n* päivälehti

dairy [ˈdeəri] *n* meijeri

dam [dæm] *n* pato

damage [ˈdæmidʒ] *n* vaurio; *v* vaurioittaa

damp [dæmp] *adj* kostea; *n* kosteus; *v* kostuttaa

dance [dɑːns] *v* tanssia; *n* tanssi

dandelion [ˈdændilaiən] *n* voikukka

dandruff [ˈdændrəf] *n* hilse

Dane [dein] *n* tanskalainen

danger [ˈdeindʒə] *n* vaara

dangerous [ˈdeindʒərəs] *adj* vaarallinen

Danish [ˈdeiniʃ] *adj* tanskalainen

dare [deə] *v* rohjeta, uskaltaa; haastaa

daring [ˈdeəriŋ] *adj* uskalias

dark [dɑːk] *adj* synkkä, pimeä; *n* pi-

meys
darling ['dɑ:liŋ] *n* rakas
darn [dɑ:n] *v* parsia
dash [dæʃ] *v* syöksyä; *n* ajatusviiva
dashboard ['dæʃbɔ:d] *n* kojelauta
data ['deitə] *pl* tosiseikka
date¹ [deit] *n* päivämäärä; kohtaus; *v* päivätä; **out of ~** vanhentunut
date² [deit] *n* taateli
daughter ['dɔ:tə] *n* tytär
dawn [dɔ:n] *n* aamunkoitto; sarastus
day [dei] *n* päivä; **by ~** päivällä; **~ trip** päivämatka; **per ~** päivittäin; **the ~ before yesterday** toissapäivänä
daybreak ['deibreik] *n* päivänkoitto
daylight ['deilait] *n* päivänvalo
dead [ded] *adj* kuollut
deaf [def] *adj* kuuro
deal [di:l] *n* liiketoimi, liikeneuvottelu
***deal** [di:l] *v* jakaa (kortit); **~ with** käsitellä; asioida, käydä kauppaa
dealer ['di:lə] *n* kauppias
dear [diə] *adj* rakas; kallis
death [deθ] *n* kuolema; **~ penalty** kuolemanrangaistus
debate [di'beit] *n* keskustelu
debit ['debit] *n* debetpuoli
debt [det] *n* velka
decaffeinated [di:'kæfineitid] *adj* kofeiiniton
deceit [di'si:t] *n* petos
deceive [di'si:v] *v* pettää
December [di'sembə] *n* joulukuu
decency ['di:sənsi] *n* säädyllisyys
decent ['di:sənt] *adj* säädyllinen
decide [di'said] *v* päättää, ratkaista
decision [di'siʒən] *n* päätös
deck [dek] *n* laivan kansi; **~ cabin** kansihytti; **~ chair** lepotuoli
declaration [,deklə'reiʃən] *n* julistus; tulli-ilmoitus
declare [di'kleə] *v* julistaa; ilmoittaa;

ilmoittaa tullattavaksi
decoration [,dekə'reiʃən] *n* koristelu
decrease [di:'kri:s] *v* vähentää; vähetä; *n* vähennys
dedicate ['dedikeit] *v* pyhittää
deduce [di'dju:s] *v* päätellä
deduct [di'dʌkt] *v* vähentää
deed [di:d] *n* teko
deep [di:p] *adj* syvä
deep-freeze [,di:p'fri:z] *n* pakastin
deer [diə] *n* (*pl* **~**) saksanhirvi
defeat [di'fi:t] *v* voittaa; *n* tappio
defective [di'fektiv] *adj* puutteellinen, viallinen
defence [di'fens] *n* puolustus
defend [di'fend] *v* puolustaa
deficiency [di'fiʃənsi] *n* vika; puute, vajavuus
deficit ['defisit] *n* vajaus
define [di'fain] *v* määritellä
definite ['definit] *adj* määräinen; määrätty
definition [,defi'niʃən] *n* määritelmä, määritys
deformed [di'fɔ:md] *adj* epämuodostunut
degree [di'gri:] *n* aste; oppiarvo
delay [di'lei] *v* viivyttää; lykätä; *n* viivytys; lykkäys
delegate ['deligət] *n* valtuutettu
delegation [,deli'geiʃən] *n* valtuuskunta
deliberate¹ [di'libəreit] *v* harkita, neuvotella
deliberate² [di'libərət] *adj* harkittu
deliberation [di,libə'reiʃən] *n* harkinta, neuvottelu
delicacy ['delikəsi] *n* herkku
delicate ['delikət] *adj* hieno; arkaluonteinen
delicatessen [,delikə'tesən] *n* herkku; herkkuliike
delicious [di'liʃəs] *adj* ihastuttava, herkullinen

delight [di'lait] *n* ilo, nautinto; *v* ihastuttaa

delightful [di'laitfəl] *adj* ihastuttava, ihana

deliver [di'livə] *v* toimittaa, jättää jklle

delivery [di'livəri] *n* toimitus; jakelu; synnytys; ~ van tavara-auto

demand [di'mɑ:nd] *v* tarvita, vaatia; *n* vaatimus; kysyntä

democracy [di'mɔkrəsi] *n* demokratia

democratic [ˌdemə'krætik] *adj* demokraattinen

demolish [di'mɔliʃ] *v* purkaa

demolition [ˌdemə'liʃən] *n* purkaminen

demonstrate ['demənstreit] *v* näyttää toteen; osoittaa mieltään

demonstration [ˌdemən'streiʃən] *n* mielenosoitus

den [den] *n* luola

Denmark ['denmɑ:k] Tanska

denomination [diˌnɔmi'neiʃən] *n* nimitys

dense [dens] *adj* tiheä

dent [dent] *n* lommo

dentist ['dentist] *n* hammaslääkäri

denture ['dentʃə] *n* tekohampaat *pl*

deny [di'nai] *v* kieltää; kieltäytyä; evätä, kiistää

deodorant [di:'oudərənt] *n* deodorantti

depart [di'pɑ:t] *v* lähteä, poistua; kuolla

department [di'pɑ:tmənt] *n* osasto; ~ store tavaratalo

departure [di'pɑ:tʃə] *n* lähtö

dependant [di'pendənt] *adj* riippuvainen

depend on [di'pend] olla riippuvainen (jstk)

deposit [di'pɔzit] *n* talletus; pantti; kerrostuma; *v* tallettaa

depository [di'pɔzitəri] *n* säilytys-

paikka

depot ['depou] *n* varasto; varikko; *nAm* asema

depress [di'pres] *v* masentaa

depressed [di'prest] *adj* masentunut

depression [di'preʃən] *n* masennus; matalapaine; lamakausi

deprive of [di'praiv] riistää jltk

depth [depθ] *n* syvyys

deputy ['depjuti] *n* valtiopäivämies; sijainen

descend [di'send] *v* laskeutua; polveutua

descendant [di'sendənt] *n* jälkeläinen

descent [di'sent] *n* laskeutuminen

describe [di'skraib] *v* kuvailla

description [di'skripʃən] *n* kuvaus; tuntomerkit *pl*

desert[1] ['dezət] *n* autiomaa; *adj* autio, asumaton

desert[2] [di'zə:t] *v* karata; hylätä

deserve [di'zə:v] *v* ansaita

design [di'zain] *v* hahmotella; *n* luonnos, suunnittelu; aie

designate ['dezigneit] *v* osoittaa; nimittää (virkaan)

desirable [di'zaiərəbəl] *adj* haluttava, tavoiteltava

desire [di'zaiə] *n* toivomus; halu, himo; *v* toivoa, haluta

desk [desk] *n* kirjoituspöytä; puhujakoroke; pulpetti

despair [di'speə] *n* toivottomuus; *v* olla epätoivoinen

despatch [di'spætʃ] *v* lähettää

desperate ['despərət] *adj* epätoivoinen

despise [di'spaiz] *v* halveksia

despite [di'spait] *prep* huolimatta *prep/postp*

dessert [di'zə:t] *n* jälkiruoka

destination [ˌdesti'neiʃən] *n* määränpää

destine ['destin] *v* tarkoittaa

destiny ['destini] *n* sallimus, kohtalo

destroy [di'strɔi] *v* hävittää, tuhota

destruction [di'strʌkʃən] *n* hävitys; tuho

detach [di'tætʃ] *v* irrottaa

detail ['diːteil] *n* yksityiskohta

detailed ['diːteild] *adj* yksityiskohtainen, seikkaperäinen

detect [di'tekt] *v* havaita

detective [di'tektiv] *n* etsivä; ~ story salapoliisiromaani

detergent [di'tə:dʒənt] *n* pesuaine

determine [di'tə:min] *v* päättää, määrätä

determined [di'tə:mind] *adj* päättäväinen

detour ['diːtuə] *n* kiertotie

devaluation [ˌdiːvælju'eiʃən] *n* devalvointi

devalue [ˌdiː'væljuː] *v* alentaa arvoa

develop [di'veləp] *v* kehittää

development [di'veləpmənt] *n* kehitys

deviate ['diːvieit] *v* poiketa

devil ['devəl] *n* paholainen

devise [di'vaiz] *v* keksiä

devote [di'vout] *v* omistaa

dew [djuː] *n* kaste

diabetes [ˌdaiə'biːtiːz] *n* sokeritauti

diabetic [ˌdaiə'betik] *n* sokeritautinen

diagnose [ˌdaiəg'nouz] *v* tehdä diagnoosi; todeta

diagnosis [ˌdaiəg'nousis] *n* (pl -ses) diagnoosi

diagonal [dai'ægənəl] *n* lävistäjä; *adj* vinottainen

diagram ['daiəgræm] *n* kaavio; graafinen esitys, havaakuva

dialect ['daiəlekt] *n* murre

diamond ['daiəmənd] *n* timantti

diaper ['daiəpə] *nAm* vauvanvaippa

diaphragm ['daiəfræm] *n* välikalvo

diarrhoea [ˌdaiə'riə] *n* ripuli

diary ['daiəri] *n* päiväkirja

dictaphone ['diktəfoun] *n* sanelukone

dictate [dik'teit] *v* sanella

dictation [dik'teiʃən] *n* sanelu

dictator [dik'teitə] *n* diktaattori

dictionary ['dikʃənəri] *n* sanakirja

did [did] *v* (p do)

die [dai] *v* kuolla

diesel ['diːzəl] *n* dieselmoottori

diet ['daiət] *n* ruokavalio

differ ['difə] *v* olla erilainen

difference ['difərəns] *n* ero; erotus

different ['difərənt] *adj* erilainen

difficult ['difikəlt] *adj* vaikea; hankala

difficulty ['difikəlti] *n* vaikeus

*dig [dig] *v* kaivaa

digest [di'dʒest] *v* sulattaa

digestible [di'dʒestəbəl] *adj* helposti sulava

digestion [di'dʒestʃən] *n* ruoansulatus

digit ['didʒit] *n* luku

dignified ['dignifaid] *adj* arvokas

dike [daik] *n* pato; valli

dilapidated [di'læpideitid] *adj* rappeutunut

diligence ['dilidʒəns] *n* uutteruus, ahkeruus

diligent ['dilidʒənt] *adj* uuttera, ahkera

dilute [dai'ljuːt] *v* miedontaa, laimentaa

dim [dim] *adj* hämärä, himmeä; epäselvä

dine [dain] *v* syödä illallista

dinghy ['diŋgi] *n* jolla

dining-car ['dainiŋkɑː] *n* ravintolavaunu

dining-room ['dainiŋruːm] *n* ruokasali

dinner ['dinə] *n* päivällinen, illallinen

dinner-jacket ['dinəˌdʒækit] *n* smokki

dinner-service ['dinəˌsəːvis] *n* astiasto

diphtheria [dif'θiəriə] *n* kurkkumätä

diploma [di'ploumə] *n* diplomi

diplomat ['dipləmæt] *n* diplomaatti

direct [di'rekt] *adj* suora, välitön; *v* suunnata; ohjata; johtaa direction [di'rekʃən] n suunta; ohje; ohjaus; johtokunta, n johto; **directional signal** Am suuntavalo; **directions for use** käyttöohje

directive [di'rektiv] n toimintaohje

director [di'rektə] n johtaja; ohjaaja

dirt [də:t] n lika

dirty ['də:ti] adj likainen, kurainen

disabled [di'seibəld] adj vammainen

disadvantage [ˌdisəd'vɑ:ntidʒ] n haitta

disagree [ˌdisə'gri:] v olla eri mieltä

disagreeable [ˌdisə'gri:əbəl] adj epämiellyttävä

disappear [ˌdisə'piə] v kadota

disappoint [ˌdisə'pɔint] v pettää toiveet; *be disappointing olla pettynyt

disappointed [ˌdisə'pɔintid] adj pettynyt

disappointment [ˌdisə'pɔintmənt] n pettymys

disapprove [ˌdisə'pru:v] v paheksua

disaster [di'zɑ:stə] n tuho; onnettomuus

disastrous [di'zɑ:strəs] adj tuhoisa

disc [disk] n levy; äänilevy; **slipped ~** nikamainvälisen ruston tyrä

discard [di'skɑ:d] v heittää pois

discharge [dis'tʃɑ:dʒ] v purkaa; **~ of** vapauttaa

discipline ['disiplin] n kuri

discolour [di'skʌlə] v kauhtua

disconnect [ˌdiskə'nekt] v katkaista, katkaista virta

discontented [ˌdiskən'tentid] adj tyytymätön

discontinue [ˌdiskən'tinju:] v lopettaa, lakata

discount ['diskaunt] n alennus, vähennys

discover [di'skʌvə] v havaita

discovery [di'skʌvəri] n löytö

discuss [di'skʌs] v keskustella; väitellä

discussion [di'skʌʃən] n keskustelu, pohdinta, väittely

disease [di'zi:z] n tauti

disembark [ˌdisim'bɑ:k] v nousta maihin

disgrace [dis'greis] n häpeä

disguise [dis'gaiz] v naamioitua; n valepuku

disgusting [dis'gʌstiŋ] adj inhottava, vastenmielinen

dish [diʃ] n vati; kulho; ruokalaji

dishonest [di'sɔnist] adj epärehellinen

disinfect [ˌdisin'fekt] v desinfioida

disinfectant [ˌdisin'fektənt] n desinfioimisaine

dislike [di'slaik] v ei pitää, tuntea vastenmielisyyttä; n vastenmielisyys, inho, antipatia

dislocated ['disləkeitid] adj sijoiltaan mennyt

dismiss [dis'mis] v lähettää pois; erottaa virasta

disorder [di'sɔ:də] n epäjärjestys

dispatch [dis'pætʃ] v lähettää

display [di'splei] v näyttää; n näyttely

displease [di'spli:z] v ei miellyttää

disposable [di'spouzəbəl] adj kertakäyttöinen

disposal [di'spouzəl] n määräämisvalta

dispose of [di'spouz] määrätä jstk

dispute [di'spju:t] n riita, kiista; v kiistellä, kiistää

dissatisfied [di'sætisfaid] adj tyytymätön

dissolve [di'zolv] v liuottaa; hajottaa

dissuade from [di'sweid] saada luopumaan

distance ['distəns] n etäisyys; **~ in kilometres** kilometrimäärä

distant ['distənt] adj etäinen

distinct [di'stiŋkt] adj selvä; erilainen

distinction [di'stiŋkʃən] n ero, erotus

distinguish [di'stiŋgwiʃ] v tehdä ero,
erottaa
distinguished [di'stiŋgwiʃt] adj huomattava
distress [di'stres] n hätä; ~ signal
hätämerkki
distribute [di'stribju:t] v jakaa
distributor [di'stribjutə] n jakelija;
virranjakaja
district ['distrikt] n piiri; alue; kaupunginosa
disturb [di'stə:b] v häiritä
disturbance [di'stə:bəns] n häiriö; levottomuus
ditch [ditʃ] n oja, kaivanto
dive [daiv] v sukeltaa
diversion [dai'və:ʃən] n kiertotie;
ajanviete
divide [di'vaid] v jakaa; erottaa
divine [di'vain] adj jumalallinen
division [di'viʒən] n jako; osasto
divorce [di'vɔ:s] n avioero; v erota
dizziness ['dizinəs] n huimaus
dizzy ['dizi] adj huimausta tunteva;
pyörryttävä
*do [du:] v tehdä; riittää
dock [dɔk] n telakka; satamalaituri;
v telakoida
docker ['dɔkə] n satamatyöläinen
doctor ['dɔktə] n lääkäri; tohtori
document ['dɔkjumənt] n asiakirja
dog [dɔg] n koira
dogged ['dɔgid] adj itsepäinen
doll [dɔl] n nukke
dome [doum] n kupoli
domestic [də'mestik] adj koti-; kotimainen; n palvelija
domicile ['dɔmisail] n kotipaikka
domination [ˌdɔmi'neiʃən] n herruus
dominion [də'minjən] n yliherruus
donate [dou'neit] v lahjoittaa
donation [dou'neiʃən] n lahjoitus
done [dʌn] v (pp do)
donkey ['dɔŋki] n aasi

donor ['dounə] n lahjoittaja
door [dɔ:] n ovi; revolving ~ pyöröovi; sliding ~ liukuovi
doorbell ['dɔ:bel] n ovikello
door-keeper ['dɔ:ˌki:pə] n ovenvartija
doorman ['dɔ:mən] n (pl -men) ovimikko
dormitory ['dɔ:mitri] n makuusali
dose [dous] n annos
dot [dɔt] n piste
double ['dʌbəl] adj kaksinkertainen
doubt [daut] v epäillä; n epäilys;
without ~ epäilemättä
doubtful ['dautfəl] adj epävarma; kyseenalainen
dough [dou] n taikina
down¹ [daun] adv alaspäin; alas, nurin; adj alakuloinen; prep alas, pitkin; ~ payment etumaksu
down² [daun] n untuva
downpour ['daunpɔ:] n kaatosade
downstairs [ˌdaun'steəz] adv alakertaan, alakerrassa
downstream [ˌdaun'stri:m] adv myötävirtaan
down-to-earth [ˌdauntu'ə:θ] adj asiallinen
downwards ['daunwədz] adv alas,
alaspäin
dozen ['dʌzən] n (pl ~, ~s) tusina
draft [drɑ:ft] n vekseli
drag [dræg] v laahata
dragon ['drægən] n lohikäärme
drain [drein] v ojittaa; kuivattaa; n viemäri
drama ['drɑ:mə] n näytelmä; murhenäytelmä; näyttämötaide
dramatic [drə'mætik] adj dramaattinen
dramatist ['dræmətist] n näytelmäkirjailija
drank [dræŋk] v (p drink)
draper ['dreipə] n kangaskauppias
drapery ['dreipəri] n kangastavarat pl

draught [drɑ:ft] n veto; **draughts** tammipeli

draught-board ['drɑ:ftbɔ:d] n tammilauta

draw [drɔ:] n arvonta

*draw [drɔ:] v piirtää; vetää; nostaa rahaa; ~ up laatia

drawbridge ['drɔ:bridʒ] n nostosilta

drawer ['drɔ:ə] n pöytälaatikko; **drawers** alushousut pl

drawing ['drɔ:iŋ] n piirustus

drawing-pin ['drɔ:iŋpin] n nasta

drawing-room ['drɔ:iŋruːm] n sali

dread [dred] v pelätä; n pelko

dreadful ['dredfəl] adj kauhistava, hirveä

dream [dri:m] n uni

*dream [dri:m] v uneksia, nähdä unta

dress [dres] v pukeutua; sitoa haava; n leninki

dressing-gown ['dresiŋgaun] n aamutakki

dressing-room ['dresiŋruːm] n pukeutumishuone

dressing-table ['dresiŋˌteibəl] n kampauspöytä

dressmaker ['dresˌmeikə] n ompelija

drill [dril] v porata; harjoituttaa; n pora

drink [driŋk] n juoma

*drink [driŋk] v juoda

drinking-water ['driŋkiŋˌwɔ:tə] n juomavesi

drip-dry [ˌdrip'drai] adj itsesiliävä

drive [draiv] n ajotie; ajelu

*drive [draiv] v ajaa; kuljettaa

driver ['draivə] n ajaja

drizzle ['drizəl] n tihkusade

drop [drɔp] v pudottaa; n pisara

drought [draut] n kuivuus

drown [draun] v hukkua; hukuttaa; *be drowned hukkua

drug [drʌg] n huume; lääkeaine

drugstore ['drʌgstɔ:] nAm apteekki, nAm rohdoskauppa; nAm tavaratalo

drum [drʌm] n rumpu

drunk [drʌŋk] adj (pp drink) humalainen, päihtynyt

dry [drai] adj kuiva; v kuivua; kuivata

dry-clean [ˌdrai'kli:n] v pestä kemiallisesti

dry-cleaner's [ˌdrai'kli:nəz] n kemiallinen pesula

dryer ['draiə] n kuivausrumpu

duchess [dʌtʃis] n herttuatar

duck [dʌk] n ankka

due [dju:] adj odotettavissa; maksettava; erääntyvä

dues [dju:z] pl saatavat pl

dug [dʌg] v (p, pp dig)

duke [dju:k] n herttua

dull [dʌl] adj ikävystyttävä, ikävä; eloton, himmeä; tylsä

dumb [dʌm] adj mykkä; tyhmä, typerä

dune [dju:n] n dyyni

dung [dʌŋ] n lanta

dunghill ['dʌŋhil] n tunkio

duration [djuˈreiʃən] n kestoaika

during ['djuəriŋ] prep aikana postp

dusk [dʌsk] n hämärä

dust [dʌst] n pöly

dustbin ['dʌstbin] n rikkalaatikko

dusty ['dʌsti] adj pölyinen

Dutch [dʌtʃ] adj hollantilainen, alankomaalainen

Dutchman ['dʌtʃmən] n (pl -men) alankomaalainen, hollantilainen

dutiable ['dju:tiəbəl] adj tullinalainen

duty ['dju:ti] n velvollisuus; tuontitulli; **Customs** ~ tullimaksu

duty-free [ˌdju:ti'fri:] adj tulliton

dwarf [dwɔ:f] n kääpiö

dye [dai] v värjätä; n värjäys

dynamo ['dainəmou] n (pl ~s) dyna-

mo
dysentery ['disəntri] n punatauti

E

each [i:tʃ] adj kukin, jokainen; ~ other toinen toistaan
eager ['i:gə] adj kärkäs, kärsimätön, innokas
eagle ['i:gəl] n kotka
ear [iə] n korva
earache ['iəreik] n korvasärky
ear-drum ['iədrʌm] n tärykalvo
earl [ə:l] n kreivi
early ['ə:li] adj varhainen
earn [ə:n] v ansaita
earnest ['ə:nist] n vakavuus
earnings ['ə:niŋz] pl tulot pl; ansiot pl
earring ['iəriŋ] n korvakoru
earth [ə:θ] n multa; maaperä
earthenware ['ə:θənweə] n saviastiat pl
earthquake ['ə:θkweik] n maanjäristys
ease [i:z] n mukavuus, luontevuus
east [i:st] n itä
Easter ['i:stə] pääsiäinen
easterly ['i:stəli] adj itäinen
eastern ['i:stən] adj itäinen
easy ['i:zi] adj helppo; mukava; ~ chair nojatuoli
easy-going ['i:zi,gouiŋ] adj huoleton
*eat [i:t] v syödä
eavesdrop ['i:vzdrɔp] v kuunnella salaa
ebony ['ebəni] n eebenpuu
eccentric [ik'sentrik] adj eriskummallinen
echo ['ekou] n (pl ~es) kaiku
eclipse [i'klips] n pimennys
economic [,i:kə'nɔmik] adj taloustie-

teellinen
economical [,i:kə'nɔmikəl] adj taloudellinen, säästäväinen
economist [i'kɔnəmist] n taloustieteilijä
economize [i'kɔnəmaiz] v säästää
economy [i'kɔnəmi] n talous
ecstasy ['ekstəzi] n hurmio
Ecuador ['ekwədɔ:] Ecuador
Ecuadorian [,ekwə'dɔ:riən] n ecuadorilainen
eczema ['eksimə] n ihottuma
edge [edʒ] n terä, reuna
edible ['edibəl] adj syötävä
edition [i'diʃən] n painos; morning ~ aamupainos
editor ['editə] n toimittaja
educate ['edʒukeit] v kouluttaa
education [,edʒu'keiʃən] n koulutus; kasvatus
eel [i:l] n ankerias
effect [i'fekt] n vaikutus; v saada aikaan; in ~ itse asiassa
effective [i'fektiv] adj tehokas
efficient [i'fiʃənt] adj tehokas
effort ['efət] n ponnistus
egg [eg] n muna
egg-cup ['egkʌp] n munakuppi
eggplant ['egplɑ:nt] n munakoiso
egg-yolk ['egjouk] n munankeltuainen
egoistic [,egou'istik] adj itsekäs
Egypt ['i:dʒipt] Egypti
Egyptian [i'dʒipʃən] adj egyptiläinen
eiderdown ['aidədaun] n untuvapeite
eight [eit] num kahdeksan
eighteen [,ei'ti:n] num kahdeksantoista
eighteenth [,ei'ti:nθ] num kahdeksastoista
eighth [eitθ] num kahdeksas
eighty ['eiti] num kahdeksankymmentä
either ['aiðə] pron jompikumpi;

either ... or joko ... tai

elaborate [i'læbəreit] *v* valmistaa huolellisesti

elastic [i'læstik] *adj* kimmoisa; joustava; ~ **band** kuminauha

elasticity [ˌelæs'tisəti] *n* joustavuus

elbow ['elbou] *n* kyynärpää

elder ['eldə] *adj* vanhempi

elderly ['eldəli] *adj* vanhahko

eldest ['eldist] *adj* vanhin

elect [i'lekt] *v* valita

election [i'lekʃən] *n* vaalit *pl*

electric [i'lektrik] *adj* sähköinen; ~ **cord** johto; ~ **razor** sähköparranajokone

electrician [ˌilek'triʃən] *n* sähköasentaja

electricity [ˌilek'trisəti] *n* sähkö

electronic [ilek'trɔnik] *adj* elektroninen

elegance ['eligəns] *n* tyylikkyys

elegant ['eligənt] *adj* elegantti

element ['elimənt] *n* perusaine

elephant ['elifənt] *n* elefantti

elevator ['eliveitə] *nAm* hissi

eleven [i'levən] *num* yksitoista

eleventh [i'levənθ] *num* yhdestoista

elf [elf] *n* (pl elves) keijukainen

eliminate [i'limineit] *v* poistaa

elm [elm] *n* jalava

else [els] *adv* muutoin

elsewhere [ˌel'sweə] *adv* muualla

elucidate [i'luːsideit] *v* valaista

emancipation [iˌmænsi'peiʃən] *n* vapauttaminen

embankment [im'bæŋkmənt] *n* pengerrys

embargo [em'baːgou] *n* (pl ~es) kauppasulku

embark [im'baːk] *v* astua laivaan; nousta laivaan

embarkation [ˌembaː'keiʃən] *n* laivaus

embarrass [im'bærəs] *v* ujostuttaa; saattaa hämilleen; estää; **embar-**

rassed häkeltynyt, hämillinen; **embarrassing** kiusallinen

embassy ['embəsi] *n* suurlähetystö

emblem ['embləm] *n* tunnusmerkki

embrace [im'breis] *v* syleillä; *n* syleily

embroider [im'brɔidə] *v* kirjailla

embroidery [im'brɔidəri] *n* koruompelu

emerald ['emərəld] *n* smaragdi

emergency [i'məːdʒənsi] *n* hätätapaus; hätätilanne; ~ **exit** varauloskäytävä

emigrant ['emigrənt] *n* siirtolainen

emigrate ['emigreit] *v* muuttaa maasta

emigration [ˌemi'greiʃən] *n* maastamuutto

emotion [i'mouʃən] *n* mielenliikutus, tunne

emperor ['empərə] *n* keisari

emphasize ['emfəsaiz] *v* korostaa

empire ['empaiə] *n* maailmanvalta, keisarikunta

employ [im'plɔi] *v* ottaa palvelukseen; käyttää

employee [ˌemplɔi'iː] *n* työntekijä

employer [im'plɔiə] *n* työnantaja

employment [im'plɔimənt] *n* toimi, työ; ~ **exchange** työnvälitystoimisto

empress ['empris] *n* keisarinna

empty ['empti] *adj* tyhjä; *v* tyhjentää

enable [i'neibəl] *v* tehdä mahdolliseksi

enamel [i'næməl] *n* emali

enamelled [i'næməld] *adj* emaloitu

enchanting [in'tʃaːntiŋ] *adj* hurmaava

encircle [in'səːkəl] *v* ympäröidä; saartaa

enclose [iŋ'klouz] *v* oheistaa

enclosure [iŋ'klouʒə] *n* liite

encounter [iŋ'kauntə] *v* kohdata; *n* kohtaaminen

encourage [iŋ'kʌridʒ] *v* rohkaista

encyclopaedia [en,saiklə'pi:diə] n tietosanakirja

end [end] n loppupää, loppu; v lopettaa; päättyä

ending ['endiŋ] n loppu

endless ['endləs] adj loputon

endorse [in'dɔ:s] v allekirjoittaa, hyväksyä

endure [in'djuə] v sietää

enemy ['enəmi] n vihollinen

energetic [,enə'dʒetik] adj tarmokas

energy ['enədʒi] n energia; voima

engage [iŋ'geidʒ] v palkata; varata, sitoutua; engaged kihloissa; varattu

engagement [iŋ'geidʒmənt] n kihlaus; sitoumus; ~ ring kihlasormus

engine ['endʒin] n kone, moottori; veturi

engineer [,endʒi'niə] n insinööri

England ['iŋglənd] Englanti

English ['iŋgliʃ] adj englantilainen

Englishman ['iŋgliʃmən] n (pl -men) englantilainen

engrave [iŋ'greiv] v kaivertaa

engraver [iŋ'greivə] n kaivertaja

engraving [iŋ'greiviŋ] n kaiverrus

enigma [i'nigmə] n arvoitus

enjoy [in'dʒɔi] v nauttia, iloita (jstk)

enjoyable [in'dʒɔiəbəl] adj nautittava; lei kullinen

enjoyment [in'dʒɔimənt] n ilo; nautinto

enlarge [in'lɑ:dʒ] v suurentaa; laajentaa

enlargement [in'lɑ:dʒmənt] n suurennus

enormous [i'nɔ:məs] adj suunnaton, tavaton

enough [i'nʌf] adv kylliksi; adj riittävä

enquire [iŋ'kwaiə] v tiedustella; tutkia

enquiry [iŋ'kwaiəri] n tiedustelu; tutkimus

enter ['entə] v mennä sisään, astua sisään; merkitä

enterprise ['entəpraiz] n yritys

entertain [,entə'tein] v viihdyttää, huvittaa; kestitä

entertainer [,entə'teinə] n juontaja; viihdetaiteilija

entertaining [,entə'teiniŋ] adj huvittava, viihdyttävä

entertainment [,entə'teinmənt] n viihde, huvitus

enthusiasm [in'θju:ziæzəm] n innostus

enthusiastic [in,θju:zi'æstik] adj innostunut

entire [in'taiə] adj kokonainen

entirely [in'taiəli] adv täysin

entrance ['entrəns] n sisäänkäytävä; pääsy; sisääntulo

entrance-fee ['entrənsfi:] n pääsymaksu

entry ['entri] n sisäänkäytävä, sisäänkäynti; sisäänpääsy; merkintä; no ~ pääsy kielletty

envelope ['envəloup] n kirjekuori

envious ['enviəs] adj mustasukkainen, kateellinen

environment [in'vaiərənmənt] n ympäristö

envoy ['envɔi] n lähettiläs

envy ['envi] n kateus; v kadehtia

epic ['epik] n eepos; adj kertova

epidemic [,epi'demik] n epidemia

epilepsy ['epilepsi] n kaatumatauti

epilogue ['epilɔg] n loppusanat pl

episode ['episoud] n välikohtaus

equal ['i:kwəl] adj yhtäläinen; v olla jkn veroinen

equality [i'kwɔləti] n tasa-arvoisuus

equalize ['i:kwəlaiz] v tasoittaa

equally ['i:kwəli] adv yhtä

equator [i'kweitə] n päiväntasaaja

equip [i'kwip] v varustaa

equipment [i'kwipmənt] n varusteet

pl

equivalent [i'kwivələnt] *adj* vastaava, samanarvoinen

eraser [i'reizə] *n* pyyhekumi

erect [i'rekt] *v* pystyttää; *adj* pysty

err [ə:] *v* erehtyä; eksyä

errand ['erənd] *n* tehtävä

error ['erə] *n* erehdys, virhe

escalator ['eskəleitə] *n* rullaportaat *pl*

escape [i'skeip] *v* päästä pakoon; paeta; välttää; *n* pako

escort[1] [i'sko:t] *n* saattue

escort[2] [i'sko:t] *v* saattaa

especially [i'speʃəli] *adv* varsinkin, erikoisesti

esplanade [,esplə'neid] *n* esplanadi

essay ['esei] *n* essee; aine, tutkielma

essence ['esəns] *n* perusolemus, ydin

essential [i'senʃəl] *adj* välttämätön; olennainen

essentially [i'senʃəli] *adv* ennen kaikkea

establish [i'stæbliʃ] *v* perustaa; vahvistaa

estate [i'steit] *n* maatila

esteem [i'sti:m] *n* arvonanto, kunnioitus; *v* arvostaa

estimate[1] ['estimeit] *v* arvioida

estimate[2] ['estimət] *n* arvio

estuary ['estʃuəri] *n* suisto

etcetera [et'setərə] ja niin edelleen

etching ['etʃiŋ] *n* etsaus

eternal [i'tə:nəl] *adj* ikuinen

eternity [i'tə:nəti] *n* ikuisuus

ether ['i:θə] *n* eetteri

Ethiopia [iθi'oupiə] Etiopia

Ethiopian [iθi'oupiən] *adj* etiopialainen

Europe ['juərəp] Eurooppa

European [,juərə'pi:ən] *adj* eurooppalainen

evacuate [i'vækjueit] *v* evakuoida

evaluate [i'væljueit] *v* arvioida

evaporate [i'væpəreit] *v* haihtua

even ['i:vən] *adj* tasainen, samanlainen, sileä; vakaa; parillinen; *adv* jopa

evening ['i:vniŋ] *n* ilta; ~ dress iltapuku

event [i'vent] *n* tapahtuma

eventual [i'ventʃuəl] *adj* lopullinen; mahdollinen

ever ['evə] *adv* milloinkaan; yhä

every ['evri] *adj* jokainen

everybody ['evri,bɔdi] *pron* jokainen

everyday ['evridei] *adj* jokapäiväinen

everyone ['evriwʌn] *pron* jokainen

everything ['evriθiŋ] *pron* kaikki

everywhere ['evriweə] *adv* kaikkialla

evidence ['evidəns] *n* todiste

evident ['evidənt] *adj* selvä

evil ['i:vəl] *n* pahuus; *adj* ilkeä, paha

evolution [,i:və'lu:ʃən] *n* kehitys

exact [ig'zækt] *adj* täsmällinen

exactly [ig'zæktli] *adv* täsmälleen

exaggerate [ig'zædʒəreit] *v* liioitella

examination [ig,zæmi'neiʃən] *n* tutkinto; kuulustelu

examine [ig'zæmin] *v* tutkia

example [ig'za:mpəl] *n* esimerkki; for ~ esimerkiksi

excavation [,ekskə'veiʃən] *n* kaivaus

exceed [ik'si:d] *v* ylittää

excel [ik'sel] *v* kunnostautua

excellent ['eksələnt] *adj* mainio, erinomainen

except [ik'sept] *prep* lukuun ottamatta, paitsi

exception [ik'sepʃən] *n* poikkeus

exceptional [ik'sepʃənəl] *adj* poikkeuksellinen, ainutlaatuinen

excerpt ['eksɔ:pt] *n* poiminto

excess [ik'ses] *n* liiallisuus

excessive [ik'sesiv] *adj* liiallinen

exchange [iks'tʃeindʒ] *v* vaihtaa; *n* vaihto; pörssi; ~ office rahanvaihto; ~ rate vaihtokurssi

excite [ik'sait] *v* kiihottaa

excitement [ik'saitmənt] n mielenliikutus, kiihtymys
exciting [ik'saitiŋ] adj jännittävä
exclaim [ik'skleim] v huudahtaa
exclamation [ˌekskləˈmeiʃən] n huudahdus
exclude [ik'sklu:d] v sulkea pois
exclusive [ik'sklu:siv] adj yksinomainen
exclusively [ik'sklu:sivli] adv yksinomaan
excursion [ik'skə:ʃən] n huvimatka, retki
excuse[1] [ik'skju:s] n anteeksipyyntö
excuse[2] [ik'skju:z] v antaa anteeksi
execute ['eksikju:t] v suorittaa; teloittaa
execution [ˌeksiˈkju:ʃən] n teloitus
executioner [ˌeksiˈkju:ʃənə] n pyöveli
executive [igˈzekjutiv] adj toimeenpaneva; n toimeenpanovalta; johtohenkilö
exempt [igˈzempt] v vapauttaa; adj vapautettu jstk
exemption [igˈzempʃən] n vapautus
exercise ['eksəsaiz] n harjoitus; v harjoitella; harjoittaa
exhale [eksˈheil] v hengittää ulos
exhaust [igˈzɔ:st] n pakokaasu, pakoputki; v uuvuttaa; ~ gases pakokaasu
exhausted [igˈzɔ:stid] adj uupunut
exhibit [igˈzibit] v asettaa näytteille; osoittaa
exhibition [ˌeksiˈbiʃən] n näyttely, näytteillepano
exile ['eksail] n maanpako; maanpakolainen
exist [igˈzist] v olla olemassa
existence [igˈzistəns] n olemassaolo
exit ['eksit] n uloskäytävä; uloskäynti
exotic [igˈzɔtik] adj eksoottinen
expand [ikˈspænd] v levittää; laajeta
expect [ikˈspekt] v odottaa

expectation [ˌekspekˈteiʃən] n odotus
expedition [ˌekspəˈdiʃən] n lähetys; tutkimusretki
expel [ikˈspel] v karkottaa
expenditure [ikˈspenditʃə] n menot pl, kulut pl
expense [ikˈspens] n kulut pl; expenses pl kustannukset pl
expensive [ikˈspensiv] adj kallis
experience [ikˈspiəriəns] n kokemus; v kokea; experienced kokenut
experiment [ikˈsperimənt] n koe, kokeilu; v kokeilla
expert ['ekspə:t] n ammattimies, asiantuntija; adj asiantunteva
expire [ikˈspaiə] v kulua umpeen, päättyä; hengittää ulos; expired vanhentunut
expiry [ikˈspaiəri] n päättyminen, erääntyminen
explain [ikˈsplein] v selittää
explanation [ˌekspləˈneiʃən] n selitys, selvitys
explicit [ikˈsplisit] adj nimenomainen
explode [ikˈsploud] v räjähtää
exploit [ikˈsplɔit] v riistää, käyttää hyväksi
explore [ikˈsplɔ:] v tutkia
explosion [ikˈsplouʒən] n räjähdys
explosive [ikˈsplousiv] adj räjähtävä; n räjähdysaine
export[1] [ikˈspɔ:t] v viedä maasta
export[2] ['ekspɔ:t] n vienti
exportation [ˌekspɔ:ˈteiʃən] n vienti
exports ['ekspɔ:ts] pl vientitavarat pl
exposition [ˌekspəˈziʃən] n näyttely
exposure [ikˈspouʒə] n alttiiksipano; valotus; ~ meter valotusmittari
express [ikˈspres] v lausua; ilmaista; adj pika-; nimenomainen; ~ train pikajuna
expression [ikˈspreʃən] n ilmaus; ilmaisu
exquisite [ikˈskwizit] adj verraton

extend [ik'stend] v pidentää; laajentaa; esittää

extension [ik'stenʃən] n pidennys; laajennus; alanumero; ~ **cord** jatkojohto

extensive [ik'stensiv] adj laaja; laajakantoinen, kauasulottuva

extent [ik'stent] n laajuus

exterior [ek'stiəriə] adj ulkoinen; n ulkopuoli

external [ek'stə:nəl] adj ulkopuolinen

extinguish [ik'stingwiʃ] v sammuttaa

extort [ik'stɔ:t] v kiristää

extortion [ik'stɔ:ʃən] n kiristys

extra ['ekstrə] adj ylimääräinen

extract[1] [ik'strækt] v vetää ulos

extract[2] ['ekstrækt] n katkelma

extradite ['ekstrədait] v luovuttaa

extraordinary [ik'strɔ:dənri] adj epätavallinen

extravagant [ik'strævəgənt] adj liioitteleva, liioiteltu

extreme [ik'stri:m] adj äärimmäinen; n äärimmäisyys

exuberant [ig'zju:bərənt] adj ylenpalttinen

eye [ai] n silmä

eyebrow ['aibrau] n kulmakarva

eyelash ['ailæʃ] n silmäripsi

eyelid ['ailid] n silmäluomi

eye-pencil ['ai,pensəl] n kulmakynä

eye-shadow ['ai,ʃædou] n silmäehostus

eye-witness ['ai,witnəs] n silminnäkijä

F

fable ['feibəl] n eläinsatu

fabric ['fæbrik] n kangas; rakenne

façade [fə'sɑ:d] n julkisivu

face [feis] n kasvot pl; v uhmata;

kohdata; ~ **massage** kasvojenhieronta; **facing** vastapäätä postp

face-cream ['feiskri:m] n kasvovoide

face-pack ['feispæk] n kasvonaamio

face-powder ['feis,paudə] n puuteri

facility [fə'siləti] n helppous

fact [fækt] n tosiasia; **in** ~ itse asiassa

factor ['fæktə] n tekijä

factory ['fæktəri] n tehdas

factual ['fæktʃuəl] adj tosiasiallinen

faculty ['fækəlti] n kyky; luonnonlahja; tiedekunta

fad [fæd] n muotihullutus

fade [feid] v haalistua

faience [fai'ɑ:s] n fajanssi

fail [feil] v epäonnistua; puuttua; laiminlyödä; reputtaa; **without** ~ ihan varmasti

failure ['feiljə] n epäonnistuminen

faint [feint] v pyörtyä; adj heikko, voimaton, hämärä

fair [feə] n markkinat pl; messut pl; adj oikeudenmukainen, rehellinen; vaaleatukkainen, vaalea; kaunis

fairly ['feəli] adv kohtalaisen, melko

fairy ['feəri] n haltijatar

fairytale ['feəriteil] n satu

faith [feiθ] n usko; luottamus

faithful ['feiθful] adj uskollinen

fake [feik] n väärennys

fall [fɔ:l] n putoaminen; nAm syksy

*****fall** [fɔ:l] v pudota

false [fɔ:ls] adj väärä; valheellinen, vilpillinen, epäaito; ~ **teeth** tekohampaat pl

falter ['fɔ:ltə] v horjua; änkyttää

fame [feim] n maine

familiar [fə'miljə] adj tuttu; tuttavallinen

family ['fæməli] n perhe; suku; ~ **name** sukunimi

famous ['feiməs] adj kuuluisa

fan [fæn] n tuuletin; viuhka; ihailija;

~ **belt** tuuletinhihna

fanatical [fə'nætikəl] *adj* kiihkomielinen

fancy ['fænsi] *v* tehdä mieli, olla mieltynyt; luulla, kuvitella; *n* päähänpisto; mielikuvitus

fantastic [fæn'tæstik] *adj* mielikuvituksellinen

fantasy ['fæntəzi] *n* mielikuvitus

far [fɑ:] *adj* kaukainen; *adv* paljon; **by** ~ kaikkein; **so** ~ toistaiseksi

far-away ['fɑ:rəwei] *adj* kaukainen

farce [fɑ:s] *n* farssi, ilveily

fare [feə] *n* kuljetusmaksu; ruoka

farm [fɑ:m] *n* maatila

farmer ['fɑ:mə] *n* maanviljelijä;
farmer's wife talonpoikaisvaimo

farmhouse ['fɑ:mhaus] *n* maalaistalo

far-off ['fɑ:rɔf] *adj* etäinen

fascinate ['fæsineit] *v* kiehtoa

fascism ['fæʃizəm] *n* fasismi

fascist ['fæʃist] *adj* fasistinen; *n* fasisti

fashion ['fæʃən] *n* muoti; tapa

fashionable ['fæʃənəbəl] *adj* muodikas

fast [fɑ:st] *adj* nopea; luja

fast-dyed [,fɑ:st'daid] *adj* värinpitävä, pesunkestävä

fasten ['fɑ:sən] *v* kiinnittää; sulkea

fastener ['fɑ:sənə] *n* kiinnitin

fat [fæt] *adj* paksu, rasvainen; *n* rasva

fatal ['feitəl] *adj* kuolettava, kohtalokas

fate [feit] *n* kohtalo, sallimus

father ['fɑ:ðə] *n* isä

father-in-law ['fɑ:ðərinlɔ:] *n* (pl fathers-) appi

fatherland ['fɑ:ðələnd] *n* isänmaa

fatness ['fætnəs] *n* lihavuus

fatty ['fæti] *adj* rasvainen

faucet ['fɔ:sit] *nAm* hana

fault [fɔ:lt] *n* vika, virhe; vajavuus

faultless ['fɔ:ltləs] *adj* virheetön; moitteeton

faulty ['fɔ:lti] *adj* virheellinen, puutteellinen

favour ['feivə] *n* palvelus; *v* suosia

favourable ['feivərəbəl] *adj* suotuisa

favourite ['feivərit] *n* suosikki; *adj* lempi-

fawn [fɔ:n] *adj* kellanruskea; *n* kuusipeuran vasa, kauriinvasa

fear [fiə] *n* pelko; *v* pelätä

feasible ['fi:zəbəl] *adj* mahdollinen

feast [fi:st] *n* juhla

feat [fi:t] *n* urotyö

feather ['feðə] *n* höyhen

feature ['fi:tʃə] *n* piirre; kasvonpiirteet *pl*

February ['februəri] helmikuu

federal ['fedərəl] *adj* liitto-

federation [,fedə'reiʃən] *n* liittovaltio

fee [fi:] *n* palkkio

feeble ['fi:bəl] *adj* heikko

*feed** [fi:d] *v* ruokkia; **fed up with** kyllästynyt

*feel** [fi:l] *v* tuntea; tunnustella; ~ **like** tehdä mieli

feeling ['fi:liŋ] *n* tunne

fell [fel] *v* (p fall)

fellow ['felou] *n* mies

felt[1] [felt] *n* huopa

felt[2] [felt] *v* (p, pp feel)

female ['fi:meil] *adj* naispuolinen

feminine ['feminin] *adj* naisellinen

fence [fens] *n* aita; aitaus; *v* miekkailla

fender ['fendə] *n* puskuri

ferment [fə'ment] *v* käydä

ferry-boat ['feribout] *n* lautta

fertile ['fə:tail] *adj* hedelmällinen

festival ['festivəl] *n* festivaali

festive ['festiv] *adj* juhlava

fetch [fetʃ] *v* noutaa

feudal ['fju:dəl] *adj* feodaalinen

fever ['fi:və] *n* kuume

feverish ['fi:vəriʃ] *adj* kuumeinen

few [fju:] *adj* harva
fiancé [fi'ã:sei] *n* sulhanen
fiancée [fi'ã:sei] *n* kihlattu
fibre ['faibə] *n* säie
fiction ['fikʃən] *n* tarina; kaunokirjallisuus
field [fi:ld] *n* pelto; alue; ~ glasses kenttäkiikari
fierce [fiəs] *adj* villi; raju
fifteen [ˌfif'ti:n] *num* viisitoista
fifteenth [ˌfif'ti:nθ] *num* viidestoista
fifth [fifθ] *num* viides
fifty ['fifti] *num* viisikymmentä
fig [fig] *n* viikuna
fight [fait] *n* tappelu, taistelu
*fight [fait] *v* taistella, tapella
figure ['figə] *n* hahmo; vartalo; numero
file [fail] *n* viila; asiakirjakansio; jono
Filipino [ˌfili'pi:nou] *n* filippiiniläinen
fill [fil] *v* täyttää; ~ in täyttää; filling station bensiiniasema; ~ out *Am* täyttää; ~ up täyttää
filling ['filiŋ] *n* hammaspaikka; täyte
film [film] *n* elokuva; filmi; *v* elokuvata
filter ['filtə] *n* suodatin
filthy ['filθi] *adj* siivoton, saastainen
final ['fainəl] *adj* lopullinen
finance [fai'næns] *v* rahoittaa
finances [fai'nænsiz] *pl* rahavarat *pl*
financial [fai'nænʃəl] *adj* finanssi-
finch [fintʃ] *n* peippo
*find [faind] *v* löytää
fine [fain] *n* sakko; *adj* hieno; kaunis; erinomainen, mainio; ~ arts taide
finger ['fiŋgə] *n* sormi; little ~ pikkusormi
fingerprint ['fiŋgəprint] *n* sormenjälki
finish ['finiʃ] *v* viimeistellä, lopettaa; loppua; *n* loppu; maaliviiva; finished valmis
Finland ['finlənd] Suomi
Finn [fin] *n* suomalainen

Finnish ['finiʃ] *adj* suomalainen
fire [faiə] *n* tuli; tulipalo; *v* ampua; erottaa
fire-alarm ['faiərəˌlɑ:m] *n* palohälytys
fire-brigade ['faiəbriˌgeid] *n* palokunta
fire-escape ['faiəriˌskeip] *n* paloportaat *pl*
fire-extinguisher ['faiərikˌstiŋgwiʃə] *n* sammutin
fireplace ['faiəpleis] *n* takka
fireproof ['faiəpru:f] *adj* tulenkestävä
firm [fə:m] *adj* luja; vankka; *n* toiminimi
first [fə:st] *num* ensimmäinen; at ~ ensiksi; alussa; ~ name etunimi
first-aid [ˌfə:st'eid] *n* ensiapu; ~ kit ensiapulaukku; ~ post ensiapuasema
first-class [ˌfə:st'klɑ:s] *adj* ensiluokkainen
first-rate [ˌfə:st'reit] *adj* ensiluokkainen
fir-tree ['fə:tri:] *n* havupuu, kuusi
fish¹ [fiʃ] *n* (pl ~, ~es) kala; ~ shop kalakauppa
fish² [fiʃ] *v* kalastaa; fishing gear kalastusvälineet *pl;* fishing hook ongenkoukku; fishing industry kalastus; fishing licence kalastuslupa; fishing line ongensiima; fishing net kalastusverkko; fishing rod onkivapa; fishing tackle kalastustarvikkeet *pl*
fishbone ['fiʃboun] *n* ruoto
fisherman ['fiʃəmən] *n* (pl -men) kalastaja
fist [fist] *n* nyrkki
fit [fit] *adj* sovelias; *n* kohtaus; *v* sopia; fitting room sovitushuone
five [faiv] *num* viisi
fix [fiks] *v* korjata; kiinnittää; sopia
fixed [fikst] *adj* pysyvä
fizz [fiz] *n* poreilu

fjord [fjɔːd] n vuono
flag [flæg] n lippu
flame [fleim] n liekki
flamingo [fləˈmiŋgou] n (pl ~s, ~es) flamingo
flannel [ˈflænəl] n flanelli
flash [flæʃ] n välähdys
flash-bulb [ˈflæʃbʌlb] n salamavalolamppu
flash-light [ˈflæʃlait] n taskulamppu
flask [flɑːsk] n pullo; thermos ~ termospullo
flat [flæt] adj tasainen; n huoncisto; ~ tyre rengasrikko
flavour [ˈfleivə] n maku; v maustaa
fleet [fliːt] n laivasto
flesh [fleʃ] n liha
flew [fluː] v (p fly)
flex [fleks] n johto
flexible [ˈfleksibəl] adj taipuisa; joustava
flight [flait] n lento; charter ~ tilauslento
flint [flint] n piikivi
float [flout] v kellua
flock [flɔk] n lauma
flood [flʌd] n tulva; vuoksi
floor [flɔː] n lattia; kerros; ~ show lavashow
florist [ˈflɔrist] n kukkakauppias
flour [flauə] n vehnäjauho, jauho
flow [flou] v juosta, virrata
flower [flauə] n kukka
flowerbed [ˈflauəbed] n kukkapenkki
flower-shop [ˈflauəʃɔp] n kukkakauppa
flown [floun] v (pp fly)
flu [fluː] n influenssa
fluent [ˈfluːənt] adj sujuva
fluid [ˈfluːid] adj nestemäinen; n neste
flute [fluːt] n huilu
fly [flai] n kärpänen; halkio
*fly [flai] v lentää

foam [foum] n vaahto; v vaahdota
foam-rubber [ˈfoumˌrʌbə] n vaahtokumi
focus [ˈfoukəs] n polttopiste
fog [fɔg] n sumu
foggy [ˈfɔgi] adj sumuinen
foglamp [ˈfɔglæmp] n sumuvalo
fold [fould] v taittaa; laskostaa; n taite
folk [fouk] n kansa; ~ song kansanlaulu
folk-dance [ˈfoukdɑːns] n kansantanssi
folklore [ˈfouklɔː] n kansanperinne
follow [ˈfɔlou] v seurata; following adj ensi, seuraava
*be fond of [biː fɔnd ɔv] pitää jstk
food [fuːd] n ruoka; ravinto; ~ poisoning ruokamyrkytys
foodstuffs [ˈfuːdstʌfs] pl ravintoaineet pl
fool [fuːl] n hölmö, narri; v puijata
foolish [ˈfuːliʃ] adj hupsu, typerä
foot [fut] n (pl feet) jalka; ~ powder jalkatalkki; on ~ jalan
football [ˈfutbɔːl] n jalkapallo; ~ match jalkapallo-ottelu
foot-brake [ˈfutbreik] n jalkajarru
footpath [ˈfutpɑːθ] n kävelytie
footwear [ˈfutweə] n jalkineet pl
for [fɔː, fə] prep -lla, -lle suff; ajaksi postp; kohden postp; vuoksi postp, -sta, varten postp; conj sillä
*forbid [fəˈbid] v kieltää
force [fɔːs] v pakottaa; murtaa; n voima; väkivalta; by ~ väkisin; driving ~ käyttövoima
ford [fɔːd] n kahluupaikka
forecast [ˈfɔːkɑːst] n ennuste; v ennustaa
foreground [ˈfɔːgraund] n etuala
forehead [ˈfɔred] n otsa
foreign [ˈfɔrin] adj ulkomaalainen; vieras

foreigner ['fɔrinə] n ulkomaalainen

foreman ['fɔ:mən] n (pl -men) työnjohtaja

foremost ['fɔ:moust] adj etummainen

foresail ['fɔ:seil] n keulapurje

forest ['fɔrist] n metsä

forester ['fɔristə] n metsänvartija

forge [fɔ:dʒ] v väärentää

*forget [fə'get] v unohtaa

forgetful [fə'getfəl] adj muistamaton

*forgive [fə'giv] v antaa anteeksi

fork [fɔ:k] n haarukka; haaraatuma; v haaraatua

form [fɔ:m] n muoto; lomake; luokka; v muodostaa

formal ['fɔ:məl] adj muodollinen

formality [fɔ:'mæləti] n muodollisuus

former ['fɔ:mə] adj entinen; edellinen; formerly ennen, muinoin

formula ['fɔ:mjulə] n (pl ~e, ~s) kaava

fort [fɔ:t] n linnake

fortnight ['fɔ:tnait] n kaksi viikkoa

fortress ['fɔ:tris] n linnoitus

fortunate ['fɔ:tʃənət] adj onnekas

fortune ['fɔ:tʃu:n] n omaisuus; kohtalo, onni

forty ['fɔ:ti] num neljäkymmentä

forward ['fɔ:wəd] adv esiin, eteenpäin; v lähettää edelleen

foster-parents ['fɔstə,pɛərənts] pl kasvatusvanhemmat pl

fought [fɔ:t] v (p, pp fight)

foul [faul] adj siivoton; halpamainen

found[1] [faund] v (p, pp find)

found[2] [faund] v perustaa

foundation [faun'deiʃən] n perusta; säätiö; ~ cream alusvoide

fountain ['fauntin] n suihkukaivo; lähde

fountain-pen ['fauntinpen] n täytekynä

four [fɔ:] num neljä

fourteen [,fɔ:'ti:n] num neljätoista

fourteenth [,fɔ:'ti:nθ] num neljästoista

fourth [fɔ:θ] num neljäs

fowl [faul] n (pl ~s, ~) siipikarja

fox [fɔks] n kettu

foyer ['fɔiei] n lämpiö

fraction ['frækʃən] n murto-osa

fracture ['fræktʃə] v taittaa; n murtuma

fragile ['frædʒail] adj hauras; helposti särkyvä

fragment ['frægmənt] n katkelma; palanen

frame [freim] n kehys; sangat pl

France [frɑ:ns] Ranska

franchise ['fræntʃaiz] n äänioikeus; erioikeus

fraternity [frə'tə:nəti] n veljeys

fraud [frɔ:d] n petos

fray [frei] v purkaantua; hankautua

free [fri:] adj vapaa; ilmainen; ~ of charge ilmainen; ~ ticket vapaalippu

freedom ['fri:dəm] n vapaus

*freeze [fri:z] v jäätyä; jäädyttää

freezing ['fri:ziŋ] adj jäätävä

freezing-point ['fri:ziŋpɔint] n jäätymispiste

freight [freit] n rahti

freight-train ['freittrein] nAm tavarajuna

French [frentʃ] adj ranskalainen

Frenchman ['frentʃmən] n (pl -men) ranskalainen

frequency ['fri:kwənsi] n taajuus; toistuminen

frequent ['fri:kwənt] adj tavallinen, toistuva; frequently usein

fresh [freʃ] adj tuore; raikas; ~ water makea vesi

friction ['frikʃən] n kitka

Friday ['fraidi] perjantai

fridge [fridʒ] n jääkaappi

friend [frend] n ystävä; ystävätär

friendly ['frendli] adj ystävällinen
friendship ['frendʃip] n ystävyys
fright [frait] n pelko, pelästys
frighten ['fraitən] v pelästyttää
frightened ['fraitənd] adj pelästynyt;
*be ~ pelästyä
frightful ['fraitfəl] adj hirvittävä,
kauhea
fringe [frindʒ] n hapsu; reuna
frock [frɔk] n leninki
frog [frɔg] n sammakko
from [frɔm] prep -sta suf; -lta; alkaen
postp
front [frʌnt] n etupuoli; in ~ of edes-
sä postp
frontier ['frʌntiə] n raja
frost [frɔst] n routa; pakkanen
froth [frɔθ] n vaahto
frozen ['frouzən] adj jäätynyt; ~
food pakasteet pl
fruit [fruːt] n hedelmä
fry [frai] v paistaa
frying-pan ['fraiiŋpæn] n paistinpan-
nu
fuel ['fjuːəl] n polttoaine; n bensiini;
~ pump Am bensiinipumppu
full [ful] adj täysinäinen; ~ board
täysihoito; ~ stop piste; ~ up tä-
pötäysi
fun [fʌn] n huvi; hauskuus
function ['fʌŋkʃən] n toiminta
fund [fʌnd] n rahasto
fundamental [ˌfʌndə'mentəl] adj pe-
rustavaa laatua oleva
funeral ['fjuːnərəl] n hautajaiset pl
funnel ['fʌnəl] n suppilo; savupiippu
funny ['fʌni] adj hullunkurinen, lysti-
käs; omituinen
fur [fəː] n turkis; ~ coat turkki; furs
turkikset pl
furious ['fjuəriəs] adj raivoisa, hurja
furnace ['fəːnis] n sulatusuuni
furnish ['fəːniʃ] v toimittaa, varustaa;
kalustaa, sisustaa; ~ with varus-

taa jllk
furniture ['fəːnitʃə] n huonekalut pl
furrier ['fʌriə] n turkkuri
further ['fəːðə] adj etäisempi; lisä-
furthermore ['fəːðəmɔː] adv lisäksi
furthest ['fəːðist] adj etäisin
fuse [fjuːz] n sulake; sytytyslanka
fuss [fʌs] n hälinä; touhu
future ['fjuːtʃə] n tulevaisuus; adj tu-
leva

G

gable ['geibəl] n päätykolmio
gadget ['gædʒit] n vekotin
gaiety ['geiəti] n iloisuus, hilpeys
gain [gein] v voittaa; n ansio
gait [geit] n käynti
gale [geil] n myrsky
gall [gɔːl] n sappi; ~ bladder sappi-
rakko
gallery ['gæləri] n parvi; taidegalleria
gallop ['gæləp] n laukka
gallows ['gælouz] pl hirsipuu
gallstone ['gɔːlstoun] n sappikivi
game [geim] n peli; riista; ~ reserve
luonnonsuojelualue
gang [gæŋ] n sakki; porukka
gangway ['gæŋwei] n laskusilta
gaol [dʒeil] n vankila
gap [gæp] n aukko; kuilu
garage ['gærɑːʒ] n autotalli; v ajaa
talliin
garbage ['gɑːbidʒ] n jätteet pl
garden ['gɑːdən] n puutarha; public
~ puisto; zoological gardens
eläintarha
gardener ['gɑːdənə] n puutarhuri
gargle ['gɑːgəl] v kurlata
garlic ['gɑːlik] n valkosipuli
gas [gæs] n kaasu; nAm bensiini; ~
cooker kaasuliesi; ~ pump Am

bensiinipumppu; ~ **station** *Am*
huoltoasema; ~ **stove** kaasu-uuni
gasoline ['gæsəliːn] *nAm* bensiini
gastric ulcer ['gæstrik ʌlsə] *n* vatsa-
haava
gate [geit] *n* portti; veräjä
gather ['gæðə] *v* kerätä; kokoontua
gauge [geidʒ] *n* vakiomitta; mittari
gauze [gɔːz] *n* harsokangas
gave [geiv] *v* (p give)
gay [gei] *adj* iloinen; kirjava
gaze [geiz] *v* tuijottaa
gazetteer [ˌgæzəˈtiə] *n* maantieteelli-
nen hakemisto
gear [giə] *n* vaihde; kalusteet *pl;* tar-
vikkeet *pl;* **change** ~ kytkeä vaih-
de; ~ **lever** vaihdetanko
gear-box ['giəbɔks] *n* vaihdelaatikko
gem [dʒem] *n* jalokivi
gender ['dʒendə] *n* suku
general ['dʒenərəl] *adj* yleinen; *n* ken-
raali; ~ **practitioner** yleislääkäri;
in ~ yleensä
generate ['dʒenəreit] *v* tuottaa
generation [ˌdʒenəˈreiʃən] *n* sukupolvi
generator ['dʒenəreitər] *n* generaatto-
ri
generosity [ˌdʒenəˈrɔsəti] *n* jalous; an-
teliaisuus
generous ['dʒenərəs] *adj* antelias
genital ['dʒenitəl] *adj* sukupuoli-
genius ['dʒiːniəs] *n* nero
gentle ['dʒentəl] *adj* lempeä; vieno,
hellävarainen
gentleman ['dʒentəlmən] *n* (pl -men)
herrasmies
genuine ['dʒenjuin] *adj* aito
geography [dʒiˈɔgrəfi] *n* maantiede
geology [dʒiˈɔlədʒi] *n* geologia
geometry [dʒiˈɔmətri] *n* geometria
germ [dʒəːm] *n* bakteeri; itu
German ['dʒəːmən] *adj* saksalainen
Germany ['dʒəːməni] Saksa
gesticulate [dʒiˈstikjuleit] *v* elehtiä

*****get** [get] *v* päästä, saada; hankkia;
tulla jksk; ~ **back** palata; ~ **off**
poistua; ~ **on** nousta; edistyä; ~
up nousta pystyyn
ghost [goust] *n* aave; henki
giant ['dʒaiənt] *n* jättiläinen
giddiness ['gidinəs] *n* huimaus
giddy ['gidi] *adj* huimausta tunteva
gift [gift] *n* lahja; kyky
gifted ['giftid] *adj* lahjakas
gigantic [dʒaiˈgæntik] *adj* jättiläismäi-
nen
giggle ['gigəl] *v* kikattaa
gill [gil] *n* kidukset *pl*
gilt [gilt] *adj* kullattu
ginger ['dʒindʒə] *n* inkivääri
gipsy ['dʒipsi] *n* mustalainen
girdle ['gəːdəl] *n* naisten liivit
girl [gəːl] *n* tyttö; ~ **guide** partiotyt-
tö
*****give** [giv] *v* antaa; luovuttaa; ~
away ilmaista; ~ **in** antaa myöten;
~ **up** luopua
glacier ['glæsiə] *n* jäätikkö
glad [glæd] *adj* iloinen; **gladly** ilomie-
lin, mielihyvin
gladness ['glædnəs] *n* ilo
glamorous ['glæmərəs] *adj* tenhoava,
lumoava
glamour ['glæmə] *n* lumous
glance [glɑːns] *n* silmäys; *v* silmäillä
gland [glænd] *n* rauhanen
glare [gleə] *n* säihke; loiste
glaring ['gleəriŋ] *adj* häikäisevä
glass [glɑːs] *n* lasi; lasinen; **glasses**
silmälasit *pl;* **magnifying** ~ suu-
rennuslasi
glaze [gleiz] *v* lasittaa
glen [glen] *n* rotko
glide [glaid] *v* liukua
glider ['glaidə] *n* purjelentokone
glimpse [glimps] *n* vilahdus; pilkah-
dus; *v* nähdä vilahdukselta
global ['gloubəl] *adj* maailmanlaajui-

nen
globe [gloub] *n* karttapallo, maapallo
gloom [glu:m] *n* synkkyys
gloomy ['glu:mi] *adj* synkkä
glorious ['glɔ:riəs] *adj* loistava
glory ['glɔ:ri] *n* kunnia
gloss [glɔs] *n* hohto
glossy ['glɔsi] *adj* kiiltävä
glove [glʌv] *n* hansikas
glow [glou] *v* hehkua; *n* hehku
glue [glu:] *n* liima
*go [gou] *v* mennä; kävellä; tulla
jksk; ~ ahead jatkaa; ~ away
mennä pois; ~ back palata; ~
home mennä kotiin; ~ in mennä
sisään; ~ on jatkaa; ~ out mennä
ulos; ~ through kestää
goal [goul] *n* päämäärä, maali
goalkeeper ['goul,ki:pə] *n* maalivahti
goat [gout] *n* vuohipukki, vuohi
god [gɔd] *n* jumala
goddess ['gɔdis] *n* jumalatar
godfather ['gɔd,fa:ðə] *n* kummisetä
goggles ['gɔgəlz] *pl* suojalasit *pl*
gold [gould] *n* kulta; ~ leaf lehtikul-
ta
golden ['gouldən] *adj* kullankeltainen
goldmine ['gouldmain] *n* kultakaivos
goldsmith ['gouldsmiθ] *n* kultaseppä
golf [gɔlf] *n* golf
golf-club ['gɔlfklʌb] *n* golfmaila
golf-course ['gɔlfkɔ:s] *n* golfkenttä
golf-links ['gɔlfliŋks] *n* golfkenttä
gondola ['gɔndələ] *n* gondoli
gone [gɔn] *adv* (pp go) poissa
good [gud] *adj* hyvä; kiltti
good-bye! [,gud'bai] näkemiin!
good-humoured [,gud'hju:məd] *adj*
hyväntuulinen
good-looking [,gud'lukiŋ] *adj* haus-
kannäköinen
good-natured [,gud'neitʃəd] *adj* hy-
väntahtoinen
goods [gudz] *pl* tavarat *pl*; ~ train

tavarajuna
good-tempered [,gud'tempəd] *adj* hy-
väntuulinen
goodwill [,gud'wil] *n* hyväntahtoisuus
goose [gu:s] *n* (pl geese) hanhi
gooseberry ['guzbəri] *n* karviaismar-
ja
goose-flesh ['gu:sfleʃ] *n* kananliha
gorge [gɔ:dʒ] *n* kuilu
gorgeous ['gɔ:dʒəs] *adj* loistava; upea
gospel ['gɔspəl] *n* evankeliumi
gossip ['gɔsip] *n* juoru; *v* juoruta
got [gɔt] *v* (p, pp get)
gourmet ['guəmei] *n* herkkusuu
gout [gaut] *n* kihti
govern ['gʌvən] *v* hallita
governess ['gʌvənis] *n* kotiopettaja-
tar
government ['gʌvənmənt] *n* hallitus
governor ['gʌvənə] *n* kuvernööri
gown [gaun] *n* (pitkä) puku
grace [greis] *n* sulo; armo, suosio
graceful ['greisfəl] *adj* viehkeä, suloi-
nen
grade [greid] *n* aste; luokka; *v* luoki-
tella
gradient ['greidiənt] *n* kaltevuus
gradual ['grædʒuəl] *adj* asteittainen;
gradually *adv* vähitellen
graduate ['grædʒueit] *v* saada oppiar-
vo
grain [grein] *n* jyvänen, vilja, jyvä
gram [græm] *n* gramma
grammar ['græmə] *n* kielioppi
grammatical [grə'mætikəl] *adj* kielio-
pillinen
gramophone ['græməfoun] *n* levysoi-
tin
grand [grænd] *adj* suurenmoinen
granddad ['grændæd] *n* isoisä
granddaughter ['græn,dɔ:tə] *n* tyttä-
rentytär, pojantytär
grandfather ['græn,fa:ðə] *n* isoisä
grandmother ['græn,mʌðə] *n* isoäiti;

mummo
grandparents ['græn,peərənts] *pl* iso-
vanhemmat *pl*
grandson ['grænsʌn] *n* pojanpoika,
tyttärenpoika
granite ['grænit] *n* graniitti
grant [grɑ:nt] *v* myöntää, suoda; an-
taa; *n* apuraha, avustus
grapefruit ['greipfru:t] *n* greippi
grapes [greips] *pl* viinirypäleet *pl*
graph [græf] *n* graafinen esitys
graphic ['græfik] *adj* graafinen; ha-
vainnollinen
grasp [grɑ:sp] *v* tarttua; *n* ote
grass [grɑ:s] *n* ruoho
grasshopper ['grɑ:s,hɔpə] *n* heinäsirk-
ka
grate [greit] *n* arina; *v* raapia, raas-
taa
grateful ['greitfəl] *adj* kiitollinen
grater ['greitə] *n* raastinrauta
gratis ['grætis] *adj* ilmainen
gratitude ['grætitju:d] *n* kiitollisuus
gratuity [grə'tju:əti] *n* palkkio; juo-
maraha
grave [greiv] *n* hauta; *adj* vakava
gravel ['grævəl] *n* sora
gravestone ['greivstoun] *n* hautakivi
graveyard ['greivjɑ:d] *n* hautausmaa
gravity ['grævəti] *n* painovoima; va-
kavuus
gravy ['greivi] *n* paistinkastike
graze [greiz] *v* laiduntaa; *n* hankau-
ma
grease [gri:s] *n* rasva; *v* rasvata
greasy ['gri:si] *adj* rasvainen
great [greit] *adj* suuri; **Great Britain**
Iso-Britannia
Greece [gri:s] Kreikka
greed [gri:d] *n* ahneus
greedy ['gri:di] *adj* ahne
Greek [gri:k] *adj* kreikkalainen
green [gri:n] *adj* vihreä; ~ **card** au-
ton vakuutuskortti

greengrocer ['gri:n,grousə] *n* vihan-
neskauppias
greenhouse ['gri:nhaus] *n* kasvihuone
greens [gri:nz] *pl* vihannekset *pl*
greet [gri:t] *v* tervehtiä
greeting ['gri:tiŋ] *n* tervehdys
grey [grei] *adj* harmaa
greyhound ['greihaund] *n* vinttikoira
grief [gri:f] *n* suru, murhe
grieve [gri:v] *v* surra
grill [gril] *n* parila; *v* pariloida
grill-room ['grilru:m] *n* grilli
grin [grin] *v* virnistää; *n* virnistys
***grind** [graind] *v* jauhaa; hienontaa
grip [grip] *v* tarttua; *n* ote; *nAm* mat-
kalaukku
grit [grit] *n* sora
groan [groun] *v* voihkia
grocer ['grousə] *n* sekatavarakaup-
pias; **grocer's** ruokakauppa
groceries ['grousəriz] *pl* ruokatarvik-
keet *pl*
groin [grɔin] *n* nivustaive
groove [gru:v] *n* uurre
gross[1] [grous] *n* (pl ~) grossi
gross[2] [grous] *adj* karkea; kokonais-
grotto ['grɔtou] *n* (pl ~es, ~s) luola
ground[1] [graund] *n* maaperä, pohja;
~ **floor** pohjakerros; **grounds**
tontti
ground[2] [graund] *v* (p, pp grind)
group [gru:p] *n* ryhmä
grouse [graus] *n* (pl ~) metsäkana,
teeri
grove [grouv] *n* metsikkö
***grow** [grou] *v* kasvaa; kasvattaa;
tulla jksk
growl [graul] *v* murista
grown-up ['grounʌp] *adj* täysikasvui-
nen; *n* aikuinen
growth [grouθ] *n* kasvu; kasvain
grudge [grʌdʒ] *v* kadehtia
grumble ['grʌmbəl] *v* nurista
guarantee [,gærən'ti:] *n* takuu; va-

kuus; v taata
guarantor [ˌgærən'tɔ:] n takaaja
guard [gɑ:d] n vartio; v vartioida
guardian ['gɑ:diən] n holhooja
guess [ges] v arvata, luulla; n arvelu
guest [gest] n vieras
guest-house ['gesthaus] n täysihoitola
guest-room ['gestru:m] n vierashuone
guide [gaid] n opas; v opastaa
guidebook ['gaidbuk] n opaskirja
guide-dog ['gaiddɔg] n opaskoira
guilt [gilt] n syyllisyys
guilty ['gilti] adj syyllinen
guinea-pig ['ginipig] n marsu
guitar [gi'tɑ:] n kitara
gulf [gʌlf] n merenlahti
gull [gʌl] n lokki
gum [gʌm] n ien; kumi; liima
gun [gʌn] n revolveri; kivääri; tykki
gunpowder ['gʌnˌpaudə] n ruuti
gust [gʌst] n tuulenpuuska
gusty ['gʌsti] adj tuulinen
gut [gʌt] n suoli; **guts** sisu
gutter ['gʌtə] n katuoja
guy [gai] n kaveri
gymnasium [dʒim'neiziəm] n (pl ~s, -sia) voimistelusali
gymnast ['dʒimnæst] n voimistelija
gymnastics [dʒim'næstiks] pl voimistelu
gynaecologist [ˌgainə'kɔlədʒist] n gynekologi, naistentautien lääkäri

H

haberdashery ['hæbədæʃəri] n lyhyttavaraliike
habit ['hæbit] n tottumus
habitable ['hæbitəbəl] adj asuttava
habitual [hə'bitʃuəl] adj tavanomainen

had [hæd] v (p, pp have)
haddock ['hædək] n (pl ~) kolja
haemorrhage ['heməridʒ] n verenvuoto
haemorrhoids ['hemərɔidz] pl peräpukamat pl
hail [heil] n rae
hair [heə] n tukka; ~ **cream** hiusvoide; ~ **piece** hiuslisäke; ~ **rollers** papiljotit pl; ~ **tonic** hiusvesi
hairbrush ['heəbrʌʃ] n hiusharja
haircut ['heəkʌt] n tukanleikkuu
hair-do ['heədu:] n kampaus
hairdresser ['heəˌdresə] n kampaaja
hair-dryer ['heədraiə] n hiustenkuivaaja
hair-grip ['heəgrip] n hiussolki
hair-net ['heənet] n hiusverkko
hair-oil ['heərɔil] n hiusöljy
hairpin ['heəpin] n hiusneula
hair-spray ['heəsprei] n hiuskiinne
hairy ['heəri] adj karvainen
half¹ [hɑ:f] adj puoli-; adv puoleksi
half² [hɑ:f] n (pl halves) puolikas
half-time [ˌhɑ:f'taim] n puoliaika
halfway [ˌhɑ:f'wei] adv puolitiessä
halibut ['hælibət] n (pl ~) pallas
hall [hɔ:l] n eteishalli; juhlasali
halt [hɔ:lt] v pysähtyä
halve [hɑ:v] v puolittaa
ham [hæm] n kinkku
hamlet ['hæmlət] n pikkukylä
hammer ['hæmə] n vasara
hammock ['hæmək] n riippumatto
hamper ['hæmpə] n kori
hand [hænd] n käsi; v ojentaa; ~ **cream** käsivoide
handbag ['hændbæg] n käsilaukku
handbook ['hændbuk] n käsikirja
hand-brake ['hændbreik] n käsijarru
handcuffs ['hændkʌfs] pl käsiraudat pl
handful ['hændful] n kourallinen
handicraft ['hændikrɑ:ft] n käsityö

handkerchief ['hæŋkətʃif] n nenäliina

handle ['hændəl] n varsi, kahva; v käsitellä

hand-made [ˌhænd'meid] adj käsintehty

handshake ['hændʃeik] n kädenpuristus

handsome ['hænsəm] adj komea

handwork ['hændwə:k] n käsityö

handwriting ['hændˌraitiŋ] n käsiala

handy ['hændi] adj kätevä

*hang [hæŋ] v ripustaa; riippua

hanger ['hæŋə] n ripustin

hangover ['hæŋˌouvə] n krapula

happen ['hæpən] v tapahtua, sattua

happening ['hæpəniŋ] n tapahtuma

happiness ['hæpinəs] n onni

happy ['hæpi] adj onnellinen, iloinen

harbour ['ha:bə] n satama

hard [ha:d] adj kova; vaikea; hardly tuskin

hardware ['ha:dwεə] n rautatavarat pl: ~ store rautakauppa

hare [hεə] n jänis

harm [ha:m] n vahinko, harmi; v vahingoittaa

harmful ['ha:mfəl] adj vahingollinen

harmless ['ha:mləs] adj vaaraton

harmony ['ha:məni] n sopusointu

harp [ha:p] n harppu

harpsichord ['ha:psikɔ:d] n cembalo

harsh [ha:ʃ] adj karkea; ankara; julma

harvest ['ha:vist] n sato

has [hæz] v (pr have)

haste [heist] n kiire

hasten ['heisən] v kiirehtiä

hasty ['heisti] adj kiireinen

hat [hæt] n hattu; ~ rack naulakko

hatch [hætʃ] n luukku

hate [heit] v vihata; n viha

hatred ['heitrid] n viha

haughty ['hɔ:ti] adj ylimielinen, ylpeä

haul [hɔ:l] v raahata

*have [hæv] v olla jklla; saada; ~ to täytyä

haversack ['hævəsæk] n reppu

hawk [hɔ:k] n haukka

hay [hei] n heinä; ~ fever heinänuha

hazard ['hæzəd] n vaara

haze [heiz] n utu

hazelnut ['heizəlnʌt] n pähkinä

hazy ['heizi] adj usvainen, utuinen

he [hi:] pron hän (miehestä)

head [hed] n pää; v johtaa; ~ of state valtionpäämies; ~ teacher johtajaopettaja

headache ['hedeik] n päänsärky

heading ['hediŋ] n otsikko

headlamp ['hedlæmp] n etuvalo

headland ['hedlənd] n niemi

headlight ['hedlait] n etuvalo

headline ['hedlain] n otsikko

headmaster [ˌhed'ma:stə] n rehtori, johtajaopettaja

headquarters [ˌhed'kwɔ:təz] pl päämaja

head-strong ['hedstrɔŋ] adj uppiniskainen

head-waiter [ˌhed'weitə] n hovimestari

heal [hi:l] v parantaa

health [helθ] n terveys; ~ centre terveyskeskus; ~ certificate lääkärin todistus

healthy ['helθi] adj terve

heap [hi:p] n läjä, kasa

*hear [hiə] v kuulla

hearing ['hiəriŋ] n kuulo

heart [ha:t] n sydän; ydin; by ~ ulkoa; ~ attack sydänkohtaus

heartburn ['ha:tbə:n] n närästys

hearth [ha:θ] n tulisija

heartless ['ha:tləs] adj sydämetön

hearty ['ha:ti] adj sydämellinen

heat [hi:t] n kuumuus, lämpö; v lämmittää; **heating pad** lämpötyyny

heater ['hi:tə] *n* lämmityslaite; **immersion** ~ uppokuumennin

heath [hi:θ] *n* nummi

heathen ['hi:ðən] *n* pakana; *adj* pakanallinen

heather ['heðə] *n* kanerva

heating ['hi:tiŋ] *n* lämmitys

heaven ['hevən] *n* taivas

heavy ['hevi] *adj* raskas

Hebrew ['hi:bru:] *n* heprea

hedge [hedʒ] *n* pensasaita

hedgehog ['hedʒhɔg] *n* siili

heel [hi:l] *n* kantapää; korko

height [hait] *n* korkeus; huippukohta; kukkula

hell [hel] *n* helvetti

hello! [he'lou] terve!; päivää!

helm [helm] *n* peräsin

helmet ['helmit] *n* kypärä

helmsman ['helmzmən] *n* ruorimies

help [help] *v* auttaa; *n* apu

helper ['helpə] *n* auttaja

helpful ['helpfəl] *adj* avulias

helping ['helpiŋ] *n* ruoka-annos

hem [hem] *n* päärme

hemp [hemp] *n* hamppu

hen [hen] *n* kana

henceforth [ˌhens'fɔ:θ] *adv* tästä lähtien

her [hə:] *pron* hänet, hänelle; *adj* hänen

herb [hə:b] *n* yrtti

herd [hə:d] *n* lauma

here [hiə] *adv* täällä; ~ **you are** olkaa hyvä

hereditary [hi'reditəri] *adj* perinnöllinen

hernia ['hə:niə] *n* tyrä, kohju

hero ['hiərou] *n* (pl ~es) sankari

heron ['herən] *n* haikara

herring ['heriŋ] *n* (pl ~, ~s) silli

herself [hə:'self] *pron* itsensä; itse

hesitate ['heziteit] *v* epäröidä

heterosexual [ˌhetərə'sekʃuəl] *adj* heteroseksuaalinen

hiccup ['hikʌp] *n* hikka

hide [haid] *n* talja

***hide** [haid] *v* piilottaa; kätkeä

hideous ['hidiəs] *adj* inhottava

hierarchy ['haiərɑ:ki] *n* arvojärjestys

high [hai] *adj* korkea

highway ['haiwei] *n* maantie; *nAm* moottoritie

hijack ['haidʒæk] *v* kaapata

hijacker ['haidʒækə] *n* kaappaaja

hike [haik] *v* retkeillä

hill [hil] *n* mäki

hillock ['hilək] *n* kumpu

hillside ['hilsaid] *n* rinne

hilltop ['hiltɔp] *n* mäenharja

hilly ['hili] *adj* mäkinen

him [him] *pron* hänelle, hänet

himself [him'self] *pron* itsensä; itse

hinder ['hində] *v* estää

hinge [hindʒ] *n* sarana

hip [hip] *n* lantio

hire [haiə] *v* vuokrata; **for** ~ vuokrattavana

hire-purchase [ˌhaiə'pə:tʃəs] *n* vähittäismaksujärjestelmä, osamaksukauppa

his [hiz] *adj* hänen

historian [hi'stɔ:riən] *n* historioitsija

historic [hi'stɔrik] *adj* historiallinen

historical [hi'stɔrikəl] *adj* historiallinen

history ['histəri] *n* historia

hit [hit] *n* iskelmä

***hit** [hit] *v* iskeä; osua

hitchhike ['hitʃhaik] *v* liftata

hitchhiker ['hitʃˌhaikə] *n* peukalokyytiläinen

hoarse [hɔ:s] *adj* käheä, karhea

hobby ['hɔbi] *n* harrastus

hobby-horse ['hɔbihɔ:s] *n* keppihevonen

hockey ['hɔki] *n* jääkiekkoilu

hoist [hɔist] v nostaa
hold [hould] n ote; lastiruuma
*hold [hould] v pidellä, pitää; ~ on tarrautua; ~ up tukea
hold-up ['houldʌp] n aseellinen ryöstö
hole [houl] n kuoppa, reikä
holiday ['hɔlədi] n loma; pyhäpäivä; ~ camp lomaleiri; ~ resort lomanviettopaikka; on ~ lomalla
Holland ['hɔlənd] Hollanti
hollow ['hɔlou] adj ontto
holy ['houli] adj pyhä
homage ['hɔmidʒ] n kunnianosoitus
home [houm] n koti; hoitokoti, asunto; adv kotiin päin, kotona; at ~ kotona
home-made [,houm'meid] adj kotitekoinen
homesickness ['houm,siknəs] n kotiikävä
homosexual [,houmə'sekʃuəl] adj homoseksuaalinen
honest ['ɔnist] adj rehellinen; vilpitön
honesty ['ɔnisti] n rehellisyys
honey ['hʌni] n hunaja
honeymoon ['hʌnimu:n] n kuherruskuukausi, häämatka
honk [hʌŋk] vAm antaa äänimerkki
honour ['ɔnə] n kunnia; v kunnioittaa
honourable ['ɔnərəbəl] adj kunniakas, kunnioitettava; kunniallinen
hood [hud] n huppu; nAm konepelti
hoof [hu:f] n kavio
hook [huk] n koukku
hoot [hu:t] v antaa äänimerkki
hooter ['hu:tə] n autontorvi
hoover ['hu:və] v imuroida
hop¹ [hɔp] v hyppiä; n hyppäys
hop² [hɔp] n humalakasvi
hope [houp] n toivo; v toivoa
hopeful ['houpfəl] adj toiveikas
hopeless ['houpləs] adj toivoton
horizon [hə'raizən] n taivaanranta, näköpiiri
horizontal [,hɔri'zɔntəl] adj vaakasuora
horn [hɔ:n] n sarvi; torvi; äänitorvi
horrible ['hɔribəl] adj hirvittävä, hirveä, inhottava, pöyristyttävä
horror ['hɔrə] n kauhu, kammo
hors-d'œuvre [ɔ:'də:vr] n alkuruoka, eturuoka
horse [hɔ:s] n hevonen
horseman ['hɔ:smən] n (pl -men) ratsastaja
horsepower ['hɔ:s,pauə] n hevosvoima
horserace ['hɔ:sreis] n ratsastuskilpailu
horseradish ['hɔ:s,rædiʃ] n piparjuuri
horseshoe ['hɔ:sʃu:] n hevosenkenkä
horticulture ['hɔ:tikʌltʃə] n puutarhanhoito
hosiery ['houʒəri] n trikootavarat pl
hospitable ['hɔspitəbəl] adj vieraanvarainen
hospital ['hɔspitəl] n sairaala
hospitality [,hɔspi'tæləti] n vieraanvaraisuus
host [houst] n isäntä
hostage ['hɔstidʒ] n panttivanki
hostel ['hɔstəl] n retkeilymaja
hostess ['houstis] n emäntä
hostile ['hɔstail] adj vihamielinen
hot [hɔt] adj kuuma
hotel [hou'tel] n hotelli
hot-tempered [,hɔt'tempəd] adj kiivasluonteinen
hour [auə] n tunti
hourly ['auəli] adj jokatuntinen
house [haus] n talo; asunto; rakennus; ~ agent kiinteistövälittäjä; ~ block Am kortteli; public ~ kapakka
houseboat ['hausbout] n asuntolaiva
household ['haushould] n talous
housekeeper ['haus,ki:pə] n talouden-

hoitaja

housekeeping ['haus̩ki:piŋ] n talou-
denhoito

housemaid ['hausmeid] n sisäkkö

housewife ['hauswaif] n kotirouva

housework ['hauswɔ:k] n kotityöt pl

how [hau] adv miten; ~ many kuin-
ka monta; ~ much kuinka paljon

however [hau'evə] conj kuitenkaan,
joka tapauksessa

hug [hʌg] v sulkea syliin; syleillä; n
syleily

huge [hju:dʒ] adj suunnaton, valtava

hum [hʌm] v hyräillä

human ['hju:mən] adj inhimillinen; ~
being ihminen

humanity [hju'mænəti] n ihmiskunta

humble ['hʌmbəl] adj nöyrä

humid ['hju:mid] adj kostea

humidity [hju'midəti] n kosteus

humorous ['hju:mərəs] adj leikillinen,
huvittava, humoristinen

humour ['hju:mə] n huumori

hundred ['hʌndrəd] n sata

Hungarian [hʌŋ'gɛəriən] adj unkari-
lainen

Hungary ['hʌŋgəri] Unkari

hunger ['hʌŋgə] n nälkä

hungry ['hʌŋgri] adj nälkäinen

hunt [hʌnt] v metsästää; n metsästys;
~ for etsiä

hunter ['hʌntə] n metsästäjä

hurricane ['hʌrikən] n pyörremyrsky;
~ lamp myrskylyhty

hurry ['hʌri] v rientää, kiirehtiä; n
kiire; in a ~ kiireesti

*hurt [hə:t] v loukata, haavoittaa

hurtful ['hə:tfəl] adj vahingollinen

husband ['hʌzbənd] n aviomies, puoli-
so

hut [hʌt] n mökki

hydrogen ['haidrədʒən] n vety

hygiene ['haidʒi:n] n hygienia

hygienic [hai'dʒi:nik] adj hygieeninen

hymn [him] n hymni, virsi

hyphen ['haifən] n yhdysviiva

hypocrisy [hi'pɔkrəsi] n tekopyhyys

hypocrite ['hipəkrit] n teeskentelijä

hypocritical [ˌhipə'kritikəl] adj tees-
kentelevä, tekopyhä, ulkokultainen

hysterical [hi'sterikəl] adj hysteerinen

I

I [ai] pron minä

ice [ais] n jää

ice-bag ['aisbæg] n jääpussi

ice-cream ['aiskri:m] n jäätelö

Iceland ['aislənd] Islanti

Icelander ['aisləndə] n islantilainen

Icelandic [ais'lændik] adj islantilainen

icon ['aikɔn] n ikoni

idea [ai'diə] n ajatus; aate, mielijoh-
de; käsite, käsitys

ideal [ai'diəl] adj ihanteellinen; n
ihanne

identical [ai'dentikəl] adj identtinen

identification [ai̩dentifi'keiʃən] n tun-
nistaminen

identify [ai'dentifai] v tunnistaa

identity [ai'dentəti] n henkilöllisyys;
~ card henkilöllisyystodistus

idiom ['idiəm] n idiomi

idiomatic [ˌidiə'mætik] adj idiomaatti-
nen

idiot ['idiət] n idiootti

idiotic [ˌidi'ɔtik] adj tylsämielinen

idle ['aidəl] adj toimeton; joutilas;
hyödytön

idol ['aidəl] n epäjumala; ihanne

if [if] conj jos; mikäli

ignition [ig'niʃən] n sytytys; ~ coil
sytytyslaite

ignorant ['ignərənt] adj tietämätön

ignore [ig'nɔ:] v olla välittämättä

ill [il] adj sairas; paha

illegal [i'li:gəl] adj laiton
illegible [i'ledʒəbəl] adj epäselvä, lukukelvoton
illiterate [i'litərət] n lukutaidoton
illness ['ilnəs] n sairaus
illuminate [i'lu:mineit] v valaista
illumination [i,lu:mi'neiʃən] n valaistus
illusion [i'lu:ʒən] n harhakuva; toiveunelma
illustrate ['iləstreit] v kuvittaa
illustration [,ilə'streiʃən] n kuvitus
image ['imidʒ] n kuva
imaginary [i'mædʒinəri] adj kuviteltu
imagination [i,mædʒi'neiʃən] n mielikuvitus
imagine [i'mædʒin] v kuvitella; luulla
imitate ['imiteit] v jäljitellä, matkia
imitation [,imi'teiʃən] n jäljittely, jäljennös
immediate [i'mi:djət] adj väliton
immediately [i'mi:djətli] adv välittömästi, heti, viipymättä
immense [i'mens] adj valtava, ääretön, suunnaton
immigrant ['imigrənt] n maahanmuuttaja
immigrate ['imigreit] v muuttaa maahan
immigration [,imi'greiʃən] n maahanmuutto
immodest [i'mɔdist] adj kainostelematon
immunity [i'mju:nəti] n immuniteetti
immunize ['imjunaiz] v immunisoida
impartial [im'pa:ʃəl] adj puolueeton
impassable [im'pa:səbəl] adj läpipääsemätön
impatient [im'peiʃənt] adj kärsimätön
impede [im'pi:d] v estää
impediment [im'pedimənt] n este
imperfect [im'pə:fikt] adj epätäydellinen
imperial [im'piəriəl] adj keisarillinen; maailmanvallan-

impersonal [im'pə:sənəl] adj persoonaton
impertinence [im'pə:tinəns] n hävyttömyys
impertinent [im'pə:tinənt] adj hävytön, nenäkäs
implement[1] ['implimənt] n työväline, työkalu
implement[2] ['impliment] v toteuttaa
imply [im'plai] v vihjata; merkitä
impolite [,impə'lait] adj epäkohtelias
import[1] [im'pɔ:t] v tuoda maahan
import[2] ['impɔ:t] n tuonti, tuontitavarat pl; ~ duty tuontitulli
importance [im'pɔ:təns] n tärkeys
important [im'pɔ:tənt] adj merkityksellinen, tärkeä
importer [im'pɔ:tə] n maahantuoja
imposing [im'pouziŋ] adj vaikuttava
impossible [im'pɔsəbəl] adj mahdoton
impotence ['impətəns] n kykenemättömyys
impotent ['impətənt] adj kykenemätön
impound [im'paund] v takavarikoida
impress [im'pres] v tehdä vaikutus
impression [im'preʃən] n vaikutelma
impressive [im'presiv] adj vaikuttava
imprison [im'prizən] v vangita
imprisonment [im'prizənmənt] n vankeus
improbable [im'prɔbəbəl] adj epätodennäköinen
improper [im'prɔpə] adj sopimaton
improve [im'pru:v] v parantaa
improvement [im'pru:vmənt] n parannus
improvise ['imprəvaiz] v improvisoida
impudent ['impjudənt] adj julkea
impulse ['impʌls] n mielijohde; sysäys
impulsive [im'pʌlsiv] adj impulsiivinen
in [in] prep -ssa; -lla, -lle suff; adv sisään

inaccessible [i,næk'sesəbəl] adj luoksepääsemätön

inaccurate [i'nækjurət] adj epätarkka

inadequate [i'nædikwət] adj riittämätön

incapable [iŋ'keipəbəl] adj kykenemätön

incense ['insens] n suitsutus

incident ['insidənt] n tapahtuma

incidental [,insi'dentəl] adj satunnainen

incite [in'sait] v kannustaa

inclination [,iŋkli'neiʃən] n taipumus

incline [iŋ'klain] n kaltevuus

inclined [iŋ'klaind] adj taipuvainen, halukas; *be ~ to olla taipuvainen

include [iŋ'klu:d] v käsittää, sisältää

income ['iŋkəm] n tulot pl

income-tax ['iŋkəmtæks] n tulovero

incompetent [iŋ'kɔmpətənt] adj epäpätevä

incomplete [,inkəm'pli:t] adj vaillinainen, epätäydellinen

inconceivable [,iŋkən'si:vəbəl] adj uskomaton

inconspicuous [,iŋkən'spikjuəs] adj huomaamaton

inconvenience [,iŋkən'vi:njəns] n vaiva, haitta, epämukavuus

inconvenient [,iŋkən'vi:njənt] adj sopimaton; hankala

incorrect [,iŋkə'rekt] adj virheellinen, väärä

increase[1] [iŋ'kri:s] v lisätä; kasvaa, lisääntyä

increase[2] ['iŋkri:s] n lisääntyminen; lisäys

incredible [iŋ'kredəbəl] adj uskomaton

incurable [iŋ'kjuərəbəl] adj parantumaton

indecent [in'di:sənt] adj säädytön

indeed [in'di:d] adv todella

indefinite [in'definit] adj epämääräinen

indemnity [in'demnəti] n vahingonkorvaus

independence [,indi'pendəns] n riippumattomuus

independent [,indi'pendənt] adj riippumaton

index ['indeks] n hakemisto; ~ finger etusormi

India ['indiə] Intia

Indian ['indiən] adj intialainen; intiaani-; n intialainen; Red ~ intiaani

indicate ['indikeit] v osoittaa, ilmaista

indication [,indi'keiʃən] n osoitus, ilmoitus

indicator ['indikeitə] n vilkkuvalo; osoitin

indifferent [in'difərənt] adj välinpitämätön

indigestion [,indi'dʒestʃən] n ruoansulatushäiriö

indignation [,indig'neiʃən] n suuttumus

indirect [,indi'rekt] adj epäsuora

individual [,indi'vidʒuəl] adj yksilöllinen, yksityinen; n yksilö

Indonesia [,ində'ni:ziə] Indonesia

Indonesian [,ində'ni:ziən] adj indonesialainen

indoor ['indɔ:] adj sisä-

indoors [,in'dɔ:z] adv sisällä

indulge [in'dʌldʒ] v myöntyä, antaa myöten, antautua (jhk)

industrial [in'dʌstriəl] adj teollisuus-

industrious [in'dʌstriəs] adj ahkera

industry ['indəstri] n teollisuus

inedible [i'nedibəl] adj syötäväksi kelpaamaton

inefficient [,ini'fiʃənt] adj tehoton

inevitable [i'nevitəbəl] adj väistämätön

inexpensive [,inik'spensiv] adj halpa

inexperienced [,inik'spiəriənst] adj ko-

kematon
infant ['infənt] *n* pikkulapsi
infantry ['infəntri] *n* jalkaväki
infect [in'fekt] *v* tulehtua, tartuttaa
infection [in'fekʃən] *n* tartunta
infectious [in'fekʃəs] *adj* tarttuva
infer [in'fə:] *v* tehdä johtopäätös
inferior [in'fiəriə] *adj* alhaisempi, huonompi, alempiarvoinen; alempi
infinite ['infinət] *adj* ääretön
infinitive [in'finitiv] *n* infinitiivi
infirmary [in'fə:məri] *n* sairasstupa
inflammable [in'flæməbəl] *adj* tulenarka
inflammation [ˌinflə'meiʃən] *n* tulehdus
inflatable [in'fleitəbəl] *adj* puhallettava
inflate [in'fleit] *v* puhaltaa täyteen
inflation [in'fleiʃən] *n* inflaatio
influence ['influəns] *n* vaikutus; *v* vaikuttaa
influential [ˌinflu'enʃəl] *adj* vaikutusvaltainen
influenza [ˌinflu'enzə] *n* influenssa
inform [in'fɔ:m] *v* tiedottaa; kertoa, ilmoittaa
informal [in'fɔ:məl] *adj* epävirallinen
information [ˌinfə'meiʃən] *n* tieto; ilmoitus, tiedotus; ~ **bureau** tiedonantotoimisto
infra-red [ˌinfrə'red] *adj* infrapunainen
infrequent [in'fri:kwənt] *adj* harvinainen
ingredient [iŋ'gri:diənt] *n* aines, aineosa
inhabit [in'hæbit] *v* asua
inhabitable [in'hæbitəbəl] *adj* asumiskelpoinen
inhabitant [in'hæbitənt] *n* asukas
inhale [in'heil] *v* hengittää sisään
inherit [in'herit] *v* periä
inheritance [in'heritəns] *n* perintö

initial [i'niʃəl] *adj* alkuperäinen, alku-; *n* nimikirjain; *v* varustaa nimikirjaimilla
initiative [i'niʃətiv] *n* aloite
inject [in'dʒekt] *v* ruiskuttaa
injection [in'dʒekʃən] *n* ruiske
injure ['indʒə] *v* loukata
injury ['indʒəri] *n* vamma
injustice [in'dʒʌstis] *n* vääryys
ink [iŋk] *n* muste
inlet ['inlet] *n* lahti
inn [in] *n* majatalo
inner ['inə] *adj* sisäinen; ~ **tube** sisärengas
inn-keeper ['inˌki:pə] *n* majatalon isäntä
innocence ['inəsəns] *n* viattomuus
innocent ['inəsənt] *adj* viaton
inoculate [i'nɔkjuleit] *v* rokottaa
inoculation [iˌnɔkju'leiʃən] *n* rokotus
inquire [iŋ'kwaiə] *v* tiedustella
inquiry [iŋ'kwaiəri] *n* tiedustelu, kysely; tutkimus; ~ **office** tiedonantotoimisto
inquisitive [iŋ'kwizətiv] *adj* utelias
insane [in'sein] *adj* mielisairas
inscription [in'skripʃən] *n* kaiverrus; sisäänkirjoitus
insect ['insekt] *n* hyönteinen; ~ **repellent** hyönteisvoide
insecticide [in'sektisaid] *n* hyönteismyrkky
insensitive [in'sensətiv] *adj* tunteeton
insert [in'sə:t] *v* sisällyttää, liittää
inside [ˌin'said] *n* sisäpuoli; *adj* sisä-; *adv* sisässä; sisältä; *prep* sisällä *postp*, sisään *postp*; ~ **out** nurinpäin; **insides** sisälmykset *pl*
insight ['insait] *n* oivallus
insignificant [ˌinsig'nifikənt] *adj* merkityksetön; mitäänsanomaton, mitätön
insist [in'sist] *v* väittää; vaatimalla vaatia

insolence ['insələns] n röyhkeys
insolent ['insələnt] adj röyhkeä
insomnia [in'somniə] n unettomuus
inspect [in'spekt] v tarkastaa
inspection [in'spekʃən] n tarkastus
inspector [in'spektə] n tarkastaja
inspire [in'spaiə] v innoittaa
install [in'stɔ:l] v asentaa
installation [ˌinstə'leiʃən] n asennus
instalment [in'stɔ:lmənt] n osamaksu-
erä
instance ['instəns] n esimerkki; ta-
paus; for ~ esimerkiksi
instant ['instənt] n hetki
instantly ['instəntli] adv välittömästi,
heti
instead of [in'sted ɔv] sijasta postp
instinct ['instiŋkt] n vaisto
institute ['institju:t] n laitos; v perus-
taa
institution [ˌinsti'tju:ʃən] n instituutio,
laitos
instruct [in'strʌkt] v opettaa
instruction [in'strʌkʃən] n opetus
instructive [in'strʌktiv] adj opettavai-
nen
instructor [in'strʌktə] n ohjaaja
instrument ['instrumənt] n työväline;
musical ~ soitin
insufficient [ˌinsə'fiʃənt] adj riittämä-
tön
insulate ['insjuleit] v eristää
insulation [ˌinsju'leiʃən] n eriste
insulator ['insjuleitə] n eristin
insult[1] [in'sʌlt] v loukata
insult[2] ['insʌlt] n loukkaus
insurance [in'ʃuərəns] n vakuutus; ~
policy vakuutuskirja
insure [in'ʃuə] v vakuuttaa
intact [in'tækt] adj koskematon
intellect ['intəlekt] n äly
intellectual [ˌintə'lektʃuəl] adj älylli-
nen
intelligence [in'telidʒəns] n älykkyys

intelligent [in'telidʒənt] adj älykäs
intend [in'tend] v aikoa
intense [in'tens] adj intensiivinen;
kiihkeä
intention [in'tenʃən] n aikomus
intentional [in'tenʃənəl] adj tahallinen
intercourse ['intəkɔ:s] n seurustelu,
kanssakäyminen; yhdyntä
interest ['intrəst] n mielenkiinto,
kiinnostus; etu; korko; v kiinnos-
taa; interested etujaan valvova,
kiinnostunut
interesting ['intrəstiŋ] adj mielen-
kiintoinen
interfere [ˌintə'fiə] v puuttua asiaan;
~ with sekaantua
interference [ˌintə'fiərəns] n väliintu-
lo
interim ['intərim] n väliaika
interior [in'tiəriə] n sisusta
interlude ['intəlu:d] n välikohtaus
intermediary [ˌintə'mi:djəri] n välittä-
jä
intermission [ˌintə'miʃən] n väliaika
internal [in'tə:nəl] adj sisäinen
international [ˌintə'næʃənəl] adj kan-
sainvälinen
interpret [in'tə:prit] v tulkita
interpreter [in'tə:pritə] n tulkki
interrogate [in'terəgeit] v kuulustella
interrogation [inˌterə'geiʃən] n kuu-
lustelu
interrogative [ˌintə'rɔgətiv] adj kysy-
vä
interrupt [ˌintə'rʌpt] v keskeyttää
interruption [ˌintə'rʌpʃən] n keskeytys
intersection [ˌintə'sekʃən] n risteys,
leikkauspiste
interval ['intəvəl] n väliaika; interval-
li
intervene [ˌintə'vi:n] v tulla väliin
interview ['intəvju:] n haastattelu
intestine [in'testin] n suoli; intestines
suolisto

intimate ['intimət] *adj* läheinen

into ['intu] *prep* sisään *postp*

intolerable [in'tɔlərəbəl] *adj* sietämätön

intoxicated [in'tɔksikeitid] *adj* päihtynyt

intrigue [in'tri:g] *n* vehkeily

introduce [ˌintrə'dju:s] *v* esittellä

introduction [ˌintrə'dʌkʃən] *n* esittely; johdanto

invade [in'veid] *v* valloittaa

invalid[1] ['invəli:d] *n* invalidi; *adj* vammainen

invalid[2] [in'vælid] *adj* pätemätön

invasion [in'veiʒən] *n* maahanhyökkäys

invent [in'vent] *v* keksiä

invention [in'venʃən] *n* keksintö

inventive [in'ventiv] *adj* kekseliäs

inventor [in'ventə] *n* keksijä

inventory ['invəntri] *n* inventaario

invert [in'vɔ:t] *v* kääntää ylösalaisin

invest [in'vest] *v* investoida, sijoittaa

investigate [in'vestigeit] *v* tutkia

investigation [inˌvesti'geiʃən] *n* tutkimus

investment [in'vestmənt] *n* rahansijoitus

investor [in'vestə] *n* sijoittaja

invisible [in'vizəbəl] *adj* näkymätön

invitation [ˌinvi'teiʃən] *n* kutsu

invite [in'vait] *v* kutsua

invoice ['invɔis] *n* lasku

involve [in'vɔlv] *v* sekaantua

inwards ['inwədz] *adv* sisäänpäin

iodine ['aiədi:n] *n* jodi

Iran [i'rɑ:n] Iran

Iranian [i'reiniən] *adj* iranilainen

Iraq [i'rɑ:k] Irak

Iraqi [i'rɑ:ki] *adj* irakilainen

irascible [i'ræsibəl] *adj* äkkipikainen

Ireland ['aiələnd] Irlanti

Irish ['aiəriʃ] *adj* irlantilainen

Irishman ['aiəriʃmən] *n* (pl -men) ir-

lantilainen

iron ['aiən] *n* rauta; silitysrauta; rautainen; *v* silittää

ironical [ai'rɔnikəl] *adj* ivallinen

ironworks ['aiənwɔ:ks] *n* rautatehdas

irony ['aiərəni] *n* iva

irregular [i'regjulə] *adj* epäsäännöllinen

irreparable [i'repərəbəl] *adj* mahdoton korjata

irrevocable [i'revəkəbəl] *adj* peruuttamaton

irritable ['iritəbəl] *adj* ärtyisä

irritate ['iriteit] *v* ärsyttää, hermostuttaa

is [iz] *v* (pr be)

island ['ailənd] *n* saari

isolate ['aisəleit] *v* eristää

isolation [ˌaisə'leiʃən] *n* eristyneisyys

Israel ['izreil] Israel

Israeli [iz'reili] *adj* israelilainen

issue ['iʃu:] *v* julkaista; *n* jakelu, painos; kiistakysymys, pulmakysymys; ulospääsy, lopputulos

isthmus ['isməs] *n* kannas

it [it] *pron* se

Italian [i'tæljən] *adj* italialainen

italics [i'tæliks] *pl* kursiivi, vinokirjaimet *pl*

Italy ['itəli] Italia

itch [itʃ] *n* syyhy; kutina; *v* syyhytä

item ['aitəm] *n* artikkeli; kohta

itinerant [ai'tinərənt] *adj* kiertävä

itinerary [ai'tinərəri] *n* matkasuunnitelma, matkareitti

ivory ['aivəri] *n* norsunluu

ivy ['aivi] *n* muratti

J

jack [dʒæk] *n* mies, jätkä nostovipu

jacket ['dʒækit] *n* pikkutakki, nuttu;

päällys
jade [dʒeid] n jadekivi
jail [dʒeil] n vankila
jailer ['dʒeilə] n vanginvartija
jam [dʒæm] n hillo; ruuhka
janitor ['dʒænitə] n talonmies
January ['dʒænjuəri] tammikuu
Japan [dʒə'pæn] Japani
Japanese [ˌdʒæpə'ni:z] adj japanilainen
jar [dʒɑ:] n ruukku
jaundice ['dʒɔ:ndis] n keltatauti
jaw [dʒɔ:] n leukapieli
jealous ['dʒeləs] adj mustasukkainen
jealousy ['dʒeləsi] n mustasukkaisuus
jeans [dʒi:nz] pl farmarihousut pl
jelly ['dʒeli] n hyytelö
jelly-fish ['dʒelifiʃ] n meduusa
jersey ['dʒə:zi] n jersey; villapaita
jet [dʒet] n suihku; suihkukone
jetty ['dʒeti] n aallonmurtaja
Jew [dʒu:] n juutalainen
jewel ['dʒu:əl] n koru
jeweller ['dʒu:ələ] n jalokivikauppias
jewellery ['dʒu:əlri] n korut pl
Jewish ['dʒu:iʃ] adj juutalainen
job [dʒɔb] n työ; työpaikka, toimi
jockey ['dʒɔki] n kilparatsastaja
join [dʒɔin] v liittää yhteen; yhtyä, liittyä; yhdistää
joint [dʒɔint] n liitos; adj yhteinen, yhdistetty
jointly ['dʒɔintli] adv yhdessä
joke [dʒouk] n vitsi, pila
jolly ['dʒɔli] adj iloinen
Jordan ['dʒɔ:dən] Jordania
Jordanian [dʒɔ:'deiniən] adj jordanialainen
journal ['dʒə:nəl] n aikakausjulkaisu
journalism ['dʒə:nəlizəm] n sanomalehtiala
journalist ['dʒə:nəlist] n sanomalehtimies
journey ['dʒə:ni] n matka

joy [dʒɔi] n ilo
joyful ['dʒɔifəl] adj iloinen, riemukas
jubilee ['dʒu:bili:] n riemujuhla
judge [dʒʌdʒ] n tuomari; v tuomita; arvostella
judgment ['dʒʌdʒmənt] n tuomio; arvostelukyky
jug [dʒʌg] n kannu
Jugoslav [ˌju:gə'slɑ:v] adj jugoslavialainen; n jugoslaavi
Jugoslavia [ˌju:gə'slɑ:viə] Jugoslavia
juice [dʒu:s] n mehu
juicy ['dʒu:si] adj mehukas
July [dʒu'lai] heinäkuu
jump [dʒʌmp] v hypätä; n hyppy
jumper ['dʒʌmpə] n neulepusero
junction ['dʒʌŋkʃən] n risteys
June [dʒu:n] kesäkuu
jungle ['dʒʌŋgəl] n sademetsä, viidakko
junior ['dʒu:njə] adj nuorempi
junk [dʒʌŋk] n romu
jury ['dʒuəri] n tuomaristo
just [dʒʌst] adj oikeudenmukainen, oikeutettu; oikea; adv juuri; aivan
justice ['dʒʌstis] n oikeus; oikeudenmukaisuus
juvenile ['dʒu:vənail] adj nuorekas, nuoriso-

K

kangaroo [ˌkæŋgə'ru:] n kenguru
keel [ki:l] n köli
keen [ki:n] adj innokas; pureva; terävä
***keep** [ki:p] v pidellä; säilyttää; pitää yllä; ~ away from pysyä poissa; ~ off olla kajoamatta; ~ on jatkaa; ~ quiet vaieta; ~ up ylläpitää; ~ up with pysyä tasalla
keg [keg] n pieni tynnyri

kennel [ˈkenəl] n koirankoppi; koira-
tarha
Kenya [ˈkenjə] Kenia
kerosene [ˈkerəsiːn] n paloöljy
kettle [ˈketəl] n vesipannu
key [kiː] n avain
keyhole [ˈkiːhoul] n avaimenreikä
khaki [ˈkɑːki] n khakikangas
kick [kik] v potkaista, potkia; n pot-
ku
kick-off [ˌkiˈkɔf] n avajaisspotku
kid [kid] n lapsi; vuohennahka; v kiu-
soitella
kidney [ˈkidni] n munuainen
kill [kil] v tappaa, surmata
kilogram [ˈkiləgræm] n kilo
kilometre [ˈkiləˌmiːtə] n kilometri
kind [kaind] adj kiltti, ystävällinen;
hyväntahtoinen; n laji
kindergarten [ˈkindəˌgɑːtən] n lasten-
tarha
king [kiŋ] n kuningas
kingdom [ˈkiŋdəm] n kuningaskunta;
valtakunta
kiosk [ˈkiːɔsk] n kioski
kiss [kis] n suudelma; v suudella
kit [kit] n varusteet pl
kitchen [ˈkitʃin] n keittiö; ~ garden
kasvitarha
knapsack [ˈnæpsæk] n selkäreppu
knave [neiv] n sotamies
knee [niː] n polvi
kneecap [ˈniːkæp] n polvilumpio
*kneel [niːl] v polvistua
knew [njuː] v (p know)
knickers [ˈnikəz] pl alushousut pl
knife [naif] n (pl knives) veitsi
knight [nait] n ritari
*knit [nit] v neuloa
knob [nɔb] n nuppi
knock [nɔk] v kolkuttaa; n kolkutus;
~ against törmätä; ~ down iskeä
maahan
knot [nɔt] n solmu; v solmia

*know [nou] v tietää; osata, tuntea
knowledge [ˈnɔlidʒ] n tieto
knuckle [ˈnʌkəl] n rystynen

L

label [ˈleibəl] n nimilippu; v varustaa
nimilipulla
laboratory [ləˈbɔrətəri] n laboratorio
labour [ˈleibə] n työ; synnytyskivut; v
raataa, v ahertaa; labor permit
Am työlupa
labourer [ˈleibərə] n työläinen
labour-saving [ˈleibəˌseiviŋ] adj työtä-
säästävä
labyrinth [ˈlæbərinθ] n sokkelo
lace [leis] n pitsi; kengännauha
lack [læk] n puute; v olla jtk vailla,
puuttua
lacquer [ˈlækə] n lakka
lad [læd] n poika, nuorukainen
ladder [ˈlædə] n tikapuut pl
lady [ˈleidi] n (hieno) nainen; ladies'
room naistenhuone
lagoon [ləˈguːn] n laguuni
lake [leik] n järvi
lamb [læm] n karitsa; lampaanliha
lame [leim] adj rampa, ontuva
lamentable [ˈlæməntəbəl] adj valitet-
tava
lamp [læmp] n lamppu
lamp-post [ˈlæmppoust] n lyhtypylväs
lampshade [ˈlæmpʃeid] n lampunvar-
jostin
land [lænd] n maa; v laskeutua, las-
kea maihin; nousta maihin
landlady [ˈlændˌleidi] n vuokraemäntä
landlord [ˈlændlɔːd] n vuokraisäntä,
talonomistaja
landmark [ˈlændmɑːk] n maamerkki
landscape [ˈlændskeip] n maisema
lane [lein] n pikkukatu, kuja; ajo-

kaista
language [ˈlæŋgwidʒ] n kieli; ~ **laboratory** kielistudio
lantern [ˈlæntən] n lyhty
lapol [ləˈpel] n lieve, käänne
larder [ˈlɑːdə] n ruokakaappi
large [lɑːdʒ] adj suuri; tilava
lark [lɑːk] n leivonen
laryngitis [ˌlærɪnˈdʒaitis] n kurkunpään tulehdus
last [lɑːst] adj viimeinen; viime; v kestää; **at** ~ vihdoin, lopulta; **at long** ~ vihdoin viimein
lasting [ˈlɑːstɪŋ] adj kestävä
latchkey [ˈlætʃkiː] n ulko-oven avain
late [leit] adj myöhäinen; myöhässä
lately [ˈleitli] adv viime aikoina
lather [ˈlɑːðə] n vaahto
Latin America [ˈlætin əˈmerikə] Latinalainen Amerikka
Latin-American [ˌlætinəˈmerikən] adj latinalaisamerikkalainen
latitude [ˈlætitjuːd] n leveysaste
laugh [lɑːf] v nauraa; n nauru
laughter [ˈlɑːftə] n nauru
launch [lɔːntʃ] v panna alulle; laskea vesille; singahduttaa; n moottorialus
launching [ˈlɔːntʃɪŋ] n vesillelasku
launderette [ˌlɔːndəˈret] n itsepalvelupesula
laundry [ˈlɔːndri] n pesula; pyykki
lavatory [ˈlævətəri] n pesuhuone, WC
lavish [ˈlæviʃ] adj tuhlaavainen
law [lɔː] n laki; lakitiede; ~ **court** tuomioistuin
lawful [ˈlɔːfəl] adj laillinen
lawn [lɔːn] n nurmikenttä
lawsuit [ˈlɔːsuːt] n oikeudenkäynti, oikeusjuttu
lawyer [ˈlɔːjə] n asianajaja, juristi
laxative [ˈlæksətiv] n ulostuslääke
*lay [lei] v sijoittaa, asettaa, panna; ~ **bricks** muurata

layer [leiə] n kerros
layman [ˈleimən] n maallikko
lazy [ˈleizi] adj laiska
*lead [liːd] v johtaa
lead[1] [liːd] n etumatka; johto; talutushihna
lead[2] [led] n lyijy
leader [ˈliːdə] n johtaja
leadership [ˈliːdəʃip] n johtajuus
leading [ˈliːdɪŋ] adj johtava
leaf [liːf] n (pl leaves) lehti
league [liːg] n liitto
leak [liːk] v vuotaa; n vuoto
leaky [ˈliːki] adj vuotava
lean [liːn] adj laiha
*lean [liːn] v nojautua
leap [liːp] n hyppy
*leap [liːp] v loikata
leap-year [ˈliːpjiə] n karkausvuosi
*learn [lɜːn] v oppia
learner [ˈlɜːnə] n aloittelija, oppilas
lease [liːs] n vuokrasopimus; v antaa vuokralle; vuokrata
leash [liːʃ] n talutusnuora
least [liːst] adj vähin, vähäisin; pienin; **at** ~ ainakin, vähintään
leather [ˈleðə] n nahka; nahkainen
leave [liːv] n loma
*leave [liːv] v jättää; ~ **alone** antaa olla; ~ **behind** jättää; ~ **out** jättää pois
Lebanese [ˌlebəˈniːz] adj libanonilainen
Lebanon [ˈlebənən] Libanon
lecture [ˈlektʃə] n esitelmä, luento
left[1] [left] adj vasen; jäljellä
left[2] [left] v (p, pp leave)
left-hand [ˈlefthænd] adj vasen, vasemmanpuolinen
left-handed [ˌleftˈhændid] adj vasenkätinen
leg [leg] n sääri, jalka
legacy [ˈlegəsi] n testamenttilahjoitus
legal [ˈliːgəl] adj laillinen, lakimää-

räinen; lainmukainen

legalization [ˌliːɡəlaiˈzeiʃən] *n* laillista-
minen

legation [liˈɡeiʃən] *n* lähetystö

legible [ˈledʒibəl] *adj* luettavissa ole-
va

legitimate [liˈdʒitimət] *adj* laillinen

leisure [ˈleʒə] *n* vapaa-aika

lemon [ˈlemən] *n* sitruuna

lemonade [ˌleməˈneid] *n* limonaati

*lend [lend] *v* lainata, antaa lainaksi

length [leŋθ] *n* pituus

lengthen [ˈleŋθən] *v* pidentää

lengthways [ˈleŋθweiz] *adv* pitkittäin

lens [lenz] *n* linssi; **telephoto** ~ tele-
objektiivi; **zoom** ~ liukuobjektiivi

leprosy [ˈleprəsi] *n* spitaalitauti

less [les] *adv* vähemmän

lessen [ˈlesən] *v* vähentää

lesson [ˈlesən] *n* oppitunti

*let [let] *v* sallia; vuokrata, antaa
vuokralle; ~ **down** pettää

letter [ˈletə] *n* kirje; kirjain; ~ **of**
credit luottokirje; ~ **of recom-**
mendation suosituskirje

letter-box [ˈletəbɔks] *n* kirjelaatikko

lettuce [ˈletis] *n* lehtisalaatti

level [ˈlevəl] *adj* tasainen, vaakasuo-
ra; *n* taso; vaakituskoje; *v* tasoit-
taa, yhdenmukaistaa; ~ **crossing**
tasoylikäytävä

lever [ˈliːvə] *n* vipu

liability [ˌlaiəˈbiləti] *n* vastuuvelvolli-
suus; taipumus

liable [ˈlaiəbəl] *adj* vastuullinen; ~ **to**
altis jllk

liberal [ˈlibərəl] *adj* vapaamielinen;
avokätinen, suurpiirteinen

liberation [ˌlibəˈreiʃən] *n* vapautus

Liberia [laiˈbiəriə] Liberia

Liberian [laiˈbiəriən] *adj* liberialainen

liberty [ˈlibəti] *n* vapaus

library [ˈlaibrəri] *n* kirjasto

licence [ˈlaisəns] *n* lisenssi; lupa;

driving ~ ajokortti; ~ **number**
Am rekisterinumero; ~ **plate** *Am*
rekisterikilpi

license [ˈlaisəns] *v* myöntää lupa

lick [lik] *v* nuolla

lid [lid] *n* kansi

lie [lai] *v* valehdella; *n* valhe

*lie [lai] *v* maata; ~ **down** käydä
makuulle

life [laif] *n* (pl lives) elämä; ~ **insur-**
ance henkivakuutus

lifebelt [ˈlaifbelt] *n* pelastusvyö

lifetime [ˈlaiftaim] *n* elinaika

lift [lift] *v* nostaa, kohottaa; *n* hissi

light [lait] *n* valo; *adj* kevyt; vaalea;
~ **bulb** hehkulamppu

*light [lait] *v* sytyttää

lighter [ˈlaitə] *n* sytytin

lighthouse [ˈlaithaus] *n* majakka

lighting [ˈlaitiŋ] *n* valaistus

lightning [ˈlaitniŋ] *n* salama

like [laik] *v* pitää jstk; *adj* kaltainen
(jkn); *conj* kuten; *prep* niin kuin

likely [ˈlaikli] *adj* todennäköinen

like-minded [ˌlaikˈmaindid] *adj* sa-
manmielinen

likewise [ˈlaikwaiz] *adv* samoin

lily [ˈlili] *n* lilja

limb [lim] *n* raaja

lime [laim] *n* kalkki; lehmus; limetti

limetree [ˈlaimtriː] *n* niinipuu

limit [ˈlimit] *n* raja; *v* rajoittaa

limp [limp] *v* ontua; *adj* veltto

line [lain] *n* rivi; viiva; naru; linja;
stand in ~ *Am* jonottaa

linen [ˈlinin] *n* pellava; liinavaatteet
pl

liner [ˈlainə] *n* vuorolaiva

lingerie [ˈlɔʒəriː] *n* naisten alusvaat-
teet

lining [ˈlainiŋ] *n* vuori

link [liŋk] *v* liittää yhteen; *n* rengas,
lenkki; silmukka

lion [ˈlaiən] *n* leijona

lip [lip] n huuli
lipsalve ['lipsɑ:v] n huulivoide
lipstick ['lipstik] n huulipuna
liqueur [li'kjuə] n likööri
liquid ['likwid] adj nestemäinen; n neste
liquor ['likə] n viina
liquorice ['likəris] n lakritsi
list [list] n luettelo; v kirjata
listen ['lisən] v kuunnella, noudattaa neuvoa
listener ['lisnə] n kuuntelija
literary ['litrəri] adj kirjallinen
literature ['litrətʃə] n kirjallisuus
litre ['li:tə] n litra
litter ['litə] n roska
little ['litəl] adj pieni; vähän
live¹ [liv] v elää; asua
live² [laiv] adj elävä
livelihood ['laivlihud] n toimeentulo
lively ['laivli] adj eloisa
liver ['livə] n maksa
living-room ['liviŋru:m] n olohuone
load [loud] n kuorma; v lastata
loaf [louf] n (pl loaves) limppu, leipä
loan [loun] n laina
lobby ['lɔbi] n eteishalli; lämpiö
lobster ['lɔbstə] n hummeri
local ['loukəl] adj paikallinen, paikallis-; ~ call paikallispuhelu; ~ train paikallisjuna
locality [lou'kæləti] n paikkakunta
locate [lou'keit] v paikantaa
location [lou'keiʃən] n sijainti
lock [lɔk] v lukita; n lukko; sulku; ~ up lukita sisään
locomotive [,loukə'moutiv] n veturi
lodge [lɔdʒ] v majoittaa; n metsästysmaja
lodger ['lɔdʒə] n vuokralainen
lodgings ['lɔdʒiŋz] pl vuokrahuone
log [lɔg] n halko
logic ['lɔdʒik] n logiikka
logical ['lɔdʒikəl] adj johdonmukai-

nen
lonely ['lounli] adj yksinäinen
long [lɔŋ] adj pitkä; ~ for ikävöidä; no longer ei enää
longing ['lɔŋiŋ] n kaipaus
longitude ['lɔndʒitju:d] n pituusaste
look [luk] v katsoa; näyttää, näyttää jltk; n silmäys, katse; ulkonäkö; ~ after valvoa, huolehtia jstk, hoitaa; ~ at katsella, katsoa; ~ for etsiä; ~ out olla varuillaan; ~ up hakea (sanakirjasta)
looking glass ['lukiŋglɑ:s] n peili
loop [lu:p] n silmukka
loose [lu:s] adj irtonainen
loosen ['lu:sən] v irrottaa
lord [lɔ:d] n lordi
lorry ['lɔri] n kuorma-auto
*lose [lu:z] v kadottaa, menettää
loss [lɔs] n menetys, tappio
lost [lɔst] adj eksynyt; kadonnut; ~ and found löytötavarat pl; ~ property office löytötavaratoimisto
lot [lɔt] n kohtalo, arpa, osa; suuri määrä, joukko
lotion ['louʃən] n kasvovesi; after-shave ~ partavesi
lottery ['lɔtəri] n arpajaiset pl
loud [laud] adj äänekäs
loud-speaker [,laud'spi:kə] n kaiutin
lounge [laundʒ] n salonki
louse [laus] n (pl lice) täi
love [lʌv] v rakastaa; n rakkaus; in ~ rakastunut
lovely ['lʌvli] adj viehättävä, suloinen, ihana
lover ['lʌvə] n rakastaja
love-story ['lʌv,stɔ:ri] n rakkausjuttu
low [lou] adj matala; alakuloinen; ~ tide laskuvesi
lower ['louə] v alentaa; laskea; adj alempi, ala-
lowlands ['louləndz] pl alamaa

loyal ['lɔiəl] *adj* uskollinen
lubricate ['lu:brikeit] *v* voidella
lubrication [,lu:bri'keiʃən] *n* voitelu; ~
oil voiteluöljy; ~ system voitelu-
järjestelmä
luck [lʌk] *n* menestys, onni; sattuma
lucky ['lʌki] *adj* onnekas; ~ charm
amuletti
ludicrous ['lu:dikrəs] *adj* hullunkuri-
nen, naurettava
luggage ['lʌgidʒ] *n* matkatavarat *pl;*
hand ~ käsimatkatavara; left ~
office matkatavarasäilö; ~ rack
matkatavarahylly, matkatavara-
verkko; ~ van tavaravaunu
lukewarm ['lu:kwɔ:m] *adj* haalea
lumbago [lʌm'beigou] *n* noidannuoli
luminous ['lu:minəs] *adj* valoisa
lump [lʌmp] *n* pala, möhkäle; kuh-
mu; ~ of sugar sokeripala; ~
sum kokonaissumma
lumpy ['lʌmpi] *adj* kokkareinen
lunacy ['lu:nəsi] *n* mielenvikaisuus
lunatic ['lu:nətik] *adj* mielisairas; *n*
mielenvikainen
lunch [lʌntʃ] *n* aamiainen, lounas
luncheon ['lʌntʃən] *n* lounas
lung [lʌŋ] *n* keuhko
lust [lʌst] *n* aistillisuus, himo
luxurious [lʌg'ʒuəriəs] *adj* ylellinen
luxury ['lʌkʃəri] *n* ylellisyys

M

machine [mə'ʃi:n] *n* kone
machinery [mə'ʃi:nəri] *n* koneisto
mackerel ['mækrəl] *n* (pl ~) makrilli
mackintosh ['mækintɔʃ] *n* sadetakki
mad [mæd] *adj* hullu, mieletön; rai-
vostunut
madam ['mædəm] *n* rouva
madness ['mædnəs] *n* hulluus

magazine [,mægə'zi:n] *n* aikakauslehti
magic ['mædʒik] *n* taika, noituus; *adj*
maaginen
magician [mə'dʒiʃən] *n* taikuri
magistrate ['mædʒistreit] *n* rauhan-
tuomari
magnetic [mæg'netik] *adj* magneetti-
nen
magneto [mæg'ni:tou] *n* (pl ~s) mag-
neetti
magnificent [mæg'nifisənt] *adj* upea,
suurenmoinen
magpie ['mægpai] *n* harakka
maid [meid] *n* kotiapulainen
maiden name ['meidən neim] tyttöni-
mi
mail [meil] *n* posti; *v* postittaa; ~ or-
der *Am* postiosoitus
mailbox ['meilbɔks] *nAm* postilaatik-
ko
main [mein] *adj* pää-, pääasiallinen;
suurin; ~ deck pääkansi; ~ line
päärata; ~ road päätie; ~ street
pääkatu
mainland ['meinlənd] *n* mantere
mainly ['meinli] *adv* pääasiallisesti
mains [meinz] *pl* pääjohto
maintain [mein'tein] *v* ylläpitää
maintenance ['meintənəns] *n* ylläpito
maize [meiz] *n* maissi
major ['meidʒə] *adj* suuri; suurempi;
n majuri
majority [mə'dʒɔrəti] *n* enemmistö
*make [meik] *v* tehdä; ansaita; ehtiä;
~ do with tulla toimeen; ~ good
hyvittää; ~ up laatia
make-up ['meikʌp] *n* ehostus
malaria [mə'leəriə] *n* malaria
Malay [mə'lei] *n* malesialainen
Malaysia [mə'leiziə] Malesia
Malaysian [mə'leiziən] *adj* malesialai-
nen
male [meil] *adj* miespuolinen
malicious [mə'liʃəs] *adj* pahansuopa

malignant [mə'lignənt] *adj* pahanlaa-
tuinen

mallet ['mælit] *n* nuija

malnutrition [,mælnju'triʃən] *n* alira-
vitsemus

mammal ['mæməl] *n* nisäkäs

mammoth ['mæməθ] *n* mammutti

man [mæn] *n* (pl men) mies; ihmi-
nen; **men's room** miestenhuone

manage ['mænidʒ] *v* onnistua; johtaa;
selviytyä

manageable ['mænidʒəbəl] *adj* kätevä

management ['mænidʒmənt] *n* johto

manager ['mænidʒə] *n* johtaja

mandarin ['mændərin] *n* mandariini

mandate ['mændeit] *n* valtuus

manger ['meindʒə] *n* seimi

manicure ['mænikjuə] *n* käsienhoito; *v*
hoitaa käsiä

mankind [mæn'kaind] *n* ihmiskunta

mannequin ['mænəkin] *n* mallinukke

manner ['mænə] *n* tapa; **manners** *pl*
käytös

man-of-war [,mænəv'wɔ:] *n* sotalaiva

manor-house ['mænəhaus] *n* herras-
kartano

mansion ['mænʃən] *n* kartano, herras-
kartano

manual ['mænjuəl] *adj* käsi-

manufacture [,mænju'fæktʃə] *v* val-
mistaa

manufacturer [,mænju'fæktʃərə] *n* val-
mistaja

manure [mə'njuə] *n* lanta

manuscript ['mænjuskript] *n* käsikir-
joitus

many ['meni] *adj* monet

map [mæp] *n* kartta

maple ['meipəl] *n* vaahtera

marble ['mɑ:bəl] *n* marmori; pelikuu-
la

March [mɑ:tʃ] maaliskuu

march [mɑ:tʃ] *v* marssia; *n* marssi

mare [mɛə] *n* tamma

margarine [,mɑ:dʒə'ri:n] *n* margariini

margin ['mɑ:dʒin] *n* marginaali, reu-
nus

maritime ['mæritaim] *adj* meri-

mark [mɑ:k] *v* leimata; merkitä; olla
jkn merkkinä; *n* merkki; arvosana;
maalitaulu

market ['mɑ:kit] *n* tori

market-place ['mɑ:kitpleis] *n* tori

marmalade ['mɑ:məleid] *n* marmeladi

marriage ['mæridʒ] *n* avioliitto

marrow ['mærou] *n* ydin

marry ['mæri] *v* mennä naimisiin,
naida; **married couple** aviopari

marsh [mɑ:ʃ] *n* räme

marshy ['mɑ:ʃi] *adj* soinen

martyr ['mɑ:tə] *n* marttyyri

marvel ['mɑ:vəl] *n* ihme; *v* ihmetellä

marvellous ['mɑ:vələs] *adj* ihmeelli-
nen

mascara [mæ'skɑ:rə] *n* silmäripsiväri

masculine ['mæskjulin] *adj* miehekäs

mash [mæʃ] *v* muhentaa

mask [mɑ:sk] *n* naamio

Mass [mæs] *n* messu

mass [mæs] *n* paljous; massa; ~ me-
dia *pl* tiedotusvälineet *pl*; ~ pro-
duction massatuotanto

massage ['mæsɑ:ʒ] *n* hieronta; *v* hie-
roa

masseur [mæ'sə:] *n* hieroja

massive ['mæsiv] *adj* jykevä

mast [mɑ:st] *n* masto

master ['mɑ:stə] *n* mestari; isäntä;
opettaja; *v* hallita

masterpiece ['mɑ:stəpi:s] *n* mestarite-
os

mat [mæt] *n* ovimatto; *adj* himmeä,
kiilloton

match [mætʃ] *n* tulitikku; ottelu; *v*
sopia yhteen; vetää vertoja

match-box ['mætʃbɔks] *n* tulitikku-
laatikko

material [mə'tiəriəl] *n* aine; kangas;

adj aineellinen

mathematical [ˌmæθəˈmætikəl] *adj* matemaattinen

mathematics [ˌmæθəˈmætiks] *n* matematiikka

matrimonial [ˌmætriˈmouniəl] *adj* aviollinen

matrimony [ˈmætriməni] *n* avioliitto

matter [ˈmætə] *n* aine, aihe; kysymys, asia; *v* olla tärkeää; **as a ~ of fact** itse asiassa, todellisuudessa

matter-of-fact [ˌmætərəvˈfækt] *adj* asiallinen

mattress [ˈmætrəs] *n* patja

mature [məˈtjuə] *adj* kypsä

maturity [məˈtjuərəti] *n* kypsyys

mausoleum [ˌmɔːsəˈliːəm] *n* hautakappeli

mauve [mouv] *adj* malvanvärinen

May [mei] toukokuu

***may** [mei] *v* saattaa; saada

maybe [ˈmeibiː] *adv* kenties

mayor [mɛə] *n* pormestari

maze [meiz] *n* sokkelo

me [miː] *pron* minut; minulle

meadow [ˈmedou] *n* niitty

meal [miːl] *n* ateria

mean [miːn] *adj* halpamainen; *n* keskiverto

***mean** [miːn] *v* merkitä; tarkoittaa; aikoa

meaning [ˈmiːniŋ] *n* merkitys

meaningless [ˈmiːniŋləs] *adj* merkityksetön

means [miːnz] *n* keino; **by no ~** ei suinkaan

in the meantime [in ðə ˈmiːntaim] sillä välin

meanwhile [ˈmiːnwail] *adv* sillä välin

measles [ˈmiːzəlz] *n* tuhkarokko

measure [ˈmeʒə] *v* mitata; *n* mitta; toimenpide

meat [miːt] *n* liha

mechanic [miˈkænik] *n* mekaanikko, asentaja

mechanical [miˈkænikəl] *adj* mekaaninen

mechanism [ˈmekənizəm] *n* koneisto

medal [ˈmedəl] *n* mitali

mediaeval [ˌmediˈiːvəl] *adj* keskiaikainen

mediate [ˈmiːdieit] *v* välittää

mediator [ˈmiːdieitə] *n* välittäjä

medical [ˈmedikəl] *adj* lääketieteellinen, lääkärin-

medicine [ˈmedsin] *n* lääke; lääketiede

meditate [ˈmediteit] *v* mietiskellä

Mediterranean [ˌmeditəˈreiniən] Välimeri

medium [ˈmiːdiəm] *adj* keskimääräinen, keski-

***meet** [miːt] *v* kohdata; tavata

meeting [ˈmiːtiŋ] *n* kokous; tapaaminen

meeting-place [ˈmiːtiŋpleis] *n* kohtaamispaikka

melancholy [ˈmelənkəli] *n* surumielisyys

mellow [ˈmelou] *adj* täyteläinen, kypsä

melodrama [ˈmelədrɑːmə] *n* melodraama

melody [ˈmelədi] *n* sävel

melon [ˈmelən] *n* meloni

melt [melt] *v* sulaa

member [ˈmembə] *n* jäsen; **Member of Parliament** kansanedustaja

membership [ˈmembəʃip] *n* jäsenyys

memo [ˈmemou] *n* (pl ~s) muistio

memorable [ˈmemərəbəl] *adj* ikimuistettava

memorial [məˈmɔːriəl] *n* muistomerkki

memorize [ˈmeməraiz] *v* oppia ulkoa

memory [ˈmeməri] *n* muisti; muistikuva

mend [mend] *v* korjata

menstruation [ˌmenstruˈeiʃən] n kuu-
kautiset pl

mental [ˈmentəl] adj henkinen

mention [ˈmenʃən] v mainita; n mai-
ninta

menu [ˈmenju:] n ruokalista

merchandise [ˈmɔ:tʃəndaiz] n myynti-
tavarat pl, kauppatavara

merchant [ˈmɔ:tʃənt] n kauppias

merciful [ˈmɔ:sifəl] adj armelias

mercury [ˈmɔ:kjuri] n elohopea

mercy [ˈmɔ:si] n armo, armeliaisuus

mere [miə] adj pelkkä

merely [ˈmiəli] adv pelkästään

merger [ˈmɔ:dʒə] n yhtymä

merit [ˈmerit] v ansaita; n ansio

mermaid [ˈmɔ:meid] n merenneito

merry [ˈmeri] adj iloinen

merry-go-round [ˈmerigouˌraund] n
karuselli

mesh [meʃ] n verkonsilmä, verkko-

mess [mes] n sekasotku, siivotto-
muus; ~ up sotkea

message [ˈmesidʒ] n viesti, sanoma

messenger [ˈmesindʒə] n sanansaat-
taja

metal [ˈmetəl] n metalli; metallinen

meter [ˈmi:tə] n mittari

method [ˈmeθəd] n menetelmä, me-
nettelytapa

methodical [məˈθɔdikəl] adj järjestel-
mällinen

methylated spirits [ˈmeθəleitid ˈspirits]
talousprii

metre [ˈmi:tə] n metri

metric [ˈmetrik] adj metrinen

Mexican [ˈmeksikən] adj meksikolai-
nen

Mexico [ˈmeksikou] Meksiko

mezzanine [ˈmezəni:n] n välikerros

microphone [ˈmaikrəfoun] n mikrofo-
ni

midday [ˈmiddei] n keskipäivä

middle [ˈmidəl] n keskikohta; adj kes-

kimmäinen; Middle Ages keskiai-
ka; ~ class keskiluokka; middle-
class adj porvarillinen

midnight [ˈmidnait] n keskiyö

midst [midst] n keskusta

midsummer [ˈmidˌsʌmə] n keskikesä

midwife [ˈmidwaif] n (pl -wives) käti-
lö

might [mait] n valta

*might [mait] v saattaisi

mighty [ˈmaiti] adj mahtava

migraine [ˈmigrein] n migreeni

mild [maild] adj mieto; leuto

mildew [ˈmildju] n home

mile [mail] n maili

mileage [ˈmailidʒ] n mailimäärä

milepost [ˈmailpoust] n tienviitta

milestone [ˈmailstoun] n kilometripyl-
väs

milieu [ˈmi:ljə:] n elinympäristö

military [ˈmilitəri] adj sotilas; ~
force sotavoimat pl

milk [milk] n maito

milkman [ˈmilkmən] n (pl -men) mai-
tokauppias

milk-shake [ˈmilkʃeik] n pirtelö

milky [ˈmilki] adj maitomainen

mill [mil] n mylly; tehdas

miller [ˈmilə] n mylläri

milliner [ˈmilinə] n modisti

million [ˈmiljən] n miljoona

millionaire [ˌmiljəˈneə] n miljonääri

mince [mins] v hakata hienoksi

mind [maind] n mieli; v olla jtk
vastaan; huolehtia jstk; varoa

mine [main] n kaivos

miner [ˈmainə] n kaivosmies

mineral [ˈminərəl] n kivennäinen; ~
water kivennäisvesi

miniature [ˈminjətʃə] n pienoiskuva

minimum [ˈminiməm] n minimi

mining [ˈmainiŋ] n kaivostyö

minister [ˈministə] n ministeri; pappi;
Prime Minister pääministeri

ministry ['ministri] *n* ministeriö
mink [miŋk] *n* minkki
minor ['mainə] *adj* vähäinen, pieni;
vähäpätöinen; *n* alaikäinen
minority [mai'nɔrəti] *n* vähemmistö
mint [mint] *n* minttu
minus ['mainəs] *prep* miinus
minute¹ ['minit] *n* minuutti; minutes
pöytäkirja
minute² [mai'nju:t] *adj* pikkuruinen
miracle ['mirəkəl] *n* ihme
miraculous [mi'rækjuləs] *adj* ihmeelli-
nen
mirror ['mirə] *n* peili
misbehave [ˌmisbi'heiv] *v* käyttäytyä
huonosti
miscarriage [mis'kæridʒ] *n* keskenme-
no
miscellaneous [ˌmisə'leiniəs] *adj* seka-
lainen
mischief ['mistʃif] *n* koirankuje, ilki-
kuri; vahinko; paha
mischievous ['mistʃivəs] *adj* vallaton
miserable ['mizərəbəl] *adj* kurja, on-
neton
misery ['mizəri] *n* kurjuus, surkeus;
hätä
misfortune [mis'fɔ:tʃen] *n* epäonni,
huono onni
*mislay [mis'lei] *v* hukata
misplaced [mis'pleist] *adj* sopimaton;
harhaan osunut
mispronounce [ˌmisprə'nauns] *v* ään-
tää väärin
miss¹ [mis] neiti
miss² [mis] *v* kaivata
missing ['misiŋ] *adj* puuttuva; ~
person kadonnut henkilö
mist [mist] *n* sumu, usva
mistake [mi'steik] *n* väärinkäsitys,
erehdys, virhe
*mistake [mi'steik] *v* erehtyä
mistaken [mi'steikən] *adj* erheellinen;
*be ~ erehtyä

mister ['mistə] herra
mistress ['mistrəs] *n* emäntä; rakas-
tajatar
mistrust [mis'trʌst] *v* epäillä
misty ['misti] *adj* usvainen
*misunderstand [ˌmisʌndə'stænd] *v*
käsittää väärin
misunderstanding [ˌmisʌndə'stændiŋ]
n väärinkäsitys
misuse [mis'ju:s] *n* väärinkäyttö
mittens ['mitənz] *pl* lapaset *pl*
mix [miks] *v* sekoittaa; ~ with seu-
rustella
mixed [mikst] *adj* kirjava, sekoitettu
mixer ['miksə] *n* vatkain
mixture ['mikstʃə] *n* seos
moan [moun] *v* vaikeroida
moat [mout] *n* vallihauta
mobile ['moubail] *adj* siirrettävä, liik-
kuva
mock [mɔk] *v* pilkata
mockery ['mɔkəri] *n* pilkka
model ['mɔdəl] *n* malli; mannekiini; *v*
muovailla, muovata
moderate ['mɔdərət] *adj* maltillinen,
kohtuullinen; keskinkertainen
modern ['mɔdən] *adj* nykyaikainen
modest ['mɔdist] *adj* vaatimaton
modesty ['mɔdisti] *n* vaatimattomuus
modify ['mɔdifai] *v* muuttaa
mohair ['mouheə] *n* mohair
moist [mɔist] *adj* kostea, märkä
moisten ['mɔisən] *v* kostuttaa
moisture ['mɔistʃə] *n* kosteus; mois-
turizing cream kosteusvoide
molar ['moulə] *n* poskihammas
moment ['moumənt] *n* hetki, tuokio
momentary ['mouməntəri] *adj* hetkel-
linen
monarch ['mɔnək] *n* hallitsija
monarchy ['mɔnəki] *n* monarkia
monastery ['mɔnəstri] *n* munkkiluos-
tari
Monday ['mʌndi] maanantai

monetary ['mʌnitəri] adj raha-; ~
unit rahayksikkö
money ['mʌni] n raha; ~ exchange
rahanvaihto; ~ order maksuosoi-
tus
monk [mʌŋk] n munkki
monkey ['mʌŋki] n apina
monologue ['mɔnɔlɔg] n yksinpuhelu
monopoly [mə'nɔpəli] n yksinoikeus
monotonous [mə'nɔtənəs] adj yksi-
toikkoinen
month [mʌnθ] n kuukausi
monthly ['mʌnθli] adj kuukausittai-
nen; ~ magazine kuukausijulkai-
su
monument ['mɔnjumənt] n muisto-
merkki
mood [mu:d] n tuuli, mieliala
moon [mu:n] n kuu
moonlight ['mu:nlait] n kuutamo
moor [muə] n nummi, kanervanum-
mi
moose [mu:s] n (pl ~, ~s) hirvi
moped ['mouped] n mopedi
moral ['mɔrəl] n opetus; adj moraali-
nen, siveellinen; morals moraali
morality [mə'ræləti] n siveysoppi
more [mɔ:] adj useampi; once ~
kerran vielä
moreover [mɔ:'rouvə] adv lisäksi, si-
täpaitsi
morning ['mɔ:niŋ] n aamu, aamupäi-
vä; ~ paper aamulehti; this ~ tä-
nä aamuna
Moroccan [mə'rɔkən] adj marokko-
lainen
Morocco [mə'rɔkou] Marokko
morphia ['mɔ:fiə] n morfiini
morphine ['mɔ:fi:n] n morfiini
morsel ['mɔ:səl] n palanen
mortal ['mɔ:təl] adj kuolettava; kuo-
levainen
mortgage ['mɔ:gidʒ] n kiinnityslaina
mosaic [mə'zeiik] n mosaiikki

mosque [mɔsk] n moskeija
mosquito [mə'ski:tou] n (pl ~es)
sääski; moskiitto
mosquito-net [mə'ski:tounet] n hyt-
tysverkko
moss [mɔs] n sammal
most [moust] adj useimmat; at ~
enintään, korkeintaan; ~ of all
kaikkein eniten
mostly ['moustli] adv enimmäkseen
motel [mou'tel] n motelli
moth [mɔθ] n koi
mother ['mʌðə] n äiti; ~ tongue äi-
dinkieli
mother-in-law ['mʌðərinlɔ:] n (pl
mothers-) anoppi
mother-of-pearl [ˌmʌðərəv'pə:l] n hel-
miäinen
motion ['moufən] n liike; esitys
motive ['moutiv] n vaikutin
motor ['moutə] n moottori; ajaa au-
tolla; body nAm autonkori; starter
~ käynnistysmoottori
motorbike ['moutəbaik] nAm mopedi
motor-boat ['moutəbout] n moottori-
vene
motor-car ['moutəkɑ:] n auto
motor-cycle ['moutəˌsaikəl] n mootto-
ripyörä
motoring ['moutəriŋ] n autoilu
motorist ['moutərist] n autoilija
motorway ['moutəwei] n moottoritie
motto ['mɔtou] n (pl ~es, ~s) tun-
nuslause
mouldy ['mouldi] adj homeinen
mound [maund] n valli
mount [maunt] v kiivetä; n vuori
mountain ['mauntin] n vuori; ~ pass
sola; ~ range vuorijono
mountaineering [ˌmaunti'niəriŋ] n
vuoristokiipeily
mountainous ['mauntinəs] adj vuori-
nen
mourning ['mɔ:niŋ] n suruaika

mouse [maus] *n* (pl mice) hiiri

moustache [mə'sta:ʃ] *n* viikset *pl*

mouth [mauθ] *n* suu; kita

mouthwash ['mauθwɔʃ] *n* suuvesi

movable ['mu:vəbəl] *adj* liikkuva

move [mu:v] *v* siirtää; muuttaa; liikkua; liikuttaa; *n* siirto, liike

movement ['mu:vmənt] *n* liike

movie ['mu:vi] *n* elokuva; movies *Am* elokuvat *pl;* ~ theater *Am* elokuvat *pl*

much [mʌtʃ] *adj* paljon; *adv* paljon; as ~ yhtä paljon

muck [mʌk] *n* sonta; moska

mud [mʌd] *n* lieju

muddle ['mʌdəl] *n* sekamelska, sotku; *v* sekoittaa

muddy ['mʌdi] *adj* liejuinen

mud-guard ['mʌdga:d] *n* lokasuoja

muffler ['mʌflə] *nAm* äänenvaimennin

mug [mʌg] *n* muki

mulberry ['mʌlbəri] *n* silkkiäismarja

mule [mju:l] *n* muuli

mullet ['mʌlit] *n* mullokala

multiplication [,mʌltipli'keiʃən] *n* kertolasku

multiply ['mʌltiplai] *v* kertoa

mumps [mʌmps] *n* sikotauti

municipal [mju:'nisipəl] *adj* kunnallinen

municipality [mju:,nisi'pæləti] *n* kunta; kunnanhallitus

murder ['mə:də] *n* murha; *v* murhata

murderer ['mə:dərə] *n* murhaaja

muscle ['mʌsəl] *n* lihas

muscular ['mʌskjulə] *adj* lihaksikas

museum [mju:'zi:əm] *n* museo

mushroom ['mʌʃru:m] *n* sieni; herkkusieni

music ['mju:zik] *n* musiikki; ~ academy musiikkikorkeakoulu

musical ['mju:zikəl] *adj* musikaalinen; *n* musiikkinäytelmä

music-hall ['mju:zikhɔ:l] *n* revyyteatteri

musician [mju:'ziʃən] *n* muusikko

muslin ['mʌzlin] *n* musliini

mussel ['mʌsəl] *n* simpukka

*must [mʌst] *v* täytyä

mustard ['mʌstəd] *n* sinappi

mute [mju:t] *adj* mykkä

mutiny ['mju:tini] *n* kapina

mutton ['mʌtən] *n* lampaanliha

mutual ['mju:tʃuəl] *adj* keskinäinen, molemminpuolinen

my [mai] *adj* minun

myself [mai'self] *pron* itseni; itse

mysterious [mi'stiəriəs] *adj* arvoituksellinen, salaperäinen

mystery ['mistəri] *n* arvoitus, mysteerio

myth [miθ] *n* myytti

N

nail [neil] *n* kynsi; naula

nailbrush ['neilbrʌʃ] *n* kynsiharja

nail-file ['neilfail] *n* kynsiviila

nail-polish ['neil,pɔliʃ] *n* kynsilakka

nail-scissors ['neil,sizəz] *pl* kynsisakset *pl*

naïve [na:'i:v] *adj* naiivi

naked ['neikid] *adj* alaston

name [neim] *n* nimi; *v* nimittää; in the ~ of nimissä *postp*

namely ['neimli] *adv* nimittäin

nap [næp] *n* nokkaunet *pl*

napkin ['næpkin] *n* lautasliina; terveysside; vaippa

nappy ['næpi] *n* kapalo

narcosis [na:'kousis] *n* (pl -ses) nukutus

narcotic [na:'kɔtik] *n* huume

narrow ['nærou] *adj* ahdas, kapea, suppea

narrow-minded [ˌnærouˈmaindid] *adj*
ahdasmielinen

nasty [ˈnɑːsti] *adj* epämiellyttävä, in-
hottava; häijy

nation [ˈneiʃən] *n* kansakunta; kansa

national [ˈnæʃənəl] *adj* kansallinen;
kansan-; valtiollinen; ~ anthem
kansallislaulu; ~ dress kansallis-
puku; ~ park kansallispuisto

nationality [ˌnæʃəˈnæləti] *n* kansalli-
suus

nationalize [ˈnæʃənəlaiz] *v* kansallis-
taa

native [ˈneitiv] *n* alkuasukas; *adj* syn-
typeräinen; ~ country synnyin-
maa, isänmaa; ~ language äidin-
kieli

natural [ˈnætʃərəl] *adj* luonnollinen;
luontainen

naturally [ˈnætʃərəli] *adv* luonnollises-
ti, tietenkin

nature [ˈneitʃə] *n* luonto; luonteenlaa-
tu

naughty [ˈnɔːti] *adj* tuhma

nausea [ˈnɔːsiə] *n* pahoinvointi

naval [ˈneivəl] *adj* laivasto-

navel [ˈneivəl] *n* napa

navigable [ˈnævigəbəl] *adj* purjehdus-
kelpoinen

navigate [ˈnævigeit] *v* ohjata; purjeh-
tia

navigation [ˌnæviˈgeiʃən] *n* merenkul-
ku

navy [ˈneivi] *n* laivasto

near [niə] *prep* lähellä *prep/postp*;
adj lähellä oleva, läheinen

nearby [ˈniəbai] *adj* lähellä oleva

nearly [ˈniəli] *adv* melkein, lähes

neat [niːt] *adj* soma, huoliteltu, siisti;
laimentamaton

necessary [ˈnesəsəri] *adj* välttämätön

necessity [nəˈsesəti] *n* välttämättö-
myys

neck [nek] *n* niska; nape of the ~
niska

necklace [ˈnekləs] *n* kaulanauha

necktie [ˈnektai] *n* solmio

need [niːd] *v* tarvita, olla tarpeen; *n*
tarve; ~ to pitää

needle [ˈniːdəl] *n* neula

needlework [ˈniːdəlwəːk] *n* käsityö

negative [ˈnegətiv] *adj* kielteinen,
kieltävä; *n* negatiivi

neglect [niˈglekt] *v* laiminlyödä; *n* lai-
minlyönti

neglectful [niˈglektfəl] *adj* huolima-
ton

negligee [ˈnegliʒei] *n* kotiasu

negotiate [niˈgouʃieit] *v* neuvotella

negotiation [niˌgouʃiˈeiʃən] *n* neuvotte-
lu

Negro [ˈniːgrou] *n* (pl ~es) neekeri

neighbour [ˈneibə] *n* lähimmäinen,
naapuri

neighbourhood [ˈneibəhud] *n* lähiseu-
tu

neighbouring [ˈneibəriŋ] *adj* naapuri-

neither [ˈnaiðə] *pron* ei kumpikaan;
neither ... nor ei ... eikä

neon [ˈniːɔn] *n* mainosvalo

nephew [ˈnefjuː] *n* veljenpoika, sisa-
renpoika

nerve [nəːv] *n* hermo; röyhkeys

nervous [ˈnəːvəs] *adj* hermostunut

nest [nest] *n* pesä

net [net] *n* verkko; *adj* netto

the Netherlands [ˈneðələndz] Alanko-
maat *pl*

network [ˈnetwəːk] *n* verkosto; verk-
koryhmä

neuralgia [njuəˈrældʒə] *n* hermosärky

neurosis [njuəˈrousis] *n* neuroosi

neuter [ˈnjuːtə] *adj* neutrisukuinen

neutral [ˈnjuːtrəl] *adj* puolueeton

never [ˈnevə] *adv* ei koskaan

nevertheless [ˌnevəðəˈles] *adv* siitä
huolimatta

new [njuː] *adj* uusi; New Year uusi

vuosi

news [nju:z] *n* uutislähetys, uutinen; uutiset *pl*

newsagent ['nju:ˌzeidʒənt] *n* lehdenmyyjä

newspaper ['nju:zˌpeipə] *n* sanomalehti

newsreel ['nju:zri:l] *n* uutisfilmi

newsstand ['nju:zstænd] *n* sanomalehtikoju

New Zealand [nju: 'zi:lənd] Uusi Seelanti

next [nekst] *adj* ensi, seuraava; ~ **to** vieressä *postp*

next-door [ˌnekst'dɔ:] *adv* naapurissa

nice [nais] *adj* miellyttävä, herttainen, hauskannäköinen; hyvä; mukava

nickel ['nikəl] *n* nikkeli

nickname ['nikneim] *n* lisänimi

nicotine ['nikəti:n] *n* nikotiini

niece [ni:s] *n* sisarentytär, veljentytär

Nigeria [nai'dʒiəriə] Nigeria

Nigerian [nai'dʒiəriən] *adj* nigerialainen

night [nait] *n* yö; ilta; **by** ~ yöllä; ~ **flight** yölento; ~ **rate** yötaksa; ~ **train** yöjuna

nightclub ['naitklʌb] *n* yökerho

night-cream ['naitkri:m] *n* yövoide

nightdress ['naitdres] *n* yöpaita

nightingale ['naitiŋgeil] *n* satakieli

nightly ['naitli] *adj* öinen

nine [nain] *num* yhdeksän

nineteen [ˌnain'ti:n] *num* yhdeksäntoista

nineteenth [ˌnain'ti:nθ] *num* yhdeksästoista

ninety ['nainti] *num* yhdeksänkymmentä

ninth [nainθ] *num* yhdeksäs

nitrogen ['naitrədʒən] *n* typpi

no [nou] ei; *adj* ei mikään; ~ **one** ei

kukaan

nobility [nou'biləti] *n* aatelisto

noble ['noubəl] *adj* aatelinen; jalo

nobody ['noubədi] *pron* ei kukaan

nod [nɔd] *n* nyökkäys; *v* nyökätä

noise [nɔiz] *n* meteli, hälinä; ääni, melu

noisy ['nɔizi] *adj* meluisa

nominal ['nɔminəl] *adj* nimellinen

nominate ['nɔmineit] *v* nimetä, nimittää

nomination [ˌnɔmi'neiʃən] *n* nimeäminen; nimitys

none [nʌn] *pron* ei kukaan

nonsense ['nɔnsəns] *n* hölynpöly

noon [nu:n] *n* keskipäivä

normal ['nɔ:məl] *adj* normaali, tavanmukainen

north [nɔ:θ] *n* pohjoinen; *adj* pohjoinen; **North Pole** pohjoisnapa

north-east [ˌnɔ:θ'i:st] *n* koillinen

northerly ['nɔ:ðəli] *adj* pohjoinen

northern ['nɔ:ðən] *adj* pohjois-

north-west [ˌnɔ:θ'west] *n* luode

Norway ['nɔ:wei] Norja

Norwegian [nɔ:'wi:dʒən] *adj* norjalainen

nose [nouz] *n* nenä

nosebleed ['nouzbli:d] *n* verenvuoto nenästä

nostril ['nɔstril] *n* sierain

not [nɔt] *adv* ei

notary ['noutəri] *n* notaari

note [nout] *n* muistiinpano; huomautus; sävel; *v* merkitä muistiin; huomata, todeta

notebook ['noutbuk] *n* muistikirja

noted ['noutid] *adj* tunnettu

notepaper ['noutˌpeipə] *n* kirjepaperi, kirjoituspaperi

nothing ['nʌθiŋ] *n* ei mitään

notice ['noutis] *v* kiinnittää huomiota, huomata, panna merkille; havaita; *n* tiedonanto, kuulutus; huo-

mio
noticeable ['noutisəbəl] *adj* havaittava; huomattava
notify ['noutifai] *v* tiedottaa; ilmoittaa
notion ['nouʃən] *n* käsitys, käsite
notorious [nou'tɔːriəs] *adj* pahamaineinen
nougat ['nuːgaː] *n* pähkinämakeinen
nought [nɔːt] *n* ei mikään; nolla
noun [naun] *n* substantiivi, nimisana
nourishing ['nʌriʃiŋ] *adj* ravitseva
novel ['nɔvəl] *n* romaani
novelist ['nɔvəlist] *n* romaanikirjailija
November [nou'vembə] marraskuu
now [nau] *adv* nyt; nykyään; ~ **and then** silloin tällöin
nowadays ['nauədeiz] *adv* nykyään
nowhere ['nouwɛə] *adv* ei missään
nozzle ['nɔzəl] *n* suukappale
nuance [njuː'ɑːs] *n* sävy
nuclear ['njuːkliə] *adj* ydin-; ~ **energy** ydinvoima
nucleus ['njuːkliəs] *n* ydin
nude [njuːd] *adj* alaston; *n* alastonkuva
nuisance ['njuːsəns] *n* vaiva
numb [nʌm] *adj* turta; kohmettunut
number ['nʌmbə] *n* numero; luku, lukumäärä
numeral ['njuːmərəl] *n* lukusana
numerous ['njuːmərəs] *adj* lukuisa
nun [nʌn] *n* nunna
nunnery ['nʌnəri] *n* nunnaluostari
nurse [nɔːs] *n* sairaanhoitaja; lastenhoitaja; *v* hoitaa; imettää
nursery ['nɔːsəri] *n* lastenhuone; lastentarha; taimisto
nut [nʌt] *n* pähkinä; mutteri
nutcrackers ['nʌt,krækəz] *pl* pähkinänsärkijä
nutmeg ['nʌtmeg] *n* muskottipähkinä
nutritious [njuː'triʃəs] *adj* ravitseva
nutshell ['nʌtʃel] *n* pähkinänkuori

nylon ['nailɔn] *n* nailon

O

oak [ouk] *n* tammi
oar [ɔː] *n* airo
oasis [ou'eisis] *n* (pl oases) keidas
oath [ouθ] *n* vala
oats [outs] *pl* kaura
obedience [ə'biːdiəns] *n* tottelevaisuus
obedient [ə'biːdiənt] *adj* tottelevainen
obey [ə'bei] *v* totella
object[1] ['ɔbdʒikt] *n* esine; kohde
object[2] [əb'dʒekt] *v* vastustaa; ~ **to** väittää vastaan
objection [əb'dʒekʃən] *n* vastalause, vastaväite
objective [əb'dʒektiv] *adj* objektiivinen; *n* tavoite
obligatory [ə'bligətəri] *adj* pakollinen
oblige [ə'blaidʒ] *v* velvoittaa; *be obliged to* olla pakko; täytyä
obliging [ə'blaidʒiŋ] *adj* avulias
oblong ['ɔblɔŋ] *adj* pitkulainen; *n* suorakaide
obscene [əb'siːn] *adj* ruokoton
obscure [əb'skjuə] *adj* synkkä; hämärä, pimeä, hämäräperäinen
observation [,ɔbzə'veiʃən] *n* havainto; huomautus
observatory [əb'zɔːvətri] *n* tähtitorni
observe [əb'zɔːv] *v* huomata; huomauttaa, havainnoida
obsession [əb'seʃən] *n* pakkomielle
obstacle ['ɔbstəkəl] *n* este
obstinate ['ɔbstinət] *adj* itsepäinen; uppiniskainen
obtain [əb'tein] *v* hankkia, saavuttaa
obtainable [əb'teinəbəl] *adj* saatavissa oleva
obvious ['ɔbviəs] *adj* ilmeinen

occasion [ə'keiʒən] n tilaisuus, tilanne; aihe

occasionally [ə'keiʒənəli] adv aika ajoin, silloin tällöin

occupant ['ɔkjupənt] n haltija

occupation [ˌɔkju'peiʃən] n toimi, ammatti; miehitys

occupy ['ɔkjupai] v pitää hallussaan; miehittää; vallata; occupied adj varattu

occur [ə'kə:] v tapahtua, esiintyä, sattua

occurrence [ə'kʌrəns] n tapahtuma

ocean ['ouʃən] n valtameri

October [ɔk'toubə] lokakuu

octopus ['ɔktəpəs] n mustekala

oculist ['ɔkjulist] n silmälääkäri

odd [ɔd] adj outo, kummallinen; pariton

odour ['oudə] n haju

of [ɔv, əv] prep -sta

off [ɔf] adv pois; prep -sta

offence [ə'fens] n rikkomus; loukkaus

offend [ə'fend] v pahastuttaa; rikkoa jtkn vastaan

offensive [ə'fensiv] adj vastenmielinen; loukkaava; n hyökkäys

offer ['ɔfə] v tarjota; tarjoutua; n tarjous

office ['ɔfis] n toimisto, virasto; virka; ~ hours toimistoaika

officer ['ɔfisə] n upseeri; virkailija

official [ə'fiʃəl] adj virallinen

off-licence ['ɔfˌlaisəns] n alkoholiliike

often ['ɔfən] adv usein

oil [ɔil] n öljy; fuel ~ polttoöljy; ~ filter öljynsuodatin

oil-painting [ˌɔil'peintiŋ] n öljymaalaus

oil-refinery ['ɔilriˌfainəri] n öljynpuhdistamo

oil-well ['ɔilwel] n öljylähde

oily ['ɔili] adj öljyinen

ointment ['ɔintmənt] n voide

okay! [ˌou'kei] sovittu!

old [ould] adj vanha; ~ age vanhuus

old-fashioned [ˌould'fæʃənd] adj vanhanaikainen

olive ['ɔliv] n oliivi; ~ oil oliiviöljy

omelette ['ɔmlət] n munakas

ominous ['ɔminəs] adj pahaenteinen

omit [ə'mit] v jättää pois

omnipotent [ɔm'nipətənt] adj kaikkivaltias

on [ɔn] prep -lla, -lle suf; varrella postp

once [wʌns] adv kerran; at ~ heti, samalla; ~ more kerran vielä

oncoming ['ɔnˌkʌmiŋ] adj lähestyvä, vastaan tuleva

one [wʌn] num yksi; pron joku

oneself [wʌn'self] pron itse

onion ['ʌnjən] n sipuli

only ['ounli] adj ainoa; adv ainoastaan, vain; conj mutta

onwards ['ɔnwədz] adv eteenpäin

onyx ['ɔniks] n onyksi

opal ['oupəl] n opaali

open ['oupən] v avata; adj avoin; avomielinen

opening ['oupəniŋ] n aukko

opera ['ɔpərə] n ooppera; ~ house oopperatalo

operate ['ɔpəreit] v toimia; käyttää; suorittaa leikkaus

operation [ˌɔpə'reiʃən] n toiminta; leikkaus

operator ['ɔpəreitə] n puhelunvälittäjä

operetta [ˌɔpə'retə] n operetti

opinion [ə'pinjən] n mielipide

opponent [ə'pounənt] n vastustaja

opportunity [ˌɔpə'tju:nəti] n tilaisuus

oppose [ə'pouz] v vastustaa

opposite ['ɔpəzit] prep vastapäätä postp; adj vastapäinen, päinvastainen opposition [,ɔpə'ziʃən] n oppositio

oppress [ə'pres] v sortaa, ahdistaa

optician [ɔp'tiʃən] n optikko

optimism ['ɔptɪmɪzəm] n optimismi

optimist ['ɔptɪmɪst] n optimisti

optimistic [,ɔpti'mistik] adj optimisti-nen

optional ['ɔpʃənəl] adj valinnainen

or [ɔ:] conj tai

oral ['ɔ:rəl] adj suullinen

orange ['ɔrɪndʒ] n appelsiini; adj oranssinvärinen

orchard ['ɔ:tʃəd] n hedelmätarha

orchestra ['ɔ:kistrə] n orkesteri; ~ seat Am permantopaikka

order ['ɔ:də] n käskeä; tilata; n järjestys, kunto; käsky, määräys; tilaus; in ~ kunnossa; in ~ to jotta; made to ~ tilauksesta valmistettu; out of ~ epäkuntoinen; postal ~ postiosoitus

order-form ['ɔ:dəfɔ:m] n tilauslomake

ordinary ['ɔ:dənri] adj tavallinen, arkipäiväinen

ore [ɔ:] n malmi

organ ['ɔ:gən] n elin; urut pl

organic [ɔ:'gænik] adj elimellinen

organization [,ɔ:gənai'zeiʃən] n järjestö

organize ['ɔ:gənaiz] v organisoida

Orient ['ɔ:riənt] n itämaat pl

oriental [,ɔ:ri'entəl] adj itämainen

orientate ['ɔ:riənteit] v suunnistautua; perehtyä tilanteeseen

origin ['ɔridʒin] n alkulähde, alkuperä; syntyperä

original [ə'ridʒinəl] adj omintakeinen; alkuperäinen

originally [ə'ridʒinəli] adv alunperin

ornament ['ɔ:nəmənt] n koristekuvio

ornamental [,ɔ:nə'mentəl] adj koristeellinen

orphan ['ɔ:fən] n orpo

orthodox ['ɔ:θədɔks] adj oikeaoppi-nen; ortodoksi

ostrich ['ɔstritʃ] n strutsi

other ['ʌðə] adj toinen

otherwise ['ʌðəwaiz] conj muutoin; adv toisin

*ought to [ɔ:t] pitäisi

our [auə] adj meidän

ourselves [auə'selvz] pron itsemme; itse

out [aut] adv ulkona, ulos; ~ of poissa, ulos jstk

outbreak ['autbreik] n syttyminen

outcome ['autkʌm] n tulos

*outdo [,aut'du:] v ylittää

outdoors [,aut'dɔ:z] adv ulkona

outer ['autə] adj ulompi

outfit ['autfit] n varusteet pl

outline ['autlain] n ääriviiva; v hahmotella

outlook ['autluk] n näkymä; katsantokanta

output ['autput] n tuotanto

outrage ['autreidʒ] n ilkityö; törkeä loukkaus

outside [,aut'said] adv ulkona; prep ulkopuolella postp; n ulkopuoli

outsize ['autsaiz] n erikoissuuri koko

outskirts ['autskə:ts] pl laitaosa

outstanding [,aut'stændiŋ] adj huomattava

outward ['autwəd] adj ulkoinen

outwards ['autwədz] adv ulospäin

oval ['ouvəl] adj soikea

oven ['ʌvən] n uuni

over ['ouvə] prep yläpuolella postp, päällä postp; yli prep/postp; adv yli prep/postp; kumoon; adj ohi; ~ there tuolla

overall ['ouvərɔ:l] adj kokonais-

overalls ['ouvərɔ:lz] pl suojapuku

overcast ['ouvəkɑ:st] adj pilvinen

overcoat ['ouvəkout] n päällystakki

*overcome [,ouvə'kʌm] v voittaa

overdue [,ouvə'dju:] adj myöhästynyt; erääntynyt

overgrown [‚ouvə'groun] *adj* umpeenkasvanut

overhaul [‚ouvə'hɔːl] *v* tarkastaa

overhead [‚ouvə'hed] *adv* yläpuolella

overlook [‚ouvə'luk] *v* jättää huomioonottamatta

overnight [‚ouvə'nait] *adv* yli yön

overseas [‚ouvə'siːz] *adj* merentakainen

oversight ['ouvəsait] *n* erehdys, epähuomio

*__oversleep__ [‚ouvə'sliːp] *v* nukkua liikaa

overstrung [‚ouvə'strʌŋ] *adj* ylirasittunut

*__overtake__ [‚ouvə'teik] *v* ohittaa; **no overtaking** ohitus kielletty

over-tired [‚ouvə'taiəd] *adj* liikarasittunut

overture ['ouvətʃə] *n* alkusoitto

overweight ['ouvəweit] *n* ylipaino

overwhelm [‚ouvə'welm] *v* vallata kokonaan, tehdä valtava vaikutus

overwork [‚ouvə'wəːk] *v* ylirasittua

owe [ou] *v* olla velkaa; olla kiitollisuuden velassa; **owing to** johdosta *postp*, vuoksi *postp*

owl [aul] *n* pöllö

own [oun] *v* omistaa; *adj* oma

owner ['ounə] *n* omistaja, haltija

ox [ɔks] *n* (pl oxen) härkä

oxygen ['ɔksidʒən] *n* happi

oyster ['ɔistə] *n* osteri

P

pace [peis] *n* käynti; askel, kävelytapa; tahti

Pacific Ocean [pə'sifik 'ouʃən] Tyynimeri

pacifism ['pæsifizəm] *n* rauhanaate

pacifist ['pæsifist] *n* pasifisti; pasifistinen

pack [pæk] *v* pakata; ~ **up** pakata

package ['pækidʒ] *n* paketti

packet ['pækit] *n* pikkupaketti

packing ['pækiŋ] *n* pakkaus

pad [pæd] *n* tyyny; muistilehtiö

paddle ['pædəl] *n* mela

padlock ['pædlɔk] *n* riippulukko

pagan ['peigən] *adj* pakanallinen; *n* pakana

page [peidʒ] *n* sivu

page-boy ['peidʒbɔi] *n* hotellipoika

pail [peil] *n* sanko

pain [pein] *n* tuska; **pains** vaivannäkö

painful ['peinfəl] *adj* tuskallinen

painless ['peinləs] *adj* tuskaton

paint [peint] *n* maali; *v* maalata

paint-box ['peintbɔks] *n* maalilaatikko

paint-brush ['peintbrʌʃ] *n* sivellin

painter ['peintə] *n* maalari

painting ['peintiŋ] *n* maalaus

pair [peə] *n* pari

Pakistan [‚paːki'staːn] Pakistan

Pakistani [‚paːki'staːni] *adj* pakistanilainen

palace ['pæləs] *n* palatsi

pale [peil] *adj* kalpea; vaalea

palm [paːm] *n* palmu; kämmen

palpable ['pælpəbəl] *adj* kouriintuntuva

palpitation [‚pælpi'teiʃən] *n* sydämentykytys

pan [pæn] *n* pannu

pane [pein] *n* ruutu

panel ['pænəl] *n* paneeli

panelling ['pænəliŋ] *n* laudoitus

panic ['pænik] *n* pakokauhu

pant [pænt] *v* huohottaa

panties ['pæntiz] *pl* alushousut *pl*

pants [pænts] *pl* alushousut *pl*; *plAm* housut *pl*

pant-suit ['pæntsuːt] *n* housupuku

panty-hose ['pæntihouz] n sukkahousut pl

paper ['peipə] n paperi; sanomalehti; paperinen; **carbon** ~ hiilipaperi; ~ **bag** paperipussi; ~ **napkin** paperilautasliina; **typing** ~ konekirjoituspaperi; **wrapping** ~ käärepaperi

paperback ['peipəbæk] n taskukirja

paper-knife ['peipənaif] n paperiveitsi

parado [pə'reid] n paraati

paraffin ['pærəfin] n parafiini

paragraph ['pærəgra:f] n pykälä; kappale

parakeet ['pærəki:t] n papukaija

parallel ['pærəlel] adj rinnakkainen, yhdensuuntainen; n vertailukohta

paralyse ['pærəlaiz] v halvaannuttaa

parcel ['pa:səl] n paketti

pardon ['pa:dən] n anteeksianto; armahdus

parents ['peərənts] pl vanhemmat pl

parents-in-law ['peərəntsinlɔ:] pl appivanhemmat pl

parish ['pæriʃ] n seurakunta

park [pa:k] n puisto; v pysäköidä

parking ['pa:kiŋ] n pysäköinti; **no** ~ pysäköinti kielletty; ~ **fee** pysäköintimaksu; ~ **light** seisontavalo; ~ **lot** Am pysäköimisalue; ~ **meter** pysäköintimittari; ~ **zone** pysäköimisalue

parliament ['pa:ləmənt] n parlamentti

parliamentary [,pa:lə'mentəri] adj parlamentaarinen

parrot ['pærət] n papukaija

parsley ['pa:sli] n persilja

parson ['pa:sən] n pastori

parsonage ['pa:sənidʒ] n pappila

part [pa:t] n osa; osuus; v erottaa; **spare** ~ varaosa

partial ['pa:ʃəl] adj osittainen; puolueellinen

participant [pa:'tisipənt] n osanottaja

participate [pa:'tisipeit] v osallistua

particular [pə'tikjulə] adj erityinen, erikoinen; nirso; **in** ~ etenkin

parting ['pa:tiŋ] n jäähyväiset pl; jakaus

partition [pa:'tiʃən] n väliseinä

partly ['pa:tli] adv osaksi, osittain

partner ['pa:tnə] n kumppani; osakas

partridge ['pa:tridʒ] n peltopyy

party ['pa:ti] n puolue; kutsut pl; seurue

pass [pa:s] v kulua, sivuuttaa, ohittaa; ojentaa; tulla hyväksytyksi; ~ **away** loppua, ~ **by** kulkea, mennä, mennä ohitse; ~ **out** pyörtyä, menettää tajuntansa; "sammua"; ~ **through** kulkea läpi

passage ['pæsidʒ] n väylä; merimatka; kappale; kauttakulku

passenger ['pæsəndʒə] n matkustaja; ~ **car** Am matkustajavaunu; ~ **train** henkilöjuna

passer-by [,pa:sə'bai] n ohikulkija

passion ['pæʃən] n intohimo; vimma

passionate ['pæʃənət] adj intohimoinen

passive ['pæsiv] adj passiivinen

passport ['pa:spɔ:t] n passi; ~ **control** passitarkastus; ~ **photograph** passikuva

password ['pɒ:swɔ:d] n tunnussana

past [pa:st] n menneisyys; adj viime, mennyt; prep ohi postp

paste [peist] n tahna; v liisteröidä

pastry ['peistri] n leivonnaiset pl; ~ **shop** sokerileipomo

pasture ['pa:stʃə] n laidun

patch [pætʃ] v paikata

patent ['peitənt] n patentti

path [pa:θ] n polku

patience ['peiʃəns] n kärsivällisyys

patient ['peiʃənt] adj kärsivällinen; n potilas

patriot ['peitriət] n isänmaanystävä

patrol [pə'troul] n partio; v partioida; olla vartiossa

pattern ['pætən] n malli; kaava; kuvio

pause [pɔːz] n tauko; v pitää tauko

pave [peiv] v päällystää, kivetä

pavement ['peivmənt] n jalkakäytävä; katukiveys

pavilion [pə'viljən] n paviljonki

paw [pɔː] n käpälä

pawn [pɔːn] v pantata; n šakkinappula

pawnbroker ['pɔːnˌbroukə] n panttilainaaja

pay [pei] n tili, palkka

*pay [pei] v maksaa; kannattaa; ~ attention to kiinnittää huomiota; paying kannattava; ~ off maksaa loppuun; ~ on account maksaa vähittäismaksulla

pay-desk ['peidesk] n kassa

payee [pei'iː] n maksunsaaja

payment ['peimənt] n maksu

pea [piː] n herne

peace [piːs] n rauha

peaceful ['piːsfəl] adj rauhallinen

peach [piːtʃ] n persikka

peacock ['piːkɔk] n riikinkukko

peak [piːk] n huippu; ~ hour ruuhka-aika; ~ season huippukausi

peanut ['piːnʌt] n maapähkinä

pear [pɛə] n päärynä

pearl [pəːl] n helmi

peasant ['pezənt] n talonpoika

pebble ['pebəl] n pikkukivi

peculiar [pi'kjuːljə] adj omituinen; erikoinen, omalaatuinen

peculiarity [piˌkjuːli'ærəti] n omalaatuisuus

pedal ['pedəl] n poljin

pedestrian [pi'destriən] n jalankulkija; no pedestrians jalankulku kielletty; ~ crossing suojatie

pedicure ['pedikjuə] n jalkojenhoito

peel [piːl] v kuoria; n kuori

peep [piːp] v kurkistaa

peg [peg] n tappi, pultti, vaarna

pelican ['pelikən] n pelikaani

pelvis ['pelvis] n lantio

pen [pen] n kynä

penalty ['penəlti] n sakko; rangaistus; ~ kick rangaistuspotku

pencil ['pensəl] n lyijykynä

pencil-sharpener ['pensəlˌʃɑːpnə] n teroitin

pendant ['pendənt] n riipus

penetrate ['penitreit] v tunkeutua läpi

penguin ['peŋgwin] n pingviini

penicillin [ˌpeni'silin] n penisilliini

peninsula [pə'ninsjulə] n niemimaa

penknife ['pennaif] n (pl -knives) taskuveitsi

pension¹ ['pɑːsiɔ̃ː] n täysihoitola

pension² ['penʃən] n eläke

people ['piːpəl] pl ihmiset pl; n kansa

pepper ['pepə] n pippuri

peppermint ['pepəmint] n piparminttu

perceive [pə'siːv] v tajuta, havaita

percent [pə'sent] n prosentti

percentage [pə'sentidʒ] n prosenttimäärä

perceptible [pə'septibəl] adj havaittava

perception [pə'sepʃən] n havaitseminen; aavistus

perch [pəːtʃ] (pl ~) ahven

percolator ['pəːkəleitə] n aromikeitin

perfect ['pəːfikt] adj täydellinen

perfection [pə'fekʃən] n täydellisyys

perform [pə'fɔːm] v suorittaa

performance [pə'fɔːməns] n esitys

perfume ['pəːfjuːm] n hajuvesi

perhaps [pə'hæps] adv ehkä, kenties

peril ['peril] n vaara

perilous ['periləs] adj vaarallinen

period ['piəriəd] n ajanjakso, kausi;

piste
periodical [,piəri'ɔdikəl] *n* aikakaus-
lehti; *adj* ajoittainen
perish ['periʃ] *v* menehtyä
perishable ['periʃəbəl] *adj* pilaantuva
perjury ['pə:dʒəri] *n* väärä vala
permanent ['pə:mənənt] *adj* vakitui-
nen, pysyvä; ~ **wave** permanentti
permission [pə'miʃən] *n* lupa
permit[1] [pə'mit] *v* suoda, sallia
permit[2] ['pə:mit] *n* lupa
peroxide [pə'rɔksaid] *n* superoksidi
perpendicular [,pə.pən'dikjulə] *adj*
kohtisuora
Persia ['pə:ʃə] Persia
Persian ['pə:ʃən] *adj* persialainen
person ['pə:sən] *n* henkilö; **per** ~
henkeä kohti
personal ['pə:sənəl] *adj* henkilökoh-
tainen
personality [,pə:sə'næləti] *n* persoo-
nallisuus
personnel [,pə:sə'nel] *n* henkilökunta
perspective [pə'spektiv] *n* perspektiivi
perspiration [,pə:spə'reiʃən] *n* hiki, hi-
koilu
perspire [pə'spaiə] *v* hikoilla
persuade [pə'sweid] *v* suostutella; va-
kuuttaa
persuasion [pə'sweiʒən] *n* vakaumus;
suostuttelu
pessimism ['pesimizəm] *n* pessimismi
pessimist ['pesimist] *n* pessimisti
pessimistic [,pesi'mistik] *adj* pessimis-
tinen
pet [pet] *n* lemmikkieläin; lemmikki;
suosikki-
petal ['petəl] *n* terälehti
petition [pi'tiʃən] *n* anomus
petrol ['petrəl] *n* bensiini; ~ **pump**
bensiinipumppu; ~ **station** bensii-
niasema; ~ **tank** bensiinisäiliö
petroleum [pi'trouliəm] *n* maaöljy,
raakaöljy

petty ['peti] *adj* vähäpätöinen, pieni;
~ **cash** pikkuraha
pewit ['pi:wit] *n* töyhtöhyyppä
pewter ['pju:tə] *n* tina
phantom ['fæntəm] *n* aave
pharmacology [,fa:mə'kɔlədʒi] *n* lää-
keaineoppi
pharmacy ['fa:məsi] *n* apteekki
phase [feiz] *n* vaihe
pheasant ['fezənt] *n* fasaani
Philippine ['filipain] *adj* filippiiniläi-
nen
Philippines ['filipi:nz] *pl* Filippiinit *pl*
philosopher [fi'lɔsəfə] *n* mietiskelijä,
filosofi
philosophy [fi'lɔsəfi] *n* elämänviisaus,
filosofia
phone [foun] *n* puhelin; *v* soittaa pu-
helimella
phonetic [fə'netik] *adj* foneettinen
photo ['foutou] *n* (pl ~s) valokuva
photograph ['foutəgra:f] *n* valokuva;
v valokuvata
photographer [fə'tɔgrəfə] *n* valoku-
vaaja
photography [fə'tɔgrəfi] *n* valokuvaus
photostat ['foutəstæt] *n* valokopio
phrase [freiz] *n* sanonta
phrase-book ['freizbuk] *n* tulkkisana-
kirja
physical ['fizikəl] *adj* fyysinen
physician [fi'ziʃən] *n* lääkäri
physicist ['fizisist] *n* fyysikko
physics ['fiziks] *n* fysiikka
physiology [,fizi'ɔlədʒi] *n* elintoimin-
taoppi, fysiologia
pianist ['pi:ənist] *n* pianisti
piano [pi'ænou] *n* piano; **grand** ~
flyygeli
pick [pik] *v* poimia; valikoida; *n* va-
linta; ~ **up** noutaa; **pick-up van**
pakettiauto
pick-axe ['pikæks] *n* hakku
pickles ['pikəlz] *pl* pikkelssi

picnic ['piknik] n huviretki; v tehdä huviretki

picture ['piktʃə] n maalaus; taulu, piirros; kuva; ~ postcard kuvapostikortti, maisemakortti; pictures elokuvat pl

picturesque [ˌpiktʃə'resk] adj maalauksellinen

piece [piːs] n pala, kappale

pier [piə] n laituri

pierce [piəs] v lävistää

pig [pig] n porsas

pigeon ['pidʒən] n kyyhkynen

pig-headed [ˌpig'hedid] adj härkäpäinen

piglet ['piglət] n possu

pigskin ['pigskin] n siannahka

pike [paik] (pl ~) hauki

pile [pail] n pino; v pinota; piles pl peräpukamat pl

pilgrim ['pilgrim] n pyhiinvaeltaja

pilgrimage ['pilgrimidʒ] n pyhiinvaellusmatka

pill [pil] n pilleri

pillar ['pilə] n pilari, pylväs

pillar-box ['piləbɔks] n postilaatikko

pillow ['pilou] n pielus, tyyny

pillow-case ['piloukeis] n tyynyliina

pilot ['pailət] n lentäjä; luotsi

pimple ['pimpəl] n näppylä

pin [pin] n nuppineula; v kiinnittää neulalla; bobby ~ Am hiusneula

pincers ['pinsəz] pl hohtimet pl; pihdit pl

pinch [pintʃ] v nipistää; näpistää

pine [pain] n mänty

pineapple ['paiˌnæpəl] n ananas

ping-pong ['piŋpɔŋ] n pöytätennis

pink [piŋk] adj vaaleanpunainen

pioneer [ˌpaiə'niə] n uudisraivaaja

pious ['paiəs] adj hurskas

pip [pip] n siemen; piippaus

pipe [paip] n piippu; putki; ~ cleaner piipunpuhdistaja; ~ tobacco

piipputupakka

pirate ['paiərət] n merirosvo

pistol ['pistəl] n pistooli

piston ['pistən] n mäntä; ~ ring männänrengas

piston-rod ['pistənrɔd] n männänvarsi

pit [pit] n kuoppa; kaivos

pitcher ['pitʃə] n kannu

pity ['piti] n sääli; v surkutella, säälliä; what a pity! mikä vahinko!

placard ['plækɑːd] n juliste

place [pleis] n paikka; v sijoittaa, asettaa; ~ of birth syntymäpaikka; *take ~ tapahtua

plague [pleig] n vitsaus

plaice [pleis] (pl ~) punakampela

plain [plein] adj selvä; tavallinen, yksinkertainen; n tasanko

plan [plæn] n suunnitelma; kartta, asemakaava; v suunnitella

plane [plein] adj tasainen; n lentokone; ~ crash lento-onnettomuus

planet ['plænit] n planeetta

planetarium [ˌplæni'teəriəm] n planetaario

plank [plæŋk] n lankku

plant [plɑːnt] n kasvi; tehdas; v istuttaa

plantation [plæn'teiʃən] n viljelys

plaster ['plɑːstə] n rappaus, kipsi; pikaside, laastari

plastic ['plæstik] adj muovinen; n muovi

plate [pleit] n lautanen; levy

plateau ['plætou] n (pl ~x, ~s) ylätasanko

platform ['plætfɔːm] n asemalaituri; ~ ticket asemalaiturilippu

platinum ['plætinəm] n platina

play [plei] v leikkiä; soittaa; näytellä; n leikki; näytelmä; one-act ~ yksinäytöksinen näytelmä; ~ truant pinnata

player [pleiə] n pelaaja

playground ['pleigraund] n leikkikenttä

playing-card ['pleiiŋka:d] n pelikortti

playwright ['pleirait] n näytelmäkirjailija

plea [pli:] n puolustuspuhe

plead [pli:d] v puhua puolesta

pleasant ['plezənt] adj miellyttävä, hauska

please [pli:z] olkaa hyvä; v miellyttää; pleased tyytyväinen; pleasing miellyttävä

pleasure ['pleʒə] n huvi, mielihyvä, nautinto

plentiful ['plentifəl] adj runsas

plenty ['plenti] n runsaus; ~ of paljon

pliers [plaiəz] pl pihdit pl

plimsolls ['plimsəlz] pl kumitossut pl

plot [plɔt] n juoni; salaliitto, salahanke; maatilkku

plough [plau] n aura; v kyntää

plucky ['plʌki] adj sisukas

plug [plʌg] n tulppa; pistoke; ~ in kytkeä

plum [plʌm] n luumu

plumber ['plʌmə] n putkimies

plump [plʌmp] adj pullea

plural ['pluərəl] n monikko

plus [plʌs] prep ynnä

pneumatic [nju:'mætik] adj ilmapneumonia [nju:'mouniə] n keuhkokuume

poach [poutʃ] v harjoittaa salametsästystä

pocket ['pɔkit] n tasku

pocket-book ['pɔkitbuk] n lompakko

pocket-comb ['pɔkitkoum] n taskukampa

pocket-knife ['pɔkitnaif] n (pl -knives) taskuveitsi

pocket-watch ['pɔkitwɔtʃ] n taskukello

poem ['pouim] n runo

poet ['pouit] n runoilija

poetry ['pouitri] n runous

point [pɔint] n kohta; kärki; v viitata; ~ of view näkökanta; ~ out osoittaa

pointed ['pɔintid] adj suippo

poison ['pɔizən] n myrkky; v myrkyttää

poisonous ['pɔizənəs] adj myrkyllinen

Poland ['poulənd] Puola

Pole [poul] n puolalainen

pole [poul] n seiväs

police [pə'li:s] pl poliisi

policeman [pə'li:smən] n (pl -men) poliisi

police-station [pə'li:s,steiʃən] n poliisiasema

policy ['pɔlisi] n politiikka; vakuutuskirja

polio ['pouliou] n lapsihalvaus

Polish ['pouliʃ] adj puolalainen

polish ['pɔliʃ] v kiillottaa

polite [pə'lait] adj kohtelias

political [pə'litikəl] adj poliittinen

politician [,pɔli'tiʃən] n poliitikko

politics ['pɔlitiks] n politiikka

pollution [pə'lu:ʃən] n saastuttaminen, saaste

pond [pɔnd] n lampi

pony ['pouni] n poni

poor [puə] adj köyhä; huono; parka

pope [poup] n paavi

poplin ['pɔplin] n popliini

pop music [pɔp 'mju:zik] popmusiikki

poppy ['pɔpi] n unikko

popular ['pɔpjulə] adj suosittu; kansanomainen

population [,pɔpju'leiʃən] n väestö

populous ['pɔpjuləs] adj väkirikas

porcelain ['pɔ:səlin] n posliini

porcupine ['pɔ:kjupain] n piikkisika

pork [pɔ:k] n sianliha

port [pɔ:t] n satama; portviini

portable ['pɔ:təbəl] *adj* kannettava

porter ['pɔ:tə] *n* kantaja; ovenvartija

porthole ['pɔ:thoul] *n* hytin ikkuna

portion ['pɔ:ʃən] *n* annos

portrait ['pɔ:trit] *n* muotokuva

Portugal ['pɔ:tjugəl] Portugali

Portuguese [ˌpɔ:tju'gi:z] *adj* portugalilainen

position [pə'ziʃən] *n* asema; tilanne; asento

positive ['pɔzətiv] *adj* myönteinen; *n* positiivi

possess [pə'zes] *v* omistaa; possessed *adj* riivattu

possession [pə'zeʃən] *n* omistus; possessions omaisuus

possibility [ˌpɔsə'biləti] *n* mahdollisuus

possible ['pɔsəbəl] *adj* mahdollinen

post [poust] *n* posti; työpaikka; tolppa; *v* postittaa; post-office postitoimisto

postage ['poustidʒ] *n* postimaksu; ~ paid postimaksuton; ~ stamp postimerkki

postcard ['poustkɑ:d] *n* postikortti

poster ['poustə] *n* juliste

poste restante [poust re'stɑ̃:t] poste restante

postman ['poustmən] *n* (pl -men) postinkantaja

post-paid [ˌpoust'peid] *adj* postimaksuton

postpone [pə'spoun] *v* lykätä

pot [pɔt] *n* pata

potato [pə'teitou] *n* (pl ~es) peruna

pottery ['pɔtəri] *n* keramiikka; saviastiat *pl*

pouch [pautʃ] *n* pussi

poulterer ['poultərə] *n* lintukauppias

poultry ['poultri] *n* siipikarja

pound [paund] *n* naula

pour [pɔ:] *v* kaataa

poverty ['pɔvəti] *n* köyhyys

powder ['paudə] *n* jauhe; puuteri; ruuti; ~ compact puuterirasia; talc ~ talkki

powder-puff ['paudəpʌf] *n* puuterihuisku

powder-room ['paudəru:m] *n* naistenhuone

power [pauə] *n* voima, voimakkuus; valta

powerful ['pauəfəl] *adj* voimakas, mahtava; väkevä

powerless ['pauələs] *adj* voimaton

power-station ['pauəˌsteiʃən] *n* voimalaitos

practical ['præktikəl] *adj* käytännöllinen

practically ['præktikli] *adv* melkein

practice ['præktis] *n* harjoittelu

practise ['præktis] *v* harjoittaa; harjoitella

praise [preiz] *v* ylistää; *n* ylistys

pram [præm] *n* lastenvaunut *pl*

prawn [prɔ:n] *n* katkarapu

pray [prei] *v* rukoilla

prayer [preə] *n* rukous

preach [pri:tʃ] *v* saarnata

precarious [pri'kɛəriəs] *adj* epävarma

precaution [pri'kɔ:ʃən] *n* varovaisuus; varokeino

precede [pri'si:d] *v* edeltää

preceding [pri'si:diŋ] *adj* edellinen

precious ['preʃəs] *adj* kallisarvoinen

precipice ['presipis] *n* jyrkänne

precipitation [priˌsipi'teiʃən] *n* sademäärä; hätäisyys

precise [pri'sais] *adj* täsmällinen, tarkka

predecessor ['pri:disesə] *n* edeltäjä

predict [pri'dikt] *v* ennustaa

prefer [pri'fə:] *v* pitää parempana, haluta mieluummin

preferable ['prefərəbəl] *adj* parempi, mieluisampi

preference ['prefərəns] *n* mieltymys

prefix ['pri:fiks] *n* etuliite

pregnant ['pregnənt] *adj* raskaana oleva

prejudice ['predʒədis] *n* ennakkoluulo

preliminary [pri'liminəri] *adj* valmistava; alustava

premature ['premətʃuə] *adj* ennenaikainen

premier ['premiə] *n* pääministeri

premises ['premisiz] *pl* kiinteistö

premium ['pri:miəm] *n* vakuutusmaksu

prepaid [,pri:'peid] *adj* ennakolta maksettu

preparation [,prepə'reiʃən] *n* valmistaminen

prepare [pri'peə] *v* valmistaa

prepared [pri'peəd] *adj* valmis

preposition [,prepə'ziʃən] *n* prepositio

prescribe [pri'skraib] *v* määrätä (lääkettä)

prescription [pri'skripʃən] *n* lääkemääräys

presence ['prezəns] *n* läsnäolo; mukanaolo

present[1] ['prezənt] *n* lahja; nykyaika; *adj* nykyinen; läsnäoleva

present[2] [pri'zent] *v* esitellä; esittää

presently ['prezəntli] *adv* heti, pian

preservation [,prezə'veiʃən] *n* säilyttäminen

preserve [pri'zə:v] *v* säilyttää; säilöä

president ['prezidənt] *n* presidentti; puheenjohtaja

press [pres] *n* sanomalehdistö; *v* painaa, pusertaa; silittää; ~ conference lehdistötilaisuus

pressing ['presiŋ] *adj* kiireellinen

pressure ['preʃə] *n* paine; painostus; atmospheric ~ ilmanpaine

pressure-cooker ['preʃə,kukə] *n* painekeitin

prestige [pre'sti:ʒ] *n* vaikutusvalta

presumable [pri'zju:məbəl] *adj* otaksuttava

presumptuous [pri'zʌmpʃəs] *adj* kopea; omahyväinen

pretence [pri'tens] *n* veruke

pretend [pri'tend] *v* teeskennellä; väittää

pretext ['pri:tekst] *n* tekosyy

pretty ['priti] *adj* sievä; *adv* melkoisen

prevent [pri'vent] *v* estää, ehkäistä

preventive [pri'ventiv] *adj* ehkäisevä

previous ['pri:viəs] *adj* aikaisempi, edeltävä, edellinen

pre-war [,pri:'wɔ:] *adj* sotaa edeltävä

price [prais] *n* hinta; *v* hinnoittaa

priceless ['praisləs] *adj* verraton

price-list ['prais,list] *n* hinnasto

prick [prik] *v* pistää

pride [praid] *n* ylpeys

priest [pri:st] *n* pappi

primary ['praiməri] *adj* alkuperäinen; ensisijainen, ensimmäinen; alkeis-

prince [prins] *n* prinssi

princess [prin'ses] *n* prinsessa

principal ['prinsəpəl] *adj* pääasiallinen; *n* rehtori

principle ['prinsəpəl] *n* periaate, perusajatus

print [print] *v* painaa; *n* vedos; kaiverrus; printed matter painotuote

prior [praiə] *adj* varhaisempi

priority [prai'ɔrəti] *n* etuoikeus

prison ['prizən] *n* vankila

prisoner ['prizənə] *n* vanki; ~ of war sotavanki

privacy ['praivəsi] *n* yksityiselämä

private ['praivit] *adj* yksityinen; henkilökohtainen

privilege ['privilidʒ] *n* erioikeus

prize [praiz] *n* palkinto; palkkio

probable ['prɔbəbəl] *adj* luultava, todennäköinen

probably ['prɔbəbli] *adv* todennäköisesti

problem ['prɔbləm] *n* ongelma; pulma
procedure [prə'si:dʒə] *n* menettelytapa
proceed [prə'si:d] *v* jatkaa; menetellä
process ['prouses] *n* kehityskulku, menettelytapa; oikeudenkäynti
procession [prə'seʃən] *n* kulkue
proclaim [prə'kleim] *v* julistaa
produce[1] [prə'dju:s] *v* tuottaa
produce[2] ['prɔdju:s] *n* tuote
producer [prə'dju:sə] *n* tuottaja
product ['prɔdʌkt] *n* tuote
production [prə'dʌkʃən] *n* tuotanto
profession [prə'feʃən] *n* ammatti
professional [prə'feʃənəl] *adj* ammattimainen
professor [prə'fesə] *n* professori
profit ['prɔfit] *n* voitto, etu; hyöty; *v* hyötyä jstkn
profitable ['prɔfitəbəl] *adj* tuottoisa
profound [prə'faund] *adj* syvämielinen
programme ['prougræm] *n* ohjelma
progress[1] ['prougres] *n* edistys
progress[2] [prə'gres] *v* edistyä
progressive [prə'gresiv] *adj* edistyksellinen, edistysmielinen; karttuva
prohibit [prə'hibit] *v* kieltää
prohibition [‚proui'biʃən] *n* kielto
prohibitive [prə'hibitiv] *adj* ostamista ehkäisevä, suojelu-
project ['prɔdʒekt] *n* hanke, suunnitelma
promenade [‚prɔmə'nɑ:d] *n* kävelytie
promise ['prɔmis] *n* lupaus; *v* luvata
promote [prə'mout] *v* ylentää, edistää
promotion [prə'mouʃən] *n* ylennys
prompt [prɔmpt] *adj* pikainen, ripeä
pronoun ['prounaun] *n* pronomini
pronounce [prə'nauns] *v* ääntää
pronunciation [‚prənʌnsi'eiʃən] *n* ääntäminen
proof [pru:f] *n* todistus
propaganda [‚prɔpə'gændə] *n* propa-

ganda
propel [prə'pel] *v* ajaa eteenpäin
propeller [prə'pelə] *n* potkuri
proper ['prɔpə] *adj* asianmukainen, kunnollinen; säädyllinen, sovelias
property ['prɔpəti] *n* omaisuus; ominaisuus
prophet ['prɔfit] *n* profeetta
proportion [prə'pɔ:ʃən] *n* suhde
proportional [prə'pɔ:ʃənəl] *adj* suhteellinen
proposal [prə'pouzəl] *n* ehdotus
propose [prə'pouz] *v* ehdottaa
proposition [‚prɔpə'ziʃən] *n* ehdotus
proprietor [prə'praiətə] *n* omistaja
prospect ['prɔspekt] *n* tulevaisuudennäkymä
prospectus [prə'spektəs] *n* esite
prosperity [prɔ'sperəti] *n* menestys, vauraus
prosperous ['prɔspərəs] *adj* menestyksellinen, varakas
prostitute ['prɔstitju:t] *n* portto
protect [prə'tekt] *v* suojella
protection [prə'tekʃən] *n* suojelus
protein ['prouti:n] *n* valkuaisaine
protest[1] ['proutest] *n* vastalause
protest[2] [prə'test] *v* esittää vastalause
Protestant ['prɔtistənt] *adj* protestanttinen
proud [praud] *adj* ylpeä; kopea
prove [pru:v] *v* todistaa; osoittautua
proverb ['prɔvə:b] *n* sananlasku
provide [prə'vaid] *v* hankkia; **provided that** edellyttäen
province ['prɔvins] *n* lääni; maakunta
provincial [prə'vinʃəl] *adj* maalainen
provisional [prə'viʒənəl] *adj* väliaikainen
provisions [prə'viʒənz] *pl* ruokatarvikkeet *pl*
prune [pru:n] *n* kuivattu luumu
psychiatrist [sai'kaiətrist] *n* psykiatri

psychoanalyst [ˌsaikouˈænəlist] n psykoanalyytikko

psychological [ˌsaikəˈlɔdʒikəl] adj psykologinen

psychologist [saiˈkɔlədʒist] n psykologi

psychology [saiˈkɔlədʒi] n psykologia

pub [pʌb] n krouvi; kapakka

public [ˈpʌblik] adj julkinen; yleinen; n yleisö; ~ garden yleinen puisto; ~ house oluttupa

publication [ˌpʌbliˈkeiʃən] n julkaiseminen

publicity [pʌˈblisəti] n julkisuus

publish [ˈpʌbliʃ] v julkaista

publisher [ˈpʌbliʃə] n kustantaja

puddle [ˈpʌdəl] n lätäkkö

pull [pul] v vetää; ~ out lähteä liikkeelle; ~ up pysähtyä

pulley [ˈpuli] n (pl ~s) väkipyörä

Pullman [ˈpulmən] n makuuvaunu

pullover [ˈpuˌlouvə] n villapusero

pulpit [ˈpulpit] n saarnatuoli

pulse [pʌls] n valtimo

pump [pʌmp] n pumppu; v pumpata

punch [pʌntʃ] n lävistin; nyrkinisku

punctual [ˈpʌŋktʃuəl] adj täsmällinen

puncture [ˈpʌŋktʃə] n puhkeaminen, rengasrikko

punctured [ˈpʌŋktʃəd] adj puhjennut

punish [ˈpʌniʃ] v rangaista

punishment [ˈpʌniʃmənt] n rangaistus

pupil [ˈpju:pəl] n oppilas

puppet-show [ˈpʌpitʃou] n nukketeatteri

purchase [ˈpə:tʃəs] v ostaa; n osto, hankinta; ~ price ostohinta; ~ tax liikevaihtovero

purchaser [ˈpə:tʃəsə] n ostaja

pure [pjuə] adj puhdas

purple [ˈpə:pəl] adj purppuranpunainen

purpose [ˈpə:pəs] n tarkoitus; on ~ tahallaan

purse [pə:s] n kukkaro

pursue [pəˈsju:] v ajaa takaa; harjoittaa

pus [pʌs] n märkä

push [puʃ] n töytäys, sysäys; v työntää; sysätä; tunkea

push-button [ˈpuʃˌbʌtən] n painonappi

*put [put] v asettaa, panna, sijoittaa; esittää; ~ away panna paikoilleen; ~ off lykätä; ~ on pukea ylleen; ~ out sammuttaa

puzzle [ˈpʌzəl] n palapeli; arvoitus; v saattaa ymmälle; jigsaw ~ palapeli

puzzling [ˈpʌzliŋ] adj käsittämätön

pyjamas [pəˈdʒɑ:məz] pl yöpuku

Q

quack [kwæk] n huijari, puoskari

quail [kweil] n (pl ~, ~s) viiriäinen

quaint [kweint] adj omalaatuinen; vanhanaikainen

qualification [ˌkwɔlifiˈkeiʃən] n pätevyys; rajoitus

qualified [ˈkwɔlifaid] adj pätevä

qualify [ˈkwɔlifai] v hankkia pätevyys

quality [ˈkwɔləti] n laatu; ominaisuus

quantity [ˈkwɔntəti] n määrä

quarantine [ˈkwɔrənti:n] n karanteeni

quarrel [ˈkwɔrəl] v riidellä, kiistellä; n kiista, riita

quarry [ˈkwɔri] n louhos

quarter [ˈkwɔ:tə] n neljännes; neljännesvuosi; kaupunginosa; ~ of an hour neljännestunti

quarterly [ˈkwɔ:təli] adj neljännesvuosittainen

quay [ki:] n satamalaituri

queen [kwi:n] n kuningatar

queer [kwiə] adj omituinen; kum-

mallinen
query ['kwiəri] n tiedustelu; v kysellä
question ['kwestʃən] n kysymys, pulma; v kysellä; kuulustella; epäillä
queue [kju:] n jono; v jonottaa
quick [kwik] adj pika-, nopea
quick-tempered [‚kwik'tempəd] adj äkkipikainen
quiet ['kwaiət] adj hiljainen, vaitelias, rauhallinen, tyyni; n hiljaisuus, rauha
quilt [kwilt] n täkki
quinine [kwi'ni:n] n kiniini
quit [kwit] v luopua, lakata jstk
quite [kwait] adv aivan, melko; hyvin, oikein
quiz [kwiz] n (pl ~zes) tietokilpailu
quota ['kwoutə] n kiintiö
quotation [kwou'teiʃən] n lainaus; ~ marks lainausmerkit pl
quote [kwout] v siteerata

R

rabbit ['ræbit] n kaniini
rabies ['reibiz] n vesikauhu
race [reis] n kilpajuoksu, kilpa-ajo; rotu
race-course ['reisko:s] n kilpa-ajorata, kilparata
race-horse ['reisho:s] n kilpahevonen
race-track ['reistræk] n kilparata
racial ['reiʃəl] adj rotu-
racket ['rækit] n meteli; maila
racquet ['rækit] n maila
radiator ['reidieitə] n lämpöpatteri
radical ['rædikəl] adj radikaali
radio ['reidiou] n radio
radish ['rædiʃ] n retiisi
radius ['reidiəs] n (pl radii) säde
raft [ra:ft] n lautta

rag [ræg] n riepu
rage [reidʒ] n raivo; v raivota
raid [reid] n hyökkäys
rail [reil] n kaide; kisko, raide
railing ['reiliŋ] n kaide
railroad ['reilroud] nAm rautatie
railway ['reilwei] n rautatie; ~ carriage rautatievaunu
rain [rein] n sade; v sataa
rainbow ['reinbou] n sateenkaari
raincoat ['reinkout] n sadetakki
rainproof ['reinpru:f] adj sateenpitävä
rainy ['reini] adj sateinen
raise [reiz] v korottaa; viljellä, kasvattaa; nAm palkankorotus, nousu
raisin ['reizən] n rusina
rake [reik] n harava
rally ['ræli] n kokoontuminen; ralli
ramp [ræmp] n ramppi
ramshackle ['ræm‚ʃækəl] adj ränsistynyt
rancid ['rænsid] adj eltaantunut
rang [ræŋ] v (p ring)
range [reindʒ] n etäisyys; piiri; ulottuvuus; jono
range-finder ['reindʒ‚faində] n etäisyysmittari
rank [ræŋk] n arvoaste
ransom ['rænsəm] n lunnaat pl
rape [reip] v raiskata
rapid ['ræpid] adj nopea, pikainen
rapids ['ræpidz] pl koski
rare [reə] adj harvinainen
rarely ['reəli] adv harvoin
rascal ['ra:skəl] n vintiö, lurjus
rash [ræʃ] n ihottuma; adj harkitsematon
raspberry ['ra:zbəri] n vadelma
rat [ræt] n rotta
rate [reit] n tariffi, määrä; vauhti; at any ~ joka tapauksessa; ~ of exchange vaihtokurssi
rather ['ra:ðə] adv melko, jonkinver-

ran; mieluummin

ration ['ræʃən] n annos

rattan [ræ'tæn] n rottinki

raven ['reivən] n korppi

raw [rɔ:] adj raaka; ~ material raa-ka-aine

ray [rei] n säde

rayon ['reiən] n keinosilkki

razor ['reizə] n parranajokone

razor-blade ['reizəbleid] n partaterä

reach [ri:tʃ] v saavuttaa; n kantama

reaction [ri'ækʃən] n vastavaikutus, reaktio

*read [ri:d] v lukea

reading ['ri:diŋ] n lukeminen

reading-lamp ['ri:diŋlæmp] n luku-lamppu

reading-room ['ri:diŋru:m] n lukusali

ready ['redi] adj valmis, aulis

ready-made [,redi'meid] adj valmis-

real [riəl] adj todellinen

reality [ri'æləti] n todellisuus

realizable ['riəlaizəbəl] adj mahdolli-nen

realize ['riəlaiz] v oivaltaa; toteuttaa

really ['riəli] adv todella, tosiasialli-sesti

rear [riə] n takaosa; v kasvattaa

rear-light [riə'lait] n takavalo

reason ['ri:zən] n syy, aihe; järki, ymmärrys; v järkeillä

reasonable ['ri:zənəbəl] adj järkevä; kohtuullinen

reassure [,ri:ə'ʃuə] v tyynnyttää

rebate ['ri:beit] n vähennys, alennus

rebellion [ri'beljən] n kapina

recall [ri'kɔ:l] v muistaa; kutsua ta-kaisin; peruuttaa

receipt [ri'si:t] n kuitti; vastaanotta-minen

receive [ri'si:v] v saada, vastaanottaa

receiver [ri'si:və] n kuuloke

recent ['ri:sənt] adj äskeinen

recently ['ri:səntli] adv äskettäin, hil-

jattain

reception [ri'sepʃən] n vastaanotto; ~ office vastaanottohuone

receptionist [ri'sepʃənist] n vastaanot-toapulainen; portieeri

recession [ri'seʃən] n taantuma; ve-täytyminen

recipe ['resipi] n valmistusohje

recital [ri'saitəl] n konsertti

reckon ['rekən] v laskea; arvella

recognition [,rekəg'niʃən] n tuntemi-nen; tunnustus

recognize ['rekəgnaiz] v tunnistaa; myöntää

recollect [,rekə'lekt] v muistella

recommence [,ri:kə'mens] v aloittaa uudestaan

recommend [,rekə'mend] v puoltaa, suositella

recommendation [,rekəmen'deiʃən] n suositus

reconciliation [,rekənsili'eiʃən] n so-vinto

record[1] ['rekɔ:d] n äänilevy; ennätys; pöytäkirja; long-playing ~ LP-le-vy

record[2] [ri'kɔ:d] v merkitä muistiin

recorder [ri'kɔ:də] n nauhuri

recording [ri'kɔ:diŋ] n äänitys

record-player ['rekɔ:d,pleiə] n levysoi-tin

recover [ri'kʌvə] v saada takaisin; tointua, toipua

recovery [ri'kʌvəri] n parantuminen, toipuminen

recreation [,rekri'eiʃən] n virkistys; ~ centre virkistyskeskus; ~ ground leikkikenttä

recruit [ri'kru:t] n alokas

rectangle ['rektæŋgəl] n suorakulmio

rectangular [rek'tæŋgjulə] adj suora-kulmainen

rector ['rektə] n kirkkoherra

rectory ['rektəri] n pappila

rectum ['rektəm] n peräsuoli
red [red] adj punainen
redeem [ri'di:m] v lunastaa
reduce [ri'dju:s] v alentaa, vähentää, pienentää
reduction [ri'dʌkʃən] n alennus, hinnanalennus
redundant [ri'dʌndənt] adj liiallinen
reed [ri:d] n kaisla, ruoko
reef [ri:f] n riutta
reference ['refrəns] n suosittelija, viite; with ~ to viitaten
refer to [ri'fə:] viitata jhk
refill ['ri:fil] n varasäiliö
refinery [ri'fainəri] n puhdistamo
reflect [ri'flekt] v heijastaa
reflection [ri'flekʃən] n heijastus; peilikuva
reflector [ri'flektə] n heijastin
reformation [,refə'meiʃən] n parannus; uudelleen järjestely
refresh [ri'freʃ] v virkistää
refreshment [ri'freʃmənt] n virvoke
refrigerator [ri'fridʒəreitə] n jääkaappi
refund¹ [ri'fʌnd] v maksaa takaisin
refund² ['ri:fʌnd] n takaisinmaksu
refusal [ri'fju:zəl] n kieltäytyminen
refuse¹ [ri'fju:z] v kieltäytyä
refuse² ['refju:s] n jätteet pl
regard [ri'ga:d] v katsella; pitää jnak; n kunnioitus; as regards mitä jhkn tulee
regarding [ri'ga:diŋ] prep mitä jhkn tulee; koskien (jtk)
regatta [ri'gætə] n purjehduskilpailu
régime [rei'ʒi:m] n hallitusjärjestelmä
region ['ri:dʒən] n alue; seutu
regional ['ri:dʒənəl] adj alueellinen
register ['redʒistə] v kirjoittautua; kirjata; registered letter kirjattu kirje
registration [,redʒi'streiʃən] n ilmoit-

tautuminen; ~ form ilmoittautumislomake; ~ number rekisterinumero; ~ plate rekisterikilpi
regret [ri'gret] v pahoitella; n pahoittelu
regular ['regjulə] adj säännöllinen; säännönmukainen, tavallinen
regulate ['regjuleit] v säätää; ohjata
regulation [,regju'leiʃən] n säännös, ohjesääntö; säätö
rehabilitation [,ri:hə,bili'teiʃən] n kuntouttaminen
rehearsal [ri'hə:səl] n harjoitus
rehearse [ri'hə:s] v harjoitella
reign [rein] n hallitusaika; v hallita
reimburse [,ri:im'bə:s] v maksaa takaisin
reindeer ['reindiə] n (pl ~) poro
reject [ri'dʒekt] v hylätä; torjua
relate [ri'leit] v kertoa
related [ri'leitid] adj sukua oleva
relation [ri'leiʃən] n suhde, yhteys; sukulainen
relative ['relətiv] n sukulainen; adj suhteellinen
relax [ri'læks] v rentoutua
relaxation [,rilæk'seiʃən] n rentoutuminen
reliable [ri'laiəbəl] adj luotettava
relic ['relik] n pyhäinjäännös
relief [ri'li:f] n helpotus, huojennus; apu; korkokuva
relieve [ri'li:v] v helpottaa; vapauttaa
religion [ri'lidʒən] n uskonto
religious [ri'lidʒəs] adj uskonnollinen
rely on [ri'lai] luottaa
remain [ri'mein] v jäädä; jäädä jäljelle
remainder [ri'meində] n loput pl, jäännös, ylijäämä
remaining [ri'meiniŋ] adj muu, jäljellä oleva
remark [ri'ma:k] n huomautus; v huomauttaa

remarkable [ri'mɑ:kəbəl] adj merkittävä

remedy ['remədi] n parannuskeino; lääke

remember [ri'membə] v muistaa

remembrance [ri'membrəns] n muisto

remind [ri'maind] v muistuttaa

remit [ri'mit] v lähettää (rahaa)

remittance [ri'mitəns] n rahalähetys

remnant ['remnənt] n jäänne, jäännös

remote [ri'mout] adj kaukainen, syrjäinen

removal [ri'mu:vəl] n poisto; muutto

remove [ri'mu:v] v poistaa; muuttaa

remunerate [ri'mju:nəreit] v korvata

remuneration [ri,mju:nə'reiʃən] n korvaus

renew [ri'nju:] v uudistaa; pidentää

rent [rent] v vuokrata; n vuokra

repair [ri'peə] v korjata, kunnostaa; n korjaus

reparation [,repə'reiʃən] n korjaus

*repay [ri'pei] v maksaa takaisin

repayment [ri'peimənt] n takaisinmaksu

repeat [ri'pi:t] v toistaa

repellent [ri'pelənt] adj vastenmielinen

repentance [ri'pentəns] n katumus

repertory ['repətəri] n ohjelmisto

repetition [,repə'tiʃən] n toistaminen

replace [ri'pleis] v korvata

reply [ri'plai] v vastata; n vastaus; in ~ vastaukseksi

report [ri'pɔ:t] v tiedottaa; ilmoittaa; ilmoittautua; n selonteko, selostus

reporter [ri'pɔ:tə] n uutistoimittaja

represent [,repri'zent] v edustaa; esittää

representation [,reprizen'teiʃən] n edustus

representative [,repri'zentətiv] adj edustava

reprimand ['reprimɑ:nd] v nuhdella

reproach [ri'proutʃ] n moite; v moittia

reproduce [,ri:prə'dju:s] v jäljentää

reproduction [,ri:prə'dʌkʃən] n jäljennös

reptile ['reptail] n matelija

republic [ri'pʌblik] n tasavalta

republican [ri'pʌblikən] adj tasavaltalainen

repulsive [ri'pʌlsiv] adj vastenmielinen

reputation [,repju'teiʃən] n maine

request [ri'kwest] n pyyntö; v pyytää

require [ri'kwaiə] v vaatia

requirement [ri'kwaiəmənt] n vaatimus

requisite ['rekwizit] adj tarpeellinen

rescue ['reskju:] v pelastaa; n pelastaminen

research [ri'sə:tʃ] n tutkimus

resemblance [ri'zembləns] n yhdennäköisyys

resemble [ri'zembəl] v muistuttaa

resent [ri'zent] v panna pahakseen

reservation [,rezə'veiʃən] n varaus

reserve [ri'zə:v] v varata; n vara, reservi

reserved [ri'zə:vd] adj varattu

reservoir ['rezəvwɑ:] n säiliö

reside [ri'zaid] v asua

residence ['rezidəns] n asuinpaikka; ~ permit oleskelulupa

resident ['rezidənt] n vakinainen asukas; adj vakinaisesti asuva

resign [ri'zain] v erota

resignation [,rezig'neiʃən] n eron pyyntö

resin ['rezin] n pihka

resist [ri'zist] v vastustaa

resistance [ri'zistəns] n vastustus, vastarintaliike

resolute ['rezəlu:t] adj päättäväinen

respect [ri'spekt] n kunnioitus, arvonanto; v kunnioittaa

respectable [ri'spektəbəl] adj kunni-

oitettava, kunniallinen
respectful [ri'spektfəl] adj kunnioitta-
va
respective [ri'spektiv] adj asianomai-
nen
respiration [ˌrespə'reiʃən] n hengitys
respite ['respait] n lykkäys
responsibility [riˌsponsə'biləti] n vas-
tuu
responsible [ri'sponsəbəl] adj vastuul-
linen
rest [rest] n lepo; jäännös; v levätä
restaurant ['restərɔ̃:] n ravintola
restful ['restfəl] adj rauhoittava
rest-home ['resthoum] n lepokoti
restless ['restləs] adj levoton, rauha-
ton
restrain [ri'strein] v pidättää, hillitä
restriction [ri'strikʃən] n rajoitus
result [ri'zʌlt] n seuraus; tulos; v olla
seurauksena
resume [ri'zju:m] v ryhtyä uudelleen
résumé ['rezjumei] n tiivistelmä
retail ['ri:teil] v myydä vähittäin; ~
trade vähittäiskauppa
retailer ['ri:teilə] n vähittäiskauppias;
jälleenmyyjä
retina ['retinə] n verkkokalvo
retired [ri'taiəd] adj eläkkeellä oleva
return [ri'tə:n] v palata; n paluu; ~
flight paluulento; ~ journey pa-
luumatka; ~ ticket edestakainen
lippu
reunite [ˌri:ju:'nait] v yhdistää jälleen
reveal [ri'vi:l] v ilmaista, paljastaa
revelation [ˌrevə'leiʃən] n paljastus
revenge [ri'vendʒ] n kosto
revenue ['revənju:] n tulot pl
reverse [ri'və:s] n vastakohta; kään-
töpuoli; peruutusvaihde; vastoin-
käyminen, täyskäännös; adj päin-
vastainen; v peruuttaa
review [ri'vju:] n arvostelu; aikakaus-
kirja

revise [ri'vaiz] v tarkistaa
revision [ri'viʒən] n tarkastus
revival [ri'vaivəl] n elpyminen
revolt [ri'voult] v kapinoida; n kapi-
na, mellakka
revolting [ri'voultiŋ] adj inhottava,
kuvottava, kuohuttava
revolution [ˌrevə'lu:ʃən] n vallanku-
mous; kiertoliike
revolutionary [ˌrevə'lu:ʃənəri] adj val-
lankumouksellinen
revolver [ri'vɔlvə] n revolveri
revue [ri'vju:] n revyy
reward [ri'wɔ:d] n palkkio; v palkita
rheumatism ['ru:mətizəm] n reuma-
tismi
rhinoceros [rai'nɔsərəs] n (pl ~,
~es) sarvikuono
rhubarb ['ru:bɑ:b] n raparperi
rhyme [raim] n loppusointu
rhythm ['riðəm] n rytmi
rib [rib] n kylkiluu
ribbon ['ribən] n nauha
rice [rais] n riisi
rich [ritʃ] adj rikas
riches ['ritʃiz] pl rikkaus
riddle ['ridəl] n arvoitus
ride [raid] n ajelu
*ride [raid] v ajaa; ratsastaa
rider ['raidə] n ratsastaja
ridge [ridʒ] n vuorenharjanne
ridicule ['ridikju:l] v tehdä nauretta-
vaksi
ridiculous [ri'dikjuləs] adj naurettava
riding ['raidiŋ] n ratsastus
riding-school ['raidiŋsku:l] n ratsas-
tuskoulu
rifle ['raifəl] v kivääri
right [rait] n oikeus; adj oikea; suora;
oikeanpuoleinen; oikeudenmukai-
nen; all right! hyvä on!; * be ~ ol-
la oikeassa; ~ of way etuajo-oi-
keus
righteous ['raitʃəs] adj oikeamielinen

right-hand ['raithænd] adj oikeanpuoleinen

rightly ['raitli] adv oikeutetusti

rim [rim] n vanne; reuna

ring [riŋ] n sormus; rengas, kehä

*ring [riŋ] v soittaa; ~ up soittaa puhelimella

rinse [rins] v huuhtoa; n huuhtelu

riot ['raiət] n mellakka

rip [rip] v repiä

ripe [raip] adj kypsä

rise [raiz] n korotus, palkankorotus; mäki; nousu; synty

*rise [raiz] v nousta; kohota

rising ['raiziŋ] n kansannousu

risk [risk] n vaara; uhka; v vaarantaa

risky ['riski] adj vaarallinen, uskallettu

rival ['raivəl] n kilpailija; v kilpailla

rivalry ['raivəlri] n kilpailu

river ['rivə] n joki; ~ bank jokipenger

riverside ['rivəsaid] n joenvarsi

roach [routʃ] n (pl ~) särki

road [roud] n katu, tie; ~ fork tienristeys; ~ map tiekartta; ~ system tieverkko; ~ up tietyö

roadhouse ['roudhaus] n majatalo

roadside ['roudsaid] n tienvieri; ~ restaurant majatalo

roadway ['roudwei] nAm ajorata

roam [roum] v kuljeskella

roar [rɔ:] v karjua, kohista; n pauhu, karjunta

roast [roust] v paistaa, paahtaa

rob [rɔb] v ryöstää

robber ['rɔbə] n rosvo

robbery ['rɔbəri] n ryöstö, varkaus

robe [roub] n leninki; viitta

robin ['rɔbin] n punarinta

robust [rou'bʌst] adj vankka

rock [rɔk] n kallio; v keinua

rocket ['rɔkit] n ohjus; raketti

rocky ['rɔki] adj kallioinen

rod [rɔd] n vapa, keppi

roe [rou] n mäti; kauris

roll [roul] v kierittää; n rulla; sämpylä

roller-skating ['roulə‚skeitiŋ] n rullaluistelu

Roman Catholic ['roumən 'kæθəlik] roomalaiskatolinen

romance [rə'mæns] n romanssi

romantic [rə'mæntik] adj romanttinen

roof [ru:f] n katto; thatched ~ olkikatto

room [ru:m] n huone; sija, tila; ~ and board täysihoito; ~ service huonepalvelu; ~ temperature huonelämpötila

roomy ['ru:mi] adj tilava

root [ru:t] n juuri

rope [roup] n köysi

rosary ['rouzəri] n rukousnauha

rose [rouz] n ruusu; adj ruusunpunainen

rotten ['rɔtən] adj mätä

rouge [ru:ʒ] n poskipuna

rough [rʌf] adj epätasainen, karkea

roulette [ru:'let] n rulettipeli

round [raund] adj pyöreä; prep ympäri; n kierros; ~ trip Am edestakainen matka

roundabout ['raundəbaut] n liikenneympyrä

rounded ['raundid] adj pyöristetty

route [ru:t] n reitti

routine [ru:'ti:n] n rutiini

row[1] [rou] n rivi; v soutaa

row[2] [rau] n riita

rowdy ['raudi] adj räyhäävä

rowing-boat ['rouiŋbout] n soutuvene

royal ['rɔiəl] adj kuninkaallinen

rub [rʌb] v hieroa

rubber ['rʌbə] n kumi; pyyhekumi; ~ band kuminauha

rubbish ['rʌbiʃ] n roskat pl; pöty; talk ~ jaaritella

rubbish-bin ['rʌbiʃbin] n roskasanko
ruby ['ruːbi] n rubiini
rucksack ['rʌksæk] n selkäreppu
rudder ['rʌdə] n peräsin
rude [ruːd] adj karkea
rug [rʌg] n matto
ruin ['ruːin] v tuhota; n turmio; ruins rauniot pl
ruination [,ruːi'neiʃən] n hävitys
rule [ruːl] n sääntö; hallitus, valta; v hallita, vallita; as a ~ yleensä, tavallisesti
ruler ['ruːlə] n hallitsija, valtias; viivoitin
Rumania [ruː'meiniə] Romania
Rumanian [ruː'meiniən] adj romanialainen
rumour ['ruːmə] n huhu
*run [rʌn] v juosta; ~ into kohdata sattumalta
runaway ['rʌnəwei] n karkuri
rung [rʌn] v (pp ring)
runway ['rʌnwei] n kiitorata
rural ['ruərəl] adj maalainen
ruse [ruːz] n juoni
rush [rʌʃ] v rynnätä; n kaisla
rush-hour ['rʌʃauə] n ruuhka-aika
Russia ['rʌʃə] Venäjä
Russian ['rʌʃən] adj venäläinen
rust [rʌst] n ruoste
rustic ['rʌstik] adj maalais-
rusty ['rʌsti] adj ruosteinen

S

saccharin ['sækərin] n sakariini
sack [sæk] n säkki
sacred ['seikrid] adj pyhä
sacrifice ['sækrifais] n uhraus; v uhrata
sacrilege ['sækrilidʒ] n pyhäinhäväistys

sad [sæd] adj surullinen, murheellinen; alakuloinen
saddle ['sædəl] n satula
sadness ['sædnəs] n apeus
safe [seif] adj turvallinen; n kassakaappi, tallelokero
safety ['seifti] n turvallisuus
safety-belt ['seiftibelt] n turvavyö
safety-pin ['seiftipin] n hakaneula
safety-razor ['seifti,reizə] n parranajokone
sail [seil] v purjehtia, matkustaa laivalla; n purje
sailing-boat ['seiliŋbout] n purjevene
sailor ['seilə] n merimies
saint [seint] n pyhimys
salad ['sæləd] n salaatti
salad-oil ['sælədoil] n ruokaöljy
salary ['sæləri] n palkka
sale [seil] n myynti; clearance ~ alennusmyynti; for ~ myytävänä; sales myynti, alennusmyynti; sales tax liikevaihtovero
saleable ['seiləbəl] adj kaupaksi menevä
salesgirl ['seilzgəːl] n myyjätär
salesman ['seilzmən] n (pl -men) myyjä
salmon ['sæmən] n (pl ~) lohi
salon ['sælɔ̃ː] n salonki
saloon [sə'luːn] n baari, kapakka
salt [sɔːlt] n suola
salt-cellar ['sɔːlt,selə] n suola-astia
salty ['sɔːlti] adj suolainen
salute [sə'luːt] v tervehtiä
salve [sɑːv] n salva
same [seim] adj sama
sample ['sɑːmpəl] n näyte
sanatorium [,sænə'tɔːriəm] n (pl ~s, -ria) parantola
sand [sænd] n hiekka
sandal ['sændəl] n sandaali
sandpaper ['sænd,peipə] n hiekkapaperi

sandwich ['sænwidʒ] n voileipä
sandy ['sændi] adj hiekkainen
sanitary ['sænitəri] adj terveydenhoidollinen; ~ towel terveysside
sapphire ['sæfaiə] n safiiri
sardine [saː'diːn] n sardiini
satchel ['sætʃəl] n koululaukku
satellite ['sætəlait] n satelliitti
satin ['sætin] n satiini
satisfaction [ˌsætis'fækʃən] n tyydytys, tyytyväisyys
satisfy ['sætisfai] v tyydyttää; satisfied tyytyväinen
Saturday ['sætədi] lauantai
sauce [sɔːs] n kastike
saucepan ['sɔːspən] n kasari
saucer ['sɔːsə] n teevati
Saudi Arabia [ˌsaudiə'reibiə] Saudi-Arabia
Saudi Arabian [ˌsaudiə'reibiən] adj saudiarabialainen
sauna ['sɔːnə] n sauna
sausage ['sɔsidʒ] n makkara
savage ['sævidʒ] adj villi
save [seiv] v pelastaa; säästää
savings ['seiviŋz] pl säästörahat pl; ~ bank säästöpankki
saviour ['seivjə] n pelastaja
savoury ['seivəri] adj maukas; kirpeä
*saw [sɔː] v sahata
saw1 [sɔː] v (p see)
saw2 [sɔː] n saha
sawdust ['sɔːdʌst] n sahajauho
saw-mill ['sɔːmil] n sahalaitos
*say [sei] v sanoa
scaffolding ['skæfəldiŋ] n rakennustelineet pl
scale [skeil] n mittakaava; asteikko; suomus; scales pl vaaka
scandal ['skændəl] n häväistysjuttu
Scandinavia [ˌskændi'neiviə] Skandinavia
Scandinavian [ˌskændi'neiviən] adj skandinaavinen; n skandinaavi

scapegoat ['skeipgout] n syntipukki
scar [skaː] n arpi
scarce [skeəs] adj niukka
scarcely ['skeəsli] adv tuskin
scarcity ['skeəsəti] n niukkuus
scare [skeə] v pelästyttää; n pelko
scarf [skaːf] n (pl ~s, scarves) huivi, kaulaliina
scarlet ['skaːlət] adj helakanpunainen
scary ['skeəri] adj huolestuttava, pelottava
scatter ['skætə] v sirotella
scene [siːn] n kohtaus (näytelmässä)
scenery ['siːnəri] n maisema
scenic ['siːnik] adj luonnonkaunis
scent [sent] n tuoksu
schedule ['ʃedjuːl] n aikataulu
scheme [skiːm] n kaava
scholar ['skɔlə] n oppinut; oppilas
scholarship ['skɔləʃip] n apuraha
school [skuːl] n koulu
schoolboy ['skuːlbɔi] n koulupoika
schoolgirl ['skuːlgəːl] n koulutyttö
schoolmaster ['skuːlˌmaːstə] n opettaja
schoolteacher ['skuːlˌtiːtʃə] n opettaja
science ['saiəns] n tiede, luonnontiede
scientific [ˌsaiən'tifik] adj tieteellinen
scientist ['saiəntist] n tiedemies
scissors ['sizəz] pl sakset pl
scold [skould] v torua; sättiä
scooter ['skuːtə] n skootteri; potkulauta
score [skɔː] n pistemäärä; v saada pisteitä
scorn [skɔːn] n pilkka, ylenkatse; v halveksia
Scot [skɔt] n skotlantilainen
Scotch [skɔtʃ] adj skotlantilainen
Scotland ['skɔtlənd] Skotlanti
Scottish ['skɔtiʃ] adj skotlantilainen
scout [skaut] n partiolainen

scrap [skræp] *n* pala; romu
scrap-book ['skræpbuk] *n* leikekirja
scrape [skreip] *v* raapia
scrap-iron ['skræpaiən] *n* rautaromu
scratch [skrætʃ] *v* naarmuttaa, raapia; *n* naarmu
scream [skri:m] *v* kirkua, huutaa; *n* kirkaisu
screen [skri:n] *n* suojus; kuvaruutu, valkokangas
screw [skru:] *n* ruuvi; *v* ruuvata
screw-driver ['skru:ˌdraivə] *n* ruuvitaltta
scrub [skrʌb] *v* hangata; *n* pensaikko
sculptor ['skʌlptə] *n* kuvanveistäjä
sculpture ['skʌlptʃə] *n* veistos
sea [si:] *n* meri
sea-bird ['si:bə:d] *n* merilintu
sea-coast ['si:koust] *n* merenranta
seagull ['si:gʌl] *n* kalalokki, lokki
seal [si:l] *n* sinetti; hylje
seam [si:m] *n* sauma
seaman ['si:mən] *n* (pl -men) merimies
seamless ['si:mləs] *adj* saumaton
seaport ['si:pɔ:t] *n* satama
search [sə:tʃ] *v* etsiä; tarkastaa, etsiä tarkoin; *n* tarkastus
searchlight ['sə:tʃlait] *n* valonheitin
seascape ['si:skeip] *n* merimaisema
sea-shell ['si:ʃel] *n* näkinkenkä
seashore ['si:ʃɔ:] *n* merenranta
seasick ['si:sik] *adj* merisairas
seasickness ['si:ˌsiknəs] *n* merisairaus
seaside ['si:said] *n* merenrannikko; ~ **resort** merikylpylä
season ['si:zən] *n* kausi, vuodenaika; **high** ~ matkailukausi; **low** ~ hiljainen kausi; **off** ~ hiljainen kausi
season-ticket ['si:zənˌtikit] *n* kausilippu
seat [si:t] *n* istuin; istumapaikka
seat-belt ['si:tbelt] *n* turvavyö
sea-urchin ['si:ˌə:tʃin] *n* merisiili

sea-water ['si:ˌwɔ:tə] *n* merivesi
second ['sekənd] *num* toinen; *n* sekunti; silmänräpäys
secondary ['sekəndəri] *adj* toisarvoinen; ~ **school** oppikoulu
second-hand [ˌsekənd'hænd] *adj* käytetty
secret ['si:krət] *n* salaisuus; *adj* salainen
secretary ['sekrətri] *n* sihteeri
section ['sekʃən] *n* osasto; lokero; jaosto
secure [si'kjuə] *adj* varma; *v* varmistua
security [si'kjuərəti] *n* turvallisuus; takuu
sedate [si'deit] *adj* tyyni
sedative ['sedətiv] *n* rauhoittava lääke
seduce [si'dju:s] *v* vietellä
*****see** [si:] *v* nähdä; tajuta, käsittää; ~ **to** huolehtia jstk
seed [si:d] *n* siemen
*****seek** [si:k] *v* etsiä
seem [si:m] *v* tuntua, näyttää jltk
seen [si:n] *v* (pp see)
seesaw ['si:sɔ:] *n* keinulauta
seize [si:z] *v* tarttua
seldom ['seldəm] *adv* harvoin
select [si'lekt] *v* valita, valikoida; *adj* hieno, valikoitu
selection [si'lekʃən] *n* valikoima
self-centred [ˌself'sentəd] *adj* itsekeskeinen
self-employed [ˌselfim'plɔid] *adj* itsellinen, yksityisyrittäjä
self-evident [ˌsel'fevidənt] *adj* itsestään selvä
self-government [ˌself'gʌvəmənt] *n* itsehallinto
selfish ['selfiʃ] *adj* itsekäs
selfishness ['selfiʃnəs] *n* itsekkyys
self-service [ˌself'sə:vis] *n* itsepalvelu; ~ **restaurant** itsepalveluravintola

*sell [sel] v myydä

semblance ['semblans] n ulkomuoto

semi- ['semi] puoli-

semicircle ['semi,sə:kəl] n puoliympyrä

semi-colon [,semi'koulən] n puolipiste

senate ['senət] n senaatti

senator ['senətə] n senaattori

*send [send] v lähettää; ~ back palauttaa; ~ for lähettää noutamaan; ~ off lähettää pois

senile ['si:nail] adj vanhuudenheikko

sensation [sen'seiʃən] n sensaatio; aistimus, tunne

sensational [sen'seiʃənəl] adj huomiota herättävä

sense [sens] n aisti; järki; merkitys; taju, merkitys; v aavistaa; ~ of honour kunniantunto

senseless ['senslas] adj järjetön

sensible ['sensəbəl] adj järkevä

sensitive ['sensitiv] adj herkkä

sentence ['sentəns] n lause; tuomio; v tuomita

sentimental [,senti'mentəl] adj tunteellinen

separate[1] ['sepəreit] v erottaa

separate[2] ['sepərət] adj erillinen

separately ['sepərətli] adv erikseen

September [sep'tembə] syyskuu

septic ['septik] adj septinen; *become ~ tulehtua

sequel ['si:kwəl] n jatko

sequence ['si:kwəns] n järjestys; peräkkäisyys; sarja

serene [sə'ri:n] adj tyyni; seesteinen

serial ['siəriəl] n jatkokertomus

series ['siəri:z] n (pl ~) sarja, jakso

serious ['siəriəs] adj vakava

seriousness ['siəriəsnəs] n vakavuus

sermon ['sə:mən] n saarna

serum ['siərəm] n seerumi

servant ['sə:vənt] n palvelija

serve [sə:v] v tarjoilla

service ['sə:vis] n palvelus; palvelu; ~ charge palvelumaksu; ~ station huoltoasema

serviette [,sə:vi'et] n lautasliina

session ['seʃən] n istunto

set [set] n sarja

*set [set] v asettaa; ~ menu kiinteä ruokalista; ~ out lähteä

setting ['setiŋ] n puitteet pl; ~ lotion kampausneste

settle ['setəl] v järjestää, selvittää; ~ down asettua asumaan

settlement ['setəlmənt] n järjestely, sopimus; siirtokunta

seven ['sevən] num seitsemän

seventeen [,sevən'ti:n] num seitsemäntoista

seventeenth [,sevən'ti:nθ] num seitsemästoista

seventh ['sevənθ] num seitsemäs

seventy ['sevənti] num seitsemänkymmentä

several ['sevərəl] adj useat, eri

severe [si'viə] adj kova, ankara

*sew [sou] v ommella; ~ up ommella haava

sewer ['su:ə] n viemäri

sewing-machine ['souiŋmə,ʃi:n] n ompelukone

sex [seks] n sukupuoli; sukupuolielämä

sexton ['sekstən] n suntio

sexual ['sekʃuəl] adj sukupuoli-

sexuality [,sekʃu'æləti] n sukupuolisuus

shade [ʃeid] n varjo; vivahdus

shadow ['ʃædou] n varjo

shady ['ʃeidi] adj varjoisa

*shake [ʃeik] v ravistaa

shaky ['ʃeiki] adj heikko, vapiseva

*shall [ʃæl] v pitää, tulee (tekemään)

shallow ['ʃælou] adj matala

shame [ʃeim] n häpeä; shame! hyi!

shampoo [ʃæm'pu:] n tukanpesuaine

shamrock ['ʃæmrɔk] n apilanlehti

shape [ʃeip] n muoto; v muovata

share [ʃɛə] v jakaa; n osuus; osake

shark [ʃɑːk] n hai

sharp [ʃɑːp] adj terävä

sharpen ['ʃɑːpən] v teroittaa

shave [ʃeiv] v ajaa parta

shaver ['ʃeivə] n sähköparranajokone

shaving-brush ['ʃeiviŋbrʌʃ] n partasuti

shaving-cream ['ʃeiviŋkriːm] n partavaahdoke

shaving-soap ['ʃeiviŋsoup] n parranajosaippua

shawl [ʃɔːl] n hartiahuivi

she [ʃiː] pron hän (naisesta)

shed [ʃed] n vaja

*shed [ʃed] v vuodattaa, valaa

sheep [ʃiːp] n (pl ~) lammas

sheer [ʃiə] adj pelkkä, silkka; ohut, läpinäkyvä

sheet [ʃiːt] n lakana; paperiarkki; levy

shelf [ʃelf] n (pl shelves) hylly

shell [ʃel] n kotilo

shellfish ['ʃelfiʃ] n äyriäinen

shelter ['ʃeltə] n suoja; v suojata

shepherd ['ʃepəd] n paimen

shift [ʃift] n vaihto; työvuoro

*shine [ʃain] v kiiltää, loistaa

ship [ʃip] n laiva; v laivata; shipping line laivayhtiö

shipowner ['ʃiˌpounə] n laivanvarustaja

shipyard ['ʃipjɑːd] n laivaveistämö

shirt [ʃɔːt] n paita

shiver ['ʃivə] v vapista, väristä; n väristys

shivery ['ʃivəri] adj värisevä

shock [ʃɔk] n järkytys; v järkyttää; ~ absorber iskunvaimentaja

shocking ['ʃɔkiŋ] adj järkyttävä

shoe [ʃuː] n kenkä; gym shoes voimistelutossut pl; ~ polish kengän-

kiilloke

shoe-lace ['ʃuːleis] n kengännauha

shoemaker ['ʃuːˌmeikə] n suutari

shoe-shop ['ʃuːʃɔp] n kenkäkauppa

shook [ʃuk] v (p shake)

*shoot [ʃuːt] v ampua

shop [ʃɔp] n puoti; v käydä ostoksilla; ~ assistant myymäläapulainen; shopping bag ostoslaukku; shopping centre ostoskeskus

shopkeeper ['ʃɔpˌkiːpə] n kauppias

shop-window [ˌʃɔpˈwindou] n näyteikkuna

shore [ʃɔː] n ranta

short [ʃɔːt] adj lyhyt; ~ circuit oikosulku

shortage ['ʃɔːtidʒ] n pula

shortcoming ['ʃɔːtˌkʌmiŋ] n vajavaisuus

shorten ['ʃɔːtən] v lyhentää

shorthand ['ʃɔːthænd] n pikakirjoitus

shortly ['ʃɔːtli] adv pian

shorts [ʃɔːts] pl shortsit pl; plAm alushousut pl

short-sighted [ˌʃɔːtˈsaitid] adj likinäköinen

shot [ʃɔt] n laukaus; ruiske; otos

*should [ʃud] v täytyisi, pitäisi

shoulder ['ʃouldə] n hartia

shout [ʃaut] v kirkua, huutaa; n huuto

shovel ['ʃʌvəl] n lapio

show [ʃou] n esitys; näyttely

*show [ʃou] v näyttää; osoittaa

show-case ['ʃoukeis] n lasikaappi

shower [ʃauə] n suihku; sadekuuro

showroom ['ʃouruːm] n näyttely huone

shriek [ʃriːk] v kirkua; n kirkaisu

shrimp [ʃrimp] n katkarapu

shrine [ʃrain] n pyhäinjäännöslipas, pyhäkkö

*shrink [ʃriŋk] v kutistua

shrinkproof ['ʃriŋkpruːf] adj kutistu-

maton
shrub [ʃrʌb] *n* pensas
shudder [ʃʌdə] *n* väristys
shuffle [ʃʌfəl] *v* sekoittaa kortit
*****shut** [ʃʌt] *v* sulkea; **shut** suljettu; ~ **in** teljetä
shutter [ʃʌtə] *n* ikkunaluukku, luukku
shy [ʃai] *adj* ujo, arka
shyness [ʃainəs] *n* hämillisyys, ujous
Siam [sai'æm] Siam
Siamese [ˌsaiə'miːz] *adj* siamilainen
sick [sik] *adj* sairas; pahoinvoipa
sickness [siknəs] *n* sairaus; pahoinvointi
side [said] *n* reuna, sivu; puoli; **one-sided** *adj* yksipuolinen
sideburns [saidbəːnz] *pl* poskiparta
sidelight [saidlait] *n* sivuvalo
side-street [saidstriːt] *n* sivukatu
sidewalk [saidwɔːk] *nAm* jalkakäytävä
sideways [saidweiz] *adv* sivulle, sivuttain
siege [siːdʒ] *n* piiritys
sieve [siv] *n* seula; *v* seuloa
sift [sift] *v* seuloa
sight [sait] *n* näky; nähtävyys
sign [sain] *n* tunnus, merkki; kyltti; viittaus, ele; *v* allekirjoittaa
signal [signəl] *n* merkinanto; opaste; *v* antaa merkki
signature [signətʃə] *n* nimikirjoitus
significant [sig'nifikənt] *adj* merkittävä
signpost [sainpoust] *n* tienviitta
silence [sailəns] *n* hiljaisuus; *v* vaientaa
silencer [sailənsə] *n* äänenvaimennin
silent [sailənt] *adj* vaitelias, äänetön; *****be** ~ vaieta
silk [silk] *n* silkki
silken [silkən] *adj* silkkinen
silly [sili] *adj* typerä

silver [silvə] *n* hopea; hopeinen
silversmith [silvəsmiθ] *n* hopeaseppä
silverware [silvəwɛə] *n* hopeatavara
similar [similə] *adj* samanlainen
similarity [ˌsimi'lærəti] *n* samanlaisuus
simple [simpəl] *adj* vaatimaton, yksinkertainen
simply [simpli] *adv* vaatimattomasti, yksinkertaisesti
simulate [simjuleit] *v* tekeytyä jksk, jäljitellä
simultaneous [ˌsiməl'teiniəs] *adj* samanaikainen
sin [sin] *n* synti
since [sins] *prep* alkaen *postp; adv* siitä lähtien; *conj* sen jälkeen kun; koska
sincere [sin'siə] *adj* vilpitön
sinew [sinjuː] *n* jänne
*****sing** [siŋ] *v* laulaa
singer [siŋə] *n* laulaja; laulajatar
single [siŋgəl] *adj* ainoa; naimaton; ~ **room** yhden hengen huone
singular [siŋgjulə] *n* yksikkö; *adj* epätavallinen
sinister [sinistə] *adj* pahaenteinen
sink [siŋk] *n* pesuallas
*****sink** [siŋk] *v* vajota
sip [sip] *n* siemaus
siphon [saifən] *n* sifoni; lappo
sir [səː] herra
siren [saiərən] *n* sireeni
sister [sistə] *n* sisar
sister-in-law [sistərinlɔː] *n* (pl sisters-) käly
*****sit** [sit] *v* istua; ~ **down** istuutua
site [sait] *n* tontti; sijainti
sitting-room [sitiŋruːm] *n* olohuone
situated [sitʃueitid] *adj* sijaitseva
situation [ˌsitʃu'eiʃən] *n* tilanne; sijainti, asema
six [siks] *num* kuusi
sixteen [ˌsiks'tiːn] *num* kuusitoista

sixteenth [ˌsiks'ti:nθ] *num* kuudes-
toista
sixth [siksθ] *num* kuudes
sixty ['siksti] *num* kuusikymmentä
size [saiz] *n* koko; suuruus
skate [skeit] *v* luistella; *n* luistin
skating ['skeitiŋ] *n* luistelu
skating-rink ['skeitiŋriŋk] *n* luistinra-
ta
skeleton ['skelitən] *n* luuranko
sketch [sketʃ] *n* luonnos, piirustus; *v*
piirtää, luonnostella
sketch-book ['sketʃbuk] *n* luonnoskir-
ja
ski¹ [ski:] *v* hiihtää
ski² [ski:] *n* (pl ~, ~s) suksi; ~
boots hiihtokengät *pl*; ~ pants
hiihtohousut *pl*; ~ poles *Am* suk-
sisauvat *pl*; ~ sticks suksisauvat
pl
skid [skid] *v* luisua
skier ['ski:ə] *n* hiihtäjä
skiing ['ski:iŋ] *n* hiihto
ski-jump ['ski:dʒʌmp] *n* mäkihyppy
skilful ['skilfəl] *adj* taitava, näppärä,
etevä
ski-lift ['ski:lift] *n* hiihtohissi
skill [skil] *n* taito
skilled [skild] *adj* taitava; ammatti-
taitoinen
skin [skin] *n* iho, nahka; kuori; ~
cream ihovoide
skip [skip] *v* hyppiä; hypätä yli
skirt [skə:t] *n* hame
skull [skʌl] *n* kallo
sky [skai] *n* taivas
skyscraper ['skaiˌskreipə] *n* pilvenpiir-
täjä
slack [slæk] *adj* hidas
slacks [slæks] *pl* pitkät housut
slam [slæm] *v* paukauttaa kiinni
slander ['sla:ndə] *n* panettelu
slant [slɑ:nt] *v* kallistua
slanting ['sla:ntiŋ] *adj* vino, kalteva

slap [slæp] *v* läimäyttää; *n* läimäys
slate [sleit] *n* liuskakivi
slave [sleiv] *n* orja
sledge [sledʒ] *n* reki, kelkka
sleep [sli:p] *n* uni
*sleep [sli:p] *v* nukkua
sleeping-bag ['sli:piŋbæg] *n* makuu-
pussi
sleeping-car ['sli:piŋka:] *n* makuu-
vaunu
sleeping-pill ['sli:piŋpil] *n* unipilleri
sleepless ['sli:pləs] *adj* uneton
sleepy ['sli:pi] *adj* uninen
sleeve [sli:v] *n* hiha; kotelo
sleigh [slei] *n* kelkka, reki
slender ['slendə] *adj* hoikka
slice [slais] *n* viipale
slide [slaid] *n* liukuminen; liukurata;
kuultokuva, diakuva
*slide [slaid] *v* liukua
slight [slait] *adj* vähäinen; lievä
slim [slim] *adj* solakka; *v* laihduttaa
slip [slip] *v* liukastua; livahtaa; *n* hor-
jahdus; alushame
slipper ['slipə] *n* tohveli
slippery ['slipəri] *adj* liukas
slogan ['slougən] *n* iskusana, iskulau-
se
slope [sloup] *n* rinne; *v* viettää
sloping ['sloupiŋ] *adj* viettävä
sloppy ['slɔpi] *adj* epäsiisti
slot [slɔt] *n* lovi
slot-machine ['slɔtˌməʃi:n] *n* auto-
maatti
slovenly ['slʌvənli] *adj* huolimaton
slow [slou] *adj* hidas; ~ down hil-
jentää vauhtia; hidastaa
sluice [slu:s] *n* sulkuportti
slum [slʌm] *n* slummi
slump [slʌmp] *n* laskukausi
slush [slʌʃ] *n* lumisohjo
sly [slai] *adj* ovela
smack [smæk] *v* läimäyttää; *n* läi-
mäys

small [smɔ:l] *adj* pieni; vähäinen
smallpox ['smɔ:lpɔks] *n* isorokko
smart [smɑ:t] *adj* tyylikäs; älykäs, taitava
smell [smel] *n* haju
*smell [smel] *v* haista
smelly ['smeli] *adj* pahanhajuinen
smile [smail] *v* hymyillä; *n* hymy
smith [smiθ] *n* seppä
smoke [smouk] *v* tupakoida; *n* savu; no smoking tupakointi kielletty
smoker ['smoukə] *n* tupakoitsija; tupakkaosasto
smoking-compartment ['smoukiŋkəm,pɑ:tmənt] *n* tupakkaosasto
smoking-room ['smoukiŋru:m] *n* tupakkahuone
smooth [smu:ð] *adj* sileä, tyven; joustava
smuggle ['smʌgəl] *v* salakuljettaa
snack [snæk] *n* välipala
snack-bar ['snækbɑ:] *n* pikabaari
snail [sneil] *n* etana
snake [sneik] *n* käärme
snapshot ['snæpʃɔt] *n* pikakuva, valokuva
sneakers ['sni:kəz] *plAm* kumitossut *pl*
sneeze [sni:z] *v* aivastaa
sniper ['snaipə] *n* sala-ampuja
snooty ['snu:ti] *adj* koppava
snore [snɔ:] *v* kuorsata
snorkel ['snɔ:kəl] *n* hengitysputki
snout [snaut] *n* kuono
snow [snou] *n* lumi; *v* sataa lunta
snowstorm ['snoustɔ:m] *n* lumimyrsky
snowy ['snoui] *adj* luminen
so [sou] *conj* niin; *adv* siten; niin, siinä määrin; and ~ on ja niin edespäin; ~ far tähän asti; ~ that joten, jotta
soak [souk] *v* liottaa, kastella läpimäräksi

soap [soup] *n* saippua; ~ powder pesupulveri
sober ['soubə] *adj* raitis; maltillinen
so-called [,sou'kɔ:ld] *adj* niin sanottu
soccer ['sɔkə] *n* jalkapallopeli; ~ team joukkue
social ['souʃəl] *adj* yhteiskunta-, yhteiskunnallinen
socialism ['souʃəlizəm] *n* sosialismi
socialist ['souʃəlist] *adj* sosialistinen; *n* sosialisti
society [sə'saiəti] *n* yhteiskunta; seurapiiri; yhdistys
sock [sɔk] *n* puolisukka
socket ['sɔkit] *n* pistorasia; holkki
soda-water ['soudə,wɔ:tə] *n* kivennäisvesi
sofa ['soufə] *n* sohva
soft [sɔft] *adj* pehmeä; ~ drink alkoholiton juoma
soften ['sɔfən] *v* pehmittää
soil [sɔil] *n* maa, maaperä
soiled [sɔild] *adj* likainen
sold [sould] *v* (p, pp sell) ; ~ out loppuunmyyty
solder ['sɔldə] *v* juottaa
soldering-iron ['sɔldəriŋaiən] *n* juotoskolvi
soldier ['souldʒə] *n* sotilas
sole¹ [soul] *adj* ainoa
sole² [soul] *n* kengänpohja; meriantura
solely ['soulli] *adv* yksinomaan
solemn ['sɔləm] *adj* juhlallinen
solicitor [sə'lisitə] *n* asianajaja
solid ['sɔlid] *adj* kiinteä; jykevä; *n* kiinteä aine
soluble ['sɔljubəl] *adj* liukeneva
solution [sə'lu:ʃən] *n* ratkaisu; liuos
solve [sɔlv] *v* ratkaista
sombre ['sɔmbə] *adj* synkkä
some [sʌm] *adj* jotkut, muutama; *pron* jotkut, muutama; vähän; ~ day joskus; ~ more vähän lisää;

~ time joskus
somebody ['sʌmbədi] *pron* joku
somehow ['sʌmhau] *adv* jollakin tapaa
someone ['sʌmwʌn] *pron* joku
something ['sʌmθiŋ] *pron* jotakin
sometimes ['sʌmtaimz] *adv* toisinaan, joskus
somewhat ['sʌmwɔt] *adv* hiukan
somewhere ['sʌmwɛə] *adv* jossain
son [sʌn] *n* poika
song [sɔŋ] *n* laulu
son-in-law ['sʌninlɔ:] *n* (pl sons-) vävy
soon [su:n] *adv* tuotapikaa, pian; as ~ as niin pian kuin
sooner ['su:nə] *adv* mieluummin
sore [sɔ:] *adj* kipeä; *n* kipeä kohta; märkähaava; ~ throat kurkkukipu
sorrow ['sɔrou] *n* suru, murhe
sorry ['sɔri] *adj* pahoillaan; sorry! anteeksi!
sort [sɔ:t] *v* järjestää, lajitella; *n* laji; all sorts of kaikenlaisia
soul [soul] *n* sielu; henki
sound [saund] *n* sointu, ääni; *v* kuulostaa; *adj* terve, järkevä
soundproof ['saundpru:f] *adj* äänieristetty
soup [su:p] *n* keitto
soup-plate ['su:ppleit] *n* syvä lautanen
soup-spoon ['su:pspu:n] *n* liemilusikka
sour [sauə] *adj* hapan
source [sɔ:s] *n* lähde
south [sauθ] *n* etelä; South Pole etelänapa
South Africa [sauθ 'æfrikə] Etelä-Afrikka
south-east [ˌsauθ'i:st] *n* kaakko
southerly ['sʌðəli] *adj* eteläinen
southern ['sʌðən] *adj* eteläinen

south-west [ˌsauθ'west] *n* lounas
souvenir ['su:vəniə] *n* muistoesine
sovereign ['sɔvrin] *n* hallitsija
Soviet ['souviət] *adj* neuvostoliittolainen; ~ Union Neuvostoliitto
*sow [sou] *v* kylvää
spa [spa:] *n* terveyskylpylä
space [speis] *n* tila; avaruus; välimatka, väli; *v* harventaa
spacious ['speiʃəs] *adj* tilava
spade [speid] *n* lapio
Spain [spein] Espanja
Spaniard ['spænjəd] *n* espanjalainen
Spanish ['spæniʃ] *adj* espanjalainen
spanking ['spæŋkiŋ] *n* selkäsauna
spanner ['spænə] *n* jakoavain, mutterinavain
spare [spɛə] *adj* ylimääräinen; *v* säästää; ~ part varaosa; ~ room vierashuone; ~ time vapaa-aika; ~ tyre vararengas; ~ wheel varapyörä
spark [spa:k] *n* kipinä
sparking-plug ['spa:kiŋplʌg] *n* sytytystulppa
sparkling ['spa:kliŋ] *adj* kipinöivä; helmeilevä
sparrow ['spærou] *n* varpunen
*speak [spi:k] *v* puhua
spear [spiə] *n* keihäs
special ['speʃəl] *adj* erityinen, erikoinen; ~ delivery pikaposti
specialist ['speʃəlist] *n* asiantuntija
speciality [ˌspeʃi'æləti] *n* erikoisuus
specialize ['speʃəlaiz] *v* erikoistua
specially ['speʃəli] *adv* etenkin
species ['spi:ʃi:z] *n* (pl ~) laji
specific [spə'sifik] *adj* nimenomainen; ominainen
specimen ['spesimən] *n* näyte, näytekappale
speck [spek] *n* täplä
spectacle ['spektəkəl] *n* näytelmä; spectacles silmälasit *pl*

spectator [spek'teitə] n katselija

speculate ['spekjuleit] v keinotella; mietiskellä

speech [spi:tʃ] n puhekyky; puhe

speechless ['spi:tʃləs] adj sanaton

speed [spi:d] n nopeus; vauhti; cruising ~ kulkunopeus; ~ limit nopeusrajoitus

*speed [spi:d] v ajaa nopeasti; ylittää sallittu ajonopeus

speeding ['spi:diŋ] n ylinopeus

speedometer [spi:'dɔmitə] n nopeusmittari

spell [spel] n lumous

*spell [spel] v tavata

spelling ['speliŋ] n oikeinkirjoitus

*spend [spend] v käyttää, kuluttaa; viettää

sphere [sfiə] n pallo; piiri

spice [spais] n mauste

spiced [spaist] adj maustettu

spicy ['spaisi] adj maustettu

spider ['spaidə] n hämähäkki; spider's web hämähäkinverkko

*spill [spil] v läikyttää

*spin [spin] v kehrätä; pyörittää

spinach ['spinidʒ] n pinaatti

spine [spain] n selkäranka

spinster ['spinstə] n ikäneito

spire [spaiə] n huippu

spirit ['spirit] n sielu; aave; mieliala; spirits väkijuomat pl; ~ stove spriikeitin

spiritual ['spiritʃuəl] adj hengellinen

spit [spit] n sylki; varras

*spit [spit] v sylkeä

in spite of [in spait ɔv] huolimatta prep/postp

spiteful ['spaitfəl] adj pahansuopa

splash [splæʃ] v räiskyttää

splendid ['splendid] adj loistava, suurenmoinen

splendour ['splendə] n loisto

splint [splint] n lasta

splinter ['splintə] n sirpale

*split [split] v halkaista

*spoil [spɔil] v turmella; hemmotella

spoke¹ [spouk] v (p speak)

spoke² [spouk] n pinna

sponge [spʌndʒ] n pesusieni

spook [spu:k] n aave, kummitus

spool [spu:l] n puola

spoon [spu:n] n lusikka

spoonful ['spu:nful] n lusikallinen

sport [spɔ:t] n urheilu

sports-car ['spɔ:tska:] n urheiluauto

sports-jacket ['spɔ:ts‚dʒækit] n urheilutakki

sportsman ['spɔ:tsmən] n (pl -men) urheilija

sportswear ['spɔ:tsweə] n urheiluasusteet pl

spot [spɔt] n tahra, täplä; paikka

spotless ['spɔtləs] adj tahraton

spotlight ['spɔtlait] n valonheitin

spotted ['spɔtid] adj täplikäs

spout [spaut] n ruisku; kouru, nokka

sprain [sprein] v nyrjäyttää; n nyrjähdys

*spread [spred] v levittää

spring [spriŋ] n kevät; jousi; lähde

springtime ['spriŋtaim] n kevätaika

sprouts [sprauts] pl ruusukaali

spy [spai] n vakoilija

squadron ['skwɔdrən] n laivue; eskadroona

square [skweə] adj neliönmuotoinen; n neliö; aukio

squash [skwɔʃ] n hedelmämehu

squirrel ['skwirəl] n orava

squirt [skwə:t] n suihku

stable ['steibəl] adj vakaa; n talli

stack [stæk] n pino

stadium ['steidiəm] n stadion

staff [sta:f] n henkilökunta

stage [steidʒ] n näyttämö; vaihe, aste; etappi

stain [stein] v tahrata; n tahra;

stained glass lasimaalaus; ~ remover tahranpoistoaine

stainless ['steinləs] adj tahraton; ~ steel ruostumaton teräs

staircase ['stɛəkeis] n portaat pl

stairs [stɛəz] pl portaat pl

stale [steil] adj väljähtynyt

stall [stɔ:l] n kauppakoju; permantopaikka

stamina ['stæminə] n kestokyky

stamp [stæmp] n postimerkki; leima; v varustaa postimerkillä; tallata; ~ machine postimerkkiautomaatti

stand [stænd] n myyntikoju; katsojaparveke

*stand [stænd] v seisoa

standard ['stændəd] n vakio, normi; vakio-; ~ of living elintaso

stanza ['stænzə] n säkeistö

staple ['steipəl] n sinkilä

star [stɑ:] n tähti

starboard ['stɑ:bəd] n tyyrpuuri

starch [stɑ:tʃ] n tärkki, tärkkelys; v tärkätä

stare [stɛə] v tuijottaa

starling ['stɑ:liŋ] n kottarainen

start [stɑ:t] v aloittaa; n alku; starter motor käynnistysmoottori

starting-point ['stɑ:tiŋpɔint] n lähtökohta

state [steit] n valtio; tila; v ilmoittaa

the States [ðə steits] Yhdysvallat

statement ['steitmənt] n lausunto

statesman ['steitsmən] n (pl -men) valtiomies

station ['steiʃən] n rautatieasema; asemapaikka

stationary ['steiʃənəri] adj paikallaan pysyvä

stationer's ['steiʃənəz] n paperikauppa

stationery ['steiʃənəri] n paperitavarat pl

station-master ['steiʃən,mɑ:stə] n asemapäällikkö

statistics [stə'tistiks] pl tilasto

statue ['stætʃu:] n kuvapatsas

stay [stei] v jäädä, pysyä; oleskella; n oleskelu

steadfast ['stedfɑ:st] adj järkkymätön

steady ['stedi] adj luja, vakaa

steak [steik] n pihvi

*steal [sti:l] v varastaa

steam [sti:m] n höyry

steamer ['sti:mə] n höyrylaiva

steel [sti:l] n teräs

steep [sti:p] adj jyrkkä

steeple ['sti:pəl] n kirkontorni

steering-column ['stiəriŋ,kɔləm] n ohjaustanko

steering-wheel ['stiəriŋwi:l] n ohjauspyörä

steersman ['stiəzmən] n (pl -men) perämies

stem [stem] n varsi

stenographer [ste'nɔgrəfə] n pikakirjoittaja

step [step] n askel; porras; v astua

stepchild ['steptʃaild] n (pl -children) lapsipuoli

stepfather ['step,fɑ:ðə] n isäpuoli

stepmother ['step,mʌðə] n äitipuoli

sterile ['sterail] adj steriili

sterilize ['sterilaiz] v sterilisoida

steward ['stju:əd] n stuertti, tarjoilija

stewardess ['stju:ədes] n lentoemäntä

stick [stik] n keppi

*stick [stik] v tarttua, pitää kiinni; liimata

sticky ['stiki] adj tahmea

stiff [stif] adj kankea

still [stil] adv vielä; sittenkin; adj hiljainen

stillness ['stilnəs] n hiljaisuus

stimulant ['stimjulənt] n piristysaine

stimulate ['stimjuleit] v piristää

sting [stiŋ] n pistos

*sting [stiŋ] v pistää

stingy ['stindʒi] adj saita

*stink [stiŋk] v löyhkätä

stipulate ['stipjuleit] v määrätä

stipulation [ˌstipju'leiʃən] n määräys

stir [stə:] v liikuttaa; hämmentää

stirrup ['stirəp] n jalustin

stitch [stitʃ] n ommel, pistos; tikki

stock [stɔk] n varasto; v varastoida; ~ exchange arvopaperipörssi; ~ market arvopaperipörssi; stocks and shares osakkeet pl

stocking ['stɔkiŋ] n sukka

stole[1] [stoul] v (p steal)

stole[2] [stoul] n stoola

stomach ['stʌmək] n vatsa

stomach-ache ['stʌməkeik] n vatsakipu

stone [stoun] n kivi; jalokivi; kivinen; pumice ~ hohkakivi

stood [stud] v (p, pp stand)

stop [stɔp] v lopettaa; pysähdyttää; n pysäkki; stop! seis!

stopper ['stɔpə] n tulppa

storage ['stɔ:ridʒ] n varastointi

store [stɔ:] n varasto; myymälä; v varastoida

store-house ['stɔ:haus] n varasto

storey ['stɔ:ri] n kerros

stork [stɔ:k] n haikara

storm [stɔ:m] n myrsky

stormy ['stɔ:mi] adj myrskyinen

story ['stɔ:ri] n kertomus

stout [staut] adj tukeva

stove [stouv] n uuni; liesi

straight [streit] adj suora; rehellinen; adv suoraan; ~ away heti paikalla, suoraa päätä; ~ on suoraan eteenpäin

strain [strein] n rasitus; jännitys; v rasittaa; siivilöidä

strainer ['streinə] n siivilä, suodatin

strange [streindʒ] adj outo; kummallinen

stranger ['streindʒə] n muukalainen; tuntematon

strangle ['stræŋgəl] v kuristaa

strap [stræp] n hihna

straw [strɔ:] n olki

strawberry ['strɔ:bəri] n mansikka

stream [stri:m] n puro; virta; v virrata

street [stri:t] n katu

streetcar ['stri:tkɑ:] nAm raitiovaunu

street-organ ['stri:ˌtɔ:gən] n posetiivi

strength [streŋθ] n voima, vahvuus

stress [stres] n rasitus; korostus; v painottaa

stretch [stretʃ] v venyttää; n matka

strict [strikt] adj ankara

strife [straif] n taistelu

strike [straik] n lakko

*strike [straik] v lyödä; tuntua (jltkn); lakkoilla

striking ['straikiŋ] adj silmäänpistävä, hämmästyttävä, huomiota herättävä

string [striŋ] n nyöri; kieli; jänne

strip [strip] n kaistale; v riisua

stripe [straip] n raita

striped [straipt] adj raidallinen

stroke [strouk] n halvaus

stroll [stroul] v kuljeskella; n kävely

strong [strɔŋ] adj vahva, voimakas

stronghold ['strɔŋhould] n linnoitus

structure ['strʌktʃə] n rakenne

struggle ['strʌgəl] n ponnistus, kamppailu; v tapella, kamppailla

stub [stʌb] n kanta

stubborn ['stʌbən] adj itsepäinen

student ['stju:dənt] n opiskelija; ylioppilas

study ['stʌdi] v opiskella; n opinnot pl; työhuone

stuff [stʌf] n aine; tavara

stuffed [stʌft] adj täytetty

stuffing ['stʌfiŋ] n täyte

stuffy ['stʌfi] adj ummehtunut

stumble ['stʌmbəl] v kompastua

stung [stʌŋ] v (p, pp sting)

stupid ['stju:pid] adj tyhmä

style [stail] n tyyli

subject[1] ['sʌbdʒikt] n aihe; alamainen; ~ to altis jllk

subject[2] [səb'dʒekt] v alistaa

submit [səb'mit] v alistua

subordinate [sə'bɔ:dinət] adj alainen; toisarvoinen

subscriber [səb'skraibə] n tilaaja

subscription [səb'skripʃən] n tilaus

subsequent ['sʌbsikwənt] adj myöhempi

subsidy ['sʌbsidi] n apuraha

substance ['sʌbstəns] n aine

substantial [səb'stænʃəl] adj aineellinen; tukeva; melkoinen

substitute ['sʌbstitju:t] v korvata; n korvike; sijainen

subtitle ['sʌb,taitəl] n alaotsikko

subtle ['sʌtəl] adj hiuksenhieno

subtract [səb'trækt] v vähentää

suburb ['sʌbə:b] n esikaupunki

suburban [sə'bə:bən] adj esikaupunkilainen

subway ['sʌbwei] nAm maanalainen

succeed [sək'si:d] v onnistua; seurata

success [sək'ses] n menestys

successful [sək'sesfəl] adj menestyksellinen

succumb [sə'kʌm] v antaa myöten

such [sʌtʃ] adj sellainen; adv niin; ~ as kuten

suck [sʌk] v imeä

sudden ['sʌdən] adj äkillinen

suddenly ['sʌdənli] adv äkkiä

suede [sweid] n mokkanahka

suffer ['sʌfə] v kärsiä

suffering ['sʌfəriŋ] n kärsimys

suffice [sə'fais] v riittää

sufficient [sə'fiʃənt] adj kyllin, riittä-vä

suffrage ['sʌfridʒ] n äänioikeus

sugar ['ʃugə] n sokeri

suggest [sə'dʒest] v ehdottaa

suggestion [sə'dʒestʃən] n ehdotus

suicide ['su:isaid] n itsemurha

suit [su:t] v sopia; sovittaa; n puku

suitable ['su:təbəl] adj sopiva

suitcase ['su:tkeis] n matkalaukku

suite [swi:t] n huoneisto

sum [sʌm] n summa

summary ['sʌməri] n tiivistelmä, yhteenveto

summer ['sʌmə] n kesä; ~ time kesäaika

summit ['sʌmit] n huippu

summons ['sʌmənz] n (pl ~es) haaste

sun [sʌn] n aurinko

sunbathe ['sʌnbeið] v ottaa aurinkoa

sunburn ['sʌnbə:n] n päivetys

Sunday ['sʌndi] sunnuntai

sun-glasses ['sʌn,glɑ:siz] pl aurinkolasit pl

sunlight ['sʌnlait] n päivänvalo

sunny ['sʌni] adj aurinkoinen

sunrise ['sʌnraiz] n auringonnousu

sunset ['sʌnset] n auringonlasku

sunshade ['sʌnʃeid] n aurinkovarjo

sunshine ['sʌnʃain] n auringonpaiste

sunstroke ['sʌnstrouk] n auringonpisto

suntan oil ['sʌntænɔil] aurinkoöljy

superb [su'pə:b] adj suurenmoinen, erinomainen

superficial [,su:pə'fiʃəl] adj pinnallinen

superfluous [su'pə:fluəs] adj liiallinen

superior [su'piəriə] adj ylempi, ylivoimainen, parempi, suurempi

superlative [su'pə:lətiv] adj verraton; n superlatiivi

supermarket ['su:pə,mɑ:kit] n valintamyymälä

supersonic [ˌsuːpəˈsɔnik] adj ääntä nopeampi

superstition [ˌsuːpəˈstiʃən] n taikausko

supervise [ˈsuːpəvaiz] v valvoa

supervision [ˌsuːpəˈviʒən] n valvonta

supervisor [ˈsuːpəvaizə] n valvoja

supper [ˈsʌpə] n illallinen

supple [ˈsʌpəl] adj taipuisa, notkea

supplement [ˈsʌplimənt] n liite

supply [səˈplai] n hankinta; varasto; tarjonta; v hankkia

support [səˈpɔːt] v tukea, avustaa; n tuki; ~ hose tukisukka

supporter [səˈpɔːtə] n kannattaja

suppose [səˈpouz] v olettaa; supposing that edellyttäen

suppository [səˈpɔzitəri] n peräpuikko

suppress [səˈpres] v tukahduttaa

surcharge [ˈsəːtʃɑːdʒ] n lisämaksu

sure [ʃuə] adj varma

surely [ˈʃuəli] adv varmasti

surface [ˈsəːfis] n pinta

surf-board [ˈsəːfbɔːd] n lainelauta

surgeon [ˈsəːdʒən] n kirurgi; veterinary ~ eläinlääkäri

surgery [ˈsəːdʒəri] n leikkaus; vastaanottohuone

surname [ˈsəːneim] n sukunimi

surplus [ˈsəːpləs] n ylijäämä

surprise [səˈpraiz] n yllätys; hämmästys; v yllättää; hämmästyttää

surrender [səˈrendə] v antautua; n antautuminen

surround [səˈraund] v ympäröidä

surrounding [səˈraundiŋ] adj ympäröivä

surroundings [səˈraundiŋz] pl ympäristö

survey [ˈsəːvei] n yleiskatsaus

survival [səˈvaivəl] n eloonjääminen

survive [səˈvaiv] v jäädä eloon

suspect[1] [səˈspekt] v epäillä; arvella

suspect[2] [ˈsʌspekt] n epäilyksenalainen henkilö

suspend [səˈspend] v ripustaa; erottaa

suspenders [səˈspendəz] plAm housunkannattimet pl; suspender belt sukkanauhaliivit pl

suspension [səˈspenʃən] n autonjoustus, kiinnitys; ~ bridge riippusilta

suspicion [səˈspiʃən] n epäilys; epäluulo

suspicious [səˈspiʃəs] adj epäilyttävä; epäilevä, epäluuloinen

sustain [səˈstein] v kannattaa; kestää

Swahili [swəˈhiːli] n suahili

swallow [ˈswɔlou] v niellä; n pääskynen

swam [swæm] v (p swim)

swamp [swɔmp] n suo

swan [swɔn] n joutsen

swap [swɔp] v tehdä vaihtokauppa

*swear [sweə] v vannoa; kiroilla

sweat [swet] n hiki; v hikoilla

sweater [ˈswetə] n neulepusero

Swede [swiːd] n ruotsalainen

Sweden [ˈswiːdən] Ruotsi

Swedish [ˈswiːdiʃ] adj ruotsalainen

*sweep [swiːp] v lakaista

sweet [swiːt] adj makea; herttainen; n makeinen; jälkiruoka

sweeten [ˈswiːtən] v makeuttaa

sweetheart [ˈswiːthɑːt] n mielitietty

sweetshop [ˈswiːtʃɔp] n makeiskauppa

swell [swel] adj mainio

*swell [swel] v paisua

swelling [ˈsweliŋ] n turvotus

swift [swift] adj nopea

*swim [swim] v uida

swimmer [ˈswimə] n uimari

swimming [ˈswimiŋ] n uinti; ~ pool uima-allas

swimming-trunks [ˈswimiŋtrʌŋks] pl uimahousut pl

swim-suit [ˈswimsuːt] n uimapuku

swindle [ˈswindəl] v petkuttaa; n huijaus

swindler ['swindlə] n huijari

swing [swiŋ] n keinu

*swing [swiŋ] v keinuttaa; keinua

Swiss [swis] adj sveitsiläinen

switch [switʃ] n katkaisin; v vaihtaa; ~ off sammuttaa; ~ on kytkeä

switchboard ['switʃbɔ:d] n vaihdepöytä

Switzerland ['switsələnd] Sveitsi

sword [sɔ:d] n miekka

swum [swʌm] v (pp swim)

syllable ['siləbəl] n tavu

symbol ['simbəl] n tunnuskuva

sympathetic [,simpə'θetik] adj osaaottavainen, myötätuntoinen

sympathy ['simpəθi] n myötämielisyys; myötätunto

symphony ['simfəni] n sinfonia

symptom ['simtəm] n oire

synagogue ['sinəgɔg] n synagoga

synonym ['sinənim] n synonyymi

synthetic [sin'θetik] adj synteettinen

syphon ['saifən] n sifoni

Syria ['siriə] Syyria

Syrian ['siriən] adj syyrialainen

syringe [si'rindʒ] n ruisku

syrup ['sirəp] n siirappi, mehu

system ['sistəm] n järjestelmä; decimal ~ kymmenjärjestelmä

systematic [,sistə'mætik] adj järjestelmällinen

T

table ['teibəl] n pöytä; taulukko; ~ of contents sisällysluettelo; ~ tennis pöytätennis

table-cloth ['teibəlklɔθ] n pöytäliina

tablespoon ['teibəlspu:n] n ruokalusikka

tablet ['tæblit] n tabletti

taboo [tə'bu:] n tabu

tactics ['tæktiks] pl taktiikka

tag [tæg] n nimilipuke

tail [teil] n häntä

tail-light ['teillait] n takavalo

tailor ['teilə] n räätäli

tailor-made ['teiləmeid] adj räätälintekemä

*take [teik] v ottaa; viedä; saattaa; tajuta, ymmärtää; ~ away viedä; poistaa; ~ off nousta ilmaan; ~ out ottaa pois; ~ over ottaa tehtäväkseen; ~ place tapahtua; ~ up ottaa haltuunsa

take-off ['teikɔf] n lähtö, nousu

tale [teil] n kertomus, tarina

talent ['tælənt] n luonnonlahja

talented ['tæləntid] adj lahjakas

talk [tɔ:k] v keskustella, puhua; n keskustelu

talkative ['tɔ:kətiv] adj puhelias

tall [tɔ:l] adj korkea; kookas

tame [teim] adj kesy, säyseä; v kesyttää

tampon ['tæmpən] n tamponi

tangerine [,tændʒə'ri:n] n mandariini

tangible ['tændʒibəl] adj käsin kosketeltava

tank [tæŋk] n säiliö

tanker ['tæŋkə] n säiliöalus

tanned [tænd] adj ruskettunut

tap [tæp] n hana; koputus; v koputtaa

tape [teip] n nauha; adhesive ~ teippi, liimanauha; kiinnelaastari

tape-measure ['teip,meʒə] n mittanauha

tape-recorder ['teipri,kɔ:də] n nauhuri

tapestry ['tæpistri] n seinävaate, gobeliini

tar [ta:] n terva

target ['ta:git] n maalitaulu, kohde

tariff ['tærif] n tariffi

tarpaulin [ta:'pɔ:lin] n suojakangas

task [tɑ:sk] n tehtävä
taste [teist] n maku, makuaisti; v maistua; maistaa
tasteless ['teistləs] adj mauton
tasty ['teisti] adj maittava, maukas
taught [tɔ:t] v (p, pp teach)
tavern ['tævən] n oluttupa
tax [tæks] n vero; v verottaa
taxation [tæk'seiʃən] n verotus
tax-free ['tæksfri:] adj veroton
taxi ['tæksi] n taksi; ~ rank taksiasema; ~ stand Am taksiasema
taxi-driver ['tæksiˌdraivə] n vuokra-autoilija
taxi-meter ['tæksiˌmi:tə] n taksamittari
tea [ti:] n tee
*teach [ti:tʃ] v opettaa
teacher ['ti:tʃə] n opettaja
teachings ['ti:tʃiŋz] pl opetus
teacup ['ti:kʌp] n teekuppi
team [ti:m] n työryhmä
teapot ['ti:pɔt] n teekannu
*tear [tɛə] v repiä
tear[1] [tiə] n kyynel
tear[2] [tɛə] n repeämä
tear-jerker ['tiəˌdʒə:kə] n tunteileva
tease [ti:z] v kiusoitella
tea-set ['ti:set] n teeastiasto
tea-shop ['ti:ʃɔp] n teehuone
teaspoon ['ti:spu:n] n teelusikka
teaspoonful ['ti:spu:nˌful] n teelusikallinen
technical ['teknikəl] adj tekninen
technician [tek'niʃən] n teknikko
technique [tek'ni:k] n tekniikka
technology [tek'nɔlədʒi] n teknologia
teenager ['ti:ˌneidʒə] n teini-ikäinen
teetotaller [ti:'toutələ] n täysin raitis
telegram ['teligræm] n sähke
telegraph ['teligra:f] v sähköttää
telepathy [ti'lepəθi] n telepatia
telephone ['telifoun] n puhelin; ~ book Am puhelinluettelo, Am pu-

helinrekisteri; ~ booth puhelinkoppi; ~ call puhelu; ~ directory puhelinluettelo; ~ exchange puhelinkeskus; ~ operator puhelunvälittäjä
telephonist [ti'lefənist] n puhelinneiti
television ['teliviʒən] n televisio; ~ set televisiovastaanotin
telex ['teleks] n kaukokirjoitin
*tell [tel] v kertoa
temper ['tempə] n mieliala, tuuli; kiivaus
temperature ['temprətʃə] n lämpötila
tempest ['tempist] n rajuilma
temple ['tempəl] n temppeli; ohimo
temporary ['tempərəri] adj väliaikainen, tilapäinen
tempt [tempt] v houkutella
temptation [temp'teiʃən] n kiusaus
ten [ten] num kymmenen
tenant ['tenənt] n vuokralainen
tend [tend] v pyrkiä; hoitaa; ~ to olla taipuvainen jhk
tendency ['tendənsi] n taipumus
tender ['tendə] adj hellä, herkkä; murea
tendon ['tendən] n jänne
tennis ['tenis] n tennis; ~ shoes tenniskengät pl
tennis-court ['tenoskɔ:t] n tenniskenttä
tense [tens] adj jännittynyt
tension ['tenʃən] n jännitys
tent [tent] n teltta
tenth [tenθ] num kymmenes
tepid ['tepid] adj haalea
term [tə:m] n ilmaisu; lukukausi; määräaika; ehto
terminal ['tə:minəl] n pääteasema
terrace ['terəs] n terassi
terrain [te'rein] n maasto
terrible ['teribəl] adj kauhea, hirveä, kauhistava
terrific [tə'rifik] adj verraton

terrify ['terifai] *v* kauhistuttaa; ter-
rifying pelottava
territory ['teritəri] *n* alue
terror ['terə] *n* kauhu
terrorism ['terərizəm] *n* terrorismi
terylene ['terəli:n] *n* terylene
test [test] *n* kokeilu, koe; *v* kokeilla
testify ['testifai] *v* todistaa
text [tekst] *n* teksti
textbook ['teksbuk] *n* oppikirja
textile ['tekstail] *n* tekstiili
texture ['tekstʃə] *n* koostumus
Thai [tai] *adj* thaimaalainen
Thailand ['tailænd] Thaimaa
than [ðæn] *conj* kuin
thank [θæŋk] *v* kiittää; ~ you kiitos
thankful ['θæŋkfəl] *adj* kiitollinen
that [ðæt] *adj* tuo; *pron* tuo; joka;
conj että
thaw [θɔ:] *v* lauhtua, sulaa; *n* suoja-
sää
the ... the mitä ... sitä
theatre ['θiətə] *n* teatteri
theft [θeft] *n* varkaus
their [ðeə] *adj* heidän
them [ðem] *pron* heidät; heille
theme [θi:m] *n* aihe, teema
themselves [ðəm'selvz] *pron* itsensä;
itse
then [ðen] *adv* silloin; sitten, sen jäl-
keen
theology [θi'ɔlədʒi] *n* jumaluusoppi
theoretical [θiə'retikəl] *adj* teoreetti-
nen
theory ['θiəri] *n* teoria
therapy ['θerəpi] *n* hoito
there [ðeə] *adv* siellä; sinne
therefore ['ðeəfɔ:] *conj* siksi
thermometer [θə'mɔmitə] *n* lämpö-
mittari
thermostat ['θə:məstæt] *n* termos-
taatti
these [ði:z] *adj* nämä
thesis ['θi:sis] *n* (pl theses) väite

they [ðei] *pron* he
thick [θik] *adj* paksu; sakea
thicken ['θikən] *v* saostaa
thickness ['θiknəs] *n* paksuus
thief [θi:f] *n* (pl thieves) varas
thigh [θai] *n* reisi
thimble ['θimbəl] *n* sormustin
thin [θin] *adj* ohut; laiha
thing [θiŋ] *n* esine, asia
*think [θiŋk] *v* ajatella; arvella; ~
over miettiä
thinker ['θiŋkə] *n* ajattelija
third [θə:d] *num* kolmas
thirst [θə:st] *n* jano
thirsty ['θə:sti] *adj* janoinen
thirteen [θə:'ti:n] *num* kolmetoista
thirteenth [θə:'ti:nθ] *num* kolmas-
toista
thirtieth ['θə:tiəθ] *num* kolmaskym-
menes
thirty ['θə:ti] *num* kolmekymmentä
this [ðis] *adj* tämä; *pron* tämä
thistle ['θisəl] *n* ohdake
thorn [θɔ:n] *n* piikki
thorough ['θʌrə] *adj* perinpohjainen,
perusteellinen
thoroughbred ['θʌrəbred] *adj* täysive-
rinen
thoroughfare ['θʌrəfeə] *n* pääliiken-
neväylä, valtatie
those [ðouz] *adj* nuo; *pron* nuo
though [ðou] *conj* vaikka; *adv* kuiten-
kin
thought[1] [θɔ:t] *v* (p, pp think)
thought[2] [θɔ:t] *n* ajatus
thoughtful ['θɔ:tfəl] *adj* miettiväinen;
huomaavainen
thousand ['θauzənd] *num* tuhat
thread [θred] *n* lanka; rihma; *v* pu-
jottaa
threadbare ['θredbeə] *adj* nukkavieru
threat [θret] *n* uhkaus, uhka
threaten ['θretən] *v* uhata
three [θri:] *num* kolme

three-quarter [,θri:'kwɔ:tə] *adj* kolmenejännestä

threshold [θreʃould] *n* kynnys

threw [θru:] *v* (p throw)

thrifty [ʹθrifti] *adj* säästäväinen

throat [θrout] *n* kurkku; kaula

throne [θroun] *n* valtaistuin

through [θru:] *prep* läpi *prep/postp*

throughout [θru:ʹaut] *adv* kauttaaltaan

throw [θrou] *n* heitto

*throw [θrou] *v* paiskata, heittää

thrush [θrʌʃ] *n* rastas

thumb [θʌm] *n* peukalo

thumbtack [ʹθʌmtæk] *nAm* nasta

thump [θʌmp] *v* jyskyttää

thunder [ʹθʌndə] *n* ukkonen; *v* jyristä

thunderstorm [ʹθʌndəstɔ:m] *n* ukonilma

thundery [ʹθʌndəri] *adj* ukkosta ennustava

Thursday [ʹθəːzdi] torstai

thus [ðʌs] *adv* täten

thyme [taim] *n* timjami

tick [tik] *n* merkki, rasti; ~ off rastia

ticket [ʹtikit] *n* lippu; sakkolappu; ~ collector rahastaja; ~ machine lippuautomaatti

tickle [ʹtikəl] *v* kutittaa

tide [taid] *n* vuorovesi; high ~ nousuvesi; low ~ laskuvesi

tidings [ʹtaidiŋz] *pl* sanoma

tidy [ʹtaidi] *adj* siisti; ~ up siivota

tie [tai] *v* sitoa, solmia; *n* solmio

tiger [ʹtaigə] *n* tiikeri

tight [tait] *adj* tiukka; tiivis; *adv* tiukasti

tighten [ʹtaitən] *v* kiristää, tiivistää; pingottua

tights [taits] *pl* sukkahousut *pl*

tile [tail] *n* kaakeli; tiili

till [til] *prep* saakka *postp*, asti *postp*; *conj* kunnes

timber [ʹtimbə] *n* puutavara; rakennuspuut

time [taim] *n* aika; kerta; all the ~ kaiken aikaa; in ~ ajoissa; ~ of arrival saapumisaika; ~ of departure lähtöaika

time-saving [ʹtaim,seiviŋ] *adj* aikaa säästävä

timetable [ʹtaim,teibəl] *n* aikataulu

timid [ʹtimid] *adj* ujo

timidity [tiʹmidəti] *n* ujous

tin [tin] *n* tina; säilykepurkki, säilykerasia; tinned food säilykeruoka

tinfoil [ʹtinfɔil] *n* tinapaperi

tin-opener [ʹti,noupənə] *n* säilykerasian avaaja

tiny [ʹtaini] *adj* pikkuruinen

tip [tip] *n* kärki; juomaraha

tire¹ [taiə] *n* rengas

tire² [taiə] *v* väsyttää

tired [taiəd] *adj* uupunut, väsynyt; ~ of kyllästynyt

tiring [ʹtaiəriŋ] *adj* väsyttävä

tissue [ʹtiʃu:] *n* kangas; paperinenäliina

title [ʹtaitəl] *n* arvonimi; otsikko

to [tu:] *prep* luo *postp*; -lla, -lle *suff*, luokse *postp*, kohti *postp*, vailla *postp*; jotta

toad [toud] *n* rupisammakko

toadstool [ʹtoudstu:l] *n* sieni

toast [toust] *n* paahtoleipä; malja

tobacco [təʹbækou] *n* (pl ~s) tupakka; ~ pouch tupakkakukkaro

tobacconist [təʹbækənist] *n* tupakkakauppias; tobacconist's tupakkakauppa

today [təʹdei] *adv* tänään

toddler [ʹtɔdlə] *n* taapertaja

toe [tou] *n* varvas

toffee [ʹtɔfi] *n* toffeekaramelli

together [təʹgeðə] *adv* yhdessä

toilet [ʹtɔilət] *n* käymälä; ~ case toalettilaukku

toilet-paper ['tɔilət,peipə] n toaletti-
paperi

toiletry ['tɔilətri] n toalettitarvikkeet
pl

token ['toukən] n merkki; osoitus; ra-
hake

told [tould] v (p, pp tell)

tolerable ['tɔlərəbəl] adj siedettävä

toll [toul] n tiemaksu

tomato [tə'mɑ:tou] n (pl ~es) to-
maatti

tomb [tu:m] n hauta

tombstone ['tu:mstoun] n hautakivi

tomorrow [tə'mɔrou] adv huomenna

ton [tʌn] n tonni

tone [toun] n äänensävy; sointi

tongs [tɔŋz] pl pihdit pl

tongue [tʌŋ] n kieli

tonic ['tɔnik] n piristyslääke

tonight [tə'nait] adv tänä iltana, tänä
yönä

tonsilitis [,tɔnsə'laitis] n nielurisojen
tulehdus

tonsils ['tɔnsəlz] pl nielurisat pl

too [tu:] adv liian; myös

took [tuk] v (p take)

tool [tu:l] n työkalu, väline; ~ kit
työkalulaatikko

toot [tu:t] vAm antaa äänimerkki

tooth [tu:θ] n (pl teeth) hammas

toothache ['tu:θeik] n hammassärky

toothbrush ['tu:θbrʌʃ] n hammashar-
ja

toothpaste ['tu:θpeist] n hammastah-
na

toothpick ['tu:θpik] n hammastikku

toothpowder ['tu:θ,paudə] n ham-
masjauhe

top [tɔp] n huippu; yläosa; kansi;
ylin; on ~ of päällä postp; ~ side
yläpuoli

topcoat ['tɔpkout] n päällystakki

topic ['tɔpik] n aihe

topical ['tɔpikəl] adj ajankohtainen

torch [tɔ:tʃ] n soihtu; taskulamppu

torment[1] [tɔ:'ment] v kiusata

torment[2] ['tɔ:ment] n kärsimys

torture ['tɔ:tʃə] n kidutus; v kiduttaa

toss [tɔs] v heittää

tot [tɔt] n pallero

total ['toutəl] adj koko; täydellinen,
yleinen; n loppusumma

totalitarian [,toutæli'teəriən] adj tota-
litaarinen

totalizator ['toutəlaizeitə] n totalisaat-
tori

touch [tʌtʃ] v koskettaa, koskea; n
kosketus; tunto; yhteys

touching ['tʌtʃiŋ] adj liikuttava

tough [tʌf] adj sitkeä; kova, luja

tour [tuə] n kiertomatka

tourism ['tuərizəm] n matkailu

tourist ['tuərist] n matkailija; ~
class turistiluokka; ~ office mat-
kailutoimisto

tournament ['tuənəmənt] n turnaus

tow [tou] v hinata

towards [tə'wɔ:dz] prep kohti postp;
kohtaan postp

towel [tauəl] n pyyheliina

towelling ['tauəliŋ] n froteekangas

tower [tauə] n torni

town [taun] n kaupunki; ~ centre
kaupungin keskusta; ~ hall kau-
pungintalo

townspeople ['taunz,pi:pəl] pl kau-
punkilaiset pl

toxic ['tɔksik] adj myrkyllinen

toy [tɔi] n leikkikalu

toyshop ['tɔiʃɔp] n lelukauppa

trace [treis] n jälki; v päästä jäljille,
jäljittää

track [træk] n raide; rata; jälki

tractor ['træktə] n traktori

trade [treid] n elinkeino; kaupan-
käynti; ammatti; v käydä kauppaa

trademark ['treidmɑ:k] n tavaramerk-
ki

trader ['treidə] n elinkeinonharjoitta-
ja
tradesman ['treidzmən] n (pl -men)
liikkeenharjoittaja
trade-union [ˌtreid'ju:njən] n ammat-
tiyhdistys
tradition [trə'diʃən] n perinne
traditional [trə'diʃənəl] adj perintei-
nen
traffic ['træfik] n liikenne; ~ jam lii-
kenneruuhka; ~ light liikennevalo
trafficator ['træfikeitə] n suuntavilk-
ku
tragedy ['trædʒədi] n murhenäytelmä
tragic ['trædʒik] adj traaginen
trail [treil] n polku, jälki
trailer ['treilə] n perävaunu; nAm
asuntovaunu
train [trein] n juna; v kouluttaa, val-
mentaa; stopping ~ paikallisjuna;
through ~ pikajuna; ~ ferry ju-
nalautta
training ['treiniŋ] n valmennus, kou-
lutus
trait [treit] n piirre
traitor ['treitə] n petturi
tram [træm] n raitiovaunu
tramp [træmp] n maankiertäjä, kul-
kuri; v vaeltaa
tranquil ['træŋkwil] adj tyyni
tranquillizer ['træŋkwilaizə] n rauhoit-
tava lääke
transaction [træn'zækʃən] n liiketoimi
transatlantic [ˌtrænzət'læntik] adj At-
lantin ylittävä
transfer [træns'fə:] v siirtää
transform [træns'fɔ:m] v muuttaa
transformer [træns'fɔ:mə] n muuntaja
transition [træn'siʃən] n siirtyminen
translate [træns'leit] v kääntää
translation [træns'leiʃən] n käännös
translator [træns'leitə] n kielenkään-
täjä
transmission [trænz'miʃən] n lähetys

transmit [trænz'mit] v lähettää
transmitter [trænz'mitə] n lähetin
transparent [træn'speərənt] adj läpi-
kuultava
transport[1] ['trænspɔ:t] n siirto, kulje-
tus
transport[2] [træn'spɔ:t] v kuljettaa
transportation [ˌtrænspɔ:'teiʃən] n kul-
jetus
trap [træp] n ansa
trash [træʃ] n roju; ~ can Am rikka-
laatikko
travel ['trævəl] v matkustaa; ~
agency matkatoimisto; ~ agent
matkatoimisto; ~ insurance mat-
kavakuutus; travelling expenses
matkakulut pl
traveller ['trævələ] n matkailija;
traveller's cheque matkašekki
tray [trei] n tarjotin
treason ['tri:zən] n kavallus
treasure ['treʒə] n aarre
treasurer ['treʒərə] n rahastonhoitaja
treasury ['treʒəri] n aarreaitta
treat [tri:t] v kohdella; hoitaa
treatment ['tri:tmənt] n hoito; kohte-
lu
treaty ['tri:ti] n sopimus
tree [tri:] n puu
tremble ['trembəl] v vapista, väristä
tremendous [tri'mendəs] adj valtava
trespass ['trespəs] v tunkeutua
trespasser ['trespəsə] n tungettelija
trial [traiəl] n oikeudenkäynti
triangle ['traiæŋgəl] n kolmio
triangular [trai'æŋgjulə] adj kolmikul-
mainen
tribe [traib] n heimo
tributary ['tribjutəri] n sivujoki
tribute ['tribju:t] n kunnioituksen-
osoitus
trick [trik] n kepponen, temppu
trigger ['trigə] n liipasin
trim [trim] v leikata siistiksi

trip [trip] *n* matka, retki
triumph ['traiəmf] *n* riemuvoitto; *v* viettää riemuvoittoa
triumphant [trai'ʌmfənt] *adj* voittoisa
trolley-bus ['trɔlibʌs] *n* johdinbussi
troops [tru:ps] *pl* joukot *pl*
tropical ['trɔpikəl] *adj* trooppinen
tropics ['trɔpiks] *pl* tropiikki
trouble ['trʌbəl] *n* huoli, vaiva; *v* vaivata
troublesome ['trʌbəlsəm] *adj* vaivalloinen
trousers ['trauzəz] *pl* housut *pl*
trout [traut] *n* (pl ~) taimen
truck [trʌk] *nAm* kuorma-auto
true [tru:] *adj* tosi; aito, todellinen; uskollinen
trumpet ['trʌmpit] *n* torvi
trunk [trʌŋk] *n* matka-arkku; puunrunko; *nAm* tavaratila; **trunks** *pl* urheiluhousut
trunk-call ['trʌŋkkɔ:l] *n* kaukopuhelu
trust [trʌst] *v* luottaa; *n* luottamus
trustworthy ['trʌst,wə:ði] *adj* luotettava
truth [tru:θ] *n* totuus
truthful ['tru:θfəl] *adj* totuudenmukainen
try [trai] *v* yrittää; kokeilla; *n* yritys; ~ **on** sovittaa
tube [tju:b] *n* putki; putkilo
tuberculosis [tju:,bə:kju'lousis] *n* tuberkuloosi
Tuesday ['tju:zdi] tiistai
tug [tʌg] *v* hinata; *n* hinaaja; nykäisy
tuition [tju:'iʃən] *n* opetus
tulip ['tju:lip] *n* tulppaani
tumbler ['tʌmblə] *n* tuoppi
tumour ['tju:mə] *n* kasvain
tuna ['tju:nə] *n* (pl ~, ~s) tonnikala
tune [tju:n] *n* laulelma, sävelmä; ~ **in** virittää
tuneful ['tju:nfəl] *adj* sointuva
tunic ['tju:nik] *n* tunika

Tunisia [tju:'niziə] Tunisia
Tunisian [tju:'niziən] *adj* tunisialainen
tunnel ['tʌnəl] *n* tunneli
turbine ['tə:bain] *n* turbiini
turbojet [,tə:bou'dʒet] *n* suihkuturbiini
Turk [tə:k] *n* turkkilainen
Turkey ['tə:ki] Turkki
turkey ['tə:ki] *n* kalkkuna
Turkish ['tə:kiʃ] *adj* turkkilainen; ~ **bath** turkkilainen sauna
turn [tə:n] *v* kääntää, kiertää; *n* kierros, käänne; käännös; vuoro; ~ **back** kääntyä takaisin; ~ **down** hylätä; ~ **into** muuttua; ~ **off** sulkea; ~ **on** sytyttää, avata; ~ **over** kääntää ympäri; ~ **round** kääntää ympäri; kääntyä ympäri
turning ['tə:niŋ] *n* kaarre
turning-point ['tə:niŋpɔint] *n* käännekohta
turnover ['tə:,nouvə] *n* liikevaihto; ~ **tax** liikevaihtovero
turnpike ['tə:npaik] *nAm* maksullinen moottoritie
turpentine ['tə:pəntain] *n* tärpätti
turtle ['tə:təl] *n* kilpikonna
tutor ['tju:tə] *n* yksityisopettaja; holhooja
tuxedo [tʌk'si:dou] *nAm* (pl ~s, ~es) smokki
tweed [twi:d] *n* tweedkangas
tweezers ['twi:zəz] *pl* pinsetit *pl*
twelfth [twelfθ] *num* kahdestoista
twelve [twelv] *num* kaksitoista
twentieth ['twentiəθ] *num* kahdeskymmenes
twenty ['twenti] *num* kaksikymmentä
twice [twais] *adv* kahdesti
twig [twig] *n* varpu
twilight ['twailait] *n* iltahämärä
twine [twain] *n* nyöri; *v* kiertyä
twins [twinz] *pl* kaksoset *pl*; twin

beds kaksoisvuode
twist [twist] v vääntää; n vääntö
two [tu:] num kaksi
two-piece [ˌtu:ˈpi:s] adj kaksiosainen
type [taip] v konekirjoittaa; n tyyppi
typewriter [ˈtaipraitə] n kirjoituskone
typewritten [ˈtaipritən] konekirjoitettu
typhoid [ˈtaifɔid] n lavantauti
typical [ˈtipikəl] adj tyypillinen, luonteenomainen
typist [ˈtaipist] n konekirjoittaja
tyrant [ˈtaiərənt] n tyranni
tyre [taiə] n rengas; ~ **pressure** rengaspaine

U

ugly [ˈʌgli] adj ruma
ulcer [ˈʌlsə] n märkähaava; vatsahaava
ultimate [ˈʌltimət] adj viimeinen
ultraviolet [ˌʌltrəˈvaiələt] adj ultravioletti
umbrella [ʌmˈbrelə] n sateensuoja
umpire [ˈʌmpaiə] n erotuomari
unable [ʌˈneibəl] adj kykenemätön
unacceptable [ˌʌnəkˈseptəbəl] adj mahdoton hyväksyä
unaccountable [ˌʌnəˈkauntəbəl] adj selittämätön
unaccustomed [ˌʌnəˈkʌstəmd] adj tottumaton
unanimous [juːˈnæniməs] adj yksimielinen
unanswered [ˌʌˈnɑːnsəd] adj ilman vastausta
unauthorized [ˌʌˈnɔːθəraizd] adj luvaton
unavoidable [ˌʌnəˈvɔidəbəl] adj väistämätön
unaware [ˌʌnəˈweə] adj tietämätön

unbearable [ʌnˈbeərəbəl] adj sietämätön
unbreakable [ˌʌnˈbreikəbəl] adj särkymätön
unbroken [ˌʌnˈbroukən] adj eheä
unbutton [ˌʌnˈbʌtən] v aukaista napit
uncertain [ʌnˈsəːtən] adj epävarma
uncle [ˈʌŋkəl] n setä, eno
unclean [ˌʌnˈkliːn] adj epäpuhdas
uncomfortable [ʌnˈkʌmfətəbəl] adj epämukava
uncommon [ʌnˈkɔmən] adj epätavallinen, harvinainen
unconditional [ˌʌnkənˈdiʃənəl] adj ehdoton
unconscious [ʌnˈkɔnʃəs] adj tajuton
uncork [ˌʌnˈkɔːk] v poistaa korkki
uncover [ʌnˈkʌvə] v paljastaa
uncultivated [ˌʌnˈkʌltiveitid] adj viljelemätön
under [ˈʌndə] prep alla postp, alapuolella
undercurrent [ˈʌndəˌkʌrənt] n pohjavirta
underestimate [ˌʌndəˈrestimeit] v aliarvioida
underground [ˈʌndəgraund] adj maanalainen; n metro
underline [ˌʌndəˈlain] v alleviivata
underneath [ˌʌndəˈniːθ] adv alla
underpants [ˈʌndəpænts] plAm alushousut pl
undershirt [ˈʌndəʃəːt] n aluspaita
undersigned [ˈʌndəsaind] n allekirjoittanut
*****understand** [ˌʌndəˈstænd] v ymmärtää
understanding [ˌʌndəˈstændiŋ] n ymmärrys
*****undertake** [ˌʌndəˈteik] v ryhtyä jhk
undertaking [ˌʌndəˈteikiŋ] n yritys
underwater [ˈʌndəˌwɔːtə] adj vedenalainen
underwear [ˈʌndəweə] n alusvaatteet

pl

undesirable [ˌʌndiˈzaiərəbəl] *adj* epämieluinen

*undo [ˌʌnˈduː] *v* avata; tehdä tyhjäksi

undoubtedly [ʌnˈdautidli] *adv* epäilemättä

undress [ˌʌnˈdres] *v* riisuutua

undulating [ˈʌndjuleitiŋ] *adj* aaltoileva

unearned [ʌˈnəːnd] *adj* ansaitsematon

uneasy [ʌˈniːzi] *adj* levoton

uneducated [ʌˈnedjukeitid] *adj* oppimaton

unemployed [ˌʌnimˈplɔid] *adj* työtön

unemployment [ˌʌnimˈplɔimənt] *n* työttömyys

unequal [ʌˈniːkwəl] *adj* erilainen

uneven [ʌˈniːvən] *adj* epätasainen

unexpected [ˌʌnikˈspektid] *adj* aavistamaton, odottamaton

unfair [ʌnˈfɛə] *adj* kohtuuton, epäoikeudenmukainen

unfaithful [ʌnˈfeiθfəl] *adj* uskoton

unfamiliar [ʌnfəˈmiljə] *adj* outo, tuntematon

unfasten [ʌnˈfɑːsən] *v* irrottaa

unfavourable [ʌnˈfeivərəbəl] *adj* epäsuotuisa

unfit [ʌnˈfit] *adj* sopimaton

unfold [ʌnˈfould] *v* kääriä auki

unfortunate [ʌnˈfɔːtʃənət] *adj* kovaonninen

unfortunately [ʌnˈfɔːtʃənətli] *adv* valitettavasti

unfriendly [ʌnˈfrendli] *adj* epäystävällinen

unfurnished [ʌnˈfəːniʃt] *adj* kalustamaton

ungrateful [ʌnˈgreitfəl] *adj* kiittämätön

unhappy [ʌnˈhæpi] *adj* onneton

unhealthy [ʌnˈhelθi] *adj* epäterveelli-

nen

unhurt [ʌnˈhəːt] *adj* vahingoittumaton

uniform [ˈjuːnifɔːm] *n* virkapuku; *adj* yhdenmukainen

unimportant [ˌʌnimˈpɔːtənt] *adj* mitätön

uninhabitable [ˌʌninˈhæbitəbəl] *adj* asunnoksi kelpaamaton

uninhabited [ˌʌninˈhæbitid] *adj* asumaton

unintentional [ˌʌninˈtenʃənəl] *adj* tahaton

union [ˈjuːnjən] *n* yhdistys

unique [juːˈniːk] *adj* ainutlaatuinen

unit [ˈjuːnit] *n* yksikkö

unite [juːˈnait] *v* yhdistää

United States [juːˈnaitid steits] Yhdysvallat

unity [ˈjuːnəti] *n* ykseys, yhtenäisyys

universal [ˌjuːniˈvəːsəl] *adj* yleismaailmallinen, yleinen

universe [ˈjuːnivəːs] *n* maailmankaikkeus

university [ˌjuːniˈvəːsəti] *n* yliopisto

unjust [ʌnˈdʒʌst] *adj* epäoikeudenmukainen

unkind [ʌnˈkaind] *adj* epäsuopea, epäystävällinen

unknown [ʌnˈnoun] *adj* tuntematon

unlawful [ʌnˈlɔːfəl] *adj* lainvastainen

unlearn [ʌnˈləːn] *v* unohtaa

unless [ənˈles] *conj* ellei

unlike [ʌnˈlaik] *adj* erilainen; *prep* toisin kuin

unlikely [ʌnˈlaikli] *adj* epätodennäköinen

unlimited [ʌnˈlimitid] *adj* rajaton, rajoittamaton

unload [ʌnˈloud] *v* keventää (kuormaa), purkaa lasti

unlock [ʌnˈlɔk] *v* avata lukko

unlucky [ʌnˈlʌki] *adj* kovaonninen

unnecessary [ʌnˈnesəsəri] *adj* tarpeeton

unoccupied [ʌˈnɔkjupaid] *adj* vapaa

unofficial [ʌnəˈfiʃəl] *adj* epävirallinen

unpack [ʌnˈpæk] *v* purkaa

unpleasant [ʌnˈplezənt] *adj* ikävä, epämiellyttävä

unpopular [ʌnˈpɔpjulə] *adj* epämieluinen, epäsuosiossa oleva

unprotected [ʌnprəˈtektid] *adj* turvaton

unqualified [ʌnˈkwɔlifaid] *adj* epäpätevä

unreal [ʌnˈriəl] *adj* epätodellinen

unreasonable [ʌnˈriːzənəbəl] *adj* kohtuuton

unreliable [ʌnriˈlaiəbəl] *adj* epäluotettava

unrest [ʌnˈrest] *n* levottomuus

unsafe [ʌnˈseif] *adj* epävarma, vaarallinen

unsatisfactory [ʌnsætisˈfæktəri] *adj* epätyydyttävä

unscrew [ʌnˈskruː] *v* kiertää auki

unselfish [ʌnˈselfiʃ] *adj* epäitsekäs

unskilled [ʌnˈskild] *adj* ammattitaidoton

unsound [ʌnˈsaund] *adj* epäterve

unstable [ʌnˈsteibəl] *adj* epävakainen

unsteady [ʌnˈstedi] *adj* horjuva, häilyväinen

unsuccessful [ʌnsəkˈsesfəl] *adj* epäonnistunut

unsuitable [ʌnˈsuːtəbəl] *adj* sopimaton

unsurpassed [ʌnsəˈpɑːst] *adj* voittamaton

untidy [ʌnˈtaidi] *adj* epäsiisti

untie [ʌnˈtai] *v* aukaista

until [ənˈtil] *prep* asti *postp*, saakka *postp*

untrue [ʌnˈtruː] *adj* valheellinen

untrustworthy [ʌnˈtrʌstˌwəːði] *adj* epäluotettava

unusual [ʌnˈjuːʒuəl] *adj* harvinainen, epätavallinen

unwell [ʌnˈwel] *adj* huonovointinen

unwilling [ʌnˈwiliŋ] *adj* vastahakoinen

unwise [ʌnˈwaiz] *adj* epäviisas

unwrap [ʌnˈræp] *v* kääriä auki

up [ʌp] *adv* ylös, ylöspäin

upholster [ʌpˈhoulstə] *v* verhoilla, pehmustaa

upkeep [ˈʌpkiːp] *n* kunnossapito

uplands [ˈʌpləndz] *pl* ylänkö

upon [əˈpɔn] *prep* päällä *postp*

upper [ˈʌpə] *adj* ylempi, ylä-

upright [ˈʌprait] *adj* pysty; *adv* pystyssä

***upset** [ʌpˈset] *v* tehdä tyhjäksi; saattaa tolaltaan; *adj* järkyttynyt

upside-down [ʌpsaidˈdaun] *adv* ylösalaisin

upstairs [ʌpˈstɛəz] *adv* yläkerta; yläkertaan

upstream [ʌpˈstriːm] *adv* vastavirtaan

upwards [ˈʌpwədz] *adv* ylöspäin

urban [ˈɔːbən] *adj* kaupunki-

urge [əːdʒ] *v* suostutella; *n* kiihkeä halu

urgency [ˈɔːdʒənsi] *n* kiireellisyys

urgent [ˈɔːdʒənt] *adj* kiireellinen

urine [ˈjuərin] *n* virtsa

Uruguay [ˈjuərəgwai] Uruguay

Uruguayan [juərəˈgwaiən] *adj* uruguaylainen

us [ʌs] *pron* meille

usable [ˈjuːzəbəl] *adj* käyttökelpoinen

usage [ˈjuːzidʒ] *n* käytäntö

use¹ [juːz] *v* käyttää; ***be used to** olla tottunut; ~ **up** kuluttaa loppuun

use² [juːs] *n* käyttö; hyöty; ***be of** ~ hyödyttää

useful [ˈjuːsfəl] *adj* hyödyllinen

useless [ˈjuːsləs] *adj* hyödytön

user [ˈjuːzə] *n* käyttäjä

usher ['ʌʃə] *n* paikannäyttäjä
usherette [ˌʌʃə'ret] *n* paikannäyttäjä
usual ['ju:ʒuəl] *adj* tavallinen
usually ['ju:ʒuəli] *adv* tavallisesti
utensil [ju:'tensəl] *n* käyttöesine, työkalu
utility [ju:'tiləti] *n* hyödyllisyys
utilize ['ju:tilaiz] *v* käyttää hyödykseen
utmost ['ʌtmoust] *adj* äärimmäinen
utter ['ʌtə] *adj* täydellinen, ehdoton; *v* lausua

V

vacancy ['veikənsi] *n* vakanssi, avoin virka
vacant ['veikənt] *adj* vapaa
vacate [və'keit] *v* tyhjentää
vacation [və'keiʃən] *n* loma
vaccinate ['væksineit] *v* rokottaa
vaccination [ˌvæksi'neiʃən] *n* rokotus
vacuum ['vækjuəm] *n* tyhjiö; *vAm* imuroida; ~ cleaner pölynimuri; ~ flask termospullo
vagrancy ['veigrənsi] *n* kulkurielämä
vague [veig] *adj* epämääräinen
vain [vein] *adj* turhamainen; turha; in ~ turhaan
valet ['vælit] *n* miespalvelija, kamaripalvelija
valid ['vælid] *adj* lainmukainen, voimassa oleva
valley ['væli] *n* laakso
valuable ['væljubəl] *adj* arvokas; valuables *pl* arvoesineet *pl*
value ['vælju:] *n* arvo; *v* arvioida
valve [vælv] *n* venttiili, läppä
van [væn] *n* pakettiauto
vanilla [və'nilə] *n* vanilja
vanish ['væniʃ] *v* häipyä
vapour ['veipə] *n* höyry; utu

variable ['veəriəbəl] *adj* muuttuva
variation [ˌveəri'eiʃən] *n* muunnos; vaihtelu
varied ['veərid] *adj* moninainen
variety [və'raiəti] *n* valikoima; ~ show varietee-esitys; ~ theatre varieteeteatteri
various ['veəriəs] *adj* monenlaisia, eri
varnish ['va:niʃ] *n* vernissa, lakka; *v* lakata
vary ['veəri] *v* vaihdella
vase [va:z] *n* maljakko
vast [va:st] *adj* valtava
vault [vɔ:lt] *n* holvikaari; kassaholvi
veal [vi:l] *n* vasikanliha
vegetable ['vedʒətəbəl] *n* vihannes; ~ merchant vihanneskauppias
vegetarian [ˌvedʒi'teəriən] *n* kasvissyöjä
vegetation [ˌvedʒi'teiʃən] *n* kasvillisuus
vehicle ['vi:əkəl] *n* ajoneuvo
veil [veil] *n* harso
vein [vein] *n* laskimo; varicose ~ suonikohju
velvet ['velvit] *n* sametti
velveteen [ˌvelvi'ti:n] *n* puuvillasametti
venerable ['venərəbəl] *adj* kunnianarvoisa
venereal disease [vi'niəriəl di'zi:z] sukupuolitauti
Venezuela [ˌveni'zweilə] Venezuela
Venezuelan [ˌveni'zweilən] *adj* venezuelalainen
ventilate ['ventileit] *v* tuulettaa
ventilation [ˌventi'leiʃən] *n* tuuletus; ilmanvaihto
ventilator ['ventileitə] *n* tuuletin
venture ['ventʃə] *v* uskaltaa
veranda [və'rændə] *n* kuisti
verb [və:b] *n* verbi
verbal ['və:bəl] *adj* suullinen
verdict ['və:dikt] *n* oikeudenpäätös

verge [və:dʒ] n reuna; piennar
verify ['verifai] v todentaa
verse [və:s] n säe
version ['və:ʃən] n käännös
versus ['və:səs] prep vastaan postp
vertical ['və:tikəl] adj pystysuora
vertigo ['və:tigou] n huimaus
very ['veri] adv hyvin, erittäin; kaikkein; adj tosi, juuri se; ~ well! hyvä on!
vessel ['vesəl] n alus; astia
vest [vest] n ihopaita; nAm liivit pl
veterinary surgeon ['vetrinəri 'sə:-dʒən] eläinlääkäri
via [vaiə] prep kautta postp
viaduct ['vaiədʌkt] n maasilta
vibrate [vai'breit] v värähdellä
vibration [vai'breiʃən] n värähtely
vicar ['vikə] n kirkkoherra
vicarage ['vikəridʒ] n pappila
vice-president [,vais'prezidənt] n varapresidentti
vicinity [vi'sinəti] n läheisyys
vicious ['viʃəs] adj paheellinen
victim ['viktim] n uhri
victory ['viktəri] n voitto
view [vju:] n näköala; mielipide, näkemys; v katsella
view-finder ['vju:,faində] n etsin, tähtäin
vigilant ['vidʒilənt] adj valpas
villa ['vilə] n huvila
village ['vilidʒ] n kylä
villain ['vilən] n konna
vine [vain] n viiniköynnös
vinegar ['vinigə] n etikka
vineyard ['vinjəd] n viinitarha
vintage ['vintidʒ] n viinisato, korjuu
violation [vaiə'leiʃən] n loukkaaminen
violence ['vaiələns] n väkivalta
violent ['vaiələnt] adj väkivaltainen, raju
violet ['vaiələt] n orvokki; adj sinipunainen

violin [vaiə'lin] n viulu
virgin ['və:dʒin] n neitsyt
virtue ['və:tʃu:] n hyve
visa ['vi:zə] n viisumi
visibility [,vizə'biləti] n näkyvyys
visible ['vizəbəl] adj näkyvä
vision ['viʒən] n tarkkanäköisyys; näkemys, visio
visit ['vizit] v vierailla; n vierailu; visiting hours vierailuaika
visiting-card ['vizitiŋka:d] n käyntikortti
visitor ['vizitə] n vierailija
vital ['vaitəl] adj elintärkeä
vitamin ['vitəmin] n vitamiini
vivid ['vivid] adj eloisa
vocabulary ['vo'kæbjuləri] n sanavarasto; sanasto
vocal ['voukəl] adj laulu-
vocalist ['voukəlist] n laulaja
voice [vɔis] n ääni
void [vɔid] adj pätemätön
volcano [vɔl'keinou] n (pl ~es, ~s) tulivuori
volt [voult] n voltti
voltage ['voultidʒ] n jännite
volume ['vɔljum] n paljous; tilavuus; nide
voluntary ['vɔləntəri] adj vapaaehtoinen
volunteer [,vɔlən'tiə] n vapaaehtoinen
vomit ['vomit] v oksentaa
vote [vout] v äänestää; n ääni; äänestys
voucher ['vautʃə] n kuponki, maksutodiste
vow [vau] n lupaus, vala; v vannoa
vowel [vauəl] n vokaali
voyage ['vɔiidʒ] n matka
vulgar ['vʌlgə] adj rahvaanomainen; sivistymätön
vulnerable ['vʌlnərəbəl] adj haavoittuva
vulture ['vʌltʃə] n korppikotka

W

wade [weid] v kahlata
wafer ['weifə] n vohveli
waffle ['wɔfəl] n vohveli
wages ['weidʒiz] pl palkka
waggon ['wægən] n vaunu
waist [weist] n vyötärö
waistcoat ['weiskout] n liivit pl
wait [weit] v odottaa; ~ on palvella
waiter ['weitə] n tarjoilija, hovimestari
waiting ['weitiŋ] n odotus
waiting-list ['weitiŋlist] n odotuslista
waiting-room ['weitiŋru:m] n odotushuone
waitress ['weitris] n tarjoilijatar
*wake [weik] v herättää; ~ up herätä
walk [wɔ:k] v kävellä; vaeltaa; n kävelyretki; kävely; walking jalan
walker ['wɔ:kə] n kävelijä
walking-stick ['wɔ:kiŋstik] n kävelykeppi
wall [wɔ:l] n muuri; seinä
wallet ['wɔlit] n lompakko
wallpaper ['wɔ:l,peipə] n seinäpaperi
walnut ['wɔ:lnʌt] n saksanpähkinä
waltz [wɔ:ls] n valssi
wander ['wɔndə] v harhailla, vaeltaa
want [wɔnt] v haluta; n tarve; puute
war [wɔ:] n sota
warden ['wɔ:dən] n vartija
wardrobe ['wɔ:droub] n vaatekaappi, vaatevarasto
warehouse ['weəhaus] n varasto, makasiini
wares [weəz] pl myyntitavarat pl
warm [wɔ:m] adj lämmin; v lämmittää
warmth [wɔ:mθ] n lämpö
warn [wɔ:n] v varoittaa
warning ['wɔ:niŋ] n varoitus

wary ['weəri] adj varovainen
was [wɔz] v (p be)
wash [wɔʃ] v pestä; ~ and wear itse siliävä; ~ up pestä astiat
washable ['wɔʃəbəl] adj pesunkestävä
wash-basin ['wɔʃ,beisən] n pesuallas
washing ['wɔʃiŋ] n pesu; pyykki
washing-machine ['wɔʃiŋmə,ʃi:n] n pesukone
washing-powder ['wɔʃiŋ,paudə] n pesujauhe
washroom ['wɔʃru:m] nAm käymälä
wash-stand ['wɔʃstænd] n pesuallas
wasp [wɔsp] n ampiainen
waste [weist] v tuhlata; n tuhlaus; adj autio
wasteful ['weistfəl] adj tuhlaavainen
wastepaper-basket [weist'peipə,ba:-skit] n paperikori
watch [wɔtʃ] v katsella; vartioida; n kello; ~ for tarkata; ~ out olla varuillaan
watch-maker ['wɔtʃ,meikə] n kelloseppä
watch-strap ['wɔtʃstræp] n kellonremmi
water ['wɔ:tə] n vesi; iced ~ jäävesi; running ~ juokseva vesi; ~ pump vesipumppu; ~ ski vesisuksi
water-colour ['wɔ:tə,kʌlə] n vesiväri; vesivärimaalaus
watercress ['wɔ:təkres] n krassi
waterfall ['wɔ:təfɔ:l] n vesiputous
watermelon ['wɔ:tə,melən] n vesimeloni
waterproof ['wɔ:təpru:f] adj vedenpitävä
water-softener [,wɔ:tə,sɔfnə] n pehmennysaine
waterway ['wɔ:təwei] n laivaväylä
watt [wɔt] n watti
wave [weiv] n aalto; v heiluttaa
wave-length ['weivleŋθ] n aallonpituus

wavy ['weivi] *adj* aaltoileva

wax [wæks] *n* vaha

waxworks ['wækswə:ks] *pl* vahakabinetti

way [wei] *n* tapa; tie; suunta, taho; etäisyys; any ~ kuinka tahansa; by the ~ sivumennen sanoen; one-way traffic yksisuuntainen liikenne; out of the ~ syrjäinen; the other ~ round päinvastoin; ~ back paluutie; ~ in sisäänkäynti; ~ out uloskäynti

wayside ['weisaid] *n* tienvieri

we [wi:] *pron* me

weak [wi:k] *adj* heikko; mieto

weakness ['wi:knəs] *n* heikkous

wealth [welθ] *n* varallisuus

wealthy ['welθi] *adj* varakas

weapon ['wepən] *n* ase

*wear [weə] *v* käyttää, olla yllä; ~ out kuluttaa loppuun

weary ['wiəri] *adj* uupunut, väsynyt; väsyttävä

weather ['weðə] *n* sää; ~ forecast säätiedotus

*weave [wi:v] *v* kutoa

weaver ['wi:və] *n* kutoja

wedding ['wediŋ] *n* häät *pl*

wedding-ring ['wediŋrlŋ] *n* vihkisormus

wedge [wedʒ] *n* kiila

Wednesday ['wenzdi] keskiviikko

weed [wi:d] *n* rikkaruoho

week [wi:k] *n* viikko

weekday ['wi:kdei] *n* arkipäivä

weekend ['wi:kend] *n* viikonloppu

weekly ['wi:kli] *adj* viikottainen

*weep [wi:p] *v* itkeä

weigh [wei] *v* punnita; painaa

weighing-machine ['weiiŋməˌʃi:n] *n* vaaka

weight [weit] *n* paino

welcome ['welkəm] *adj* tervetullut; *n* tervetulotoivotus; *v* toivottaa terve-

tulleeksi

weld [weld] *v* hitsata

welfare ['welfeə] *n* hyvinvointi

well¹ [wel] *adv* hyvin; *adj* terve; as ~ samoin; as ~ as sekä ... että; well! no niin!

well² [wel] *n* kaivo

well-founded [ˌwel'faundid] *adj* hyvin perusteltu

well-known ['welnoun] *adj* tunnettu

well-to-do [ˌweltə'du:] *adj* varakas

went [went] *v* (p go)

were [wə:] *v* (p be)

west [west] *n* länsi

westerly ['westəli] *adj* läntinen

western ['westən] *adj* läntinen

wet [wet] *adj* märkä; kostea

whale [weil] *n* valas

wharf [wɔ:f] *n* (pl ~s, wharves) satamalaituri

what [wɔt] *pron* mikä; mitä; ~ for miksi

whatever [wɔ'tevə] *pron* mitä hyvänsä

wheat [wi:t] *n* vehnä

wheel [wi:l] *n* pyörä

wheelbarrow ['wi:lˌbærou] *n* työntökärryt *pl*

wheelchair ['wi:ltʃeə] *n* rullatuoli

when [wen] *adv* milloin; *conj* jolloin, silloin kun, kun

whenever [we'nevə] *conj* milloin hyvänsä

where [weə] *adv* missä; *conj* missä

wherever [weə'revə] *conj* missä hyvänsä

whether ['weðə] *conj* -ko *suf;* whether ... or -ko ... vai

which [witʃ] *pron* mikä; joka

whichever [wi'tʃevə] *adj* kumpi tahansa

while [wail] *conj* sillä aikaa kun; kun taas; *n* tuokio

whilst [wailst] *conj* samalla kun

whim [wim] *n* päähänpisto, oikku

whip [wip] *n* ruoska; *v* vatkata

whiskers ['wiskəz] *pl* pulisongit *pl*

whisper ['wispə] *v* kuiskata; *n* kuiskaus

whistle ['wisəl] *v* viheltää; *n* vihellyspilli

white [wait] *adj* valkoinen

whitebait ['waitbeit] *n* pikkukala

whiting ['waitiŋ] *n* (pl ~) valkoturska

Whitsun ['witsən] helluntai

who [hu:] *pron* kuka; joka

whoever [hu:'evə] *pron* kuka tahansa

whole [houl] *adj* kokonainen, koko; eheä; *n* kokonaisuus

wholesale ['houlseil] *n* tukkukauppa; ~ dealer tukkukauppias

wholesome ['houlsəm] *adj* terveellinen

wholly ['houlli] *adv* kokonaan

whom [hu:m] *pron* jolle, jota

whore [hɔ:] *n* huora

whose [hu:z] *pron* jonka; kenen

why [wai] *adv* miksi

wicked ['wikid] *adj* ilkeä

wide [waid] *adj* leveä, laaja

widen ['waidən] *v* laajentaa

widow ['widou] *n* leskirouva

widower ['widouə] *n* leskimies

width [widθ] *n* leveys

wife [waif] *n* (pl wives) vaimo

wig [wig] *n* peruukki

wild [waild] *adj* villi; hurja

will [wil] *n* tahto; testamentti

*will [wil] *v* tahtoa; tulee (tekemään)

willing ['wiliŋ] *adj* halukas

willingly ['wiliŋli] *adv* auliisti

will-power ['wilpauə] *n* tahdonvoima

*win [win] *v* voittaa

wind [wind] *n* tuuli

*wind [waind] *v* mutkitella; vetää, kiertää

winding ['waindiŋ] *adj* kiemurteleva

windmill ['windmil] *n* tuulimylly

window ['windou] *n* ikkuna

window-sill ['windousil] *n* ikkunalauta

windscreen ['windskri:n] *n* tuulilasi; ~ wiper tuulilasinpyyhkijä

windshield ['windʃi:ld] *nAm* tuulilasi; ~ wiper *Am* tuulilasinpyyhkijä

windy ['windi] *adj* tuulinen

wine [wain] *n* viini

wine-cellar ['wain,selə] *n* viinikellari

wine-list ['wainlist] *n* viinilista

wine-merchant ['wain,mə:tʃənt] *n* viinikauppias

wine-waiter ['wain,weitə] *n* viinuri

wing [wiŋ] *n* siipi

winkle ['wiŋkəl] *n* rantakotilo

winner ['winə] *n* voittaja

winning ['winiŋ] *adj* voitollinen; winnings *pl* voittosumma

winter ['wintə] *n* talvi; ~ sports talviurheilu

wipe [waip] *v* pyyhkiä, kuivata

wire [waiə] *n* rautalanka, metallilanka

wireless ['waiələs] *n* radio

wisdom ['wizdəm] *n* viisaus

wise [waiz] *adj* viisas

wish [wiʃ] *v* haluta, toivoa; *n* toivomus, pyyntö

witch [witʃ] *n* noita

with [wið] *prep* kanssa *postp*; mukana *postp*; -sta

*withdraw [wið'drɔ:] *v* vetäytyä

within [wi'ðin] *prep* sisäpuolella *postp*; *adv* sisällä

without [wi'ðaut] *prep* ilman

witness ['witnəs] *n* todistaja

wits [wits] *pl* äly

witty ['witi] *adj* sukkela

wolf [wulf] *n* (pl wolves) susi

woman ['wumən] *n* (pl women) nainen

womb [wu:m] n kohtu

won [wʌn] v (p, pp win)

wonder ['wʌndə] n ihme; ihmettely; v ihmetellä

wonderful ['wʌndəfəl] adj ihana, ihmeellinen

wood [wud] n puu; metsikkö

wood-carving ['wud‚kɑ:viŋ] n puuleikkaus

wooded ['wudid] adj metsäinen

wooden ['wudən] adj puinen; ~ **shoe** puukenkä

woodland ['wudlənd] n metsämaa

wool [wul] n villa; **darning** ~ parsinlanka

woollen ['wulən] adj villainen

word [wə:d] n sana

wore [wɔ:] v (p wear)

work [wə:k] n työ; v työskennellä; toimia; **working day** työpäivä; ~ **of art** taideteos; ~ **permit** työlupa

worker ['wə:kə] n työläinen

working ['wə:kiŋ] n toiminta

workman ['wə:kmən] n (pl -men) työmies

works [wə:ks] pl tehdas

workshop ['wə:kʃɔp] n työpaja

world [wə:ld] n maailma; ~ **war** maailmansota

world-famous [‚wə:ld'feiməs] adj maailmankuulu

world-wide ['wə:ldwaid] adj maailmanlaajuinen

worm [wə:m] n mato

worn [wɔ:n] adj (pp wear) kulunut

worn-out [‚wɔ:n'aut] adj loppuun kulunut

worried ['wʌrid] adj huolestunut

worry ['wʌri] v olla huolissaan; n huoli

worse [wə:s] adj pahempi; adv pahemmin

worship ['wə:ʃip] v palvoa; n jumalanpalvelus

worst [wə:st] adj pahin; adv pahimmin

worsted ['wustid] n kampalanka

worth [wə:θ] n arvo; *be ~ olla jnkn arvoinen; *be worth-while kannattaa

worthless ['wə:θləs] adj arvoton

worthy of ['wə:ði əv] arvoinen

would [wud] v (p will)

wound¹ [wu:nd] n haava; v haavoittaa

wound² [waund] v (p, pp wind)

wrap [ræp] v kääriä

wreck [rek] n hylky; v tuhota

wrench [rentʃ] n jakoavain; riuhtaisu; v vääntää; kiskaista

wrinkle ['riŋkəl] n ryppy

wrist [rist] n ranne

wrist-watch ['ristwɔtʃ] n rannekello

*write [rait] v kirjoittaa; **in writing** kirjallisesti; ~ **down** kirjoittaa muistiin

writer ['raitə] n kirjailija

writing-pad ['raitiŋpæd] n kirjoituslehtiö, muistikirja

writing-paper ['raitiŋ‚peipə] n kirjoituspaperi

written ['ritən] adj (pp write) kirjallinen

wrong [rɔŋ] adj väärä, virheellinen; n vääryys; v tehdä vääryyttä; *be ~ olla väärässä

wrote [rout] v (p write)

X

Xmas ['krisməs] joulu

X-ray ['eksrei] n röntgenkuva; v ottaa röntgenkuva

Y

yacht [jɔt] *n* huvipursi
yacht-club ['jɔtklʌb] *n* purjehdusseura
yachting ['jɔtiŋ] *n* purjehtiminen
yard [jɑːd] *n* piha
yarn [jɑːn] *n* lanka
yawn [jɔːn] *v* haukotella
year [jiə] *n* vuosi
yearly ['jiəli] *adj* vuotuinen
yeast [jiːst] *n* hiiva
yell [jel] *v* kiljua; *n* kiljaisu
yellow ['jelou] *adj* keltainen
yes [jes] kyllä
yesterday ['jestədi] *adv* eilen
yet [jet] *adv* vielä; *conj* kuitenkin
yield [jiːld] *v* tuottaa; antaa myöten
yoke [jouk] *n* ies
yolk [jouk] *n* keltuainen
you [juː] *pron* sinä; sinut; sinulle; Te; te *pl;* teidät; teille
young [jʌŋ] *adj* nuori
your [jɔː] *adj* sinun; teidän
yourself [jɔːˈself] *pron* itsesi; itse
yourselves [jɔːˈselvz] *pron* itsenne; itse
youth [juːθ] *n* nuoriso; ~ **hostel** nuorisomaja
Yugoslav [ˌjuːgəˈslɑːv] *n* jugoslaavi
Yugoslavia [ˌjuːgəˈslɑːviə] Jugoslavia

Z

zeal [ziːl] *n* into
zealous ['zeləs] *adj* innokas
zebra ['ziːbrə] *n* seepra
zenith ['zeniθ] *n* lakipiste; huippukohta
zero ['ziərou] *n* (pl ~s) nolla
zest [zest] *n* into, antaumus
zinc [ziŋk] *n* sinkki
zip [zip] *n* vetoketju; ~ **code** *Am* postinumero
zipper ['zipə] *n* vetoketju
zodiac ['zoudiæk] *n* eläinrata
zone [zoun] *n* vyöhyke; alue
zoo [zuː] *n* (pl ~s) eläintarha
zoology [zouˈblədʒi] *n* eläintiede

Ruoat

almond manteli
anchovy sardelli
angel food cake marenkikakku tai
    -leivos
angels on horseback grillattuja
    ostereita pekonin ja paahtolei-
    vän kera
appetizer alkupala
apple omena
    ~ charlotte omenasta ja leipä-
    viipaleista valmistettu kakku
    ~ dumpling taikinalla kuorru-
    tettu paistettu omena
    ~ sauce omenasose
apricot aprikoosi
Arbroath smoky savustettu kolja
artichoke artisokka
asparagus parsa
    ~ tip parsannuppu
aspic hyytelö (lihan tai kalan)
assorted valikoima
aubergine munakoiso
avocado (pear) avokaado
bacon pekoni
    ~ and eggs munia ja pekonia
bagel rinkelinmuotoinen sämpylä
baked uunissa paistettu
    ~ Alaska jäätelöjälkiruoka,
    joka päällystetään vatkatuilla
    valkuaisilla, ruskistetaan no-
    peasti uunissa ja liekitetään
    ~ beans valkopapumuhennos

tomaattikastikkeessa
    ~ potato uuniperuna
Bakewell tart manteli- ja hillo-
    kakku
baloney eräs makkaralaji
banana banaani
    ~ split jäätelöannos, jossa
    banaania, pähkinöitä ja sakeaa
    hedelmämehua tai suklaakasti-
    ketta
barbecue 1) tomaattikastikkeella
    maustettu hampurilainen
    2) ulkoilmajuhla, jossa grilla-
    taan lihaa
    ~ sauce hyvin maustettu to-
    maattikastike
barbecued hiillostettu, pariloitu
basil basilika
bass meriahven
bean papu
beef naudanliha
    ~ olive täytetty naudanliha-
    kääryle
beefburger häränlihasta valmis-
    tettu hampurilainen
beet, beetroot punajuuri
bilberry mustikka
bill lasku
    ~ of fare ruokalista
biscuit keksi, pikkuleipä
black pudding verimakkara
blackberry karhunvatukka

blackcurrant musta viinimarja
bloater savustettu suolasilli
blood sausage verimakkara
blueberry mustikka
boiled keitetty
Bologna (sausage) eräs makkara-
laji
bone luu
boned luuton
Boston baked beans valkopapuja
tomaattikastikkeessa pekonin
kera
Boston cream pie kermatäytteinen
suklaaleivos
brains aivot
braised haudutettu
bramble pudding karhunvatukka-
vanukas, jossa usein myös
omenaa
braunschweiger savustettu mak-
samakkara
bread leipä
breaded korppujauhotettu
breakfast varhaisaamiainen
breast rinta (linnun)
brisket härän- ja vasikanrinta
broad bean suuri papu
broccoli parsakaali
broth lihaliemi
brown Betty korppujauholla
päällystetty, maustettu omena-
kakku
brunch lounas-aamiainen
brussels sprout ruusukaali
bubble and squeak eräänlainen
pyttipannu; perunasta ja hie-
nonnetusta kaalista valmistettu
ohukainen, jossa joskus lisänä
naudanlihapalasia
bun 1) pulla, jossa rusinoita tai
marmelaatitäyte (GB) 2) säm-
pylä (US)
butter voi
buttered voideltu

cabbage kaali
Caesar salad valkosipulilla
maustettu salaatti, jossa leipä-
kuutioita
cake kakku, leivos
cakes leivokset, keksit
calf vasikanliha
Canadian bacon savustettu por-
saanfilee
canapé pieni, päällystetty voileipä
cantaloupe hunajameloni
caper kapris
capercaillie, capercailzie metso
caramel karamelli, kuumennettu
sokeri
carp karppi
carrot porkkana
cashew acajoupähkinä
casserole laatikko, pata
catfish merikissa (kala)
catsup ketsuppi, tomaattisose
cauliflower kukkakaali
celery selleri
cereal murot
hot ~ puuro
chateaubriand paksu härän sisäfi-
leestä valmistettu pihvi
check lasku
Cheddar (cheese) cheddarjuusto,
kova, mieto juusto
cheese juusto
~ **board** juustotarjotin
~ **cake** rahkasta valmistettu
kakku
cheeseburger juustohampurilai-
nen
chef's salad salaatti, jossa kink-
kua, kanaa, kovaksi keitettyä
munaa, tomaattia, lehtisalaat-
tia ja juustoa
cherry kirsikka
chestnut kastanja
chicken kananpoika
chicory 1) endiivi (GB) 2) sikuri-

salaatti (US)

chili con carne jauhelihaa punaisen paprikan ja voimakkaan chilipippurin kera

chips 1) ranskalaiset perunat (GB) 2) perunalastut (US)

chit(ter)lings sian sisälmykset

chive ruohosipuli

chocolate suklaa; kaakao
~ **pudding** 1) suklaavanukas (GB) 2) suklaavaahto (US)

choice valikoima

chop kyljys
~ **suey** ruoka, jossa suikaloitua sianlihaa tai kanaa, riisiä ja vihanneksia

chopped hienoksi hakattu, silputtu

chowder sakea kala- ja äyriäiskeitto

Christmas pudding jouluvanukas, joka tarjotaan joskus liekitettynä

chutney intialainen säilötyistä hedelmistä valmistettu voimakas mauste

cinnamon kaneli

clam simpukka

club sandwich kerrosvoileipä, jonka välissä kanaa, pekonia, salaattia, tomaattia ja majoneesia

cobbler taikinakuoressa paistettu hedelmähilloke

cock-a-leekie soup keitto, jossa kanaa ja purjoa

coconut kookospähkinä

cod turska

Colchester oyster tunnettu englantilainen osterilaji

cold cuts/meat leikkeleet

coleslaw kaalisalaatti

compote hilloke

condiment mauste

consommé lihaliemi

cooked keitetty

cookie keksi, pikkuleipä

corn 1) vehnä (GB) 2) maissi (US)
~ **on the cob** maissintähkä

cornflakes maissihiutaleet

corned beef naudanlihasäilyke

cottage cheese raejuusto, tuorejuusto

cottage pie perunasoseella peitetty jauhelihapaistos, jossa sipulia ja juustoa

course ruokalaji

cover charge katemaksu

crab taskurapu

cracker suolakeksi

cranberry karpalo
~ **sauce** karpalohillo

crawfish 1) langusti (GB) 2) keisarihummeri (US)

crayfish rapu

cream 1) kerma 2) kermainen keitto 3) jälkiruoka
~ **cheese** kermajuusto
~ **puff** kermaleivos

creamed potatoes perunakuutiot valkokastikkeessa

creole kreolilaiseen tapaan: vahvasti maustettu tomaatti-, paprika- ja sipulikastike, tarjotaan riisin kera

cress krassi

crisps perunalastut

croquette kuorukka

crumpet lämpimänä voin kera tarjottava teeleipä

cucumber kurkku

Cumberland ham erinomainen savustettu kinkku

Cumberland sauce karviaismarjahyytelö, jossa viiniä, appelsiinimehua ja mausteita

cupcake pieni muffinssi

cured palvattu; suolattu,

savustettu ja kuivattu (liha tai
kala)
currant viinimarja
curried currylla maustettu
custard vaniljakastikkeen tapainen
englantilainen kiisseli
cutlet leike, ohut lihaviipale
dab hietakampela
Danish pastry wienerleipä
date taateli
Derby cheese voimakkaanmakuinen
juusto
dessert jälkiruoka
devilled paholaisen tapaan; erittäin
voimakkaasti maustettu
devil's food cake täyttävä suklaaleivos
devils on horseback paahtoleivällä
tarjottavat pekoniin kääri tyt
kuivatut luumut, jotka on täytetty
manteleilla ja sardelleilla
ja keitetty punaviinissä
Devonshire cream paksu kerma
diced kuutioitu
diet food dieettiruoka
dill tilli
dinner päivällinen
dish ruokalaji, tarjoiluvati
donut munkki
double cream täysrasvainen kerma
doughnut munkki
Dover sole kuuluisa Doverin
meriantura
dressing 1) salaatinkastike
2) kalkkunantäyte (US)
Dublin Bay prawn keisarihummeri
duck ankka
duckling ankanpoika
dumpling 1) nokare, taikinapyörykkä
2) omenamunkki
Dutch apple pie omenapiiras, jonka
päällä voita ja fariinisokeria

éclair suklaa- ja kermaleivos
eel ankerias
egg muna
  boiled ~ keitetty
  fried ~ paistettu
  hard-boiled ~ kovaksi keitetty
  poached ~ uppomuna (ilman
  kuorta keitetty)
  scrambled ~ munakokkeli
  soft-boiled ~ pehmeäksi keitetty
eggplant munakoiso
endive 1) sikurisalaatti (GB)
  2) endiivi (US)
entrecôte välikyljys
entrée 1) alkupala 2) eturuoka
fennel fenkoli
fig viikuna
fillet filee
finnan haddock savustettu kolja
fish kala
  ~ **and chips** kalaa ja ranskalaisia
perunoita
  ~ **cake** kalapulla
flan hedelmätorttu
flapjack suuri pannukakku
flounder kampela
fool hedelmävaahto
forcemeat maustettu jauhelihatäyte
fowl lintu, siipikarja
frankfurter nakki
French bean vihreä papu
French bread patonki
French dressing 1) viinietikkakastike
(GB) 2) kermamainen
salaatinkastike, jossa tomaattisosetta
(US)
french fries ranskalaiset perunat
French toast köyhät ritarit
fresh tuore
fricassée viilokki
fried pannussa/voissa paistettu
fritter frityyritaikinaan kastettu

ruoka-aine, joka keitetään öljyssä
frogs' legs sammakonreidet
frosting sokerikuorrutus
fruit hedelmä
fry öljyssä keitetty
galantine kylmä lihahyytelö
game riista
gammon savustettu kinkku
garfish nokkakala
garlic valkosipuli
garnish lisäruokalaji; tavallisesti vihanneksia, makaronia, perunoita, riisiä tai salaattia
gherkin etikkakurkku
giblets kanan sisälmykset
ginger inkivääri
goose hanhi
~ **berry** karviaismarja
grape viinirypäle
~ **fruit** greippi
grated raastettu
gravy (ruskea) kastike, paistinliemi
grayling harjus (kala)
green bean vihreä papu
green pepper vihreä paprika
green salad vihreä salaatti
greens vihervihannekset
grilled grillattu, pariloitu, halstrattu
grilse nuori lohi
gumbo sakea kreolilaisruoka, jossa okranpalkoja, lihaa tai kalaa
haddock kolja
haggis lampaan- tai vasikan sisälmyksistä valmistettu muhennos, johon lisätty kaurasuurimoita ja sipulia
hake kummeli
half puoli-, puolikas
halibut ruijanpallas
ham kinkku
~ **and eggs** munia ja kinkkua

hamburger hampurilainen, jauhelihapihvi
hare jänis
haricot bean vihreä- tai voipapu
hash lihahakkelus
hazelnut hasselpähkinä
heart sydän
herbs mausteyrtit
herring silli
home-made kotitekoinen
hominy grits maissivanukas
honey hunaja
honeydew melon hunajameloni
hors-d'œuvre alkupala
horse-radish piparjuuri
hot 1) kuuma 2) maustettu
~ **dog** kuuma makkara halkaistun sämpylän välissä
huckleberry mustikka
hush puppy maissijauhoista valmistettu sipulilla maustettu munkki
ice-cream jäätelö
iced jäädytetty; sokerikuorrutettu
icing sokerikuorrutus
Idaho baked potato uunissa kuorineen kypsennetty bataatti
Irish stew lampaanmuhennos, jossa sipulia ja perunoita
Italian dressing viinietikkakastike
jam hillo
jellied hyytelöity
Jell-O hyytelöity jälkiruoka
jelly hyytelö
Jerusalem artichoke maa-artisokka
John Dory Pyhän Pietarin kala
jugged hare jänismuhennos
juniper berry katajanmarja
junket viili sokerin ja kerman kera
kale vihreä kaali
kedgeree kalapalasia riisin, munan ja voin kera

ketchup ketsuppi, tomaattisose
kidney munuainen
kipper savustettu silli
lamb karitsanliha
Lancashire hot pot muhennos,
  jossa lampaankyljyksiä, -mu-
  nuaisia, perunoita ja sipulia
larded silavassa paistettu
lean rasvaton (liha)
leek purjo
leg potka, reisi, kanankoipi
lemon sitruuna
  ~ **sole** hietakampelan sukuinen
  kala
lentil linssi
lettuce lehtisalaatti
lima bean eräs papulaji
lime limetti, vihreä sitruuna
liver maksa
loaf (kokonainen) leipä
lobster hummeri
loin selkäpaisti
Long Island duck kuuluisa pieni
  Long Islandin ankka
low calorie vähäkalorinen
lox savustettu lohi
lunch lounas
macaroni makaroni
macaroon sokeri- ja mantelipik-
  kuleipä
mackerel makrilli
maize maissi
mandarin mandariini
maple syrup vaahterasiirappi
marinated marinoitu
marjoram meirami
marmalade marmelaati
marrow luuydin
  ~ **bone** ydinluu
marshmallow kuohkea makeinen
marzipan marsipaani
mashed potatoes perunamuhen-
  nos
mayonnaise majoneesi

meal ateria
meat liha
  ~ **ball** lihapyörykkä
  ~ **loaf** lihamureke
  ~ **pâté** lihapasteija, -tahna
medium (done) puolikypsä (liha)
melon meloni
melted sulatettu
Melton Mowbray pie taikinakuo-
  reen valmistettu lihapiirakka
menu ruokalista, menu
meringue marenki
mince 1) jauheliha 2) hienoksi
  hakattu
  ~ **pie** englantilainen maustettu
  joululeivonnainen, jonka val-
  mistukseen on käytetty säilöt-
  tyjä sekahedelmiä, manteleita
  ja omenaa
minced jauhettu
  ~ **meat** jauheliha
mint minttu
minute steak nopeasti paistettu
  ohut pihvi, lehtipihvi
mixed sekoitettu, valikoima
  ~ **grill** lihavarras
molasses siirappi
morel korvasieni
mousse 1) kuohkea lintu-, kink-
  ku- tai kalamureke 2) vispiker-
  masta, munanvalkuaisesta ja
  makeutusaineesta valmistettu
  jälkiruoka
mulberry silkkiäismarja
mullet mullo (kala)
mulligatawny soup voimakkaan-
  makuinen currylla maustettu
  kanakeitto
mushroom sieni
muskmelon eräs melonilaji
mussel simpukka
mustard sinappi
mutton lampaanliha
noodle nauhamakaroni, nuudeli

nut pähkinä
oatmeal kaurapuuro
oil ruokaöljy
okra okranpalko
olive oliivi
omelet munakas
onion sipuli
orange appelsiini
ox tongue häränkieli
oxtail häränhäntä
oyster osteri
pancake pannukakku
Parmesan (cheese) parmesaani (juusto)
parsley persilja
parsnip palsternakka
partridge peltopyy
pastry leivos
pasty piiras, pasteija
pea herne
peach persikka
peanut maapähkinä
  ~ **butter** maapähkinätahna
pear päärynä
pearl barley helmiryyni
pepper pippuri
  ~ **mint** piparminttu
perch ahven
persimmon kakiluumu
pheasant fasaani
pickerel nuori hauki
pickled etikkaliemeen säilötty, suolattu, marinoitu
pickles etikkaliemeen säilöttyjä vihanneksia tai hedelmiä
pie piirakka
pigeon kyyhkynen
pigs' feet/trotters siansorkat
pike hauki
pineapple ananas
plaice punakampela
plain sellaisenaan, ilman maustei-ta tai kastiketta
plate lautanen

plum luumu
  ~ **pudding** jouluna tarjottava vanukas, joka joskus liekite-tään
poached vedessä keitetty
popover tuulihattu, muffinssi
pork sianliha
porridge puuro
porterhouse steak häränleike
pot roast patapaisti
potato peruna
  ~ **chips** 1) ranskalaiset perunat (GB) 2) perunalastut (US)
  ~ **in its jacket** kuoriperuna
potted shrimps katkarapupasteija, joka tarjotaan savivuoassa kyl-män sulatetun aromivoin kera
poultry siipikarja
prawn suuri katkarapu
prune kuivattu luumu
ptarmigan riekko
pudding vanukas; jauhoista sekä lihasta, kalasta, vihanneksista tai hedelmistä valmistettu uunissa paistettu seos
pumpernickel tumma raskas kokojyväleipä
pumpkin kurpitsa
quail viiriäinen
quince kvitteni
rabbit kaniini
radish retiisi
rainbow trout sateenkaaritaimen
raisin rusina
rare vähän paistettu (liha)
raspberry vadelma
raw raaka
red mullet punamullo
red (sweet) pepper punainen pap-rika
redcurrant punainen viinimarja
relish hienonnetuista vihannek-sista ja etikasta valmistettu höystö

rhubarb raparperi
rib (of beef) häränkyljys
rib-eye steak välikyljys
rice riisi
rissole kuorukka
river trout purotaimen
roast paisti
  ~ **beef** paahtopaisti
Rock Cornish hen syöttökana
roe mäti
roll sämpylä
rollmop herring sillirulla; pienen
  etikkakurkun ympärille kiedot-
  tu valkoviinissä marinoitu sil-
  lifilee
round steak naudan reisipala
Rubens sandwich paahtoleipävii-
  pale, jolla naudanlihasäilyket-
  tä, hapankaalia, emmental-
  juustoa ja salaatinkastiketta,
  tarjotaan kuumana
rumpsteak takapaisti
rusk korppu
rye bread ruisleipä
saddle satula
saffron saframi
sage salvia
salad salaatti
  ~ **bar** salaattivalikoima
  ~ **cream** kermapohjainen ma-
  keahko salaatinkastike
  ~ **dressing** salaatinkastike
salami meetvursti
salmon lohi
  ~ **trout** kirjolohi
salt suola
salted suolattu
sandwich voileipä
sardine sardiini
sauce kastike
sauerkraut hapankaali
sausage makkara
sautéed ruskistettu
scallop kampasimpukka

scampi keisarihummerin pyrstöis-
  tä valmistettu ruoka
scone kaura- tai ohrajauhoista
  valmistettu teeleipä
Scotch broth keitto, jossa lam-
  paan- tai naudanlihaa ja vihan-
  neksia
Scotch egg rasvassa paistettu lei-
  vitetyllä makkaratäytteellä
  päällystetty kova kananmuna,
  tarjotaan kylmänä
Scotch woodcock pieni cocktail-
  leipä, jonka päällä muna-anjo-
  vistahnaa
sea bass meriahven
sea bream kultalahna
sea kale merikaali (versot syötä-
  viä)
seafood äyriäiset ja kalat
(in) season vuodenajan mukaan
seasoning mauste
service charge tarjoilupalkkio
  ~ **included** sisältyy hintaan
  ~ **not included** ei sisälly hin-
  taan
set menu päivän ateria
shad pilkkusilli
shallot salottisipuli
shellfish äyriäinen
sherbet jäädyke, sorbetti
shoulder lapa
shredded raastettu, suikaloitu
  ~ **wheat** vehnähiutalekuoruk-
  ka (aamiaisruoka)
shrimp katkarapu
silverside (of beef) paras osa nau-
  dan reisipaistia
sirloin steak välikyljys
skewer paistinvarras
slice viipale
sliced viipaloitu
sloppy Joe jauhelihasämpylä
  tomaattikastikkeen kera
smelt kuore

smoked savustettu
snack kevyt ateria, välipala
sole meriantura
soup keitto
sour hapan
soused herring etikka-mausteliemeen säilötty silli
spare rib porsaankylkiluut
spice mauste
spinach pinaatti
spiny lobster langusti
(on a) spit varras (vartaassa)
sponge cake sokerikakku
sprat kilohaili
squash kurpitsa
starter alkupala, eturuoka
steak-and-kidney pie naudanliha-
ja munuaispiiras
steamed höyryssä kypsennetty
stew muhennos, pata
Stilton (cheese) tunnettu englantilainen valko- tai homejuusto
strawberry mansikka
string bean vihreä papu
stuffed täytetty
stuffing täyte
suck(l)ing pig juottoporsas
sugar sokeri
sugarless sokeriton
sundae jäätelöannos, jossa lisänä
hedelmiä, pähkinöitä, kermavaahtoa ja joskus hedelmämehua
supper illallinen
swede lanttu
sweet 1) makea 2) jälkiruoka
~ **corn** eräs maissilaji
~ **potato** bataatti
sweetbread (vasikan) kateenkorva
Swiss cheese sveitsinjuusto; emmental
Swiss roll voi- ja hillotäytteinen
kääretorttu
Swiss steak vihannesten ja maus-

teiden kera haudutettu naudanlihaviipale
T-bone steak T-luupihvi
table d'hôte kiinteä, valmiiksi
sommiteltu ruokalista
tangerine eräs mandariinilajike
tarragon rakuuna
tart hedelmätorttu
tenderloin filee (liha)
Thousand Island dressing voimakkaasti maustettu salaatinkastike, jossa majoneesia ja
paprikaa
thyme timjami
toad-in-the-hole taikinakuoressa
paistettua naudanlihaa tai
makkaraa
toast paahtoleipä
toasted paahdettu
~ **cheese** paahtoleivän viipale,
jonka päällä sulatettua juustoa
~ **(cheese) sandwich** juustolla
ja kinkulla täytetyt paahtoleipäviipaleet
tomato tomaatti
tongue kieli
tournedos häränfileepihvi
treacle siirappi
trifle sherryllä, konjakilla tai
rommilla kostutettu sokerikakku manteleiden, hillon ja kermavaahdon tai vaniljakastikkeen kera
tripe pötsi, sisälmykset
trout forelli
truffle multasieni
tuna, tunny tonnikala
turbot piikkikampela
turkey kalkkuna
turnip nauris
turnover hillolla täytetty torttu
turtle soup kilpikonnakeitto
underdone vähän paistettu (liha)
vanilla vanilja

veal vasikanliha
~ **bird** täytetty vasikanlihakää-
ryle
~ **cutlet** vasikanleike
vegetable vihannes
~ **marrow** kesäkurpitsa
venison (metsä)kauriinliha
vichyssoise kylmä purjo- ja peru-
nakeitto
vinegar etikka
Virginia baked ham neilikoilla,
ananasviipaleilla, kirsikoilla
koristettu ja hedelmämehuhyy-
telöllä kuorrutettu kinkku
wafer pieni rapea ja makea vohveli
waffle vohveli
walnut saksanpähkinä
water ice jäädyke, sorbetti
watercress vesikrassi
watermelon vesimeloni
well done hyvin paistettu (liha)

Welsh rabbit/rarebit kuuma
juustovoileipä
whelk eräs simpukkalaji
whipped cream kermavaahto
whitebait eräs pikkukala
wiener schnitzel wieninleike
wine list viinilista
woodcock lehtokurppa
Worcestershire sauce mausteena
käytetty voimakas kastike, jossa
etikkaa ja soijaa
yoghurt jugurtti
York ham englantilainen savu-
kinkku
Yorkshire pudding eräänlainen
pannukakkutaikinasta uunissa
paistamalla valmistettu piiras,
joka tarjotaan yleensä paahto-
paistin kera
zucchini kesäkurpitsa
zwieback korppu

Juomat

ale voimakas, hieman sokeroitu
olut
  bitter ~ kitkerähkö, täyteläi-
  nen olut
  brown ~ tumma, hieman soke-
  roitu, valmiiksi pullotettu olut
  light ~ vaalea, valmiiksi pullo-
  tettu olut
  mild ~ tumma, täyteläinen
  tynnyriolut
  pale ~ vaalea, valmiiksi pullo-
  tettu olut
angostura eräs katkerolikööri

applejack amerikkalainen omena-
viina
Athol Brose skottilainen juoma,
jossa viskiä, hunajaa ja kaura-
hiutaleita
Bacardi cocktail rommicocktail,
jossa giniä ja limesitruuname-
hua
barley water virkistävä, hedel-
mänmakuinen, ohrasta valmis-
tettu juoma
barley wine vahvasti alkoholipi-
toinen, tumma olut

beer olut
bottled ~ pullotettu olut
draft, draught ~ tynnyriolut
bitters aperitiivit ja ruoansulatusta edistävät alkoholijuomat
black velvet samppanjaa, johon on lisätty *stoutia* (juodaan usein ostereiden kera)
bloody Mary cocktail, jossa vodkaa ja tomaattimehua
bourbon amerikkalainen, maissista valmistettu viski
brandy 1) viinirypäleistä tai muista hedelmistä valmistettu viina
2) konjakki
~ **Alexander** sekoitus, jossa viinaa, kaakaolikööriä ja kermaa
British wines englantilaiset viinit, valmistetaan tuontirypäleistä tai -rypälemehusta
cherry brandy kirsikkalikööri
chocolate kaakao
cider siideri
~ **cup** sekoitus, jossa mausteita, sokeria ja jäätelöä
claret punainen bordeauxviini
cobbler viinistä valmistettu juoma, johon on lisätty hedelmiä
coffee kahvi
~ **with cream** kerman kera
black ~ musta
caffeine-free ~ kofeiiniton
white ~ maitokahvi
Coke coca-cola
cordial ruokahalua kiihottava ja ruoansulatusta edistävä likööri
cream kerma
cup 1) kuppi 2) virkistävä juoma, jossa kylmää viiniä, soodaa, likööriä tai muuta alkoholia; koristellaan appelsiini-, sitruuna- tai kurkkuviipaleilla
daiquiri cocktail, jossa sokeria,

vihreän sitruunan mehua ja rommia
double kaksinkertainen, tupla
Drambuie viskipohjainen, hunajalla maustettu likööri
dry kuiva
~ **martini** 1) kuiva vermutti (GB) 2) cocktail, jossa giniä ja kuivaa vermuttia (US)
egg-nog kuuma juoma, jossa rommia tai viinaa, vatkattuja munankeltuaisia ja sokeria
gin and it giniä ja italialaista vermuttia
gin-fizz giniä, sitruunamehua, sokeria ja soodavettä
ginger ale alkoholiton, inkiväärillä maustettu virvoitusjuoma
ginger beer alkoholipitoinen juoma, jossa sokeria ja inkivääriä
grasshopper cocktail, jossa kermaa, minttu- ja kaakaolikööriä
Guinness (stout) hieman sokeria ja runsaasti humaloita sekä maltaita sisältävä tumma olut
half pint tilavuusmitta, noin 3 dl
highball sisältää viskiä tai muuta alkoholia, soodavettä tai *ginger alea*
iced kylmä
Irish coffee juoma, jossa kahvia, sokeria, irlantilaista viskiä ja kermavaahtoa
Irish Mist irlantilainen, viskipohjainen hunajalla maustettu likööri
Irish whiskey irlantilainen viski, kuivempaa kuin skottilainen, valmistukseen käytetään ohraa, ruista, vehnää ja kauraa
juice tuoremehu
lager mieto, vaalea olut, tarjotaan kylmänä
lemon squash puristettu sitruuna-

mehu
lemonade sitruunalimonaati
lime juice limettimehu
liqueur likööri
liquor viina, väkijuoma
long drink veteen tai tonic-veteen
sekoitettu alkoholijuoma jäi-
den kera
malt whisky maltaista valmistettu
viski
Manhattan cocktail, jossa ame-
rikkalaista viskiä, vermuttia,
angostuuraa ja säilötty kirsikka
milk maito
~ **shake** pirtelö
mineral water kivennäisvesi
mulled wine kuuma, maustettu
viini
neat sellaisenaan, juoma ilman
jäitä tai vettä
old-fashioned cocktail, jossa vis-
kiä, angostuuraa, sokeria ja säi-
lötty kirsikka
Ovaltine kylmä, valmis kaakao-
juoma
Pimm's cup(s) eräs alkoholijuo-
ma, jossa hedelmämehua tai
soodavettä
~ **No. 1** ginipohjainen
~ **No. 2** viskipohjainen
~ **No. 3** rommipohjainen
~ **No. 4** brandypohjainen
pink champagne rosésamppanja
pink lady cocktail, jossa munan-
valkuainen, Calvadosia, sitruu-
namehua, granaattiomename-
hua ja giniä
pint olutmitta, noin 6 dl
port (wine) portviini
porter tumma olut
quart noin 1,14 l (US 0,95 l)
root beer makea, kuohuva juoma,
maustettu yrteillä ja juurilla
rum rommi

rye (whiskey) ruisviski, ras-
kaampi ja kuivempi kuin
bourbon
scotch (whisky) skottilainen
viski
screwdriver cocktail, jossa vodkaa
ja appelsiinimehua
shandy oluen *(bitter ale)* ja limo-
naatin tai oluen ja inkivääri-
oluen sekoitus
short drink laimentamaton alko-
holijuoma
shot reunaan asti täytetty lasilli-
nen
sloe gin-fizz oratuomenmarjoista,
soodavedestä ja sitruunasta
valmistettu likööri
soda water soodavesi
soft drink alkoholiton juoma
sour 1) hapan 2) juomasta johon
on lisätty sitruunaa
spirits väkijuomat
stinger cocktail, jossa konjakkia
ja minttulikööriä
stout tumma olut, jonka valmis-
tukseen on käytetty runsaasti
humaloita
straight kuivana nautittu alkoholi
sweet makea
tea tee
toddy toti
Tom Collins cocktail, jossa giniä,
sokeria, sitruunamehua ja soo-
davettä
tonic (water) tonic-vesi, hiilihap-
poinen; sisältää kiniiniä
water vesi
whisky sour viskiä, sitruuname-
hua, sokeria ja säilötty kirsikka
wine viini
dessert ~ jälkiruokaviini
red ~ punaviini
sparkling ~ kuohuviini
white ~ valkoviini

Englannin kielen epäsäännölliset verbit

Oheisena seuraavat englannin kielen epäsäännölliset verbit. Yhdistetyt *(overdrive)* ja esiliitteelliset *(mistake)* verbimuodot taipuvat kuten pääverbi *(drive, take)*.

Infinitiivi	Imperfekti	Partisiipin perfekti	
arise	arose	arisen	*nousta*
awake	awoke	awoken/awaked	*herätä*
be	was	been	*olla*
bear	bore	borne	*kantaa*
beat	beat	beaten	*lyödä*
become	became	become	*tulla jksk*
begin	began	begun	*alkaa*
bend	bent	bent	*taipua*
bet	bet	bet	*lyödä vetoa*
bid	bade/bid	bidden/bid	*käskeä*
bind	bound	bound	*sitoa*
bite	bit	bitten	*purra*
bleed	bled	bled	*vuotaa verta*
blow	blew	blown	*puhaltaa*
break	broke	broken	*särkeä*
breed	bred	bred	*kasvattaa (karjaa)*
bring	brought	brought	*tuoda*
build	built	built	*rakentaa*
burn	burnt/burned	burnt/burned	*polttaa*
burst	burst	burst	*puhjeta*
buy	bought	bought	*ostaa*
can*	could	–	*osata, voida*
cast	cast	cast	*heittää, valaa*
catch	caught	caught	*pyydystää*
choose	chose	chosen	*valita*
cling	clung	clung	*takertua*
clothe	clothed/clad	clothed/clad	*pukea*
come	came	come	*tulla*
cost	cost	cost	*maksaa*
creep	crept	crept	*ryömiä*
cut	cut	cut	*leikata*
deal	dealt	dealt	*jakaa*
dig	dug	dug	*kaivaa*
do (he does*)	did	done	*tehdä*
draw	drew	drawn	*vetää*
dream	dreamt/dreamed	dreamt/dreamed	*uneksia*
drink	drank	drunk	*juoda*
drive	drove	driven	*ajaa*
dwell	dwelt	dwelt	*asua*
eat	ate	eaten	*syödä*
fall	fell	fallen	*pudota*

* indikatiivin preesens

feed	fed	fed	*ruokkia*
feel	felt	felt	*tuntea*
fight	fought	fought	*taistella*
find	found	found	*löytää*
flee	fled	fled	*paeta*
fling	flung	flung	*heittää*
fly	flew	flown	*lentää*
forsake	forsook	forsaken	*hylätä*
freeze	froze	frozen	*jäätyä*
get	got	got	*saada*
give	gave	given	*antaa*
go (he goes*)	went	gone	*mennä*
grind	ground	ground	*jauhaa*
grow	grew	grown	*kasvaa*
hang	hung	hung	*ripustaa*
have (he has*)	had	had	*olla, omistaa*
hear	heard	heard	*kuulla*
hew	hewed	hewed/hewn	*hakata*
hide	hid	hidden	*kätkeä*
hit	hit	hit	*lyödä*
hold	held	held	*pitää kiinni*
hurt	hurt	hurt	*loukata*
keep	kept	kept	*pitää*
kneel	knelt	knelt	*polvistua*
knit	knitted/knit	knitted/knit	*neuloa, panna*
know	knew	known	*tietää*
lay	laid	laid	*asettaa*
lead	led	led	*johtaa*
lean	leant/leaned	leant/leaned	*nojata*
leap	leapt/leaped	leapt/leaped	*hypätä*
learn	learnt/learned	learnt/learned	*oppia*
leave	left	left	*jättää*
lend	lent	lent	*lainata*
let	let	let	*sallia*
lie	lay	lain	*maata*
light	lit/lighted	lit/lighted	*sytyttää*
lose	lost	lost	*kadottaa*
make	made	made	*tehdä*
may*	might	–	*saattaa, voida*
mean	meant	meant	*tarkoittaa*
meet	met	met	*tavata*
mow	mowed	mowed/mown	*niittää*
must*	must	–	*täytyä*
ought* (to)	ought	–	*pitäisi*
pay	paid	paid	*maksaa*
put	put	put	*panna*
read	read	read	*lukea*
rid	rid	rid	*vapauttaa*
ride	rode	ridden	*ratsastaa*

---

* indikatiivin preesens

ring	rang	rung	*soittaa*
rise	rose	risen	*nousta*
run	ran	run	*juosta*
saw	sawed	sawn	*sahata*
say	said	said	*sanoa*
see	saw	seen	*nähdä*
seek	sought	sought	*etsiä*
sell	sold	sold	*myydä*
send	sent	sent	*lähettää*
set	set	set	*asettaa*
sew	sewed	sewed/sewn	*ommella*
shake	shook	shaken	*ravistaa*
shall*	should	–	*pitää*
shed	shed	shed	*vuodattaa*
shine	shone	shone	*loistaa*
shoot	shot	shot	*ampua*
show	showed	shown	*näyttää*
shrink	shrank	shrunk	*kutistua*
shut	shut	shut	*sulkea*
sing	sang	sung	*laulaa*
sink	sank	sunk	*vajota*
sit	sat	sat	*istua*
sleep	slept	slept	*nukkua*
slide	slid	slid	*liukua*
sling	slung	slung	*heittää*
slink	slunk	slunk	*livahtaa*
slit	slit	slit	*viiltää*
smell	smelled/smelt	smelled/smelt	*haistaa*
sow	sowed	sown/sowed	*kylvää*
speak	spoke	spoken	*puhua*
speed	sped/speeded	sped/speeded	*kiirehtiä*
spell	spelt/spelled	spelt/spelled	*tavata*
spend	spent	spent	*kuluttaa, viettää*
spill	spilt/spilled	spilt/spilled	*valua yli*
spin	spun	spun	*kehrätä*
spit	spat	spat	*sylkeä*
split	split	split	*halkaista*
spoil	spoilt/spoiled	spoilt/spoiled	*pilata*
spread	spread	spread	*levittää*
spring	sprang	sprung	*ponnahtaa*
stand	stood	stood	*seisoa*
steal	stole	stolen	*varastaa*
stick	stuck	stuck	*pistää*
sting	stung	stung	*pistää*
stink	stank/stunk	stunk	*haista pahalta*
strew	strewed	strewed/strewn	*sirotella*
stride	strode	stridden	*harppoa*
strike	struck	struck/stricken	*iskeä*
string	strung	strung	*varustaa nyörillä*

* indikatiivin preesens

strive	strove	striven	*pyrkiä*
swear	swore	sworn	*vannoa*
sweep	swept	swept	*lakaista*
swell	swelled	swollen/swelled	*turvota, paisua*
swim	swam	swum	*uida*
swing	swung	swung	*keinua*
take	took	taken	*ottaa*
teach	taught	taught	*opettaa*
tear	tore	torn	*repiä*
tell	told	told	*kertoa*
think	thought	thought	*ajatella*
throw	threw	thrown	*heittää*
thrust	thrust	thrust	*työntää*
tread	trod	trodden	*tallata*
wake	woke/waked	woken/waked	*herätä*
wear	wore	worn	*käyttää*
weave	wove	woven	*kutoa kangasta*
weep	wept	wept	*itkeä*
will *	would	—	*tahtoa*
win	won	won	*voittaa*
wind	wound	wound	*kiertää*
wring	wrung	wrung	*vääntää*
write	wrote	written	*kirjoittaa*

---

* indikatiivin preesens

Englanninkielisiä lyhenteitä

AA	Automobile Association	Englannin Autoliitto
AAA	American Automobile Association	Yhdysvaltain Autoliitto
ABC	American Broadcasting Company	amerikkalainen radio- ja televisioyhtiö
A.D.	anno Domini	jKr.
Am.	America; American	Amerikka; amerikkalainen
a.m.	ante meridiem (before noon)	klo 0.00–12.00
Amtrak	American railroad corporation	amerikkalainen rautatieyhtiö
AT & T	American Telephone and Telegraph Company	amerikkalainen puhelin- ja lennätinyhtiö
Ave.	avenue	puistokatu
BBC	British Broadcasting Corporation	Englannin yleisradio
B.C.	before Christ	eKr.
bldg.	building	rakennus
Blvd.	boulevard	bulevardi
B.R.	British Rail	Englannin Valtion Rautatiet
Brit.	Britain; British	Iso-Britannia; brittiläinen
Bros.	brothers	Veljekset (liikenimi)
¢	cent	sentti, dollarin sadasosa
Can.	Canada; Canadian	Kanada; kanadalainen
CBS	Columbia Broadcasting System	amerikkalainen radio- ja televisioyhtiö
CID	Criminal Investigation Department	rikospoliisi (Iso-Britannia)
CNR	Canadian National Railway	Kanadan Valtion Rautatiet
c/o	(in) care of	osoitteissa: jonkun luona
Co.	company	yhtiö
Corp.	corporation	yhtiö
CPR	Canadian Pacific Railways	kanadalainen rautatieyhtiö
D.C.	District of Columbia	Columbian piirikunta (Washington, D.C.)
DDS	Doctor of Dental Science	hammaslääkäri
dept.	department	osasto
EEC	European Economic Community	Euroopan Talousyhteisö
e.g.	for instance	esim.

Eng.	*England; English*	Englanti; englantilainen
excl.	*excluding; exclusive*	lukuun ottamatta
ft.	*foot/feet*	pituusmitta: jalka/jalat (30,5 cm)
GB	*Great Britain*	Iso-Britannia
H.E.	*His/Her Excellency; His Eminence*	Hänen Ylhäisyytensä; Hänen Korkea-arvoisuutensa, kardinaalin puhuttelusana
H.H.	*His Holiness*	Hänen Pyhyytensä, paavin puhuttelusana
H.M.	*His/Her Majesty*	Hänen Majesteettinsa
H.M.S.	*Her Majesty's ship*	Ison-Britannian laivaston sotalaiva
hp	*horsepower*	hevosvoima
Hwy	*highway*	valtatie
i.e.	*that is to say*	toisin sanoen
in.	*inch*	tuuma (2,54 cm)
Inc.	*incorporated*	amerikkalainen osakeyhtiö
incl.	*including, inclusive*	mukaan lukien
£	*pound sterling*	Englannin punta
L.A.	*Los Angeles*	Los Angeles
Ltd.	*limited*	englantilainen osakeyhtiö
M.D.	*Doctor of Medicine*	lääket. tri
M.P.	*Member of Parliament*	Englannin parlamentin jäsen, kansanedustaja
mph	*miles per hour*	mailia tunnissa
Mr.	*Mister*	herra
Mrs.	*Missis*	rouva
Ms.	*Missis/Miss*	rouva/neiti
nat.	*national*	kansallinen
NBC	*National Broadcasting Company*	amerikkalainen radio- ja televisioyhtiö
No.	*number*	numero
N.Y.C.	*New York City*	New York City
O.B.E.	*Officer (of the Order) of the British Empire*	Brittiläisen Imperiumin ritarikunnan kunniamerkki
p.	*page; penny/pence*	sivu; penny/pence, punnan sadasosa
p.a.	*per annum*	vuodessa, vuotta kohti
Ph.D.	*Doctor of Philosophy*	fil. tri
p.m.	*post meridiem (after noon)*	klo 12.00–24.00
PO	*post office*	postitoimisto
POO	*post office order*	postisiirto

pop.	*population*	asukasluku
P.T.O.	*please turn over*	käännä
RAC	*Royal Automobile Club*	Englannin Autoklubi
RCMP	*Royal Canadian Mounted Police*	Kanadan ratsupoliisi
Rd.	*road*	tie
ref.	*reference*	viite
Rev.	*reverend*	kirkkoherra
RFD	*rural free delivery*	ilmainen kotiinkuljetus
RR	*railroad*	rautatie
RSVP	*please reply*	vastausta pyydetään
$	*dollar*	dollari
Soc.	*society*	seura
St.	*saint ; street*	pyhä ; katu
STD	*Subscriber Trunk Dialling*	automaattipuhelin
UN	*United Nations*	Yhdistyneet Kansakunnat
UPS	*United Parcel Service*	amerikkalainen paketinkuljetusyhtiö
US	*United States*	Yhdysvallat
USS	*United States Ship*	amerikkalainen sotalaiva
VAT	*value added tax*	liikevaihtovero
VIP	*very important person*	tärkeä henkilö
Xmas	*Christmas*	joulu
yd.	*yard*	jaardi (91,44 cm)
YMCA	*Young Men's Christian Association*	NMKY
YWCA	*Young Women's Christian Association*	NNKY
ZIP	*ZIP code*	postinumerotunnus

Lukusanat

Perusluvut		**Järjestysluvut**	
0	zero	1st	first
1	one	2nd	second
2	two	3rd	third
3	three	4th	fourth
4	four	5th	fifth
5	five	6th	sixth
6	six	7th	seventh
7	seven	8th	eighth
8	eight	9th	ninth
9	nine	10th	tenth
10	ten	11th	eleventh
11	eleven	12th	twelfth
12	twelve	13th	thirteenth
13	thirteen	14th	fourteenth
14	fourteen	15th	fifteenth
15	fifteen	16th	sixteenth
16	sixteen	17th	seventeenth
17	seventeen	18th	eighteenth
18	eighteen	19th	nineteenth
19	nineteen	20th	twentieth
20	twenty	21st	twenty-first
21	twenty-one	22nd	twenty-second
22	twenty-two	23rd	twenty-third
23	twenty-three	24th	twenty-fourth
24	twenty-four	25th	twenty-fifth
25	twenty-five	26th	twenty-sixth
30	thirty	27th	twenty-seventh
40	forty	28th	twenty-eighth
50	fifty	29th	twenty-ninth
60	sixty	30th	thirtieth
70	seventy	40th	fortieth
80	eighty	50th	fiftieth
90	ninety	60th	sixtieth
100	a/one hundred	70th	seventieth
230	two hundred and thirty	80th	eightieth
		90th	ninetieth
1,000	a/one thousand	100th	hundredth
10,000	ten thousand	230th	two hundred and thirtieth
100,000	a/one hundred thousand		
1,000,000	a/one million	1,000th	thousandth

Kellonajat

Englannissa ja Amerikassa kellonaika ilmaistaan 12 tuntiin perustuvalla järjestelmällä. Vuorokauden eri ajat ilmaistaan siten, että *a.m. (ante meridiem)* merkitsee kellonaikaa 0.00–12.00 ja *p.m. (post meridiem)* klo 12.00–24.00.

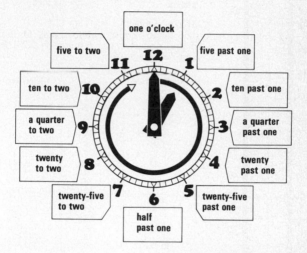

I'll come at seven a.m.   Tulen klo 7 aamulla.
I'll come at two p.m.   Tulen klo 2 iitapäivällä.
I'll come at eight p.m.   Tulen klo 8 illalla.

Viikonpäivät

Sunday	sunnuntai	*Thursday*	torstai
Monday	maanantai	*Friday*	perjantai
Tuesday	tiistai	*Saturday*	lauantai
Wednesday	keskiviikko		

156
Conversion tables/Muuntotaulukot

Metri ja jalka

Numero taulukon keskimmäisessä sarakkeessa vastaa sekä metrejä että jalkoja, ts. 1 metri = 3,281 jalkaa ja 1 jalka = 0,30 metriä.

Metres and feet

The figure in the middle stands for both metres and feet, e.g. 1 metre = 3.281 feet and 1 foot = 0.30 m.

metrit/metres		jalat/feet
0.30	1	3.281
0.61	2	6.563
0.91	3	9.843
1.22	4	13.124
1.52	5	16.403
1.83	6	19.686
2.13	7	22.967
2.44	8	26.248
2.74	9	29.529
3.05	10	32.810
3.66	12	39.372
4.27	14	45.934
6.10	20	65.620
7.62	25	82.023
15.24	50	164.046
22.86	75	246.069
30.48	100	328.092

Lämpötila

Muunnettaessa Celsius-asteita Fahrenheitasteiksi ne kerrotaan 1,8:lla ja niihin lisätään 32.
Muunnettaessa vastaavasti Fahrenheitasteita Celsius-asteiksi vähennetään lämpötilasta 32 ja tulos jaetaan 1,8:lla.

Temperature

To convert Centigrade to Fahrenheit, multiply by 1.8 and add 32.
To convert Fahrenheit to Centigrade, subtract 32 from Fahrenheit and divide by 1.8.

Eräitä avainilmaisuja

Some Basic Phrases

Olkaa hyvä.	Please.
Kiitoksia paljon.	Thank you very much.
Ei kestä.	Don't mention it.
Hyvää huomenta.	Good morning.
Hyvää päivää *(iltapäivällä)*.	Good afternoon.
Hyvää iltaa.	Good evening.
Hyvää yötä.	Good night.
Näkemiin.	Good-bye.
Pikaisiin näkemiin.	See you later.
Missä on/Missä ovat...?	Where is/Where are...?
Miksi tätä kutsutaan?	What do you call this?
Mitä tuo tarkoittaa?	What does that mean?
Puhutteko englantia?	Do you speak English?
Puhutteko saksaa?	Do you speak German?
Puhutteko ranskaa?	Do you speak French?
Puhutteko espanjaa?	Do you speak Spanish?
Puhutteko italiaa?	Do you speak Italian?
Voisitteko puhua hitaammin?	Could you speak more slowly, please?
En ymmärrä.	I don't understand.
Voinko saada...?	Can I have...?
Voitteko näyttää minulle...?	Can you show me...?
Voitteko sanoa minulle...?	Can you tell me...?
Voitteko auttaa minua?	Can you help me, please?
Haluaisin...	I'd like...
Haluaisimme...	We'd like...
Olkaa hyvä ja antakaa minulle...	Please give me...
Tuokaa minulle...	Please bring me...
Minun on nälkä.	I'm hungry.
Minun on jano.	I'm thirsty.
Olen eksyksissä.	I'm lost.
Pitäkää kiirettä!	Hurry up!
Siellä on/Siellä ovat...	There is/There are...
Siellä ei ole...	There isn't/There aren't...

Perilletulo

Passinne, olkaa hyvä.

Onko teillä mitään tullattavaa?

Ei, ei mitään.

Voitteko auttaa minua
kantamaan matkatavarani?

Mistä lähtee bussi
keskikaupungille?

Tätä tietä, olkaa hyvä.

Mistä voin saada taksin?

Paljonko se maksaa ...n?

Viekää minut tähän osoitteeseen.

Minulla on kiire.

Arrival

Your passport, please.

Have you anything to declare?

No, nothing at all.

Can you help me with my luggage,
please?

Where's the bus to the centre of
town, please?

This way, please.

Where can I get a taxi?

What's the fare to...?

Take me to this address, please.

I'm in a hurry.

Hotelli

Nimeni on...

Onko teillä varaus?

Haluaisin huoneen jossa on
kylpyhuone.

Paljonko se maksaa yöltä?

Saanko nähdä huoneen?

Mikä on huoneeni numero?

Huoneessa ei ole kuumaa vettä.

Haluaisin tavata johtajan.

Onko kukaan soittanut minulle?

Onko minulle postia?

Saisinko laskun?

Hotel

My name is...

Have you a reservation?

I'd like a room with a bath.

What's the price per night?

May I see the room?

What's my room number, please?

There's no hot water.

May I see the manager, please?

Did anyone telephone me?

Is there any mail for me?

May I have my bill (check),
please?

Ravintolassa

Onko teillä päivän ateriaa?

Saanko à la carte -ruokalistan?

Saisimmeko tuhkakupin?

Eating out

Do you have a fixed-price menu?

May I see the menu?

May we have an ashtray, please?

Missä on WC?	Where's the toilet, please?
Haluaisin alkupalat.	I'd like an hors d'œuvre (starter).
Onko teillä keittoa?	Have you any soup?
Haluaisin kalaa.	I'd like some fish.
Mitä kalaa teillä on?	What kind of fish do you have?
Haluaisin pihvin.	I'd like a steak.
Mitä vihanneksia teillä on?	What vegetables have you got?
Ei muuta, kiitos.	Nothing more, thanks.
Mitä haluaisitte juoda?	What would you like to drink?
Haluaisin oluen.	I'll have a beer, please.
Haluaisin pullon viiniä.	I'd like a bottle of wine.
Saisinko laskun?	May I have the bill (check), please?
Sisältyykö siihen palvelu?	Is service included?
Kiitoksia, se oli erittäin hyvä ateria.	Thank you, that was a very good meal.

Matkalla	**Travelling**
Missä on rautatieasema?	Where's the railway station, please?
Missä on lipunmyynti?	Where's the ticket office, please?
Haluaisin lipun ... n.	I'd like a ticket to...
Ensimmäinen vai toinen luokka?	First or second class?
Ensimmäinen.	First class, please.
Yhdensuuntainen vai edestakainen?	Single or return (one way or roundtrip)?
Täytyykö minun vaihtaa junaa?	Do I have to change trains?
Miltä laiturilta juna lähtee ... n?	What platform does the train for... leave from?
Missä on lähin maanalaisen asema?	Where's the nearest underground (subway) station?
Missä on linja-autoasema?	Where's the bus station, please?
Milloin lähtee ensimmäinen bussi ... n?	When's the first bus to...?
Päästäisittekö minut pois seuraavalla pysäkillä?	Please let me off at the next stop.

Huvitukset

Mitä elokuvissa esitetään?

Mihin aikaan elokuva alkaa?

Onko täksi illaksi vielä lippuja?

Mihin voimme mennä
tanssimaan?

Relaxing

What's on at the cinema (movies)?

What time does the film begin?

Are there any tickets for tonight?

Where can we go dancing?

Tutustuminen

Hyvää päivää.

Mitä kuuluu?

Kiitos, erittäin hyvää. Entä teille?

Saanko esitellä ...n?

Nimeni on...

Hauska tavata.

Kauanko olette ollut täällä?

Oli hauska tavata.

Häiritseekö teitä jos
tupakoin?

Onko teillä tulta?

Saanko tarjota teille lasillisen?

Saanko pyytää teidät päivälliselle
tänä iltana?

Missä tapaamme?

Meeting people

How do you do.

How are you?

Very well, thank you. And you?

May I introduce...?

My name is...

I'm very pleased to meet you.

How long have you been here?

It was nice meeting you.

Do you mind if I smoke?

Do you have a light, please?

May I get you a drink?

May I invite you for dinner
tonight?

Where shall we meet?

Liikkeet ja palvelut

Missä on lähin pankki?

Missä voin vaihtaa matkašekkejä?

Voitteko antaa minulle
vaihtorahaa?

Missä on lähin apteekki?

Miten sinne pääsee?

Onko se kävelymatkan päässä?

Voitteko auttaa minua?

Shops, stores and services

Where's the nearest bank, please?

Where can I cash some travellers'
cheques?

Can you give me some small
change, please?

Where's the nearest chemist's
(pharmacy)?

How do I get there?

Is it within walking distance?

Can you help me, please?

Paljonko tämä maksaa? Entä tuo?

How much is this? And that?

Se ei ole aivan sitä mitä haluan.

It's not quite what I want.

Pidän siitä.

I like it.

Voitteko suositella jotakin auringonpolttamaan?

Can you recommend something for sunburn?

Haluaisin hiustenleikkuun.

I'd like a haircut, please.

Haluaisin käsienhoidon.

I'd like a manicure, please.

Tien kysyminen

Street directions

Voitteko näyttää minulle kartalta missä olen?

Can you show me on the map where I am?

Olette väärällä tiellä.

You are on the wrong road.

Menkää suoraan eteenpäin.

Go/Walk straight ahead.

Se on vasemmalla/oikealla.

It's on the left/on the right.

Onnettomuudet

Emergencies

Kutsukaa nopeasti lääkäri.

Call a doctor quickly.

Kutsukaa ambulanssi.

Call an ambulance.

Olkaa hyvä ja kutsukaa poliisi.

Please call the police.

finnish-english

suomi-englanti

Introduction

This dictionary has been designed to best meet your practical needs. Unnecessary linguistic information has been avoided. The entries are listed in alphabetical order, regardless of whether the entry is printed in a single word or in two or more separate words. As the only exception to this rule, a few idiomatic expressions are listed alphabetically as main entries, according to the most significant word of the expression. When an entry is followed by sub-entries, such as expressions and locutions, these are also listed in alphabetical order[1].

Each main-entry word is followed by a phonetic transcription (see guide to pronunciation). Following the transcription is the part of speech of the entry word whenever applicable. If an entry word is used as more than one part of speech, the translations are grouped together after the respective part of speech.

Whenever an entry word is repeated in sub-entries, a tilde ($\sim$) is used to represent the full word.

Abbreviations

		pl	plural
adj	adjective	*plAm*	plural (American)
adv	adverb	*postp*	postposition
Am	American	*pp*	past participle
art	article	*pr*	present tense
conj	conjunction	*pref*	prefix
n	noun	*prep*	preposition
nAm	noun (American)	*pron*	pronoun
num	numeral	*v*	verb
p	past tense	*vAm*	verb (American)

---

[1] Note that Finnish alphabetical order differs from our own for two letters: *ä* and *ö*. These are considered independent characters and come after *z*, in that order.

Guide to Pronunciation

Each main entry in this part of the dictionary is followed by a phonetic transcription which shows you how to pronounce the words. This transcription should be read as if it were English. It is based on Standard British pronunciation, though we have tried to take account of General American pronunciation also. Below, only those letters and symbols are explained which we consider likely to be ambiguous or not immediately understood.

The syllables are separated by hyphens, and stressed syllables are printed in *italics*.

Of course, the sounds of any two languages are never exactly the same, but if you follow carefully our indications, you should be able to pronounce the foreign words in such a way that you'll be understood. To make your task easier, our transcriptions occasionally simplify slightly the sound system of the language while still reflecting the essential sound differences.

Consonants

g   always hard, as in go

h   always pronounced, even *after* vowels

ng   as in si**ng**er, not as in fi**ng**er (no **g**-sound!)

r   rolled in the front of the mouth

s   always hard, as in **s**o

Vowels and Diphthongs

aa   long **a**, as in c**a**r, without any **r**-sound

ah   a short version of **aa**; between **a** in c**a**t and **u** in c**u**t

æ   like **a** in c**a**t

ææ   a long **æ**-sound

ew   a "rounded **ee**-sound". Say the vowel sound **ee** (as in s**ee**) and, while saying it, round your lips as for **oo** (in s**oo**n), without moving your tongue; when your lips are in the **oo** position, but your tongue in the **ee** position, you should be pronouncing the correct sound

igh as in s**igh**

ur   as in f**ur**, but with rounded lips and no **r**-sound

1) A bar over a vowel symbol (e.g. **ēw**) shows that this sound is long.
2) Raised letters (e.g. **oo**ᵉᵉ, ʸ**ay** should be pronounced only flectingly.

Stress

In Finnish, the first syllable of a word is always strongly stressed. In longer words, a second, weaker stress can occur. In our transcriptions, we don't distinguish between primary and secondary stress, but print all stressed syllables in italics. Just remember that the strong stress always falls on the *first* syllable of a word.

A

aakkoset (*aak*-koa-sayt) *pl* alphabet
aallonmurtaja (*aal*-loan-*moor*-tah-ʸah)
 n jetty
aallonpituus (*aal*-loan-*pi*-tōōss) *n*
 wave-length
aalto (*aal*-toa) *n* wave
aaltoileva (*aal*-toi-lay-vah) *adj* undu-
 lating, wavy
aamiainen (*aa*-mi-igh-nayn) *n* lunch
aamu (*aa*-moo) *n* morning; **tänä aa-
 muna** this morning
aamulehti (*aa*-moo-*layh*-ti) *n* morning
 paper
aamunkoitto (*aa*-moon-*koit*-toa) *n*
 dawn
aamupainos (*aa*-moo-*pigh*-noass) *n*
 morning edition
aamupala (*aa*-moo-*pah*-lah) *n* break-
 fast
aamupäivä (*aa*-moo-*pæ*ᵉᵉ-væ) *n*
 morning
aamutakki (*aa*-moo-*tahk*-ki) *n* dress-
 ing-gown
aarre (*aar*-ray) *n* treasure
aasi (*aa*-si) *n* donkey, ass
Aasia (*aa*-si-ah) Asia
aasialainen (*aa*-si-ah-ligh-nayn) *n*
 Asian; *adj* Asian
aate (*aa*-tay) *n* idea

aatelinen (*aa*-tay-li-nayn) *adj* noble
aatelisto (*aa*-tay-liss-toa) *n* nobility
aave (*aa*-vay) *n* ghost, phantom, spir-
 it, *n* spook
aavistaa (*aa*-viss-taa) *v* sense
aavistamaton (*aa*-viss-tah-mah-toan)
 adj unexpected
aavistus (*aa*-viss-tooss) *n* perception,
 idea
abstraktinen (*ahb*-strahk-ti-nayn) *adj*
 abstract
adjektiivi (*ahd*-ʸayk-tee-vi) *n* adjective
adoptoida (*ah*-doap-toi-dah) *v* adopt
adverbi (*ahd*-vayr-bi) *n* adverb
Afrikka (*ahf*-rik-kah) Africa
afrikkalainen (*ahf*-rik-kah-ligh-nayn) *n*
 African; *adj* African
agentti (*ah*-gaynt-ti) *n* agent
ahdas (*ahh*-dahss) *adj* narrow
ahdasmielinen (*ahh*-dahss-*m*yaʸ li
 nayn) *adj* narrow-minded
ahdistaa (*ahh*-diss-taa) *v* oppress
ahertaa (*ah*-hayr-taa) *v* labour
ahkera (*ahh*-kay-rah) *adj* industrious,
 diligent, hard-working
ahkeruus (*ahh*-kay-rōōss) *n* diligence
ahne (*ahh*-nay) *adj* greedy
ahneus (*ahh*-nay-ooss) *n* greed
ahven (*ahh*-vayn) *n* bass, perch
aie (*igh*-ay) *n* intention, design
aihe (*igh*-hay) *n* topic, theme, subject;
 matter, occasion, cause, reason

aiheuttaa (*igh*-hay-oot-taa) *v* cause

aika (*igh*-kah) *n* time; ~ **ajoin** occasionally; **aikaa säästävä** time-saving; **vanha** ~ antiquity

aikaisempi (*igh*-kigh-saym-pi) *adj* previous, earlier

aikaisin (*igh*-kigh-sin) *adv* early

aikakausjulkaisu (*igh*-kah-*kouss*-^yool-kigh-soo) *n* journal, magazine

aikakauskirja (*igh*-kah-*kouss-keer*-^yah) *n* review

aikakauslehti (*igh*-kah-*kouss-layh*-ti) *n* magazine, periodical

aikalainen (*igh*-kah-ligh-nayn) *n* contemporary

aikana (*igh*-kah-nah) *postp* during

aikataulu (*igh*-kah-*tou*-loo) *n* schedule, timetable

aikoa (*igh*-koa-ah) *v* *mean, intend

aikomus (*igh*-koa-mooss) *n* intention

aikuinen (*igh*-koo^{ee}-nayn) *n* adult, grown-up; *adj* adult

aina (*igh*-nah) *adv* always

ainakin (*igh*-nah-kin) *adv* at least

aine (*igh*-nay) *n* theme, matter, substance; material; essay; **antiseptinen** ~ antiseptic; **kiinteä** ~ solid

aineellinen (*igh*-nāyl-li-nayn) *adj* material; substantial

aineosa (*igh*-nay-oa-sah) *n* ingredient

aines (*igh*-nayss) *n* ingredient

ainoa (*igh*-noa-ah) *adj* sole, only; single

ainoastaan (*igh*-noa-ahss-taan) *adv* only

ainutlaatuinen (*igh*-noot-*laa*-too^{ee}-nayn) *adj* unique, exceptional

airo (*igh*-roa) *n* oar

aisti (*ighss*-ti) *n* sense

aistillisuus (*ighss*-til-li-s̄ooss) *n* lust

aistimus (*ighss*-ti-mooss) *n* sensation

aita (*igh*-tah) *n* fence

aitaus (*igh*-tah-ooss) *n* fence, enclosure

aito (*igh*-toa) *adj* true, genuine; authentic

aivan (*igh*-vahn) *adv* just; quite

aivastaa (*igh*-vahss-taa) *v* sneeze

aivot (*igh*-voat) *pl* brain

aivotärähdys (*igh*-voa-*tæ*-ræh-dewss) *n* concussion

ajaa (*ah*-^yaa) *v* *drive; *ride; ~ **autolla** motor; ~ **eteenpäin** propel; ~ **nopeasti** *speed; ~ **parta** shave; ~ **takaa** pursue, chase; ~ **talliin** garage

ajaja (*ah*-^yah-^yah) *n* driver

ajaksi (*ah*-^yahk-si) *postp* for

ajanjakso (*ah*-^yahn-*y*ahk-soa) *n* period

ajankohtainen (*ah*-^yahn-*koah*-tigh-nayn) *adj* topical, current

ajanviete (*ah*-^yahn-*vyay*-tay) *n* diversion, entertainment

ajatella (*ah*-^yah-tayl-lah) *v* *think

ajattelija (*ah*-^yaht-tay-li-^yah) *n* thinker

ajatus (*ah*-^yah-tooss) *n* thought; idea

ajatusviiva (*ah*-^yah-tooss-*vee*-vah) *n* dash

ajelu (*ah*-^yay-loo) *n* drive; ride

ajoissa (*ah*-^yoiss-sah) *adv* in time

ajoittainen (*ah*-^yoit-tigh-nayn) *adj* periodical

ajokaista (*ah*-^yoa-*kighss*-tah) *n* lane

ajokortti (*ah*-^yoa-*koart*-ti) *n* driving licence

ajoneuvo (*ah*-^yoa-*nay*^{oo}-voa) *n* vehicle

ajorata (*ah*-^yoa-*rah*-tah) *n* carriageway; roadway *nAm*

ajos (*ah*-^yoass) *n* abscess

ajotie (*ah*-^yoa-*tyay*) *n* drive

akatemia (*ah*-kah-tay-miah) *n* academy

akku (*ahk*-koo) *n* battery

akseli (*ahk*-say-li) *n* axle

aktiivinen (*ahk*-tee-vi-nayn) *adj* active

ala (*ah*-lah) *n* range; branch; field

alahanka (*ah*-lah-*hahng*-kah) *n* port

alaikäinen (*ah*-lah-*i*-kæ^{ee}-nayn) *adj*

under age; *n* minor
alainen (*ah*-ligh-nayn) *adj* subordinate
alakertaan (*ah*-lah-*kayr*-taan) *adv*
downstairs
alakuloinen (*ah*-lah-*koo*-loi-nayn) *adj*
low, down; sad, blue
alamaa (*ah*-lah-*maa*) *n* lowlands *pl*
alamainen (*ah*-lah-*migh*-nayn) *n* subject
alankomaalainen (*ah*-lahng-koa-*maa*-ligh-nayn) *n* Dutchman; *adj* Dutch
Alankomaat (*ah*-lahng-koa-*maat*) *pl*
the Netherlands
alanumero (*ah*-lah-*noo*-may-roa) *n* extension
alaosa (*ah*-lah-*oa*-sah) *n* bottom
alaotsikko (*ah*-lah-*oat*-sik-koa) *n* subtitle
alapuolella (*ah*-lah-*pwoa*-layl-lah) *adv*
beneath, under
alas (*ah*-lahss) *adv* downwards, down
alaspäin (*ah*-lahss-*pæ*ᵉᵉn) *adv* down, downwards
alaston (*ah*-lahss-toan) *adj* bare, nude, naked
alastonkuva (*ah*-lahss-toan-*koo*-vah) *n*
nude
alempi (*ah*-laym-pi) *adj* inferior; lower
alempiarvoinen (*ah*-laym-pi-*ahr*-voi-nayn) *adj* inferior
alennus (*ah*-layn-nooss) *n* discount, rebate, reduction
alennusmyynti (*ah*-layn-nooss-*mēwn*-ti) *n* clearance sale, sales
alentaa (*ah*-layn-taa) *v* lower, reduce;
~ **arvoa** devalue
algebra (*ah*-gayb-rah) *n* algebra
Algeria (*ahl*-gay-ri-ah) Algeria
algerialainen (*ahl*-gay-ri-ah-ligh-nayn)
n Algerian; *adj* Algerian
alhaalla (*ahl*-haal-lah) *adv* below
alhaisempi (*ahl*-high-saym-pi) *adj* inferior
aliarvioida (*ah*-li-*ahr*-vi-oi-dah) *v*

underestimate
alin (*ah*-lin) *adj* bottom
alinomaa (*ah*-lin-oa-maa) *adv* continually
alinomainen (*ah*-lin-*oa*-migh-nayn) *adj*
constant
aliravitsemus (*ah*-li-*rah*-vit-say-mooss)
n malnutrition
alistaa (*ah*-liss-taa) *v* subject
alistua (*ah*-liss-too-ah) *v* accept, submit
alituinen (*ah*-li-too ᵉᵉ-nayn) *adj* continual
alkaa (*ahl*-kaa) *v* commence, *begin
alkaen (*ahl*-kah-ayn) *postp* from, since
alkeis- (*ahl*-kayss) primary
alkio (*ahl*-ki-oa) *n* embryo; germ
alkoholi (*ahl*-koa-hoa-li) *n* alcohol; **alkoholiton juoma** soft drink
alkoholiliike (*ahl*-koa-hoa-li-*lee*-kay) *n*
off-licence
alkoholipitoinen (*ahl*-koa-hoa-li-*pi*-toi-nayn) *adj* alcoholic
alku (*ahl*-koo) *n* start, beginning; **alku-** initial
alkuasukas (*ahl*-koo-ah-soo-kahss) *n*
native
alkulähde (*ahl*-koo *læh*-day) *n* origin
alkuperä (*ahl*-koo-pay-ræ) *n* origin
alkuperäinen (*ahl*-koo-pay-ræᵉᵉ-nayn)
adj original; primary; initial
alkuruoka (*ahl*-koo-*rwoa*-kah) *n* hors-d'œuvre, starter
alkusoitto (*ahl*-koo-*soit*-toa) *n* overture
alla (*ahl*-lah) *postp* under, beneath, below; *adv* underneath
allas (*ahl*-lahss) *n* basin; pool
allekirjoittaa (*ahl*-lay-*keer*-ʸoit-taa) *v*
sign; endorse
allekirjoittanut (*ahl*-lay-*keer*-ʸoit-tah-noot) *n* undersigned
alleviivata (*ahl*-lay-*vee*-vah-tah) *v* underline

almanakka (*ahl*-mah-nahk-kah) *n* almanac

aloite (*ah*-loi-tay) *n* initiative

aloittaa (*ah*-loit-taa) *v* *begin, start; ~ **uudestaan** recommence

aloittelija (*ah*-loit-tay-li-*Y*ah) *n* learner

alokas (*ah*-loa-kahss) *n* recruit

alppimaja (*ahlp*-pi-*mah*-*Y*ah) *n* chalet

altis jllk (*ahl*-tiss) *adj* liable to, subject to

alttari (*ahlt*-tah-ri) *n* altar

alttiiksipano (*ahlt*-teek-si-*pah*-noa) *n* exposure

altto (*ahlt*-toa) *n* alto

alue (*ah*-loo-ay) *n* area, zone, region, district; field, territory

alueellinen (*ah*-loo-*ā*yl-li-nayn) *adj* regional

alunperin (*ah*-loon-*pay*-rin) *adv* originally

alus (*ah*-looss) *n* vessel

alushame (*ah*-looss-*hah*-may) *n* slip

alushousut (*ah*-looss-*hoa*-soot) *pl* drawers, briefs *pl;* panties *pl;* shorts *plAm;* underpants *plAm*

aluspaita (*ah*-looss-*pigh*-tah) *n* undershirt

alussa (*ah*-looss-sah) *adv* at first

alustava (*ah*-looss-tah-vah) *adj* preliminary

alusvaatteet (*ah*-looss-vaat-*tā*yt) *pl* underwear; **naisten** ~ lingerie

alusvoide (*ah*-looss-*voi*-day) *n* foundation cream

ambulanssi (*ahm*-boo-lahns-si) *n* ambulance

Amerikka (*ah*-may-rik-kah) America

amerikkalainen (*ah*-may-rik-kah-*ligh*-nayn) *n* American; *adj* American

ametisti (*ah*-may-tiss-ti) *n* amethyst

amiraali (*ah*-mi-raa-li) *n* admiral

ammatti (*ahm*-maht-ti) *n* profession, trade

ammattimainen (*ahm*-maht-ti-*migh*-nayn) *adj* professional

ammattimies (*ahm*-maht-ti-myayss) *n* expert

ammattitaidoton (*ahm*-maht-ti-*tigh*-doa-toan) *adj* unskilled

ammattitaitoinen (*ahm*-maht-ti-*tigh*-toi-nayn) *adj* skilled

ammattiyhdistys (*ahm*-maht-ti-*ewh*-diss-tewss) *n* trade-union

ammoniakki (*ahm*-moa-ni-ahk-ki) *n* ammonia

ampiainen (*ahm*-pi-igh-nayn) *n* wasp

ampua (*ahm*-poo-ah) *v* fire, *shoot

amuletti (*ah*-moo-layt-ti) *n* lucky charm, charm

analysoida (*ah*-nah-lew-soi-dah) *v* analyse

analyysi (*ah*-nah-l*ēw*-si) *n* analysis

analyytikko (*ah*-nah-l*ēw*-tik-koa) *n* analyst

ananas (*ah*-nah-nahss) *n* pineapple

anarkia (*ah*-nahr-ki-ah) *n* anarchy

anatomia (*ah*-nah-toa-mi-ah) *n* anatomy

anemia (*ah*-nay-mi-ah) *n* anaemia

ankara (*ahng*-kah-rah) *adj* strict, severe, harsh

ankerias (*ahng*-kay-ri-ahss) *n* eel

ankka (*ahngk*-kah) *n* duck

ankkuri (*ahngk*-koo-ri) *n* anchor

annos (*ahn*-noass) *n* portion; ration; dose

anoa (*ah*-noa-ah) *v* beg; apply for

anomus (*ah*-noa-mooss) *n* application; petition

anoppi (*ah*-noap-pi) *n* mother-in-law

ansa (*ahn*-sah) *n* trap

ansaita (*ahn*-sigh-tah) *v* *make, earn; merit, deserve

ansaitsematon (*ahn*-sight-say-mah-toan) *adj* unearned

ansio (*ahn*-si-oa) *n* gain; merit

antaa (*ahn*-taa) *v* *give; grant; allow to; ~ **myöten** *give in; indulge; ~

olla *leave; ~ **toimeksi** assign to; ~ **vuokralle** *let
antautua (*ahn*-tah-oo-too-ah) *v* surrender
antautuminen (*ahnı*-tah oo-too-minayn) *n* surrender, capitulation
anteeksi! (*ahn*-tāyk-si) sorry!, sorry! excuse me!; **antaa anteeksi** *forgive; excuse
anteeksianto (*ahn*-tāyk-si-*ahn*-toa) *n* pardon
anteeksipyyntö (*ahn*-tāyk-si-*pēwn*-tur) *n* apology, excuse
anteliaisuus (*ahn*-tay-li-igh-sōōss) *n* generosity
antelias (*ahn*-tay-li-ahss) *adj* generous; liberal
antenni (*ahn*-tayn-ni) *n* aerial
anti (*ahn*-ti) *n* issue; result
antibiootti (*ahn*-ti-bi-ōāt-ti) *n* antibiotic
antiikkiesine (*ahn*-teek-ki-*ay*-si-nay) *n* antique
antiikkikauppias (*ahn*-teek-ki-*koup*-pi-ahss) *n* antique dealer
antiikkinen (*ahn*-teek-ki-nayn) *adj* antique
antipatia (*ahn*-ti-pah-ti-ah) *n* dislike
antologia (*ahn*-toa-loa-gi-ah) *n* anthology
aperitiivi (*ah*-pay-ri-tee-vi) *n* aperitif
apeus (*ah*-pay-ooss) *n* sadness
apila (*ah*-pi-lah) *n* clover
apilanlehti (*ah*-pi-lahn-*layh*-ti) *n* shamrock
apina (*ah*-pi-nah) *n* monkey
appelsiini (*ahp*-payl-see-ni) *n* orange
appi (*ahp*-pi) *n* father-in-law
appivanhemmat (*ahp*-pi-*vahn*-haymmaht) *pl* parents-in-law *pl*
aprikoosi (*ahp*-ri-kōā-si) *n* apricot
apteekkari (*ahp*-tāyk-kah-ri) *n* chemist
apteekki (*ahp*-tāyk-ki) *n* pharmacy, chemist's; drugstore *nAm*

apu (*ah*-poo) *n* aid, assistance, help
apuraha (*ah*-poo-*rah*-hah) *n* grant, scholarship; subsidy
arabi (*ah*-rah-bi) *n* Arab
arabialainen (*ah*-rah-bi-ah-ligh-nayn) *adj* Arab
Argentiina (*ahr*-gayn-tee-nah) Argentina
argentiinalainen (*ahr*-gayn-tee-nah-ligh-nayn) *n* Argentinian; *adj* Argentinian
arina (*ah*-ri-nah) *n* grate
arka (*ahr*-kah) *adj* shy, timid
arkaluonteinen (*ahr*-kah-*lwoan*-taynayn) *adj* delicate
arkeologi (*ahr*-kay-oa-loa-gi) *n* archaeologist
arkeologia (*ahr*-kay-oa-loa-gi-ah) *n* archaeology
arkihuone (*ahr*-ki-*hwoa*-nay) *n* livingroom
arkipäivä (*ahr*-ki-*pææ*-væ) *n* weekday
arkipäiväinen (*ahr*-ki-*pææ^ee*-væ^ee-nayn) *adj* ordinary, everyday
arkisto (*ahr*-kiss-toa) *n* archives *pl*
arkkipiispa (*ahrk*-ki-*peess*-pah) *n* archbishop
arkkitehti (*ahrk*-ki-tayh-ti) *n* architect
arkkitehtuuri (*ahrk*-ki-tayh-tōō-ri) *n* architecture
armahdus (*ahr*-mahh-dooss) *n* pardon; amnesty
armeija (*ahr*-may-Yah) *n* army
armeliaisuus (*ahr*-may-li-igh-sōōss) *n* mercy
armelias (*ahr*-may-li-ahss) *adj* merciful
armo (*ahr*-moa) *n* mercy, grace
aromi (*ah*-roa-mi) *n* aroma
aromikeitin (*ahr*-roa-mi-*kay*-tin) *n* percolator
arpajaiset (*ahr*-pah-Yigh-sayt) *pl* lottery
arpi (*ahr*-pi) *n* scar

artikkeli (*ahr*-tik-kay-li) *n* article
artisokka (*ahr*-ti-soak-kah) *n* artichoke
arvata (*ahr*-vah-tah) *v* guess
arvella (*ahr*-vayl-lah) *v* reckon; suspect
arvelu (*ahr*-vay-loo) *n* guess
arveluttava (*ahr*-vay-loot-tah-vah) *adj* critical
arvio (*ahr*-vi-oa) *n* estimate
arvioida (*ahr*-vi-oi-dah) *v* value, estimate, evaluate
arviointi (*ahr*-vi-oin-ti) *n* evaluation
arvo (*ahr*-voa) *n* worth, value
arvoaste (*ahr*-voa-*ahss*-tay) *n* rank
arvoesineet (*ahr*-voa-*ay*-si-nāyt) *pl* valuables *pl*
arvoinen (*ahr*-voi-nayn) *adj* worthy of
arvoituksellinen (*ahr*-voi-took-sayl-li-nayn) *adj* mysterious
arvoitus (*ahr*-voi-tooss) *n* enigma, mystery; puzzle, riddle
arvojärjestys (*ahr*-voa-*ʸær*-ʸayss-tewss) *n* hierarchy
arvokas (*ahr*-voa-kahss) *adj* valuable; dignified
arvonanto (*ahr*-voan-*ahn*-toa) *n* esteem, respect
arvonimi (*ahr*-voa-*ni*-mi) *n* title
arvonta (*ahr*-voan-tah) *n* draw
arvopaperipörssi (*ahr*-voa-*pah*-pay-ri-*purrs*-si) *n* stock exchange, stock market
arvosana (*ahr*-voa-*sah*-nah) *n* mark
arvostaa (*ahr*-voass-taa) *v* appreciate; esteem
arvosteleva (*ahr*-voass-tay-lay-vah) *adj* critical
arvostelija (*ahr*-voass-tay-li-ʸah) *n* critic
arvostella (*ahr*-voass-tayl-lah) *v* criticize; judge
arvostelu (*ahr*-voass-tay-loo) *n* criticism, review
arvostus (*ahr*-voass-tooss) *n* appreciation
arvoton (*ahr*-voa-toan) *adj* worthless
asbesti (*ahss*-bayss-ti) *n* asbestos
ase (*ah*-say) *n* arm, weapon
aseistaa (ah-sayss-taa) *v* arm
aseistettu (ah-sayss-tayt-too) *adj* armed
asema (*ah*-say-mah) *n* position, situation; station
asemakaava (*ah*-say-mah-*kaa*-vah) *n* plan
asemalaituri (*ah*-say-mah-*ligh*-too-ri) *n* platform
asemalaiturilippu (*ah*-say-mah-*ligh*-too-ri-*lip*-poo) *n* platform ticket
asemapäällikkö (*ah*-say-mah-*pææl*-lik-kur) *n* station-master
asenne (*ah*-sayn-nay) *n* attitude
asennus (*ah*-sayn-nooss) *n* installation
asentaa (*ah*-sayn-taa) *v* install
asentaja (*ah*-sayn-tah-ʸah) *n* mechanic
asento (*ah*-sayn-toa) *n* position
asettaa (*ah*-sayt-taa) *v* *lay, *set, *put; place; ~ **näytteille** exhibit, *show
asevelvollinen (*ah*-sayv-*vayl*-voal-li-nayn) *n* conscript
asfaltti (*ahss*-fahlt-ti) *n* asphalt
asia (*ah*-si-ah) *n* cause, thing, matter; affair, business, concern
asiakas (*ah*-si-ah-kahss) *n* customer, client
asiakirja (*ah*-si-ah-*keer*-ʸah) *n* document; certificate
asiakirjakansio (*ah*-si-ah-*keer*-ʸah-*kahn*-si-oa) *n* file
asiakirjasalkku (*ah*-siah-keer-ʸah-*sahlk*-koo) *n* attaché case
asiallinen (*ah*-si-ahl-li-nayn) *adj* matter-of-fact, down-to-earth
asiamies (*ah*-si-ah-*myayss*) *n* agent

asianajaja (*ah*-si-ahn-*ah*-Yah-Yah) *n*
solicitor, barrister, attorney, law-
yer; advocate

asianhaara (*ah*-si-ahn-*haa*-rah) *n* cir-
cumstance

asianmukainen (*ah*-si-ahn-*moo*-kigh-
nayn) *adj* proper, due, adequate

asianomainen (*ah*-si-ahn-*oa*-migh-
nayn) *adj* (the person) concerned

asiantunteva (*ah*-si-ahn-*toon*-tay-vah)
adj expert

asiantuntija (*ah*-si-ahn-*toon*-ti-Yah) *n*
specialist, expert

asiapaperi (*ah*-si-ah-*pah*-pay-ri) *n* cer-
tificate, document

asioida (*ah*-si-oi-dah) *v* *deal with;
*do business

askel (*ahss*-kayl) *n* step; move, pace

aspiriini (*ahss*-pi-ree-ni) *n* aspirin

aste (*ahss*-tay) *n* degree, grade; stage

asteikko (*ahss*-tayk-koa) *n* scale

asteittainen (*ahss*-tayt-tigh-nayn) *adj*
gradual

asti (*ahss*-ti) *postp* till, until

astia (*ahss*-ti-ah) *n* dish

astiapyyhe (*ahss*-ti-ah-*pēw*-hay) *n* tea-
cloth

astiasto (*ahss*-ti-ahss-toa) *n* dinner-
service

astma (*ahst* mah) *n* asthma

astua (*ahss*-too-ah) *v* step; ~ **laivaan**
embark; ~ **sisään** enter

asua (*ah*-soo-ah) *v* live, reside; in-
habit; **asettua asumaan** settle
down

asuinpaikka (*ah*-soo^ee^m-*pighk*-kah) *n*
residence

asukas (*ah*-soo-kahss) *n* inhabitant;
vakinainen ~ resident; **vakinai-
sesti asuva** resident

asumaton (*ah*-soo-mah-toan) *adj* un-
inhabited, desert

asumiskelpoinen (*ah*-soo-miss-*kayl*-
poi-nayn) *adj* inhabitable

asunto (*ah*-soon-toa) *n* home, house;
accommodation, lodgings *pl*; **asun-
noksi kelpaamaton** uninhabitable

asuntolaiva (*ah*-soon-toa-*ligh*-vah) *n*
houseboat

asuntovaunu (*ah*-soon-toa-*vou*-noo) *n*
caravan; trailer *nAm*

asusteet (*ah*-sooss-tāyt) *pl* access-
ories *pl*

asuttava (*ah*-soot-tah-vah) *adj* habit-
able

ateria (*ah*-tay-ri-ah) *n* meal

Atlantti (*aht*-lahnt-ti) Atlantic

atomi (*ah*-toa-mi) *n* atom; **atomi-**
atomic

aukaista (*ou*-kighss-tah) *v* open; un-
lock; untie

aukio (*ou*-ki-oa) *n* square

aukioloaika (*ou*-ki-*oa*-loa-*igh*-kah) *n*
business hours

aukko (*ouk*-koa) *n* gap, opening

auktoriteetti (*ouk*-toa-ri-tāyt-ti) *n*
authority

auliisti (*ou*-leess-ti) *adv* willingly

aulis (*ou*-liss) *adj* ready, willing

aura (*ou*-rah) *n* plough

auringonlasku (*ou*-ring-ngoan-*lahss*-
koo) *n* sunset

auringonnousu (*ou*-ring-ngoan-*noa*-
soo) *n* sunrise

auringonpaiste (*ou*-ring-ngoan-*pighss*-
tay) *n* sunshine

auringonpisto (*ou*-ring-ngoan-*piss*-toa)
n sunstroke

aurinko (*ou*-ring-koa) *n* sun; **ottaa au-
rinkoa** sunbathe

aurinkoinen (*ou*-ring-koi-nayn) *adj*
sunny

aurinkokatos (*ou*-ring-koa-*kah*-toass) *n*
awning

aurinkolasit (*ou*-ring-koa-*lah*-sit) *pl*
sun-glasses *pl*

aurinkovarjo (*ou*-ring-koa-*vahr*-Yoa) *n*
sunshade

aurinkoöljy (*ou*-ring-koa-*url*-Yew) *n* suntan oil

Australia (*oust*-rah-li-ah) Australia

australialainen (*oust*-rah-li-ah-lighnayn) *n* Australian; *adj* Australian

autio (*ou*-ti-oa) *adj* waste, desert

autiomaa (*ou*-ti-oa-maa) *n* desert

auto (*ou*-toa) *n* motor-car, car, automobile

autoilija (*ou*-toi-li-Yah) *n* motorist

autoilu (*ou*-toi-loo) *n* motoring

autoklubi (*ou*-toa-*kloo*-bi) *n* automobile club

automaatio (*ou*-toa-maa-ti-oa) *n* automation

automaatti (*ou*-toa-*maat*-ti) *n* slot-machine

automaattinen (*ou*-toa-maat-ti-nayn) *adj* automatic

autonalusta *n* chassis

autonjousitus (*ou*-toan-Yoa-si-tooss) *n* suspension

autonkori (*ou*-toang-*koa*-ri) *n* bodywork; body *nAm*

autonkuljettaja (*ou*-toang-*kool*-Yayttah-Yah) *n* chauffeur

autonominen (*ou*-toa-noa-mi-nayn) *adj* autonomous

autontorvi (*ou*-toan-*toar*-vi) *n* hooter, horn

autoritäärinen (*ou*-toa-ri-tææ-ri-nayn) *adj* authoritarian

autotalli (*ou*-toa-*tahl*-li) *n* garage

autovuokraamo (*ou*-toa-*vwoak*-raamoa) *n* car hire; car rental *Am*

auttaa (*out*-taa) *v* help, aid, assist

auttaja (*out*-tah-Yah) *n* helper

avaimenreikä (*ah*-vigh-mayn-*ray*-kæ) *n* keyhole

avain (*ah*-vighn) *n* key; **ulko-oven** ~ latchkey

avajaispotku (*ah*-vah-Yighss-*poat*-koo) *n* kick-off

avaruus (*ah*-vah-rōōss) *n* space

avata (*ah*-vah-tah) *v* open; **undo; turn on; ~ **lukko** unlock

avioero (*ah*-vi-oa-*ay*-roa) *n* divorce

avioliitto (*ah*-vi-oa-*leet*-toa) *n* marriage, matrimony

aviollinen (*ah*-vi-oal-li-nayn) *adj* matrimonial

aviomies (*ah*-vi-oa-*myayss*) *n* husband

aviopari (*ah*-vi-oa-*pah*-ri) *n* married couple

aviovaimo (*ah*-vi-oa-*vigh*-moa) *n* wife

avoin (*ah*-voin) *adj* open

avokätinen (*ah*-voa-kæ-ti-nayn) *adj* liberal, generous

avomielinen (*ah*-voa-*myay*-li-nayn) *adj* open, frank

avulias (*ah*-voo-li-ahss) *adj* helpful; obliging

avulla (*ah*-vool-lah) *postp* by

avustaa (*ah*-vooss-taa) *v* aid, assist; support

avustaja (*ah*-vooss-tah-Yah) *n* assistant

avustus (*ah*-vooss-tooss) *n* assistance; grant; contribution

B

baari (*baa*-ri) *n* bar; saloon

baarimikko (*baa*-ri-*mik*-koa) *n* bartender, barman

bakteeri (*bahk*-tāȳ-ri) *n* bacterium, germ

baletti (*bah*-layt-ti) *n* ballet

bamburuoko (*bahm*-boo-*rwoa*-koa) *n* bamboo

banaani (*bah*-naa-ni) *n* banana

baritoni (*bah*-ri-toa-ni) *n* baritone

-barokki (*bah*-roak-ki) baroque

basilika (*bah*-si-li-kah) *n* basilica

basilli (*bah*-sil-li) *n* germ

baskeri (*bahss*-kay-ri) *n* beret

basso (*bahss*-soa) *n* bass
beige (*bāysh*) *adj* beige
Belgia (*bayl*-gi-ah) Belgium
belgialainen (*bayl*-giah-ligh-nayn) *n*
 Belgian; *adj* Belgian
bensiini (*bayn*-see-ni) *n* fuel, petrol;
 gasoline *nAm*, gas *nAm*
bensiiniasema (*bayn*-see-ni-*ah*-say-
 mah) *n* filling station, petrol station
bensiinipumppu (*bayn*-see-ni-*poomp*-
 poo) *n* petrol pump; fuel pump
 Am; gas *Am*
bensiinisäiliö (*bayn*-see-ni-*sæ*ᵉᵉ-li-ur) *n*
 petrol tank
betoni (*bay*-toa-ni) *n* concrete
biljardi (*bil*-ᵞahr-di) *n* billiards *pl*
biologia (*bi*-oa-loa-gi-ah) *n* biology
Bolivia (*boa*-li-vi-ah) Bolivia
bolivialainen (*boa*-li-vi-ah-ligh-nayn) *n*
 Bolivian; *adj* Bolivian
Brasilia (*brah*-si-li-ah) Brazil
brasilialainen (*brah*-si-li-ah-ligh-nayn) *n*
 Brazilian; *adj* Brazilian
bridge (*bridsh*) *n* bridge
britti (*brit*-ti) *n* Briton
brittiläinen (*brit*-ti-læᵉᵉ-nayn) *adj*
 British
budjetti (*bood*-ᵞaytt-ti) *n* budget
Bulgaria (*bool*-gah-ri-ah) Bulgaria
bulgarialainen (*bool*-gah-ri-ah-ligh-
 nayn) *n* Bulgarian; *adj* Bulgarian
bussi (*booss*-si) *n* bus

C

celsius- (*sayl*-si-ooss) centigrade
cembalo (*chaym*-bah-loa) *n* harpsi-
 chord
Chile (*chee*-lay) Chile
chileläinen (*chee*-lay-læᵉᵉ-nayn) *n*
 Chilean; *adj* Chilean
cocktailpala (*koak*-tighl-*pah*-lah) *n* ap-

petizer

D

debetpuoli (*day*-bayt-*pwoa*-li) *n* debit
demokraattinen (*day*-moa-kraat-ti-
 nayn) *adj* democratic
demokratia (*day*-moa-krah-ti-ah) *n*
 democracy
deodorantti (*day*-oa-doa-rahnt-ti) *n*
 deodorant
desinfioida (*day*-sin-fi-oi-dah) *v* disin-
 fect
desinfioimisaine (*day*-sin-fi-oi-miss-
 igh-nay) *n* disinfectant
devalvointi (*day*-vahl-voin-ti) *n* de-
 valuation
diagnoosi (*di*-ahg-nōā-si) *n* diagnosis;
 tehdä ~ diagnose
diakuva (*di*-ah-*koo*-vah) *n* slide
dieselmoottori (*dee*-sayl-*mōāt*-toa-ri)
 n diesel
diktaattori (*dik*-taat-toa-ri) *n* dictator
diplomaatti (*dip*-loa-maat-ti) *n* diplo-
 mat
diplomi (*dip*-loa-mi) *n* certificate, di-
 ploma
diskonttokorko (*diss*-koant-toa-*koar*-
 kōa) *n* rate of discount
dramaattinen (*drah*-maat-ti-nayn) *adj*
 dramatic
dynamo (*dew*-nah-moa) *n* dynamo
dyyni (*dēw*-ni) *n* dune

E

Ecuador (*ayk*-vah-doar) Ecuador
ecuadorilainen (*ayk*-vah-doa-ri-ligh-
 nayn) *n* Ecuadorian
edellinen (*ay*-dayl-li-nayn) *adj* preced-

ing, previous, former

edellyttäen (ay-dayl-lewt-tæ-ayn) provided that

edellä (ay-dayl-læ) *adv* ahead, *postp* ahead of; *adv* before

edeltäjä (ay-dayl-tæ-ᵞæ) *n* predecessor

edeltävä (ay-dayl-tæ-væ) *adj* previous

edeltää (ay-dayl-tææ) *v* precede

edessä (ay-dayss-sæ) *postp* before, in front of

edistyksellinen (ay-diss-tewk-sayl-linayn) *adj* progressive

edistynyt (ay-diss-tew-newt) *adj* advanced

edistys (ay-diss-tewss) *n* progress; **edistysmielinen** progressive

edistyä (ay-diss-tew-æ) *v* *get on, advance

edistää (ay-diss-tææ) *v* promote

eduksi (ay-dook-si) *postp* on behalf of

edullinen (aydool-li-nayn) *adj* advantageous; cheap

edustaa (ay-dooss-taa) *v* represent

edustava (ay-dooss-tah-vah) *adj* representative

edustus (ay-dooss-tooss) *n* representation

eebenpuu (ay̅-baym-poo̅) *n* ebony

eepos (ay̅-poass) *n* epic

eetteri (ay̅-t-tay-ri) *n* ether

Egypti (ay-gewp-ti) Egypt

egyptiläinen (ay-gewp-ti-læ ᵉᵉ-nayn) *n* Egyptian; *adj* Egyptian

ehdokas (ayh-doa-kahss) *n* candidate

ehdonalainen (ayh-doan-ah-ligh-nayn) *adj* conditional

ehdoton (ayh-doa-toan) *adj* unconditional; absolute

ehdottaa (ayh-doat-taa) *v* suggest, propose

ehdottomasti (ayh-doat-toa-mahss-ti) *adv* absolutely

ehdotus (ayh-doa-tooss) *n* proposi-

tion, suggestion, proposal

eheä (ay-hay-æ) *adj* whole; unbroken

ehkä (ayh-kæ) *adv* perhaps

ehkäisevä (ayh-kæ ᵉᵉ-say-væ) *adj* preventive

ehkäistä (ayh-kæ ᵉᵉss-tæ) *v* prevent; restrain, check

ehkäisyväline (ayh-kæ ᵉᵉ-sew-væ-linay) *n* contraceptive

ehostus (ay-hoass-tooss) *n* make-up

ehtiä (ayh-ti-æ) *v* *catch; *make

ehto (ayh-toa) *n* term, condition; clause

ei (ay) no; not; **ei ... eikä** neither ... nor; ~ **enää** no longer; ~ **koskaan** never; ~ **kukaan** no one, none; ~ **kumpikaan** neither; ~ **mikään** no, nothing; ~ **missään** nowhere; ~ **mitään** nothing; ~ **suinkaan** by no means

eilen (ay-layn) *adv* yesterday

eksoottinen (ayk-soa̅t-ti-nayn) *adj* exotic

eksynyt (ayk-sew-newt) *adj* lost

eksyä (ayk-sew-æ) *v* *get lost, *lose one's way

elatusapu (ay-lah-tooss-ah-poo) *n* alimony

ele (ay-lay) *n* sign, gesture

elefantti (ay-lay-fahnt-ti) *n* elephant

elegantti (ay-lay-gahnt-ti) *adj* elegant

elehtiä (ay-layh-ti-æ) *v* gesticulate

elektroninen (ay-layk-troa-ni-nayn) *adj* electronic

elimellinen (ay-li-mayl-li-nayn) *adj* organic

elin (ay-lin) *n* organ

elinaika (ay-lin-igh-kah) *n* lifetime

elinkeino (ay-ling-kay-noa) *n* trade; livelihood

elinkeinonharjoittaja (ay-ling-kay-noan-hahr-ᵞoit-tah-ᵞah) *n* trader

elintaso (ay-lin-tah-soa) *n* standard of living

elintoimintaoppi (ay-lin-*toi*-min-tah-*oap*-pi) *n* physiology

elintärkeä (ay-lin-tær-kay-æ) *adj* vital

elinympäristö (ay-lin-*ewm*-pæ-riss-tur) *n* milieu

ellei (ay*l*-lay) *conj* unless

elohopea (ay-loa-*hoa*-pay-ah) *n* mercury

eloisa (ay-loi-sah) *adj* lively, vivid

elokuu (ay-loa-*kōō*) August

elokuva (ay-loa-*koo*-vah) *n* movie, film

elokuvat (ay-loa-*koo*-vaht) *pl* movie theater *Am*, movies *Am*

elokuvata (ay-loa-*koo*-vah-tah) *v* film

elokuvateatteri (ay-loa-*koo*-vah-*tay*-aht-tay-ri) *n* cinema

eloonjääminen (ay-lōan-*Y*ææ-mi-nayn) *n* survival

elossa (ay-loass-sah) *adv* alive

eloton (ay-loa-toan) *adj* lifeless; dull

elpyminen (ay*l*-pew-mi-nayn) *n* revival

eltaantunut (ay*l*-taan-too-noot) *adj* rancid

elukka (ay-look-kah) *n* beast

eläin (ay-læ*een*) *n* animal

eläinlääkäri (ay-læ*een*-lææ-kæ-ri) *n* veterinary surgeon

eläinrata (ay-læ*een*-*rah*-tah) *n* zodiac

eläinsatu (ay-læ*oo*ı-sah-too) *n* fable

eläintarha (ay-læ*een*-*tahr*-hah) *n* zoo, zoological gardens

eläintiede (ay-læ*een*-*tyay*-day) *n* zoology

eläke (ay-læ-kay) *n* pension; **eläkkeellä oleva** retired

elämä (ay-læ-mæ) *n* life

elämänura (ay-læ-mæn-*oo*-rah) *n* career

elämänviisaus (ay-læ-mæn-*vee*-sah-ooss) *n* philosophy

elävä (ay-læ-væ) *adj* live

elää (ay-læ*æ*) *v* live

emali (ay-mah-li) *n* enamel

emaloitu (ay-mah-loi-too) *adj* enamelled

emäntä (ay-mæn-tæ) *n* hostess, mistress

enemmistö (ay-naym-miss-tur) *n* majority

energia (ay-nayr-gi-ah) *n* energy

Englannin kanaali (ayng-lahn-nin *kah*-naa-li) English Channel

Englanti (ayng-lahn-ti) England; Britain

englantilainen (ayng-lahn-ti-ligh-nayn) *n* Englishman; Briton; *adj* English; British

enimmäkseen (ay-nim-mæk-sāyn) *adv* mostly

enintään (ay-nin-tææn) *adv* at most

enkeli (ayng-kay-li) *n* angel

ennakko (ayn-nahk-koa) *n* advance

ennakkoluulo (ayn-nahk-koa-*lōō*-loa) *n* prejudice

ennakoida (ayn-nah-koi-dah) *v* anticipate

ennakolta maksettu (ayn-nah-koal-tah *mahk*-sayt-too) prepaid

ennen (ayn-nayn) *prep* before; *adv* formerly, before; ~ **kaikkea** above all; ~ **kuin** before

ennenaikainen (ayn-nayn-*igh*-kigh-nayn) *adj* premature

ennustaa (ayn-nooss-taa) *v* forecast, predict

ennuste (ayn-nooss-tay) *n* forecast

ennätys (ayn-næ-tewss) *n* record

eno (ay-noa) *n* uncle

ensi (ayn-si) *adj* next, following

ensiapu (ayn-si-ah-poo) *n* first-aid

ensiapuasema (ayn-si-ah-poo-ah-say-mah) *n* first-aid post

ensiapulaukku (ayn-si-ah-poo-*louk*-koo) *n* first-aid kit

ensiksi (ayn-sik-si) *adv* at first

ensiluokkainen (ayn-si-*lwoak*-kigh-nayn) *adj* first-class, first-rate,

prime
ensimmäinen (*ayn*-sim-mæ ᵉᵉ-nayn)
num first
ensisijainen (*ayn*-si-*si*-ⁱigh-nayn) *adj*
primary
entinen (*ayn*-ti-nayn) *adj* former
epidemia (*ay*-pi-day-mi-ah) *n* epidemic
epäaito (*ay*-pæ-*igh*-toa) *adj* false
epäilemättä (*ay*-pæ ᵉᵉ-lay-mæt-tæ) *adv*
undoubtedly, without doubt
epäilevä (*ay*-pæ ᵉᵉ-lay-væ) *adj* suspi-
cious; doubtful
epäillä (*ay*-pæ ᵉᵉl-læ) *v* doubt; mis-
trust; suspect
epäilys (*ay*-pæ ᵉᵉ-lewss) *n* doubt; sus-
picion
epäilyttävä (*ay*-pæ ᵉᵉ-lewt-tæ-væ) *adj*
suspicious
epäitsekäs (*ay*-pæ-*it*-say-kæss) *adj*
unselfish
epäjumala (*ay*-pæ-ⁱoo-mah-lah) *n* idol
epäjärjestys (*ay*-pæ-ⁱær-ⁱayss-tewss)
n disorder
epäkohtelias (*ay*-pæ-*koah*-tay-li-ahss)
adj impolite
epäkuntoinen (*ay*-pæ-*koon*-toi-nayn)
adj broken; out of order
epäluotettava (*ay*-pæ-*lwoa*-tayt-tah-
vah) *adj* untrustworthy, unreliable
epäluulo (*ay*-pæ-*lōō*-loa) *n* suspicion
epäluuloinen (*ay*-pæ-*lōō*-loi-nayn) *adj*
suspicious
epämiellyttävä (*ay*-pæ-*myayl*-lewt-tæ-
væ) *adj* disagreeable, unpleasant;
nasty
epämieluinen (*ay*-pæ-*myay*-loo ᵉᵉ-
nayn) *adj* undesirable; unpopular
epämukava (*ay*-pæ-*moo*-kah-vah) *adj*
uncomfortable
epämuodostunut (*ay*-pæ-*mwoa*-
doass-too-noot) *adj* deformed
epämääräinen (*ay*-pæ-*mææ*-ræ ᵉᵉ-
nayn) *adj* indefinite; vague
epänormaali (*ay*-pæ-*noar*-maa-li) *adj*

abnormal
epäoikeudenmukainen (*ay*-pæ-*oi*-kay-
oo-dayn-*moo*-kigh-nayn) *adj* unjust,
unfair
epäonni (*ay*-pæ-oan-ni) *n* misfortune
epäonnistua (*ay*-pæ-*oan*-niss-too-ah) *v*
fail
epäonnistuminen (*ay*-pæ-*oan*-niss-
too-mi-nayn) *n* failure
epäonnistunut (*ay*-pæ-*oan*-niss-too-
noot) *adj* unsuccessful
epäpuhdas (*ay*-pæ-*pooh*-dahss) *adj*
unclean
epäpätevä (*ay*-pæ-*pæ*-tay-væ) *adj* un-
qualified, incompetent
epärehellinen (*ay*-pæ-*ray*-hayl-li-nayn)
adj dishonest
epäröidä (*ay*-pæ-rur ᵉᵉ-dæ) *v* hesitate
epäselvä (*ay*-pæ-*sayl*-væ) *adj* not
clear, dim; dim; illegible
epäsiisti (*ay*-pæ-*seess*-ti) *adj* untidy,
sloppy
epäsuopea (*ay*-pæ-*swoa*-pay-ah) *adj*
unkind
epäsuora (*ay*-pæ-*swoa*-rah) *adj* indi-
rect
epäsuotuisa (*ay*-pæ-*swoa*-too ᵉᵉ-sah)
adj unfavourable
epäsäännöllinen (*ay*-pæ-*sææn*-nurl-li-
nayn) *adj* irregular
epätarkka (*ay*-pæ-*tahrk*-kah) *adj* inac-
curate
epätasainen (*ay*-pæ-*tah*-sigh-nayn) *adj*
rough, uneven
epätavallinen (*ay*-pæ-*tah*-vahl-li-nayn)
adj unusual, uncommon; singular,
extraordinary
epäterve (*ay*-pæ-*tayr*-vay) *adj* un-
sound
epäterveellinen (*ay*-pæ-*tayr*-vāȳl-li-
nayn) *adj* unhealthy
epätodellinen (*ay*-pæ-*toa*-dayl-li-nayn)
adj unreal
epätodennäköinen (*ay*-pæ-*toa*-dayn-

næ-kur^{ee}-nayn) *adj* improbable, unlikely

epätoivoinen (*ay*-pæ-*toi*-voi-nayn) *adj* desperate; **olla** ~ despair

epätyydyttävä (*ay*-pæ-*tēw*-dewt-tæ-væ) *adj* unsatisfactory

epätäydellinen (*ay*-pæ-*tæ*^{ew}-dayl-li-nayn) *adj* incomplete; imperfect

epävakainen (*ay*-pæ-*vah*-kigh-nayn) *adj* unstable

epävarma (*ay*-pæ-*vahr*-mah) *adj* uncertain; doubtful; unsafe, precarious

epäviisas (*ay*-pæ-*vee*-sahss) *adj* unwise

epävirallinen (*ay*-pæ-*vi*-rahl-li-nayn) *adj* unofficial; informal

epäystävällinen (*ay*-pæ-*ewss*-tæ-væl-li-nayn) *adj* unfriendly, unkind

erehdys (*ay*-rayh-dewss) *n* error, mistake; oversight

erehtyä (*ay*-rayh-tew-æ) *v* *be mistaken; err, *mistake

erheellinen (*ayr*-hāyl-li-nayn) *adj* mistaken

eri (*ay*-ri) *adj* different, various

erikoinen (*ay*-ri-koi-nayn) *adj* peculiar, particular, special

erikoisesti (*ay*-ri-koi-sayss-ti) *adv* especially

erikoistua (*ay*-ri-koiss-too-ah) *v* specialize

erikoisuus (*ay*-ri-koi-sōōss) *n* speciality

erikseen (*ay*-rik-sāyn) *adv* separately

erilainen (*ay*-ri-ligh-nayn) *adj* unlike, different; unequal; **olla** ~ differ

erillinen (*ay*-ril-li-nayn) *adj* separate

erillään (*ay*-ril-lææn) *adv* apart

erinomainen (*ay*-rin-*oa*-migh-nayn) *adj* excellent; fine; superb

erioikeus (*ay*-ri-*oi*-kay-ooss) *n* privilege

eriskummallinen (*ay*-riss-*koom*-mahl-

li-nayn) *adj* eccentric

eriste (*ay*-riss-tay) *n* insulation

eristetty (*ay*-riss-tayt-tew) *adj* isolated

eristin (*ay*-riss-tin) *n* insulator

eristyneisyys (*ay*-riss-tew-nay-sēwss) *n* isolation

eristää (*ay*-riss-tææ) *v* isolate; insulate

eritellä (*ay*-ri-tayl-læ) *v* analyse

erittäin (*ay*-rit-tæ^{ee}n) *adv* very extremely

erityinen (*ay*-ri-tew^{ee}-nayn) *adj* special; particular

ero (*ay*-roa) *n* distinction, difference; contrast; **eron pyyntö** resignation

erota (*ay*-roa-tah) *v* divorce; resign

erottaa (*ay*-roat-taa) *v* divide, part, separate; distinguish; fire; suspend; ~ **virasta** dismiss

erotuomari (*ay*-roa-*twoa*-mah-ri) *n* umpire, referee

erotus (*ay*-roa-tooss) *n* distinction, difference

erä (*ay*-ræ) *n* heat, round; item, share

erääntyminen (*ay*-rææn-tew-mi-nayn) *n* expiry

erääntynyt (*ay*-rææn-tew-newt) *adv* overdue

erääntyvä (*ay*-rææn-tew-væ) *adj* due

esiin (*ay*-seen) *adv* forward

esiintyä (*ay*-seen-tew-æ) *v* occur, appear

esi-isä (*ay*-si-*i*-sæ) *n* ancestor

esikaupunki (*ay*-si-*kou*-poong-ki) *n* suburb

esikaupunkilainen (*ay*-si-*kou*-poong-ki-ligh-nayn) *adj* suburban

esiliina (*ay*-si-*lee*-nah) *n* apron

esimerkki (*ay*-si-*mayrk*-ki) *n* example, instance; **esimerkiksi** for example, for instance

esimies (*ay*-si-mi-ayss) *n* warden

esine (*ay*-si-nay) *n* thing; object

esirippu (*ay*-si-*rip*-poo) *n* curtain

esitaistelija (*ay*-si-*tighss*-tay-li-Yah) *n* champion

esite (*ay*-si-tay) *n* prospectus, brochure

esitellä (*ay*-si-tayl-læ) *v* introduce, present

esitelmä (*ay*-si-tayl-mæ) *n* lecture

esittely (*ay*-sit-tay-lew) *n* introduction

esittää (*ay*-sit-tææ) *v* represent; *show, protest; perform, present

esitys (*ay*-si-tewss) *n* show, performance; motion

Espanja (*ayss*-pahn-Yah) Spain

espanjalainen (*ayss*-pahn-Yah-lighnayn) *n* Spaniard; *adj* Spanish

essee (*ayss*-sāy) *n* essay

este (*ayss*-tay) *n* barrier, obstacle; impediment

estää (*ayss*-tææ) *v* prevent, hinder; block

etana (*ay*-tah-nah) *n* snail

etappi (*ay*-tahp-pi) *n* stage

eteenpäin (*ay*-tāyn-*pæ*ᵉᵉn) *adv* forward, onwards

eteishalli (*ay*-tayss-*hahl*-li) *n* lobby, hall

etelä (*ay*-tay-læ) *n* south

Etelä-Afrikka (*ay*-tay-læ-*ahf*-rik-kah) South Africa

eteläinen (*ay*-tay-læ ᵉᵉ-nayn) *adj* southerly, southern

etelänapa (*ay*-tay-læ-*nah*-pah) *n* South Pole

eteneminen (*ay*-tay-nay-mi-nayn) *n* advance

etenkin (*ay*-tayn-kin) *adv* in particular, specially

etevä (*ay*-tay-væ) *adj* skilful

etikka (*ay*-tik-kah) *n* vinegar

Etiopia (*ay*-ti-oa-pi-ah) Ethiopia

etiopialainen (*ay*-ti-oa-pi-ah-ligh-nayn) *n* Ethiopian; *adj* Ethiopian

etsaus (*ayt*-sah-ooss) *n* etching

etsijä (*ayt*-si-Yæ) *n* view-finder

etsivä (*ayt*-si-væ) *n* detective

etsiä (*ayt*-si-æ) *v* search, *seek, hunt for; ~ tarkoin search

että (*ayt*-tæ) *conj* that

etu (*ay*-too) *n* profit, benefit, advantage; interest

etuajo-oikeus (*ay*-too-*ah*-Yoa-*oi*-kayooss) *n* right of way

etuala (*ay*-too-*ah*-lah) *n* foreground

etukäteen (*ay*-too-kæ-tāyn) *adv* in advance; beforehand

etuliite (*ay*-too-*lee*-tay) *n* prefix

etumaksu (*ay*-too-mahk-soo) *n* down payment

etumatka (*ay*-too-*maht*-kah) *n* lead

etummainen (*ay*-toom-migh-nayn) *adj* foremost

etunimi (*ay*-too-*ni*-mi) *n* first name

etuoikeus (*ay*-too-*oi*-kay-ooss) *n* priority; privilege, priority

etupuoli (*ay*-too-*pwoa*-li) *n* front

eturuoka (*ay*-too-rwoa-kah) *n* hors-d'œuvre

etusormi (*ay*-too-*soar*-mi) *n* index finger

etuvalo (*ay*-too-*vah*-loa) *n* headlamp, headlight

etäinen (*ay*-tæ ᵉᵉ-nayn) *adj* distant, far-off

etäisempi (*ay*-tæ ᵉᵉ-saym-pi) *adj* further

etäisin (*ay*-tæ ᵉᵉ-sin) *adj* furthest

etäisyys (*ay*-tæ ᵉᵉ-sēwss) *n* way, distance

etäisyysmittari (*ay*-tæ ᵉᵉ-sēwss-*mit*-tah-ri) *n* range-finder

Eurooppa (*ay*ᵒᵒ-rōāp-pah) Europe

eurooppalainen (*ay*ᵒᵒ-rōāp-pah-lighnayn) *n* European; *adj* European

evakuoida (*ay*-vah-koo-oi-dah) *v* evacuate

evankeliumi (*ay*-vahng-kay-li-oo-mi) *n* gospel

eversti (*ay*-vayrs-ti) *n* colonel
evätä (*ay*-væ-tæ) *v* deny

F

fajanssi (*fah*-Yahns-si) *n* faience
farmarihousut (*fahr*-mah-ri-*hoa*-soot)
  pl jeans *pl*
farssi (*fahrs*-si) *n* farce
fasaani (*fah*-saa-ni) *n* pheasant
fasismi (*fah*-siss-mi) *n* fascism
fasisti (*fah*-siss-ti) *n* fascist
fasistinen (*fah*-siss-ti-nayn) *adj* fascist
feodaalinen (*fay*-oa-daa-li-nayn) *adj*
  feudal
festivaali (*fayss*-ti-vaa-li) *n* festival
filippiiniläinen (*fi*-lip-pee-ni-læ ⁿ-nayn)
  n Filipino; *adj* Philippine
Filippiinit (*fi*-lip-pee-nit) *pl* Philippines
  pl
filmi (*fil*-mi) *n* film; **piirretty ~** car-
  toon
filmikamera (*fil*-mi-*kah*-may-rah) *n*
  camera
filosofi (*fi*-loa-soa-fi) *n* philosopher
filosofia (*fi*-loa-soa-fi-ah) *n* philosophy
finanssi- (*fi*-nahns-si) financial
finni (*fin*-ni) *n* acne
flamingo (*flah*-ming-ngoa) *n* flamingo
flanelli (*flah*-nayl-li) *n* flannel
flyygeli (*fĕw*-gay-li) *n* grand piano
foneettinen (*foa*-nāÿt-ti-nayn) *adj*
  phonetic
froteekangas (*froa*-tāÿ-*kahng*-ngahss)
  n towelling
fysiikka (*few*-seek-kah) *n* physics
fyysikko (*fĕw*-sik-koa) *n* physicist
fyysinen (*fĕw*-si-nayn) *adj* physical

G

generaattori (*gay*-nay-raat-toa-ri) *n*
  generator
geologia (*gay*-oa-loa-gi-ah) *n* geology
geometria (*gay*-oa-mayt-ri-ah) *n* ge-
  ometry
gobeliini (*goa*-bay-lee-ni) *n* tapestry
golfkenttä (*goalf*-kaynt-tæ) *n* golf-
  links, golf-course
golfmaila (*goalf*-*migh*-lah) *n* golf-club
gondoli (*guan*-doa-li) *n* gondola
graafinen esitys (*graa*-fi-nayn *aysi*-
  tewss) diagram, graph
gramma (*grahm*-mah) *n* gram
graniitti (*grah*-neet-ti) *n* granite
greippi (*grayp*-pi) *n* grapefruit
grilli (*gril*-li) *n* grill-room
grossi (*groass*-si) *n* gross
gynekologi (*gew*-nay-koa-loa-gi) *n*
  gynaecologist

H

haalea (*haa*-lay-ah) *adj* lukewarm,
  tepid
haalistua (*haa*-liss-too-ah) *v* fade
haarakynttelikkö (*haa*-rah-*kewnt*-tay-
  lik-kur) *n* candelabrum
haaraosasto (*haa*-rah-*oa*-sahss-toa) *n*
  branch
haarautua (*haa*-rou-too-ah) *v* fork
haarautuma (*haa*-rou-too-mah) *n* fork
haarniska (*haar*-niss-kah) *n* armour
haarukka (*haa*-rook-kah) *n* fork
haastaa (*haass*-taa) *v* dare, challenge
haastattelu (*haass*-taht-tay-loo) *n* in-
  terview
haaste (*haass*-tay) *n* challenge; sum-
  mons
haava (*haa*-vah) *n* wound; cut

haavoittaa (*haa*-voit-taa) *v* wound, *hurt

haavoittuva (*haa*-voit-too-vah) *adj* vulnerable

hahmo (*hahh*-moa) *n* figure

hahmotella (*hahh*-moa-tayl-lah) *v* sketch, outline

hai (high) *n* shark

haihtua (*highh*-too-ah) *v* evaporate

haikara (*high*-kah-rah) *n* stork; heron

haista (*highss*-tah) *v* *smell

haitta (*hight*-tah) *n* disadvantage; inconvenience

hajallaan (*hah*-Yahl-laan) *adv* apart, scattered

hajottaa (*hah*-Yoat-taa) *v* disperse; dissolve

haju (*hah*-Yoo) *n* odour, smell

hajuvesi (*hah*-Yoo-vay-si) *n* perfume

hakaneula (*hah*-kah-*nay^oo*-lah) *n* safety-pin

hakata hienoksi (*hah*-kah-tah *hyay*-noak-si) mince

hakea (*hah*-kay-ah) *v* look for; look up; ~ **paikkaa** apply

hakemisto (*hah*-kay-miss-toa) *n* index

hakemus (*hah*-kay-mooss) *n* application

hakku (*hahk*-koo) *n* pick-axe

haljeta (*hahl*-Yay-tah) *v* *burst

halkaista (*hahl*-kighss-tah) *v* *split

halkeama (*hahl*-kay-ah-mah) *n* crack

halkio (*hahl*-ki-oa) *n* fly

halko (*hahl*-koa) *n* log

hallinnollinen (*hahl*-lin-noal-li-nayn) *adj* administrative

hallinto (*hahl*-lin-toa) *n* administration

hallinto-oikeus (*hahl*-lin-toa-*oi*-kay-ooss) *n* administrative law

hallita (*hahl*-li-tah) *v* govern, reign, rule; master

hallitsija (*hahl*-lit-si-Yah) *n* sovereign, ruler; monarch

hallitus (*hahl*-li-tooss) *n* government, rule

hallitusaika (*hahl*-li-tooss-*igh*-kah) *n* reign

hallitusjärjestelmä (*hahl*-li-tooss-Yær-Yayss-tayl-mæ) *n* régime

halpa (*hahl*-pah) *adj* inexpensive, cheap

halpamainen (*hahl*-pah-migh-nayn) *adj* foul; mean

haltija (*hahl*-ti-Yah) *n* owner; occupant

haltijatar (*hahl*-ti-Yah-tahr) *n* fairy

halu (*hah*-loo) *n* desire; **kiihkeä** ~ urge

halukas (*hah*-loo-kahss) *adj* willing; inclined

haluta (*hah*-loo-tah) *v* want; desire, wish; ~ **mieluummin** prefer

haluttava (*hah*-loot-tah-vah) *adj* desirable

halvaannuttaa (*hahl*-vaan-noot-taa) *v* paralyse

halvaantunut (*hahl*-vaan-too-noot) *adj* paralised

halvaus (*hahl*-vah-ooss) *n* paralysis, stroke

halveksia (*hahl*-vayk-si-ah) *v* scorn, despise

halveksiminen (*hahl*-vayk-si-mi-nayn) *n* contempt

hame (*hah*-may) *n* skirt

hammas (*hahm*-mahss) *n* tooth

hammasharja (*hahm*-mahss-*hahr*-Yah) *n* toothbrush

hammasjauhe (*hahm*-mahss-*You*-hay) *n* toothpowder

hammaslääkäri (*hahm*-mahss-*læ*æ-*kæ*-ri) *n* dentist

hammaspaikka (*hahm*-mahss-*pighk*-kah) *n* filling

hammassärky (*hahm*-mahss-*sær*-kew) *n* toothache

hammastahna (*hahm*-mahss-*tahh*-nah) *n* toothpaste

hammastikku (*hahm*-mahss-*tik*-koo) *n* toothpick

hamppu (*hahmp*-poo) *n* hemp

hana (*hah*-nah) *n* tap; faucet *nAm*

hangata (*hahng*-ngah-tah) *v* scrub

hanhi (*hahn*-hi) *n* goose

hankala (*hahng*-kah-lah) *adj* inconvenient; difficult

hankauma (*hahng*-kah-oo-mah) *n* graze

hanke (*hahng*-kay) *n* project

hankinta (*hahng*-kin-tah) *n* acquisition, purchase

hankkia (*hahngk*-ki-ah) *v* *buy; acquire, obtain; provide, supply; *get

hansikas (*hahn*-si-kahss) *n* glove

hapan (*hah*-pahn) *adj* sour

happi (*hahp*-pi) *n* oxygen

happo (*hahp*-poa) *n* acid

hapsu (*hahp*-soo) *n* fringe

harakka (*hah*-rahk-kah) *n* magpie

harava (*hah*-rah-vah) *n* rake

harhailla (*hahr*-highl-lah) *v* wander

harhakuva (*hahr*-hah-*koo*-vah) *n* illusion

harja (*hahr*-ʏah) *n* brush

harjata (*hahr*-ʏah-tah) *v* brush

harjoitella (*hahr*-ʏoi-tayl-lah) *v* practise, exercise; rehearse

harjolttaa (*hahr* ʏoit-taa) *v* exercise; practise; ~ **salametsästystä** poach

harjoittelu (*hahr*-ʏoit-tay-loo) *n* practice

harjoitus (*hahr*-ʏoi-tooss) *n* exercise; rehearsal

harjoituttaa (hahr-ʏoi-toot-taa) *v* drill; train

harkinta (*hahr*-kin-tah) *n* deliberation; consideration

harkita (*hahr*-ki-tah) *v* deliberate; consider

harkitsematon (*hahr*-kit-say-mah-toan) *adj* rash

harkittu (*hahr*-kit-too) *adj* deliberate

harmaa (*hahr*-maa) *adj* grey

harmi (*hahr*-mi) *n* harm

harmillinen (*hahr*-mil-li-nayn) *adj* annoying

harmittaa (*hahr*-mit-taa) *v* annoy

harppu (*hahrp*-poo) *n* harp

harrastus (*hahr*-rahss-tooss) *n* hobby

harso (*hahr*-soa) *n* veil

harsokangas (*hahr*-soa-*kahng*-ngahss) *n* gauze

hartia (*hahr*-ti-ah) *n* shoulder

hartiahuivi (*hahr* ti-ah-*hoo*ᵉᵉ-vi) *n* shawl

hartiaviitta (*hahr*-ti-ah-*veet*-tah) *n* cape

harva (*hahr*-vah) *adj* few

harventaa (*hahr*-vayn-taa) *v* space

harvinainen (*hahr*-vi-nigh-nayn) *adj* rare, infrequent; uncommon, unusual

harvinaisuus (*hahr*-vi-nigh-sōōss) *n* rarity, curio

harvoin (*hahr*-voin) *adv* seldom, rarely

hassu (*hahss*-soo) *adj* crazy

hattu (*haht*-too) *n* hat

haudata (*hou*-dah-tah) *v* bury

hauki (*hou*-ki) *n* pike

haukka (*houk*-kah) *n* hawk

haukkua (*houk*-koo-ah) *v* bark, bay; call names

haukotella (*hou*-koa-tayl-lah) *v* yawn

hauras (*hou*-rahss) *adj* fragile

hauska (*houss*-kah) *adj* pleasant, amusing

hauskannäköinen (*houss*-kahn-*næ*-kurᵉᵉ-nayn) *adj* good-looking, nice

hauskuttaa (*houss*-koot-taa) *v* amuse

hauta (*hou*-tah) *n* grave, tomb

hautajaiset (*hou*-tah-ʏigh-sayt) *pl* burial, funeral

hautakappeli (*hou*-tah-*kahp*-pay-li) *n* mausoleum

hautakivi (*hou*-tah-*ki*-vi) *n* gravestone, tombstone

hautaus (*hou*-tah-ooss) *n* burial

hautausmaa (*hou*-tah-ooss-*maa*) *n* graveyard, cemetery

havainnoida (*hah*-vahn-noi-dah) *v* observe

havainnollinen (*hah*-vighn-noal-li-nayn) *adj* graphic; clear

havainto (*hah*-vighn-toa) *n* observation

havaita (*hah*-vigh-tah) *v* discover, detect; notice

havaittava (*hah*-vight-tah-vah) *adj* perceptible, noticeable

havupuu (*hah*-voo-*pōō*) *n* fir-tree

he (*hay*) *pron* they

hedelmä (*hay*-dayl-mæ) *n* fruit

hedelmällinen (*hay*-dayl-mæl-li-nayn) *adj* fertile

hedelmämehu (*hay*-dayl-mæ-*may*-hoo) *n* squash

hedelmätarha (*hay*-dayl-mæ-*tahr*-hah) *n* orchard

hedelmöittyminen (*hay*-dayl-mur ᵉᵉ-tew-mi-nayn) *n* conception

hehku (*hayh*-koo) *n* glow

hehkua (*hayh*-koo-ah) *v* glow

hehkulamppu (*hayh*-koo-*lahmp*-poo) *n* light bulb

heidän (*hay*-dæn) *pron* their

heidät (*hay*-dæt) *pron* them

heijastaa (*hay*-ʸahss-taa) *v* reflect

heijastin (*hay*-ʸahss-tin) *n* reflector

heijastus (*hay*-ʸahss-tooss) *n* reflection

heikko (*hayk*-koa) *adj* weak; shaky; faint

heikkous (*hayk*-koa-ooss) *n* weakness

heille (*hayl*-lay) *pron* them

heiluttaa (*hay*-loot-taa) *v* wave

heimo (*hay*-moa) *n* tribe

heinä (*hay*-næ) *n* hay

heinäkuu (*hay*-næ-*kōō*) July

heinänkorsi (*hay*-næng-*koar*-si) *n* blade of grass

heinänuha (*hay*-næ-*noo*-hah) *n* hay fever

heinäsirkka (*hay*-næ-*seerk*-kah) *n* grasshopper

heittiö (*hayt*-ti-ur) *n* bastard

heitto (*hayt*-toa) *n* throw, cast

heittää (*hayt*-tææ) *v* toss, *cast, *throw; ~ **pois** discard

helakanpunainen (*hay*-lah-kahm-*poo*-nigh-nayn) *adj* scarlet

helluntai (*hayl*-loon-tigh) Whitsun

hellä (*hayl*-læ) *adj* affectionate, tender

hellävarainen (*hayl*-læ-*vah*-righ-nayn) *adj* gentle

helmeilevä (*hayl*-may-lay-væ) *adj* sparkling

helmi (*hayl*-mi) *n* bead, pearl

helmikuu (*hayl*-mi-*kōō*) February

helminauha (*hayl*-mi-*nou*-hah) *n* beads *pl*

helmiäinen (*hayl*-mi-æ ᵉᵉ-nayn) *n* mother-of-pearl

helposti sulava (*hayl*-poass-ti *soo*-lah-vah) *adj* digestible

helpottaa (*hayl*-poat-taa) *v* relieve

helpotus (*hayl*-poa-tooss) *n* relief

helppo (*haylp*-poa) *adj* easy

helppopääsyinen (*haylp*-poa-*pææ*-sew ᵉᵉ-nayn) *adj* accessible

helppous (*haylp*-poa-ooss) *n* facility; ease

helvetti (*hayl*-vayt-ti) *n* hell

hemmotella (*haym*-moa-tayl-lah) *v* *spoil

hengellinen (*hayng*-ngayl-li-nayn) *adj* spiritual

hengittää (*hayng*-ngit-tææ) *v* breathe; ~ **sisään** inhale; ~ **ulos** expire, exhale

hengitys (*hayng*-ngi-tewss) *n* breathing, respiration

hengitysputki (hayng-ngi-tewss-poot-ki) n snorkel

henki (hayng-ki) n soul, spirit

henkilö (hayng-ki-lur) n person; henkeä kohti per person

henkilöjuna (hayng-ki-lur-Yoo-nah) n passenger train

henkilökohtainen (hayng-ki-lur-koah-tigh-nayn) adj personal; private

henkilökunta (hayng-ki-lur-koon-tah) n staff, personnel

henkilöllisyys (hayng-ki-lurl li-sēwss) n identity

henkilöllisyystodistus (hayng-ki-lurl-li-sēwss-toa-diss-tooss) n identity card

henkinen (hayng-ki-nayn) adj mental; psychic

henkivakuutus (hayng-ki-vah-kōō-tooss) n life insurance

henkivartija (hayng-ki-vahr-ti-Yah) n bodyguard

henkäys (hayng-kæ-ewss) n breath

heprea (hayp-ray-ah) n Hebrew

hereillä (hay-rayl-læ) adv awake

herkku (hayrk-koo) n delicacy; delicatessen

herkkuliike (hayrk-koo-lee-kay) n delicatessen

herkkusieni (hayrk-koo-syay-ni) n mushroom

herkkusuu (hayrk-koo-sōō) n gourmet

herkkä (hayrk-kæ) adj sensitive; tender

herkkäuskoinen (hayrk-kæ-ooss-koi-nayn) adj credulous

herkullinen (hayr-kool-li-nayn) adj delicious, enjoyable

hermo (hayr-moa) n nerve

hermostunut (hayr-moass-too-noot) adj nervous

hermostuttaa (hayr-moass-toot-taa) v irritate

hermosärky (hayr-moa-sær-kew) n neuralgia

herne (hayr-nay) n pea

herra (hayr-rah) n mister; sir

herraskartano (hayr-rahss-kahr-tah-noa) n mansion, manor-house

herrasmies (hayr-rahss-myayss) n gentleman

herruus (hayr-rōōss) n domination

herttainen (hayrt-tigh-nayn) adj nice, sweet

herttua (hayrt-too-ah) n duke

herttuatar (hayrt-too-ah-tahr) n duchess

herukka (hay-rook-kah) n currant

herättää (hay-ræt-tææ) v *awake, *wake

herätyskello (hay-ræ-tewss-kayl-loa) n alarm-clock

herätä (hay-ræ-tæ) v wake up

heteroseksuaalinen (hay-tay-roa-sayk-soo-aa-li-nayn) adj heterosexual

heti (hay-ti) adv immediately, instantly, at once; presently; ~ paikalla straight away

hetkellinen (hayt-kayl-li-nayn) adj momentary

hetki (hayt-ki) n instant, moment

hevonen (hay-voa-nayn) n horse

hevosenkenkä (hay-voa-sayng-kayng-kæ) n horseshoe

hevosvoima (hay-voass-voi-mah) n horsepower

hidas (hi-dahss) adj slow; slack

hidasjärkinen (hi-dahss-Yær-ki-nayn) adj slow

hidastaa (hi-dahss-taa) v slow down

hiekka (hyayk-kah) n sand

hiekkainen (hyayk-kigh-nayn) adj sandy

hiekkapaperi (hyayk-kah-pah-pay-ri) n sandpaper

hieno (hyay-noa) adj delicate, fine; select

hienontaa (hyay-noan-taa) v *grind; chop

hienostumaton (*hyay*-noass-too-mah-toan) *adj* coarse

hieroa (*hyay*-roa-ah) *v* massage; rub; ~ **kauppaa** bargain

hieroja (*hyay*-roa-Yah) *n* masseur

hieronta (*hyay*-roan-tah) *n* massage

hiha (*hi*-hah) *n* sleeve

hihittää (*hi*-hit-tææ) *v* chuckle

hihna (*hih*-nah) *n* strap

hiihto (*heeh*-toa) *n* skiing

hiihtohissi (*heeh*-toa-*hiss*-si) *n* ski-lift

hiihtohousut (*heeh*-toa-*hoa*-soot) *pl* ski pants

hiihtokengät (*heeh*-toa-*kayng*-ngæt) *pl* ski boots

hiihtäjä (*heeh*-tæ-Yæ) *n* skier

hiihtää (*heeh*-tææ) *v* ski

hiilipaperi (*hee*-li-*pah*-pay-ri) *n* carbon paper

hiiri (*hee*-ri) *n* mouse

hiiva (*hee*-vah) *n* yeast

hiki (*hi*-ki) *n* sweat, perspiration

hikka (*hik*-kah) *n* hiccup

hikoilla (*hi*-koil-lah) *v* sweat, perspire

hikoilu (*hi*-koi-loo) *n* perspiration

hiljainen (*hil*-Yigh-nayn) *adj* quiet, still; ~ **kausi** low season

hiljaisuus (*hil*-Yigh-sōōss) *n* silence, stillness, quiet

hiljattain (*hil*-Yaht-tighn) *adv* recently

hillitä (*hil*-li-tæ) *v* curb, restrain

hillo (*hil*-loa) *n* jam

hilpeys (*hil*-pay-ewss) *n* gaiety

hilse (*hil*-say) *n* dandruff

himmeä (*him*-may-æ) *adj* mat, dull, dim

himo (*hi*-moa) *n* desire, lust

hinaaja (*hi*-naa-Yah) *n* tug

hinata (*hi*-nah-tah) *v* tow, tug

hinnanalennus (*hin*-nahn-*ahlayn*-nooss) *n* reduction

hinnasto (*hin*-nahss-toa) *n* price-list

hinnoittaa (*hin*-noit-taa) *v* price

hinta (*hin*-tah) *n* rate, cost, price

hipiä (*hi*-pi-æ) *n* complexion

hirsi (*heer*-si) *n* beam

hirsipuu (*heer*-si-pōō) *n* gallows *pl*

hirvensarvet (*heer*-vayn-*sahr*-vayt) *pl* antlers *pl*

hirveä (*heer*-vay-æ) *adj* terrible, awful, dreadful; horrible

hirvi (*heer*-vi) *n* moose; elk

hirvittävä (*heer*-vit-tæ-væ) *adj* horrible, frightful

hissi (*hiss*-si) *n* lift; elevator *nAm*

historia (*hiss*-toa-ri-ah) *n* history

historiallinen (*hiss*-toa-ri-ahl-li-nayn) *adj* historic, historical

historioitsija (*hiss*-toa-ri-oit-si-Yah) *n* historian

hitsata (*hit*-sah-tah) *v* weld

hiukan (*hee*ºº-kahn) *adv* slightly, somewhat

hiuksenhieno (*hee*ººk-sayn-*hyay*-noa) *adj* subtle

hiusharja (*hee*ººss-*hahr*-Yah) *n* hairbrush

hiuskiinne (*hee*ººss-*keen*-nay) *n* hairspray

hiuslisäke (*hee*ººss-li-sæ-kay) *n* hair piece

hiusneula (*hee*ººss-nayºº-lah) *n* hairpin; bobby pin *Am*

hiussolki (*hee*ººss-*soal*-ki) *n* hair-grip

hiustenkuivaaja (*hee*ººss-tayn-*koo*ºº*ºº*-vaa-Yah) *n* hair-dryer

hiusverkko (*hee*ººss-*vayrk*-koa) *n* hair-net

hiusvesi (*hee*ººss-*vay*-si) *n* hair tonic

hiusvoide (*hee*ººss-*voi*-day) *n* hair cream

hiusöljy (*hee*ººss-*url*Yew) *n* hair-oil

hiven (*hi*-vayn) *n* bit

hohkakivi (*hoah*-kah-*ki*-vi) *n* pumice stone

hohtimet (*hoah*-ti-mayt) *pl* pincers *pl*

hohto (*hoah*-toa) *n* gloss

hoikka (*hoik*-kah) *adj* slender

hoitaa (*hoi*-taa) *v* tend, nurse; look after

hoito (*hoi*-toa) *n* treatment; therapy

hoitokoti (*hoi*-toa-*koa*-ti) *n* asylum; home

holhooja (*hoal*-hōā-ʸah) *n* tutor; guardian

holhous (*hoal*-hoa-ooss) *n* custody

Hollanti (*hoal*-lahn-ti) Holland

hollantilainen (*hoal*-lahn-ti-ligh-nayn) *n* Dutchman; *adj* Dutch

holvattu (*hoal*-vaht too) *adj* arched

holvi (*hoal*-vi) *n* arch; vault

home (*hoa*-may) *n* mildew

homeinen (*hoa*-may-nayn) *adj* mouldy

homoseksuaalinen (*hoa*-moa-*sayk*-soo-aa-li-nayn) *adj* homosexual

hopea (*hoa*-pay-ah) *n* silver

hopeaseppä (*hoa*-pay-ah-*sayp*-pæ) *n* silversmith

hopeatavara (*hoa*-pay-ah-*tah*-vah-rah) *n* silverware

hopeinen (*hoa*-pay-nayn) *adj* silver

horjahdus (*hoar*-ʸahh-dooss) *n* slip

horjua (*hoar*-ʸoo-ah) *v* falter

horjuva (*hoar*-ʸoo-vah) *adj* unsteady

hotelli (*hoa*-tayl-li) *n* hotel

hotellipoika (*hoa*-tayl-li-*poi*-kah) *n* page-boy, bellboy

houkutella (*hoa*-koo-tayl-lah) *v* tempt

houkutus (*hoa*-koo-tooss) *n* attraction; temptation

housunkannattimet (*hoa*-soong-*kahn*-naht-ti-mayt) *pl* suspenders *plAm*

housupuku (*hoa*-soo-*poo*-koo) *n* pantsuit

housut (*hoa*-soot) *pl* trousers *pl*; pants *plAm*; pitkät ~ slacks *pl*

hovi (*hoa*-vi) *n* court

hovimestari (*hoa*-vi-*mayss*-tah-ri) *n* head-waiter

huhtikuu (*hooh*-ti-kōō) April

huhu (*hoo*-hoo) *n* rumour

huijari (*hoo*ᵉᵉ-ʸah-ri) *n* swindler; quack

huijaus (*hoo*ᵉᵉ-ʸah-ooss) *n* swindle

huilu (*hoo*ᵉᵉ-loo) *n* flute

huimaus (*hoo*ᵉᵉ-mah-ooss) *n* dizziness, giddiness, vertigo; huimausta tunteva giddy

huippu (*hoo*ᵉᵉp-poo) *n* peak, summit, top; spire

huippukausi (*hoo*ᵉᵉp-poo-*kou*-si) *n* peak season

huippukohta (*hoo*ᵉᵉp-poo-*koah*-tah) *n* height, zenith

huivl (*hoo*ᵉᵉ-vi) *n* scarf

hukata (*hoo*-kah-tah) *v* *mislay, *lose

hukkua (*hook*-koo-ah) *v* drown, *be drowned

hullu (*hool*-loo) *adj* crazy, mad

hullunkurinen (*hool*-loong-*koo*-ri-nayn) *adj* funny; ludicrous

hulluus (*hool*-lōōss) *n* madness

humalainen (*hoo*-mah-ligh-nayn) *adj* drunk

humalakasvi (*hoo*-mah-lah-*kahss*-vi) *n* hop

hummeri (*hoom*-may-ri) *n* lobster

humoristinen (*hoo*-moa-riss-ti-nayn) *adj* humorous

hunaja (*hoo*-nah-ʸah) *n* honey

huohottaa (*hwoa*-hoat-taa) *v* pant

huojennus (*hwoa*-ʸayn-nooss) *n* relief

huolehtia jstk (*hwoa*-layh-ti-ah) *v* look after, *take care of, see to, *v* attend to; mind, care about

huolellinen (*hwoa*-layl-li-nayn) *adj* careful

huolenpito (*hwoa*-laym-*pi*-toa) *n* care

huolestua (*hwoa*-layss-too-ah) *v* worry

huolestunut (*hwoa*-layss-too-noot) *adj* concerned, anxious, worried; afraid

huolestuttava (*hwoa*-layss-toot-tah-vah) *adj* alarming

huoleton (*hwoa*-lay-toan) *adj* carefree; casual, easy-going

huoli (*hwoa*-li) *n* concern, anxiety,

worry, care; trouble; **olla huolis-saan** worry

huolimaton (*hwoa*-li-mah-toan) *adj* neglectful, careless

huolimatta (*hwoa*-li-maht-tah) *prep/postp* despite, in spite of; **siitä** ~ nevertheless

huoliteltu (*hwoa*-li-tayl-too) *adj* neat

huoltaa (*hoo*-oal-taa) *v* overhaul

huoltoasema (*hwoal*-toa-*ah*-say-mah) *n* service station; gas station *Am*

huomaamaton (*hwoa*-maa-mah-toan) *adj* inconspicuous

huomaavainen (*hwoa*-maa-vigh-nayn) *adj* thoughtful, considerate

huomaavaisuus (*hwoa*-maa-vigh-sōōss) *n* consideration

huomata (*hwoa*-mah-tah) *v* notice, observe, note

huomattava (*hwoa*-maht-tah-vah) *adj* considerable; noticeable; remarkable, outstanding

huomauttaa (*hwoa*-mah-oot-taa) *v* remark; comment

huomautus (*hwoa*-mah-oo-tooss) *n* remark, comment; note

huomenna (*hwoa*-mayn-nah) *adv* tomorrow

huomio (*hwoa*-mi-oa) *n* attention, notice;; **huomioon ottaen** considering

huomioonottaminen (*hwoa*-mi-ōān-oat-tah-mi-nayn) *n* consideration

huomiota herättävä (*hwoa*-mi-oa-tah hay-ræt-tæ-væ) sensational; striking

huone (*hwoa*-nay) *n* room, chamber; **yhden hengen** ~ single room

huoneisto (*hwoa*-nayss-toa) *n* flat; suite; apartment *nAm*

huonekalut (*hwoa*-nay-*kah*-loot) *pl* furniture

huonelämpötila (*hwoa*-nay-*læm*-pur-*ti*-lah) *n* room temperature

huonepalvelu (*hwoa*-nay-*pahl*-vay-loo) *n* room service

huono (*hwoa*-noa) *adj* bad, poor; ~ **onni** bad luck; misfortune

huonompi (*hwoa*-noam-pi) *adj* inferior

huonovointinen (*hwoa*-noa-*voin*-ti-nayn) *adj* unwell

huopa (*hwoa*-pah) *n* felt; blanket

huora (*hwoa*-rah) *n* whore

huosta (*hwoass*-tah) *n* custody

hupi (*hoo*-pi) *n* fun

huppu (*hoop*-poo) *n* hood

hupsu (*hoop*-soo) *adj* foolish

hurja (*hoor*-Yah) *adj* wild; furious

hurmaava (*hoor*-maa-vah) *adj* adorable, enchanting, charming

hurmata (*hoor*-mah-tah) *v* charm, bewitch

hurmio (*hoor*-mi-oa) *n* ecstasy

hurrata (*hoor*-rah-tah) *v* cheer

hurskas (*hoors*-kahss) *adj* pious

huudahdus (*hōō*-dahh-dooss) *n* exclamation; cry

huudahtaa (*hōō*dahh-taa) *v* exclaim

huuhtelu (*hōōh*-tay-loo) *n* rinse

huuhtoa (*hōōh*-toa-ah) *v* rinse

huuli (*hōō*-li) *n* lip

huulipuna (*hōō*-li-*poo*-nah) *n* lipstick

huulivoide (*hōō*-li-*voi*-day) *n* lipsalve

huume (*hōō*-may) *n* narcotic, drug

huumori (*hōō*-moa-ri) *n* humour

huutaa (*hōō*-taa) *v* call, cry, shout; scream

huuto (*hōō*-toa) *n* call, cry, shout

huutokauppa (*hōō*-toa-*koup*-pah) *n* auction

huvi (*hoo*-vi) *n* fun; amusement, pleasure

huvila (*hoo*-vi-lah) *n* villa

huvimatka (*hoo*-vi-*maht*-kah) *n* excursion

huvinäytelmä (*hoo*-vi-*næ*ᵉʷ-tayl-mæ) *n* comedy

huvipursi (*hoo*-vi-poor-si) *n* yacht

huviretki (*hoo*-vi-rayt-ki) *n* picnic; **tehdä** ~ picnic

huvittaa (*hoo*-vit-taa) *v* amuse, entertain
huvittava (*hoo*-vit-tah-vah) *adj* humorous, entertaining, amusing
huvitus (*hoo*-vi-tooss) *n* amusement, entertainment
hygieeninen (*hew*-gi-ay̅-ni-nayn) *adj* hygienic
hygienia (*hew*-gi-ay-ni-ah) *n* hygiene
hyi! (hew[ee]) shame!
hylje (*hewl*-[y]ay) *n* seal
hylky (*hewl*-kow) *n* wreck
hylly (*hewl*-lew) *n* shelf
hylätä (*hew*-læ-tæ) *v* reject; turn down; desert
hymni (*hewm*-ni) *n* hymn
hymy (*hew*-mew) *n* smile
hymyillä (*hew*-mew[ee]l-læ) *v* smile
hyppiä (*hewp*-pi-æ) *v* hop; skip
hyppy (*hewp*-pew) *n* leap, jump
hyppäys (*hewp*-pæ-ewss) *n* hop
hypätä (*hew*-pæ-tæ) *v* jump; ~ **yli** skip
hyräillä (*hew*-ræ[ee]l-læ) *v* hum
hysteerinen (*hewss*-tay̅-ri-nayn) *adj* hysterical
hytti (*hewt*-ti) *n* cabin; **hytin ikkuna** porthole
hyttysverkko (*hewt*-tewss-*vayrk*-koa) *n* mosquito-net
hyve (*hew*-vay) *n* virtue
hyvin (*hew*-vin) *adv* well; very, quite
hyvinvointi (*hew*-vin-*voin*-ti) *n* welfare; comfort
hyvittää (*hew*-vit-tææ) *v* *make good; credit; compensate
hyvitys (*hew*-vi-tewss) *n* compensation
hyvä (*hew*-væ) *adj* good, nice; ~ **on!** all right!; **olkaa** ~ please; here you are
hyväksyminen (*hew*-væk-sew-mi-nayn) *n* approval; authorization; **antaa** ~ approve of
hyväksyä (*hew*-væk-sew-æ) *v* accept, approve; endorse
hyväntahtoinen (*hew*-væn-*tahh*-toi-nayn) *adj* kind; good-natured
hyväntahtoisuus (*hew*-væn-*tahh*-toi-so̅o̅ss) *n* goodwill
hyväntekeväisyys (*hew*-væn-*tay*-kay-væ[ee]-se̅w̅ss) *n* charity
hyväntuulinen (*hew*-væn-*to̅o̅*-li-nayn) *adj* good-tempered, good-humoured
hyytelö (*he̅w̅*-tay-lur) *n* jelly
hyytyä (*he̅w̅*-tew-æ) *v* coagulate
hyödyllinen (*h*[ew]*ur*-dewl-li-nayn) *adj* useful
hyödyllisyys (*h*[ew]*ur*-dewl-li-se̅w̅ss) *n* utility
hyödyttää (*h*[ew]*ur*-dewt-tææ) *v* *be of use
hyödytön (*h*[ew]*ur*-dew-turn) *adj* useless; idle
hyökkäys (*h*[ew]*urk*-kæ-ewss) *n* offensive, attack; raid
hyökkäävä (*h*[ew]*urk*-kææ-væ) *adj* aggressive; offensive
hyökätä (*h*[ew]*ur*-kæ-tæ) *v* attack
hyönteinen (*h*[ew]*urn*-tay-nayn) *n* insect; bug *nAm*
hyönteismyrkky (*h*[ew]*urn*-tayss-*mewrk*-kew) *n* insecticide
hyönteisvoide (*h*[ew]*urn*-tayss-*voi*-day) *n* insect repellent
hyöty (*h*[ew]*ur*-tew) *n* use; profit
hyötyä jstkn (*h*[ew]*ur*-tew-æ) *v* benefit; profit
häijy (*hæ*[ee]-[y]ew) *adj* nasty
häikäisevä (*hæ*[ee]-kæ[ee]-say-væ) *adj* glaring, dazzling
häilyväinen (*hæ*[ee]-lew-væ[ee]-nayn) *adj* unsteady
häipyä (*hæ*[ee]-pew-æ) *v* vanish; fade
häiritä (*hæ*[ee]-ri-tæ) *v* disturb; bother
häiriö (*hæ*[ee]-ri-ur) *n* disturbance
häkeltynyt (*hæ*-kayl-tew-newt) *adj*

embarrassed
häkki (*hæk*-ki) *n* cage
hälinä (*hæ*-li-næ) *n* noise; fuss
hälyttää (*hæ*-lewt-tææ) *v* alarm
hälytys (*hæ*-lew-tewss) *n* alarm
hämillinen (*hæ*-mil-li-nayn) *adj* embarrassed
hämillisyys (*hæ*-mil-li-sewss) *n* shyness
hämmentynyt (*hæm*-mayn-tew-newt) *adj* confused
hämmentää (*hæm*-mayn-tææ) *v* stir; confuse
hämminki (*hæm*-ming-ki) *n* confusion
hämmästys (*hæm*-mæss-tewss) *n* astonishment, amazement; surprise
hämmästyttävä (*hæm*-mæss-tewt-tæ-væ) *adj* surprising, astonishing; striking
hämmästyttää (*hæm*-mæss-tewt-tææ) *v* amaze, astonish; surprise
hämähäkinverkko (*hæ*-mæ-hæ-kin-vayrk-koa) *n* spider's web, cobweb
hämähäkki (*hæ*-mæ-hæk-ki) *n* spider
hämärä (*hæ*-mæ-ræ) *adj* dim; obscure, faint; *n* dusk
hämäräperäinen (*hæ*-mæ-ræ-*pay*-ræ^ee-nayn) *adj* obscure
hän (*hæn*) *pron* he, she
hänelle (*hæ*-nayl-lay) *pron* him, her
hänen (*hæ*-nayn) *pron* his, her
hänet (*hæ*-nayt) *pron* him, her
häntä (*hæn*-tæ) *n* tail
häpeissään (*hæ*-payss-sææn) *adv* ashamed
häpeä (*hæ*-pay-æ) *n* shame, disgrace
härkä (*hær*-kæ) *n* bull; ox
härkäpäinen (*hær*-kæ-pæ^ee-nayn) *adj* pig-headed
härkätaistelu (*hær*-kæ-*tighss*-tay-loo) *n* bullfight
härkätaisteluareena (*hær*-kæ-*tighss*-tay-loo-ah-*rāy*-nah) *n* bullring
hätä (*hæ*-tæ) *n* misery, distress

hätämerkki (*hæ*-tæ-*mayrk*-ki) *n* distress signal
hätätapaus (*hæ*-tæ-*tah*-pah-ooss) *n* emergency
hätätilanne (*hæ*-tæ-*ti*-lahn-nay) *n* emergency
hävetä (*hæ*-vay-tæ) *v* *be ashamed
hävittää (*hæ*-vit-tææ) *v* destroy
hävitys (*hæ*-vi-tewss) *n* ruination, destruction
hävyttömyys (*hæ*-vewt-tur-mēwss) *n* impertinence
hävytön (*hæ*-vew-turn) *adj* impertinent
häväistysjuttu (*hæ*-væ^eess-tewss-*ʏoot*-too) *n* scandal
häämatka (*hææ*-*maht*-kah) *n* honeymoon
häät (*hææt*) *pl* wedding
hölmö (*hurl*-mur) *n* fool
hölynpöly (*hur*-lewm-*pur*-lew) *n* nonsense
höyhen (*hur^ew*-hayn) *n* feather
höyry (*hur^ew*-rew) *n* steam
höyrylaiva (*hur^ew*-rew-*ligh*-vah) *n* steamer

I

identtinen (*i*-daynt-ti-nayn) *adj* identical
idiomaattinen (*i*-di-oa-maat-ti-nayn) *adj* idiomatic
idiomi (*i*-di-oa-mi) *n* idiom
idiootti (*i*-di-ōāt-ti) *n* idiot
ien (*yayn*) *n* gum
ies (*yayss*) *n* yoke
ihailija (*i*-high-li-ʏah) *n* fan
ihailla (*i*-highl-lah) *v* admire
ihailu (*i*-high-loo) *n* admiration
ihana (*i*-hah-nah) *adj* delightful, wonderful, lovely

ihanne (*i*-hahn-nay) *n* ideal; idol

ihanteellinen (*i*-hahn-tāyl-li-nayn) *adj* ideal

ihastunut (*i*-hahss-too-noot) *adj* delighted

ihastuttaa (*i*-hahss-toot-taa) *v* delight

ihastuttava (*i*-hahss-toot-tah-vah) *adj* delightful; delicious

ihme (*ih*-may) *n* wonder, miracle; marvel

ihmeellinen (*ih*-māyl-li-nayn) *adj* wonderful, marvellous; miraculous

ihmetellä (*ih*-may-tayl-læ) *v* marvel, wonder

ihmettely (*ih*-mayt-tay-lew) *n* wonder

ihminen (*ih*-mi-nayn) *n* human being; man

ihmiset (*ih*-mi-sayt) *pl* people *pl*

ihmiskunta (*ih*-miss-*koon*-tah) *n* mankind, humanity

iho (*i*-hoa) *n* skin

ihottuma (*i*-hoat-too-mah) *n* eczema, rash

ihovoide (*i*-hoa-*voi*-day) *n* skin cream

ikimuistettava (*i*-ki-*moo*ᵉᵉss-tayt-tah-vah) *adj* memorable

ikivanha (*i*-ki-*vahn*-hah) *adj* ancient

ikkuna (*ik*-koo-nah) *n* window

ikkunalauta (*ik*-koo-nah-*lou*-tah) *n* window-sill

ikkunaluukku (*ik*-koo-nah-*lōōk* koo) *n* shutter

ikoni (*i*-koa-ni) *n* icon

ikuinen (*i*-kooᵉᵉ-nayn) *adj* eternal

ikuisuus (*i*-kooᵉᵉ-sōōss) *n* eternity

ikä (*i*-kæ) *n* age

ikäneito (*i*-kæ-*nay*-toa) *n* spinster

ikävystyttävä (*i*-kæ-vewss-tewt-tæ-væ) *adj* boring, dull

ikävystyttää (*i*-kæ-vewss-tewt-tææ) *v* bore

ikävä (*i*-kæ-væ) *adj* dull, unpleasant

ikävöidä (*i*-kæ-vurᵉᵉ-dæ) *v* long for

ikään kuin (ikææn kooᵉᵉn) as if

ilahduttava (*i*-lahh-doot-tah-vah) *adj* delightful

ilkeä (*il*-kay-æ) *adj* evil, wicked; bad

ilkikuri (*il*-ki-*koo*-ri) *n* mischief

ilkityö (*il*-ki-*t*ᵉʷur) *n* outrage

illallinen (*il*-lahl-li-nayn) *n* dinner, supper

ilma (*il*-mah) *n* air; **ilma-** pneumatic

ilmaantua (*il*-maan-too-ah) *v* appear

ilmaantuminen (*il*-maan-too-mi-nayn) *n* appearance

ilmainen (*il*-migh-nayn) *adj* gratis, free of charge, free

ilmaista (*il*-mighss-tah) *v* express; reveal, *give away; indicate

ilmaisu (*il*-migh-soo) *n* expression; term

ilmakehä (*il*-mah-*kay*-hæ) *n* atmosphere

ilman (*il*-mahn) *prep* without

ilmanpaine (*il*-mahn-*pigh*-nay) *n* atmospheric pressure

ilmanpitävä (*il*-mahm-*pi*-tæ-væ) *adj* airtight

ilmanpuhdistin (*il*-mahn-*pooh*-diss-tin) *n* air-filter

ilmanvaihto (*il*-mahm-*vighh*-toa) *n* ventilation

ilmapallo (*il*-mah-*pahl*-loa) *n* balloon

ilmapuntari (*il*-mah-*poon*-tah-ri) *n* barometer

ilmasto (*il*-mahss-toa) *n* climate

ilmastointi (*il*-mahss-toin-ti) *n* air-conditioning

ilmastoitu (*il*-mahss-toi-too) *adj* air-conditioned

ilmaus (*il*-mah-ooss) *n* expression

ilmava (*il*-mah-vah) *adj* airy

ilmeinen (*il*-may-nayn) *adj* obvious, apparent

ilmeisesti (*il*-may-sayss-ti) *adv* apparently

ilmestys (*il*-mayss-tewss) *n* apparition

ilmestyä (*il*-mayss-tew-æ) appear

ilmetä (il-may-tæ) v appear
ilmoittaa (il-moit-taa) v inform, declare, announce; notify; report; state
ilmoittautua (il-moit-tou-tooah) v report; ~ lähtiessä check out; ~ saapuessa check in
ilmoittautuminen (il-moit-tou-too-minayn) n registration
ilmoittautumislomake (il-moit-tou-too-miss-loa-mah-kay) n registration form
ilmoitus (il-moi-tooss) n advertisement; announcement; information; indication
ilo (i-loa) n joy, gladness; delight
iloinen (i-loi-nayn) adj merry, glad, gay, cheerful, joyful, jolly; happy
iloisuus (i-loi-sōōss) n gaiety
iloita (jstk) (i-loi-tah) v enjoy, delight
ilomielin (i-loa-myay-lin) adv gladly
ilta (il-tah) n evening; night; tänä iltana tonight
iltahämärä (il-tah-hæ-mæ-ræ) n twilight
iltapuku (il-tah-poo-koo) n evening dress; gown
iltapäivä (il-tah-pæ^ee-væ) n afternoon; tänä iltapäivänä this afternoon
ilveilijä (il-vay-li-Yæ) n clown
ilveily (il-vay-lew) n farce
imettää (i-mayt-tææ) v nurse
imeä (i-may-æ) v suck
immunisoida (im-moo-ni-soi-dah) v immunize
immuniteetti (im-moo-ni-tāyt-ti) n immunity
improvisoida (im-proa-vi-soi-dah) v improvise
impulsiivinen (im-pool-see-vi-nayn) adj impulsive
imuke (i-moo-kay) n cigarette-holder
imupaperi (i-moo-pah-pay-ri) n blotting paper

imuroida (i-moo-roi-dah) v hoover; vacuum vAm
Indonesia (in-doa-nay-si-ah) Indonesia
indonesialainen (in-doa-nay-si-ah-lighnayn) n Indonesian; adj Indonesian
infinitiivi (in-fi-ni-tee-vi) n infinitive
inflaatio (inf-laa-ti-oa) n inflation
influenssa (inf-loo-ayns-sah) n flu, influenza
infrapunainen (inf-rah-poo-nigh-nayn) adj infra-red
inhimillinen (in-hi-mil-li-nayn) adj human
inho (in-hoa) n disgust; dislike
inhottava (in-hoat-tah-vah) adj disgusting, revolting; horrible, hideous; nasty
inkivääri (ing-ki-vææ-ri) n ginger
innoittaa (in-noit-taa) v inspire
innokas (in-noa-kahss) adj zealous, anxious, eager; keen
innostunut (in-noass-too-noot) adj enthusiastic
innostus (in-noass-tooss) n enthusiasm
insinööri (in-si-nūr-ri) n engineer
instituutio (ins-ti-tōō-ti-oa) n institution
intensiivinen (in-tayn-see-vi-nayn) adj intense
Intia (in-ti-ah) India
intiaani (in-ti-aa-ni) n Indian; intiaani-Indian
intialainen (in-ti-ah-ligh-nayn) n Indian; adj Indian
into (in-toa) n zeal
intohimo (in-toa-hi-moa) n passion
intohimoinen (in-toa-hi-moi-nayn) adj passionate
inttää (ay-hoass-tooss) v insist
invalidi (in-vah-li-di) n invalid
inventaario (in-vayn-taa-ri-oa) n inventory
investoida (in-vayss-toi-dah) v invest

Irak (*i*-rahk) Iraq
irakilainen (*i*-rah-ki-ligh-nayn) *n* Iraqi; *adj* Iraqi
Iran (*i*-rahn) Iran
iranilainen (*i*-rah-ni-ligh-nayn) *n* Iranian; *adj* Iranian
Irlanti (*eer*-lahn-ti) Ireland
irlantilainen (*eer*-lahn-ti-ligh-nayn) *n* Irishman; *adj* Irish
irrottaa (*eer*-roat-taa) *v* detach, loosen; unfasten
irtonainen (*eer*-toa-nigh-nayn) *adj* loose
iskelmä (*iss*-kayl-mæ) *n* hit
iskeä (*iss*-kay-æ) *v* *hit; ~ **maahan** knock down; ~ **nyrkillä** punch
isku (*iss*-koo) *n* blow
iskulause (*iss*-koo-*lou*-say) *n* slogan
iskunvaimentaja (*iss*-koon-*vigh*-mayn-tah-ɣah) *n* shock absorber
iskusana (*iss*-koo-*sah*-nah) *n* slogan
Islanti (*iss*-lahn-ti) Iceland
islantilainen (*iss*-lahn-ti-ligh-nayn) *n* Icelander; *adj* Icelandic
iso (*i*-soa) *adj* big
Iso-Britannia (*i*-soa-*bri*-tahn-ni-ah) Great Britain
isoisä (*i*-soa-*i*-sæ) *n* granddad, grandfather
isorokko (*i*-soa-*roak*-koa) *n* smallpox
isovanhemmat (*i*-soa-*vahn* haym-maht) *pl* grandparents *pl*
isoäiti (*i*-soa-æ*ee*-ti) *n* grandmother
Israel (*iss*-rah-ayl) Israel
israelilainen (*iss*-rah-ay-li-ligh-nayn) *n* Israeli; *adj* Israeli
istua (*iss*-too-ah) *v* *sit
istuin (*iss*-too*ee*n) *n* seat
istumapaikka (*iss*-too-mah-*pighk*-kah) *n* seat
istunto (*iss*-toon-toa) *n* session
istuttaa (*iss*-toot-taa) *v* plant
isä (*i*-sæ) *n* father; dad, daddy
isänmaa (*i*-sæn-maa) *n* fatherland,
native country
isänmaanystävä (*i*-sæn-*maan*-ewss-tæ-væ) *n* patriot
isäntä (*i*-sæn-tæ) *n* host; master
isäpuoli (*i*-sæ-*pwoa*-li) *n* stepfather
Italia (*i*-tah-li-ah) Italy
italialainen (*i*-tah-li-ah-ligh-nayn) *n* Italian; *adj* Italian
itkeä (*it*-kay-æ) *v* cry, *weep
itse (*it*-say) *pron* myself; yourself; himself; herself; oneself; ourselves; yourselves; themselves; ~ **asiassa** in effect, actually, as a matter of fact, in fact; ~ **siliävä** drip-dry, wash and wear
itsehallinto (*it*-sayh-*hahl*-lin-toa) *n* self-government, autonomy
itsekeskeinen (*it*-sayk-*kayss*-kay-nayn) *adj* self-centred
itsekkyys (*it*-sayk-k$\overline{ew}$ss) *n* selfishness
itsekäs (*it*-say-kæss) *adj* egoistic, selfish
itsemme (*it*-saym-may) *pron* ourselves
itsemurha (*it*-saym-*moor*-hah) *n* suicide
itseni (*it*-say-ni) *pron* myself
itsenne (*it*-sayn-nay) *pron* yourselves
itsensä (*it*-sayn-sæ) *pron* themselves, herself, himself
itsenäinen (*it*-sayl-li-nayn) *adj* self-employed
itsepalvelu (*it*-sayp-*pahl*-vay-loo) *n* self-service
itsepalvelukahvila (*it*-sayp-*pahl*-vay-loo-*kahh*-vi-lah) *n* cafeteria
itsepalvelupesula (*it*-sayp-*pahl*-vay-loo-*pay*-soo-lah) *n* launderette
itsepalveluravintola (*it*-sayp-*pahl*-vay-loo-*rah*-vin-toa-lah) *n* self-service restaurant
itsepäinen (*it*-sayp-pæ*ee*-nayn) *adj* stubborn, obstinate, dogged

itserakas (*it*-sayr-*rah*-kahss) *adj* conceited

itsesi (*it*-say-si) *pron* yourself

itsestään selvä (*it*-sayss-tææn *sayl*-væ) self-evident

itä (*i*-tæ) *n* east

itäinen (*i*-tæ^{ee}-nayn) *adj* eastern, easterly

itämaat (*i*-tæ-*maat*) *pl* Orient

itämainen (*i*-tæ-migh-nayn) *adj* oriental

Itävalta (*i*-tæ-*vahl*-tah) *n* Austria

itävaltalainen (*i*-tæ-*vahl*-tah-ligh-nayn) *n* Austrian; *adj* Austrian

iva (*i*-vah) *n* scorn, mockery

ivallinen (*i*-vahl-li-nayn) *adj* scornful

iäkäs (*i*-æ-kæss) *adj* aged

J

ja (ᵞah) *conj* and; ∼ niin edelleen etcetera

jaaritella (ᵞaari-tayl-lah) *v* chatter, talk rubbish

jaaritus (ᵞaa-ri-tooss) *n* idle talk

jadekivi (ᵞah-day-*ki*-vi) *n* jade

jakaa (ᵞah-kaa) *v* divide; distribute; *deal; share

jakaus (ᵞah-kah-ooss) *n* parting

jakelija (ᵞah-kay-li-ᵞah) *n* distributor

jako (ᵞah-koa) *n* division

jakoavain (ᵞah-koa-ah-vighn) *n* spanner, wrench

jakso (ᵞahk-soa) *n* period; series; cycle

jalan (ᵞah-lahn) *adv* on foot, walking

jalankulkija (ᵞah-lahng-*kool*-ki-ᵞah) *n* pedestrian; jalankulku kielletty no pedestrians

jalava (ᵞah-lah-vah) *n* elm

jalka (ᵞahl-kah) *n* foot; leg

jalkajarru (ᵞahl-kah-ᵞahr-roo) *n* foot-brake

jalkakäytävä (ᵞahl-kah-*kæ*ᵉʷ-tæ-væ) *n* pavement; sidewalk *nAm*

jalkapallo (ᵞahl-kah-*pahl*-loa) *n* football

jalkapollo-ottelu (ᵞahl-kah-*pahl*-loa-oat-tay-loo) *n* football match

jalkatalkki (ᵞahl-kah-tahlk-ki) *n* foot powder

jalkaväki (ᵞahl-kah-væ-ki) *n* infantry

jalkineet (ᵞahl-ki-nāȳt) *pl* footwear

jalkojenhoitaja (ᵞahl-koa-ᵞayn-*hoi*-tah-ᵞah) *n* chiropodist

jalkojenhoito (ᵞahl-koa-ᵞayn-*hoi*-toa) *n* pedicure

jalo (ᵞah-loa) *adj* noble

jalokivi (ᵞah-loa-*ki*-vi) *n* gem; stone

jalokivikauppias (ᵞah-loa-*ki*-vi-*koup*-pi-ahss) *n* jeweller

jalusta (ᵞah-looss-tah) *n* stand, base

jalustin (ᵞah-looss-tin) *n* stirrup

jano (ᵞah-noa) *n* thirst

janoinen (ᵞah-noi-nayn) *adj* thirsty

jaosto (ᵞah-oass-toa) *n* section, department

Japani (ᵞah-pah-ni) Japan

japanilainen (ᵞah-pah-ni-ligh-nayn) *n* Japanese; *adj* Japanese

jarru (ᵞahr-roo) *n* brake

jarrurumpu (ᵞahr-roo-*room*-poo) *n* brake drum

jarruvalot (ᵞahr-roo-vah-loat) *pl* brake lights

jatkaa (ᵞaht-kaa) *v* proceed, carry on, *go on, continue; *go ahead; *keep on

jatko (ᵞaht-koa) *n* continuation

jatkojohto (ᵞaht-koa-ᵞoah-toa) *n* extension cord

jatkokertomus (ᵞaht-koa-kayr-toa-mooss) *n* serial

jatkoyhteys (ᵞaht-koa-*ewh*-tay-ewss) *n* connection

jatkua (ᵞaht-koo-ah) *v* continue,

*go on
jatkuva (*Yaht-koo-vah*) *adj* continuous
jauhaa (*You-haa*) *v* *grind
jauhe (*You-hay*) *n* powder
jauho (*You-hoa*) *n* flour
jersey (*Yayr-say*^{ew}) *n* jersey
jo (*Yoa*) *adv* already
jodi (*Yoa-di*) *n* iodine
joenvarsi (*Yoa-ayn-vahr-si*) *n* riverside
johdanto (*Yoah-dahn-toa*) *n* introduction
johdinbussi (*Yoah-dim-booss-si*) *n* trolley-bus
johdonmukainen (*Yoah-doan-moo-kigh-nayn*) *adj* logical; consistent
johdosta (*Yoah-doass-tah*) *postp* on account of, owing to
johtaa (*Yoah-taa*) *v* head, *lead, direct, conduct; manage
johtaja (*Yoah-tah-Yah*) *n* director, manager; leader
johtajaopettaja (*Yoah-tah-Yah-oa-payt-tah-Yah*) *n* headmaster, head teacher
johtajuus (*Yoah-tah-Yōōss*) *n* leadership
johtava (*Yoah-tah-vah*) *adj* leading
johto (*Yoah-toa*) *n* flex; electric cord; lead, direction, management
johtohenkilö (*Yoah-toa-hayn-ki-lur*) *n* executive, leader
johtokunta (*Yoah-toa-koon-tah*) *n* board, direction
johtopäätös (*Yoah-toa-pææ-turss*) *n* conclusion; **tehdä** ~ *draw a conclusion
joka¹ (*Yoa-kah*) *pron* who, that, which
joka² (*Yoa-kah*) *adj* every; ~ **tapauksessa** at any rate, anyway
jokainen (*Yoa-kigh-nayn*) *pron* everyone, anyone, everybody; *adj* each
jokapäiväinen (*Yoa-kah-pæ*^{ee}*-væ*^{ee}*-nayn*) *adj* everyday

jokatuntinen (*Yoa-kah-toon-ti-nayn*) *adj* hourly
joki (*Yoa-ki*) *n* river
jokipenger (*Yoa-ki-payng-ngayr*) *n* river bank
joko ... tai either ... or
joku (*Yoa-koo*) *pron* one; someone, somebody; any
jolla (*Yoal-lah*) *n* dinghy
jolle (*Yoal-lay*) *pron* whom
jolloin (*Yoal-loin*) *conj* when
jompikumpi (*Yoam-pi-koom-pi*) *pron* either
jonkinverran (*Yoang-kin-vayr-rahn*) *adv* rather
jono (*Yoa-noa*) *n* queue; file
jonottaa (*Yoa-noat-taa*) *v* queue; stand in line *Am*
jopa (*Yoa-pah*) *adv* even
Jordania (*Yoar-dah-ni-ah*) Jordan
jordanialainen (*Yoar-dah-ni-ah-ligh-nayn*) *n* Jordanian; *adj* Jordanian
jos (*Yoass*) *conj* if; in case
joskus (*Yoass-kooss*) *adv* some time, some day
jossain (*Yoass-sighn*) *adv* somewhere
jotakin (*Yoa-tah-kin*) *pron* something
joten (*Yoa-tayn*) *conj* so that
jotensakin (*Yoa-tayn-sah-kin*) *adv* pretty
jotkut (*Yoat-koot*) *pron* some
jotta (*Yoat-tah*) *conj* to, in order to, so that
joukko (*Yoak-koa*) *n* crowd, lot
joukkue (*Yoak-koo-ay*) *n* team
joukossa (*Yoa-koass-sah*) *postp* amid, among
joukot (*Yoa-koat*) *pl* troops *pl*
joulu (*Yoa-loo*) Christmas; Xmas
joulukuu (*Yoa-loo-kōō*) December
jousi (*Yoa-si*) *n* bow; spring
jousitus (*Yoa-si-tooss*) *n* suspension
joustava (*Yoass-tah-vah*) *adj* smooth, flexible; elastic

joustavuus (*Y*oass-tah-v $\overline{oo}$ss) *n* elasticity

joutilas (*Y*oa-ti-lahss) *adj* idle

joutoaika (*Y*oa-toa-*igh*-kah) *n* spare time, leisure

joutsen (*Y*oat-sayn) *n* swan

jugoslaavi (*Y*oo-goass-laa-vi) *n* Jugoslav, Yugoslav

Jugoslavia (*Y*oo-goass-lah-vi-ah) Jugoslavia, Yugoslavia

jugoslavialainen (*Y*oo-goass-lah-vi-ah-ligh-nayn) *adj* Jugoslav

juhla (*Y*ooh-lah) *n* celebration, party, feast

juhla-ateria (*Y*ooh-lah-*ah*-tay-ri-ah) *n* banquet

juhlallinen (*Y*ooh-lahl-li-nayn) *adj* solemn

juhlamenot (*Y*ooh-lah-*may*-noat) *pl* ceremony

juhlasali (*Y*ooh-lah-*sah*-li) *n* hall; banqueting-hall

juhlava (*Y*ooh-lah-vah) *adj* festive

juhlia (*Y*ooh-li-ah) *v* celebrate

julistaa (*Y*oo-liss-taa) *v* proclaim; declare; ∼ **menetetyksi** confiscate

juliste (*Y*oo-liss-tay) *n* placard, poster

julistus (*Y*oo-liss-tooss) *n* declaration

julkaiseminen (*Y*ool-kigh-say-mi-nayn) *n* publication

julkaista (*Y*ool-kighss-tah) *v* publish; issue

julkea (*Y*ool-kay-ah) *adj* impudent

julkinen (*Y*ool-ki-nayn) *adj* public

julkisivu (*Y*ool-ki-*si*-voo) *n* façade

julkisuus (*Y*ool-ki-s $\overline{oo}$ss) *n* publicity

julma (*Y*ool-mah) *adj* cruel, harsh

jumala (*Y*oo-mah-lah) *n* god

jumalallinen (*Y*oo-mah-lahl-li-nayn) *adj* divine

jumalankieltäjä (*Y*oo-mah-lahng-*kyayl*-tæ-*Y*æ) *n* atheist

jumalanpalvelus (*Y*oo-mah-lahn-*pahl*-vay-looss) *n* worship, divine service

jumalatar (*Y*oo-mah-lah-tahr) *n* goddess

jumaluusoppi (*Y*oo-mah-l $\overline{oo}$ss-*oap*-pi) *n* theology

juna (*Y*oo-nah) *n* train

junalautta (*Y*oo-nah-*lout*-tah) *n* train ferry

juoda (*Y*woa-dah) *v* *drink

juoma (*Y*woa-mah) *n* beverage, drink

juomaraha (*Y*woa-mah-*rah*-hah) *n* tip, gratuity

juomavesi (*Y*woa-mah-*vay*-si) *n* drinking-water

juoni (*Y*woa-ni) *n* plot; artifice, ruse

juontaja (*Y*woan-tah-*Y*ah) *n* speaker, entertainer

juoru (*Y*woa-roo) *n* gossip

juoruta (*Y*woa-roo-tah) *v* gossip

juosta (*Y*woass-tah) *v* *run; flow

juotava (*Y*woa-tah-vah) *adj* for drinking

juotin (*Y*woa-tin) *n* soldering-iron

juottaa (*Y*woat-taa) *v* solder

juristi (*Y*oo-riss-ti) *n* lawyer

jutella (*Y*oo-tayl-lah) *v* chat

juttelu (*Y*oot-tay-loo) *n* chat

juuri (*Y* $\overline{oo}$-ri) *n* root; *adv* just

juurikas (*Y* $\overline{oo}$-ri-kahss) *n* beet

juusto (*Y* $\overline{oo}$ss-toa) *n* cheese

juutalainen (*Y* $\overline{oo}$-tah-ligh-nayn) *n* Jew; *adj* Jewish

jykevä (*Y*ew-kay-væ) *adj* solid, massive

jyristä (*Y*ew-riss-tæ) *v* thunder

jyrkkä (*Y*ewrk-kæ) *adj* steep

jyrkänne (*Y*ewr-kæn-nay) *n* precipice

jyskyttää (*Y*ewss-kewt-tææ) *v* thump

jyvä (*Y*ew-væ) *n* grain

jyvänen (*Y*ew-væ-nayn) *n* grain

jyvät (*Y*ew-væt) *pl* grain

jäljellä oleva (*Y*æl-*Y*ayl-læ *oa*-lay-vah) remaining

jäljennös (*Y*æl-*Y*ayn-nurss) *n* imitation, copy; reproduction jäljentää (Yæl-Yayn-tææ) v copy; reproduce

jäljessä (Yæl-Yayss-sæ) adv behind

jäljitellä (Yæl-Yi-tayl-læ) v copy, imitate

jäljittely (Yæl-Yit-tay-lew) n imitation

jäljittää (Yæl-Yit-tææ) v trace

jälkeen (Yæl-kāyn) postp after

jälkeenpäin (Yæl-kāym-pæ^{ee}n) adv afterwards

jälkeläinen (Yæl-kay-læ^{ee}-nayn) n descendant

jälki (Yæl-ki) n trail, trace

jälkiruoka (Yæl-ki-rwoa-kah) n dessert, sweet

jälleen (Yæl-lāyn) adv again

jälleenmyyjä (Yæl-lāyn-mēw-Yæ) n retailer

jänis (Yæ-niss) n hare

jänne (Yæn-nay) n tendon, sinew

jännite (Yæn-ni-tay) n voltage

jännittynyt (Yæn-nit-tew-newt) adj tense

jännittävä (Yæn-nit-tæ-væ) adj exciting

jännitys (Yæn-ni-tewss) n strain, tension

järjestellä (Yær-Yayss-tayl-læ) v arrange

järjestelmä (Yær-Yayss-tayl-mæ) n system

järjestelmällinen (Yær-Yayss-tayl-mælli-nayn) adj methodical, systematic

järjestely (Yær-Yayss-tay-lew) n arrangement, settlement

järjestys (Yær-Yayss-tewss) n order; sequence

järjestää (Yær-Yayss-tææ) v sort, arrange; settle

järjestö (Yær-Yayss-tur) n organization

järjetön (Yær-Yay-turn) adj senseless; absurd

järkeillä (Yær-kayl-læ) v reason; reason, argue

järkevä (Yær-kay-væ) adj reasonable, sensible

järki (Yær-ki) n reason; sense

järkkymätön (Yærk-kew-mæ-turn) adj steadfast

järkyttynyt (Yær-kewt-tew-newt) adj upset, shocked

järkyttävä (Yær-kewt-tæ-væ) adj shocking

järkyttää (Yær-kewt-tææ) v shock

järkytys (Yær-kew-tewss) n shock

järvi (Yær-vi) n lake

jäsen (Yæ-sayn) n member, associate

jäsenyys (Yæ-say-nēwss) n membership

jätteet (Yæt-tāyt) pl garbage; refuse

jättiläinen (Yæt-ti-læ^{ee}-nayn) n giant

jättiläismäinen (Yæt-ti-læ^{ee}ss-mæ^{ee}-nayn) adj gigantic

jättää (Yah^aYt-tææ) v *leave; ~ huomioonottamatta overlook; ~ jklle deliver; ~ pois omit, *leave out

jää (Yææ) n ice

jäädyttää (Yææ-dewt-tææ) v *freeze

jäädä (Yææ-dæ) v stay, remain; ~ eloon survive; ~ jäljelle remain

jäähdytysjärjestelmä (Yææh-dewtewss-Yær-Yayss-tayl-mæ) n cooling system

jäähyväiset (Yææ-hew-væ^{ee}-sayt) pl parting

jääkaappi (Yææ-kaap-pi) n refrigerator, fridge

jääkiekkoilu (Yææ-kyayk-koi-loo) n hockey

jäänne (Yææn-nay) n remnant

jäännös (Yææn-nurss) n remnant, rest, remainder

jääpussi (Yææ-pooss-si) n ice-bag

jäätelö (Yææ-tay-lur) n ice-cream

jäätikkö (Yææ-tik-kur) n glacier

jäätymispiste (Yææ-tew-miss-piss-tay) n freezing-point

jäätynyt (*Yææ*-tew-newt) *adj* frozen
jäätyä (*Yææ*-tew-æ) *v* *freeze
jäätävä (*Yææ*-tæ-væ) *adj* freezing
jäävesi (*Yææ*-vay-si) *n* iced water

K

kaakeli (*kaa*-kay-li) *n* tile
kaakko (*kaak*-koa) *n* south-east
kaali (*kaa*-li) *n* cabbage
kaapata (*kaa*-pah-tah) *v* hijack
kaapeli (*kaa*-pay-li) *n* cable
kaappaaja (*kaap*-paa-*Y*ah) *n* hijacker
kaappi (*kaa*-p-pi) *n* cupboard
kaareva (*kaa*-ray-vah) *adj* curved
kaari (*kaa*-ri) *n* arch
kaarikäytävä (*kaa*-ri-kæ*ew*-tæ-væ) *n* arcade
kaarna (*kaar*-nah) *n* bark
kaarre (*kaar*-ray) *n* turning, bend, curve
kaasu (*kaa*-soo) *n* gas
kaasulaitos (*kaa*-soo-*ligh*-toass) *n* gasworks
kaasuliesi (*kaa*-soo-*lyay*-si) *n* gas cooker
kaasupoljin (*kaa*-soo-*poal*-*Y*in) *n* accelerator
kaasutin (*kaa*-soo-tin) *n* carburettor
kaasu-uuni (*kaa*-soo-*ōō*-ni) *n* gas stove
kaataa (*kaa*-taa) *v* pour
kaatosade (*kaa*-toa-*sah*-day) *n* downpour
kaatumatauti (*kaa*-too-mah-*tou*-ti) *n* epilepsy
kaava (*kaa*-vah) *n* scheme; formula
kaavakuva (*kaa*-vah-*koo*-vah) *n* diagram
kaavio (*kaa*-vi-oa) *n* chart, diagram
kabaree (*kah*-bah-*rāy*) *n* cabaret
kabinetti (*kah*-bi-nayt-ti) *n* cabinet

kadehtia (*kah*-dayh-ti-ah) *v* envy; grudge
kadonnut (*kah*-doan-noot) *adj* lost; ~ henkilö missing person
kadota (*kah*-doa-tah) *v* disappear
kadottaa (*kah*-doat-taa) *v* *lose
kahdeksan (*kahh*-dayk-sahn) *num* eight
kahdeksankymmentä (*kahh*-dayk-sahn-*kewm*-mayn-tæ) *num* eighty
kahdeksantoista (*kahh*-dayk-sahn-*toiss*-tah) *num* eighteen
kahdeksas (*kahh*-dayk-sahss) *num* eighth
kahdeksastoista (*kahh*-dayk-sahss-*toiss*-tah) *num* eighteenth
kahdeskymmenes (*kahh*-dayss-*kewm*-may-nayss) *num* twentieth
kahdesti (*kahh*-dayss-ti) *adv* twice
kahdestoista (*kahh*-dayss-*toiss*-tah) *num* twelfth
kahlata (*kahh*-lah-tah) *v* wade
kahluupaikka (*kahh*-*lōō*-pighk-kah) *n* ford
kahva (*kahh*-vah) *n* handle
kahvi (*kahh*-vi) *n* coffee
kahvila (*kahh*-vi-lah) *n* café
kaide (*kigh*-day) *n* railing
kaidepuu (*kigh*-day-*pōō*) *n* banisters *pl*
kaikkein (*kighk*-kayn) *adv* by far; ~ eniten most of all
kaikki (*kighk*-ki) *pron* everything, all; kaiken aikaa all the time; kaiken kaikkiaan all in, altogether
kaikkialla (*kighk*-ki-ahl-lah) *adv* everywhere
kaikkivaltias (*kighk*-ki-*vahl*-ti-ahss) *adj* omnipotent
kaiku (*kigh*-koo) *n* echo
kainalosauva (*kigh*-nah-loa-*sou*-vah) *n* crutch
kainostelematon (*kigh*-noass-tay-lay-mah-toan) *adj* immodest

kaipaus (*kigh*-pah-ooss) *n* longing
kaisla (*kighss*-lah) *n* reed, rush
kaistale (*kighss*-tah-lay) *n* strip
kaiutin (*kigh*-oo-tin) *n* loud-speaker
kaivaa (*kigh*-vaa) *v* *dig
kaivanto (*kigh*-vahn-toa) *n* ditch
kaivata (*kigh*-vah-tah) *v* miss
kaivaus (*kigh*-vah-ooss) *n* excavation
kaiverrus (*kigh*-vayr-rooss) *n* engraving; inscription
kaivertaa (*kigh*-vayr-taa) *v* engrave
kaivertaja (*kigh*-vayr-tah-ʸah) *n* engraver
kaivo (*kigh*-voa) *n* well
kaivos (*kigh*-voass) *n* mine, pit
kaivosmies (*kigh*-voass-*myayss*) *n* miner
kaivostyö (*kigh*-voass-*t*ᵉʷur) *n* mining
kakku (*kahk*-koo) *n* cake
kaksi (*kahk*-si) *num* two
kaksikielinen (*kahk*-si-*kyay*-li-nayn) *adj* bilingual
kaksikymmentä (*kahk*-si-*kewm*-mayn-tæ) *num* twenty
kaksimielinen (*kahk*-si-*myay*-li-nayn) *adj* ambiguous, equivocal
kaksinkertainen (*kahk*-sin-*kayr*-tigh-nayn) *adj* double
kaksiosainen (*kahk*-si-*oa*-sigh-nayn) *adj* two-piece
kaksiselitteinen (*kahk*-si-*say*-lit tay nayn) *adj* ambiguous
kaksitoista (*kahk*-si-*toiss*-tah) *num* twelve
kaksoisvuode (*kahk*-soiss-*vwoa*-day) *n* twin beds
kaksoset (*kahk*-soa-sayt) *pl* twins *pl*
kala (*kah*-lah) *n* fish
kalakauppa (*kah*-lah-*koup*-pah) *n* fish shop
kalalokki (*kah*-lah-*loak*-ki) *n* seagull
kalastaa (*kah*-lahss-taa) *v* fish
kalastaja (*kah*-lahss-tah-ʸah) *n* fisherman

kalastus (*kah*-lahss-tooss) *n* fishing industry
kalastuslupa (*kah*-lahss-tooss-*loo*-pah) *n* fishing licence
kalastustarvikkeet (*kah*-lahss-tooss-*tahr*-vik-kāyt) *pl* fishing tackle
kalastusverkko (*kah*-lahss-tooss-*vayrk*-koa) *n* fishing net
kalastusvälineet (*kah*-lahss-tooss-*væ*-li-nāyt) *pl* fishing gear
kalenteri (*kah*-layn-tay-ri) *n* calendar
kalju (*kahl*-ʸoo) *adj* bald
kalkki (*kahlk*-ki) *n* lime
kalkkuna (*kahlk*-koo-nah) *n* turkey
kallio (*kahl*-li-oa) *n* rock
kallioinen (*kahl*-li-oi-nayn) *adj* rocky
kallis (*kahl*-liss) *adj* expensive, dear
kallisarvoinen (*kahl*-liss-*ahr*-voi-nayn) *adj* precious
kallistua (*kahl*-liss-too-ah) *v* slant, lean
kallo (*kahl*-loa) *n* skull
kalori (*kah*-loa-ri) *n* calorie
kalpea (*kahl*-pay-ah) *adj* pale
kalsium (*kahl*-si-oom) *n* calcium
kaltainen (jkn) (*kahl*-tigh-nayn) like
kalteva (*kahl*-tay-vah) *adj* slanting
kaltevuus (*kahl*-tay-vōōss) *n* gradient; incline
kalustaa (*kah*-looss-taa) *v* furnish
kalustamaton (*kah*-looss-tah-mah-toan) *adj* unfurnished
kalusteet (*kah*-looss-tāyt) *pl* furniture, furnishings *pl;* gear
kalvinismi (*kahl*-vi-niss-mi) *n* Calvinism
kalvo (*kahl*-voa) *n* transparency; diaphragm
kalvosin (*kahl*-voa-sin) *n* cuff
kalvosinnapit (*kahl*-voa-sin-*nah*-pit) *pl* cuff-links *pl*
kamaripalvelija (*kah*-mah-ri-*pahl*-vay-li-ʸah) *n* valet
kamee (*kah*-māy) *n* cameo

kameli (*kah*-may-li) *n* camel

kamera (*kah*-may-rah) *n* camera

kammata (*kahm*-mah-tah) *v* comb

kammo (*kahm*-moa) *n* horror

kammottava (*kahm*-moat-tah-vah) *adj* horrible, creepy

kampa (*kahm*-pah) *n* comb

kampaaja (*kahm*-paa-ʸah) *n* hairdresser

kampalanka (*kahm*-pah-*lahng*-kah) *n* worsted

kampanja (*kahm*-pahng-ʸah) *n* campaign

kampaus (*kahm*-pah-ooss) *n* hair-do

kampausneste (*kahm*-pah-ooss-*nayss*-tay) *n* setting lotion

kampauspöytä (*kahm*-pah-ooss-*purᵉʷ*-tæ) *n* dressing-table

kampiakseli (*kahm*-pi-*ahk*-say-li) *n* crankshaft

kampikammio (*kahm*-pi-*kahm*-mi-oa) *n* crankcase

kamppailla (*kahmp*-pighl-lah) *v* struggle, combat

kamppailu (*kahmp*-pigh-loo) *n* struggle, battle

kana (*kah*-nah) *n* hen

kanaali (*kah*-naa-li) *n* channel

Kanada (*kah*-nah-dah) Canada

kanadalainen (*kah*-nah-dah-ligh-nayn) *n* Canadian; *adj* Canadian

kananliha (*kah*-nahn-*li*-hah) *n* gooseflesh

kananpoika (*kah*-nahn-*poi*-kah) *n* chicken

kanarialintu (*kah*-nah-ri-ah-*lin*-too) *n* canary

kanava (*kah*-nah-vah) *n* canal

kaneli (*kah*-nay-li) *n* cinnamon

kanerva (*kah*-nayr-vah) *n* heather

kanervanummi (*kah*-nayr-vah-*noom*-mi) *n* moor

kangas (*kahng*-ngahss) *n* cloth, material, fabric, tissue

kangaskauppias (*kahng*-ngahss-*koup*-pi-ahss) *n* draper

kangastavarat (*kahng*-ngahss-*tah*-vah-raht) *pl* drapery

kaniini (*kah*-nee-ni) *n* rabbit

kankea (*kahng*-kay-ah) *adj* stiff

kannas (*kahn*-nahss) *n* isthmus

kannattaa (*kahn*-naht-taa) *v* *be worth-while; *pay

kannattaja (*kahn*-naht-tah-ʸah) *n* supporter

kannattava (*kahn*-naht-tah-vah) *adj* paying, worth while

kannettava (*kahn*-nayt-tah-vah) *adj* portable

kannikka (*kahn*-nik-kah) *n* crust

kannu (*kahn*-noo) *n* pitcher, jug

kannustaa (*kahn*-nooss-taa) *v* incite, stimulate, prompt

kanootti (*kah*-nōāt-ti) *n* canoe

kansa (*kahn*-sah) *n* people, folk, nation; **kansan-** national, popular

kansainvälinen (*kahn*-sighn-væ-li-nayn) *adj* international

kansakunta (*kahn*-sah-*koon*-tah) *n* nation

kansalais- (*kahn*-sah-lighss) *adj* civil, civic

kansalaisuus (*kahn*-sah-ligh-sōōss) *n* citizenship

kansallinen (*kahn*-sahl-li-nayn) *adj* national

kansallislaulu (*kahn*-sahl-liss-*lou*-loo) *n* national anthem

kansallispuisto (*kahn*-sahl-liss-*pooᵉᵉss*-toa) *n* national park

kansallispuku (*kahn*-sahl-liss-*poo*-koo) *n* national dress

kansallistaa (*kahn*-sahl-liss-taa) *v* nationalize

kansallisuus (*kahn*-sahl-li-sōōss) *n* nationality

kansanedustaja (*kahn*-sahn-*ay*-dooss-tah-ʸah) *n* Member of Parliament

kansanlaulu (*kahn*-sahn-*lou*-loo) *n* folk song

kansannousu (*kahn*-sahn-*noa*-soo) *n* rising

kansanomainen (*kahn*-sahn-*oa*-mighnayn) *adj* popular

kansanperinne (*kahn*-sahn-*pay*-rinnay) *n* folklore

kansantanssi (*kahn*-sahn-*tahns*-si) *n* folk-dance

kansi (*kahn*-si) *n* cover, top; deck, lid

kansihytti (*kahn*-si-*hewt*-ti) *n* deck cabin

kanslisti (*kahns*-liss-ti) *n* clerk

kanssa (*kahns*-sah) *postp* with

kanta (*kahn*-tah) *n* counterfoil, stub

kantaa (*kahn*-taa) *v* *bear, carry

kantahenkilökunta (*kahn*-tah-*hayn*-kilur-*koon*-tah) *n* cadre

kantaja (*kahn*-tah-ᵞah) *n* bearer, porter

kantama (*kahn*-tah-mah) *n* reach

kantapää (*kahn*-tah-*pææ*) *n* heel

kanttiini (*kahnt*-tee-ni) *n* canteen

kapakka (*kah*-pahk-kah) *n* public house; pub

kapalo (*kah*-pah-loa) *n* nappy

kapasiteetti (*kah*-pah-si-*tāy*t-ti) *n* capacity

kapea (*kah*-pay-ah) *adj* narrow

kapina (*kah*-pi-nah) *n* rebellion, revolt; mutiny

kapinoida (*kah*-pi-noi-dah) *v* revolt

kapitalismi (*kah*-pi-tah-liss-mi) *n* capitalism

kappalainen (*kahp*-pah-ligh-nayn) *n* chaplain

kappale (*kahp*-pah-lay) *n* copy; paragraph, passage; piece

kappeli (*kahp*-pay-li) *n* chapel

kapseli (*kahp*-say-li) *n* capsule

kapteeni (*kahp*-tāy-ni) *n* captain

karaatti (*kah*-raat-ti) *n* carat

karahvi (*kah*-rahh-vi) *n* carafe

karamelli (*kah*-rah-mayl-li) *n* caramel

karanteeni (*kah*-rahn-tāy-ni) *n* quarantine

karata (*kah*-rah-tah) *v* desert

kardinaali (*kahr*-di-naa-li) *n* cardinal

karhea (*kahr*-hay-ah) *adj* hoarse

karhu (*kahr*-hoo) *n* bear

karhunvatukka (*kahr*-hoon-*vah*-tookkah) *n* blackberry

karitsa (*kah*-rit-sah) *n* lamb; **karitsan liha** lamb

karjua (*kahr*-ᵞoo-ah) *v* roar

karjunta (*kahr* ᵞoon-tah) *n* roar

karkausvuosi (*kahr*-kah-ooss-*vwoa*-si) *n* leap-year

karkea (*kahr*-kay-ah) *adj* harsh; gross, coarse; rude

karkottaa (*kahr*-koat-taa) *v* expel; chase

karkuri (*kahr*-koo-ri) *n* runaway

karmiininpunainen (*kahr*-mee-nin-*poo*nigh-nayn) *adj* crimson

karnevaali (*kahr*-nay-vaa-li) *n* carnival

karppi (*kahrp*-pi) *n* carp

karski (*kahrs*-ki) *adj* harsh, stern

kartano (*kahr*-tah-noa) *n* mansion

kartonki (*kahr*-toang-ki) *n* carton

kartta (*kahrt*-tah) *n* map; plan

karttapallo (*kahrt*-tah-*pahl*-loa) *n* globe

karttuva (*kahrt*-too-vah) *adj* progressive

karuselli (*kah*-roo-sayl-li) *n* merry-go-round

karvainen (*kahr*-vigh-nayn) *adj* hairy

karviaismarja (*kahr*-vi-ighss-*mahr*-ᵞah) *n* gooseberry

kasa (*kah*-sah) *n* heap

kasari (*kah*-sah-ri) *n* saucepan

kasarmi (*kah*-sahr-mi) *n* barracks *pl*

kasino (*kah*-si-noa) *n* casino

kašmirvilla (*kahsh*-meer-*vil*-lah) *n* cashmere

kassa (*kahss*-sah) *n* pay-desk, cashdesk

kassaholvi (*kahss*-sah-*hoal*-vi) *n* vault

kassakaappi (*kahss*-sah-*kaap*-pi) *n* safe

kassanhoitaja (*kahss*-sahn-*hoi*-tah-Yah) *n* cashier

kassi (*kahss*-si) *n* bag

kastaa (*kahss*-taa) *v* christen, baptize

kastanja (*kahss*-tahn-Yah) *n* chestnut

kastanjanruskea (*kahss*-tahn-Yahn-*rooss*-kay-ah) *adj* auburn

kaste (*kahss*-tay) *n* dew; christening, baptism

kastike (*kahss*-ti-kay) *n* sauce

kasvaa (*kahss*-vaa) *v* *grow; increase

kasvain (*kahss*-vighn) *n* tumour, growth

kasvattaa (*kahss*-vaht-taa) *v* cultivate, *bring up; raise, *breed; *grow

kasvatus (*kahss*-vah-tooss) *n* education, upbringing

kasvatusvanhemmat (*kahss*-vah-tooss-*vahn*-haym-maht) *pl* foster-parents *pl*

kasvi (*kahss*-vi) *n* plant

kasvihuone (*kahss*-vi-*hwoa*-nay) *n* greenhouse

kasvillisuus (*kahss*-vil-li-sōōss) *n* vegetation

kasvissyöjä (*kahss*-viss-s*ewu*r-Yæ) *n* vegetarian

kasvitarha (*kahss*-vi-*tahr*-hah) *n* kitchen garden

kasvitiede (*kahss*-vi-*tyay*-day) *n* botany

kasvojenhieronta (*kahss*-voa-Yayn-*hyay*-roan-tah) *n* face massage

kasvonaamio (*kahss*-voa-*naa*-mi-oa) *n* face-pack

kasvonpiirteet (*kahss*-voan-peer-tāyt) *pl* features *pl*

kasvot (*kahss*-voat) *pl* face

kasvovesi (*kahss*-voa-*vay*-si) *n* lotion

kasvovoide (*kahss*-voa-*voi*-day) *n* face-cream

kasvu (*kahss*-voo) *n* growth

katakombi (*kah*-tah-koam-bi) *n* catacomb

katarri (*kah*-tahr-ri) *n* catarrh

katastrofi (*kah*-tahss-troa-fi) *n* catastrophe

katedraali (*kah*-tayd-raa-li) *n* cathedral

kateellinen (*kah*-tāyl-li-nayn) *adj* envious

kategoria (*kah*-tay-goa-ri-ah) *n* category

kateus (*kah*-tay-ooss) *n* envy

katkaisin (*kaht*-kigh-sin) *n* switch, contact

katkaista (*kaht*-kighss-tah) *v* *cut off; disconnect; ~ virta disconnect

katkarapu (*kaht*-kah-*rah*-poo) *n* shrimp, prawn

katkelma (*kaht*-kayl-mah) *n* fragment; extract

katolinen (*kah*-toa-li-nayn) *adj* catholic

katsantokanta (*kaht*-sahn-toa-*kahn*-tah) *n* outlook

katse (*kaht*-say) *n* look

katselija (*kaht*-say-li-Yah) *n* spectator

katsella (*kaht*-sayl-lah) *v* look at, view; watch

katsoa (*kaht*-soa-ah) *v* look at, look

katsojaparveke (*kaht*-soa-Yah-*pahr*-vay-kay) *n* stand

kattaa (*kaht*-taa) *v* cover

kattamismaksu (*kaht*-tah-miss-*mahk*-soo) *n* cover charge

katto (*kaht*-toa) *n* roof

katu (*kah*-too) *n* road, street

katukiveys (*kah*-too-*ki*-vay-ewss) *n* pavement

katumus (*kah*-too-mooss) *n* repentance

katuoja (*kah*-too-*oiah*) *n* gutter

kauasulottuva (*kou*-ahss-*oo*-loat-too-vah) *adj* extensive

kauhea (*kou*-hay-ah) *adj* terrible, frightful

kauhistava (*kou*-hiss-tah-vah) *adj* terrible, dreadful

kauhistuttaa (*kou*-hiss-toot-taa) *v* terrify

kauhtua (*kouh*-too-ah) *v* discolour

kauhtunut (*kouh*-too-noot) *adj* discoloured, faded

kauhu (*kou*-hoo) *n* terror, horror

kaukainen (*kou*-kigh-nayn) *adj* faraway, remote, distant

kaukokirjoitin (*kou*-koa-*keer*-Yoi-tin) *n* telex

kaukopuhelu (*kou*-koa-*poo*-hay-loo) *n* trunk-call

kaula (*kou*-lah) *n* throat

kaulahihna (*kou*-lah-*hih*-nah) *n* collar

kaulaliina (*kou*-lah-*lee*-nah) *n* scarf

kaulanauha (*kou*-lah-*nou*-hah) *n* necklace

kauluksennappi (*kou*-look-sayn-*nahp*-pi) *n* collar stud

kaulus (*kou*-looss) *n* collar

kauneudenhoito (*kou*-nay⁰⁰-dayn-*hoi*-toa) *n* beauty treatment

kauneudenhoitoaineet (*kou*-nay⁰⁰-dayn-*hoi*-toa-*igh*-nayt) *pl* cosmetics *pl*

kauneus (*kou*-nay-ooss) *n* beauty

kauneussalonki (*kou*-nay-ooss *cah*-loang-ki) *n* beauty salon, beauty parlour

kaunis (*kou*-niss) *adj* fine, beautiful, pretty

kaupaksi menevä (*kou*-pahk-si *may*-nay-væ) *adj* saleable

kaupallinen (*kou*-pahl-li-nayn) *adj* commercial

kaupankäynti (*kou*-pahn-*kæᵉʷⁿ*-ti) *n* trade, business, commerce

kauppa (*koup*-pah) *n* shop, store; business, commerce; **hyvä** ∼ bargain; **kauppa-** commercial

kauppakoju (*koup*-pah-*koa*-Yoo) *n* stall

kauppaoikeus (*koup*-pah-*oi*-kay-ooss) *n* commercial law

kauppasulku (*koup*-pah-*sool*-koo) *n* embargo, blockade

kauppatavara (*koup*-pah-*tah*-vah-rah) *n* merchandise

kauppias (*koup*-pi-ahss) *n* dealer; merchant; shopkeeper

kaupunginosa (*kou*-poong-ngin-*oa*-sah) *n* district, quarter

kaupungintalo (*kou*-poong-ngin-*tah*-loa) *n* town hall

kaupunki (*kou*-poong-ki) *n* city, town; **kaupunki-** urban

kaupunkilainen (*kou*-poong-ki-ligh-nayn) *n* citizen

kaupunkilaiset (*kou*-poong-ki-ligh-sayt) *pl* townspeople *pl*

kaura (*kou*-rah) *n* oats *pl*

kauriinvasa (*kou*-reen-*vah*-sah) *n* fawn

kausi (*kou*-si) *n* period; season

kausilippu (*kou*-si-*lip*-poo) *n* season-ticket; **kausilipun haltija** commuter

kautta (*kout*-tah) *postp* via

kauttaaltaan (*kout*-taal-taan) *adv* throughout

kauttakulku (*kout*-tah-*kool*-koo) *n* passage

kavallus (*kah*-vahl-looss) *n* treason

kaveri (*kah*-vay-ri) *n* chap, guy

kaviaari (*kah*-vi-aa-ri) *n* caviar

kavio (*kah*-vi-oa) *n* hoof

kavuta (*kah*-voo-tah) *v* climb

kehittää (*kay*-hit-tææ) *v* develop; expand

kehitys (*kay*-hi-tewss) *n* development; evolution

kehityskulku (*kay*-hi-tewss-*kool*-koo) *n* process

keho (*kay*-hoa) *n* body

kehottaa (*kay*-hoat-taa) *v* urge; recommend

kehrätä (*kayh*-ræ-tæ) *v* *spin

kehto (*kayh*-toa) *n* cradle

kehua (*kay*-hoo-ah) *v* compliment, praise

kehys (*kay*-hewss) *n* frame

kehä (*kay*-hæ) *n* ring

keidas (*kay*-dahss) *n* oasis

keihäs (*kay*-hæss) *n* spear

keijukainen (*kay*-Yoo-kigh-nayn) *n* elf

keilailu (*kay*-ligh-loo) *n* bowling

keilarata (*kay*-lah-*rah*-tah) *n* bowling alley

keino (*kay*-noa) *n* means

keinosilkki (*kay*-noa-*silk*-ki) *n* rayon

keinotekoinen (*kay*-noa-*tay*-koi-nayn) *adj* artificial

keinotella (*kay*-noa-tayl-lah) *v* speculate

keinu (*kay*-noo) *n* swing

keinua (*kay*-noo-ah) *v* rock; *swing

keinulauta (*kay*-noo-*lou*-tah) *n* seesaw

keinuttaa (*kay*-noot-taa) *v* *swing

keisari (*kay*-sah-ri) *n* emperor

keisarikunta (*kay*-sah-ri-*koon*-tah) *n* empire

keisarillinen (*kay*-sah-ril-li-nayn) *adj* imperial

keisarinna (*kay*-sah-rin-nah) *n* empress

keittiö (*kayt*-ti-ur) *n* kitchen

keittiömestari (*kayt*-ti-ur-*mayss*-tah-ri) *n* chef

keitto (*kayt*-toa) *n* soup

keittokirja (*kayt*-toa-*keer*-Yah) *n* cookery-book; cookbook *nAm*

keittää (*kayt*-tææ) *v* cook

kekseliäs (*kayk*-say-li-æss) *adj* inventive, clever

keksi (*kayk*-si) *n* biscuit; cookie *nAm;* cracker *nAm*

keksijä (*kayk*-si-Yæ) *n* inventor

keksintö (*kayk*-sin-tur) *n* invention; discovery

keksiä (*kayk*-si-æ) *v* invent; discover; devise; invent

kelkka (*kaylk*-kah) *n* sleigh, sledge

kellanruskea (*kayl*-lahn-*rooss*-kay-ah) *adj* fawn

kellari (*kayl*-lah-ri) *n* cellar

kellarikerros (*kayl*-lah-ri-*kayr*-roass) *n* basement

kello (*kayl*-loa) *n* watch, clock; **kello** ... at ... o'clock

kellonremmi (*kayl*-loan-*raym*-mi) *n* watch-strap

kellonsoitto (*kayl*-loan-*soit*-toa) *n* chimes *pl*

kelloseppä (*kayl*-loa-*sayp*-pæ) *n* watch-maker

kellua (*kayl*-loo-ah) *v* float

kelpo (*kayl*-poa) *adj* brave

keltainen (*kayl*-tigh-nayn) *adj* yellow

keltanarsissi (*kayl*-tah-*nahr*-siss-si) *n* daffodil

keltatauti (*kayl*-tah-*tou*-ti) *n* jaundice

keltuainen (*kayl*-too-igh-nayn) *n* yolk

kemia (*kay*-mi-ah) *n* chemistry

kemiallinen (*kay*-mi-ahl-li-nayn) *adj* chemical; ~ **pesula** dry-cleaning

kenguru (*kayng*-ngoo-roo) *n* kangaroo

kengänkiilloke (*kayng*-ngæng-*keel*-loa-kay) *n* shoe polish

kengännauha (*kayng*-ngæn-*nou*-hah) *n* shoe-lace, lace

kengänpohja (*kayng*-ngæm-*poah*-Yah) *n* sole

Kenia (*kay*-ni-ah) Kenya

kenkä (*kayng*-kæ) *n* shoe

kenkäkauppa (*kayng*-kæ-*koup*-pah) *n* shoe-shop

kenraali (*kayn*-raa-li) *n* general

kenties (*kayn*-tyayss) *adv* maybe, perhaps

kenttäkiikari (*kaynt*-tæ kee-kah-ri) *n* field glasses

keppi (*kayp*-pi) *n* rod; stick

keppihevonen (*kayp*-pi-*hay*-voa-nayn) *n* hobby-horse

kepponen (*kayp*-poa-nayn) *n* trick

kera (*kay*-rah) *postp* with
keramiikka (*kay*-rah-meek-kah) *n* ceramics *pl*
kerho (*kayr*-hoa) *n* club
kerjäläinen (*kayr*-Yæ-læ^{ee}-nayn) *n* beggar
kerjätä (*kayr*-Yæ-tæ) *v* beg
kerma (*kayr*-mah) *n* cream
kermainen (*kayr*-migh-nayn) *adj* creamy
kermanvärinen (*kayr*-mahn-*væ*-rinayn) *adj* cream
kerran (*kayr*-rahn) *adv* once; ~ **vielä** once more
kerros (*kayr*-roass) *n* storey, floor; layer
kerrostalo (*kayr*-roass-*tah*-loa) *n* block of flats
kerrostuma (*kayr*-roass-too-mah) *n* deposit, deposit; layer
kerskata (*kayrs*-kah-tah) *v* boast
kerta (*kayr*-tah) *n* time
kertakäyttöinen (*kayr*-tah-*kæ*^{ew}t-tur^{ee}-nayn) *adj* disposable
kertoa (*kayr*-toa-ah) *v* relate, *tell; inform; multiply
kertolasku (*kayr*-toa-*lahss*-koo) *n* multiplication
kertomus (*kayr*-toa-mooss) *n* tale, story
kertova (*kayr*-toa-vah) *adj* epic
keräilijä (*kay*-ræ^{ee}-li-Yæ) *n* collector
kerätä (*kay*-ræ-tæ) *v* gather; collect
kerääjä (*kay*-ræœ-Yæ) *n* collector
keskellä (*kayss*-kayl-læ) *prep/postp* amid
kesken (*kayss*-kayn) *postp* among
keskenmeno (*kayss*-kayn-*may*-noa) *n* abortion, miscarriage
keskeyttää (*kayss*-kay-ewt-tæœ) *v* interrupt
keskeytymätön (*kayss*-kay-ew-tewmæ-turn) *adj* continuous
keskeytys (*kayss*-kay-ew-tewss) *n* interruption
keski- (*kayss*-ki) medium; central
keskiaika (*kayss*-ki-*igh*-kah) *n* Middle Ages
keskiaikainen (*kayss*-ki-*igh*-kigh-nayn) *adj* mediaeval
keskiarvo (*kayss*-ki-*ahr*-voa) *n* average
keskikesä (*kayss*-ki-kay-sæ) *n* midsummer
keskikohta (*kayss*-ki-*koah*-tah) *n* middle
keskiluokka (*kayss*-ki-*lwoak*-kah) *n* middle class
keskimmäinen (*kayss*-kim-mæ^{ee}-nayn) *adj* middle
keskimäärin (*kayss*-ki-*mæœ*-rin) *adv* on the average
keskimääräinen (*kayss*-ki-*mæœ*-ræ^{ee}-nayn) *adj* medium, average
keskinkertainen (*kayss*-king-*kayr*-tighnayn) *adj* moderate; medium
keskinäinen (*kayss*-ki-næ^{ee}-nayn) *adj* mutual
keskipiste (*kayss*-ki-*piss*-tay) *n* centre, central point
keskipäivä (*kayss*-ki-*pæ*^{ee}-væ) *n* midday, noon
keskittää (*kayss*-kit-tæœ) *v* concentrate; centralize
keskitys (*kayss*-ki-tewss) *n* concentration
keskiverto (*kayss*-ki-*vayr*-toa) *n* mean, average
keskiviikko (*kayss*-ki-*veek*-koa) *n* Wednesday
keskiyö (*kayss*-ki-^{ew}ur) *n* midnight
keskusasema (*kayss*-kooss-*ah*-saymah) *n* central station
keskuslämmitys (*kayss*-kooss-*læm*-mitewss) *n* central heating
keskusta (*kayss*-kooss-tah) *n* centre; **kaupungin** ~ town centre
keskustella (*kayss*-kooss-tayl-lah) *v* discuss, talk, argue

keskustelu (*kayss*-kooss-tay-loo) *n* conversation, debate, discussion, talk

kestitä (*kayss*-ti-tæ) *v* entertain

kestoaika (*kayss*-toa-*igh*-kah) *n* duration

kestokyky (*kayss*-toa-*kew*-kew) *n* endurance; stamina

kestosileä (*kayss*-toa-*si*-lay-æ) *adj* permanent press

kestävä (*kayss*-tæ-væ) *adj* lasting

kestää (*kayss*-tææ) *v* last; endure; *go through

kesy (*kay*-sew) *adj* tame

kesyttää (*kay*-sewt-tææ) *v* tame

kesä (*kay*-sæ) *n* summer

kesäaika (*kay*-sæ-*igh*-kah) *n* summer time

kesäkuu (*kay*-sæ-k$\overline{oo}$) June

ketju (*kayt*-Yoo) *n* chain

kettu (*kayt*-too) *n* fox

keuhko (*kay*ᵒᵒh-koa) *n* lung; **keuhkoputken tulehdus** bronchitis

keuhkokuume (*kay*ᵒᵒh-koa-k$\overline{oo}$-may) *n* pneumonia

keulapurje (*kay*ᵒᵒ-lah-*poor*-Yay) *n* foresail

kevyt (*kay*-vewt) *adj* light

kevät (*kay*-væt) *n* spring

kevätaika (*kay*-væt-*igh*-kah) *n* springtime

khakikangas (*kah*-ki-*kahng*-ngahss) *n* khaki

kidus (*ki*-dooss) *n* gill

kiduttaa (*ki*-doot-taa) *v* torture

kidutus (*ki*-doo-tooss) *n* torture

kiehtoa (*kyayh*-toa-ah) *v* fascinate

kiehua (*kyay*-hoo-ah) *v* boil

kielenkääntäjä (*kyay*-layng-*kææn*-tæ-Yæ) *n* translator

kieli (*kyay*-li) *n* tongue; language; string

kieliopillinen (*kyay*-li-*oa*-pil-li-nayn) *adj* grammatical

kielioppi (*kyay*-li-*oap*-pi) *n* grammar

kielistudio (*kyay*-li-*stoo*-di-oa) *n* language laboratory

kielletty (*kyayl*-layt-tew) *adj* prohibited, forbidden

kielteinen (*kyayl*-tay-nayn) *adj* negative

kielto (*kyayl*-toa) *n* prohibition

kieltävä (*kyayl*-tæ-væ) *adj* negative

kieltäytyminen (*kyayl*-tæᵉʷ-tew-mi-nayn) *n* refusal

kieltäytyä (*kyayl*-tæᵉʷ-tew-æ) *v* deny, refuse

kieltää (*kyayl*-tææ) *v* deny; *forbid, prohibit

kiemurteleva (*kyay*-moor-tay-lay-vah) *adj* winding

kierittää (*kyay*-rit-tææ) *v* roll

kiero (*kyay*-roa) *adj* crooked

kierosilmäinen (*kyay*-roa-*sil*-mæᵉᵉ-nayn) *adj* cross-eyed

kierrekaihdin (*kyayr*-rayk-*kighh*-din) *n* blind

kierros (*kyayr*-roass) *n* round; turn

kiertokulku (*kyayr*-toa-*kool*-koo) *n* cycle

kiertoliike (*kyayr*-toa-*lee*-kay) *n* revolution

kiertomatka (*kyayr*-toa-*maht*-kah) *n* tour

kiertotie (*kyayr*-toa-*tyay*) *n* detour; diversion

kiertävä (*kyayr*-tæ-væ) *adj* itinerant; winding

kiertää (*kyayr*-tææ) *v* *wind; turn; by-pass; ~ **auki** unscrew

kihara (*ki*-hah-rah) *n* curl

kiharainen (*ki*-hah-righ-nayn) *adj* curly

kihartaa (*ki*-hahr-taa) *v* curl

kihlasormus (*kih*-lah-*soar*-mooss) *n* engagement ring

kihlattu (*kih*-laht-too) *n* fiancée

kihlaus (*kih*-lah-ooss) *n* engagement

kihloissa (*kih*-loiss-sah) *adv* engaged

kihti (*kih*-ti) *n* gout
kiihdyttää (*keeh*-dewt-tææ) *v* accelerate
kiihkeä (*keeh*-kay-æ) *adj* intense; passionate
kiihkomielinen (*keeh*-koa-*myay*-li-nayn) *adj* fanatical
kiihottaa (*kee*-hoat-taa) *v* excite
kiihtymys (*keeh*-tew-mewss) *n* excitement
kiikari (*kee*-kah-ri) *n* binoculars *pl*
kiila (*kee*-lah) *n* wedge
kiilloton (*keel*-loa-toan) *adj* mat
kiillottaa (*keel*-loat-taa) *v* polish
kiiltävä (*keel*-tæ-væ) *adj* glossy
kiiltää (*keel*-tææ) *v* *shine
Kiina (*kee*-nah) China
kiinalainen (*kee*-nah-ligh-nayn) *n* Chinese; *adj* Chinese
kiinnelaastari (*keen*-nay-*laass*-tah-ri) *n* adhesive tape
kiinnitin (*keen*-ni-tin) *n* fastener
kiinnittää (*keen*-nit-tææ) *v* attach; fasten; ~ huomiota attend to, *pay attention to, notice; ~ neulalla pin
kiinnityslaina (*keen*-ni-tewss-*ligh*-nah) *n* mortgage, fastening
kiinnostaa (*keen*-noass-taa) *v* interest
kiinnostunut (*keen*-noass-*too*-noot) *adj* interested
kiinnostus (*keen*-noass-tooss) *n* interest
kiinteistö (*keen*-tayss-tur) *n* real estate; premises
kiinteistövälittäjä (*keen*-tayss-tur-*væ*-lit-tæ-ʸæ) *n* house agent
kiinteä (*keen*-tay-æ) *adj* solid; compact
kiintiö (*keen*-ti-ur) *n* quota
kiintymys (*keen*-tew-mewss) *n* affection
kiintynyt (*keen*-tew-newt) *adj* attached to

kiipeäminen (*kee*-pay-æ-mi-nayn) *n* climb
kiire (*kee*-ray) *n* haste, hurry
kiireellinen (*kee*-rāyl-li-nayn) *adj* urgent, pressing
kiireellisyys (*kee*-rāyl-li-sēwss) *n* urgency
kiireesti (*kee*-rāyss-ti) *adj* in a hurry
kiirehtiä (*kee*-rayh-ti-æ) *v* hurry, hasten
kiireinen (*kee*-ray-nayn) *adj* busy; hasty
kiista (*keess*-tah) *n* dispute; quarrel
kiistakysymys (*keess*-tah-*kew*-sew-mewss) *n* issue
kiistanalainen (*keess*-tahn-*ah*-ligh-nayn) *adj* controversial
kiistellä (*keess*-tayl-læ) *v* dispute; argue, quarrel
kiistää (*keess*-tææ) *v* deny
kiitollinen (*keetoa*-loa-nayn) *adj* thankful, grateful
kiitollisuus (*kee*-toal-li-sōōss) *n* gratitude; olla kiitollisuuden velassa owe
kiitorata (*kee*-toa-*rah*-tah) *n* runway
kiitos (*kee*-toass) thank you
kiittämätön (*keet*-tæ-mæ-turn) *adj* ungrateful
kiittää (*keet*-tææ) *v* thank
kiivasluonteinen (*kee*-vahss-*lwoan*-tay-nayn) *adj* hot-tempered
kiivaus (*kee*-vah-ooss) *n* temper
kiivetä (*keevay*-tæ) *v* mount, climb; ascend
kikattaa (*ki*-kaht-taa) *v* giggle
kiljaisu (*kil*-ʸigh-soo) *n* yell
kiljua (*kil*-ʸoo-ah) *v* yell
kilo (*ki*-loa) *n* kilogram
kilometri (*ki*-loa-*mayt*-ri) *n* kilometre
kilometrimäärä (*ki*-loa-*mayt*-ri-mææ-ræ) *n* distance in kilometres
kilometripylväs (*ki*-loa-*mayt*-ri-*pewl*-væss) *n* milestone

kilpa-ajo (*kil*-pah-*ah*-ᵞoa) *n* race
kilpa-ajorata (*kil*-pah-*ah*-ᵞoa-*rah*-tah) *n* race-course
kilpahevonen (*kil*-pah-*hay*-voa-nayn) *n* race-horse
kilpailija (*kil*-pigh-li-ᵞah) *n* rival, competitor
kilpailla (*kil*-pighl-lah) *v* compete; rival
kilpailu (*kil*-pigh-loo) *n* competition, contest; rivalry
kilpajuoksu (*kil*-pah-ᵞwoak-soo) *n* race
kilparata (*kil*-pah-*rah*-tah) *n* race-track, race-course
kilparatsastaja (*kil*-pah-*raht*-sahss-tah-ᵞah) *n* jockey
kilpikonna (*kil*-pi-*koan*-nah) *n* turtle
kiltti (*kilt*-ti) *adj* good, kind
kimmoisa (*kim*-moi-sah) *adj* elastic
kimpale (*kim*-pah-lay) *n* chunk
kimppu (*kimp*-poo) *n* bouquet, bunch
kiniini (*ki*-nee-ni) *n* quinine
kinkku (*kingk*-koo) *n* ham
kioski (*ki*-oass-ki) *n* kiosk
kipeä (*ki*-pay-æ) *adj* ill, sick, sore; ~ **kohta** sore
kipinä (*ki*-pi-næ) *n* spark
kipinöivä (*ki*-pi-nurᵉᵉ-væ) *adj* sparkling
kipsi (*kip*-si) *n* plaster
kipu (*ki*-poo) *n* pain, ache
kiristys (*ki*-riss-tewss) *n* blackmail, extortion
kiristää (ki-riss-tææ) *v* tighten; extort, blackmail
kirja (*keer*-ᵞah) *n* book; **kirja- ja lehti-kioski** bookstand
kirjailija (*keer*-ᵞigh-li-ᵞah) *n* author, writer
kirjailla (*keer*-ᵞighl-lah) *v* embroider
kirjain (*keer*-ᵞighn) *n* letter; **iso** ~ capital letter
kirjakauppa (*keer*-ᵞah-*koup*-pah) *n* bookstore
kirjakauppias (*keer*-ᵞah-*koup*-pi-ahss)

n bookseller
kirjallinen (*keer*-ᵞahl-li-nayn) *adj* written; literary
kirjallisesti (*keer*-ᵞahl-li-sayss-ti) *adv* in writing
kirjallisuus (*keer*-ᵞahl-li-sōōss) *n* literature
kirjasto (*keer*-ᵞahss-toa) *n* library
kirjata (*keer*-ᵞah-tah) *v* list, register; book
kirjava (keer-ᵞah-vah) *adj* multi-coloured; mixed
kirje (*keer*-ᵞay) *n* letter; **kirjattu** ~ registered letter
kirjeenvaihtaja (*keer*-ᵞāyn-*vighh*-tah-ᵞah) *n* correspondent
kirjeenvaihto (*keer*-ᵞāyn-*vighh*-toa) *n* correspondence; **olla kirjeenvaihdossa** correspond
kirjekortti (*keer*-ᵞayk-*koart*-ti) *n* postcard
kirjekuori (*keer*-ᵞayk-*kwoa*-ri) *n* envelope
kirjelaatikko (*keer*-ᵞayl-*laa*-tik-koa) *n* letter-box
kirjepaperi (*keer*-ᵞayp-*pah*-pay-ri) *n* notepaper
kirjoittaa (*keer*-ᵞoit-taa) *v* *write; ~ **muistiin** *write down
kirjoittautua (*keer*-ᵞoit-tou-too-ah) *v* register
kirjoituskone (*keer*-ᵞoi-tooss-*koa*-nay) *n* typewriter
kirjoituslehtiö (*keer*-ᵞoi-tooss-*layh*-ti-ur) *n* writing-pad
kirjoituslipasto (*keer*-ᵞoi-tooss-*li*-pahss-toa) *n* bureau
kirjoituspaperi (*keer*-ᵞoi-tooss-*pah*-pay-ri) *n* writing-paper, notepaper
kirjoituspöytä (*keer*-ᵞoi-tooss-*pur*ᵉʷ-tæ) *n* desk
kirkaisu (*keer*-kigh-soo) *n* scream
kirkas (*keer*-kahss) *adj* clear; bright
kirkko (*keerk*-koa) *n* chapel, church

kirkkoherra (*keerk*-koa-*hayr*-rah) *n*
rector, vicar

kirkkomaa (*keerk*-koa-*maa*) *n* church-
yard

kirkonmies (*keer*-koan-*myayss*) *n*
clergyman

kirkontorni (*keer*-koan-*toar*-ni) *n*
steeple

kirkua (*keer*-koo-ah) *v* shriek, scream;
shout

kiroilla (*ki*-roil-lah) *v* *swear, curse

kirota (*ki*-roa-tah) *v* curse

kirous (*ki*-roa-ooss) *n* curse

kirpeä (*keer*-pay-æ) *adj* savoury, pun-
gent

kirsikka (*keer*-sik-kah) *n* cherry

kirurgi (*ki*-roor-gi) *n* surgeon

kirves (*keer*-vayss) *n* axe

kissa (*kiss*-sah) *n* cat

kita (*ki*-tah) *n* mouth, jaws, mouth

kitara (*ki*-tah-rah) *n* guitar

kitka (*kit*-kah) *n* friction

kitkerä (*kit*-kay-ræ) *adj* bitter

kiukku (*kee*^{oo}*k*-koo) *n* anger

kiusa (*kee*^{oo}-sah) *n* bother, annoy-
ance

kiusallinen (*kee*^{oo}-sahl-li-nayn) *adj*
embarrassing, awkward

kiusata (*kee*^{uo}-sah-tah) *v* bother; tor-
ment

kiusaus (*kee*^{oo}-sah-ooss) *n* tempta-
tion

kiusoitella (*kee*^{oo}-soi-tayl-lah) *v* kid,
tease

kivennäinen (*ki*-vayn-næ^{ee}-nayn) *n*
mineral

kivennäisvesi (*ki*-vayn-næ^{ee}ss-*vay*-si)
n soda-water, mineral water

kivetä (*ki*-vay-tæ) *v* pave

kivi (*ki*-vi) *n* stone

kivihiili (*ki*-vi-*hee*-li) *n* coal

kivinen (*ki*-vi-nayn) *adj* stone

kivääri (*ki*-vææ-ri) *n* rifle, gun

klassinen (*klahss*-si-nayn) *adj*
classical

klinikka (*kli*-nik-kah) *n* clinic

kloori (*kl*$\overline{oa}$-ri) *n* chlorine

klubi (*kloo*-bi) *n* club

-ko (koa) *suf* whether, if; **-ko . . . vai**
whether ... or

kodikas (*koa*-di-kahss) *adj* cosy

koe (*koa*-ay) *n* experiment, test, trial

koettaa (*koa*-ayt-taa) *v* attempt

kofeiini (*koa*-fay-ee-ni) *n* caffeine

kofeiiniton (*koa*-fay-ee-ni-toan) *adj* de-
caffeinated

kohdakkoin (*koah*-dahk-koin) *adv* soon

kohdata (*koah*-dah-tah) *v* *meet; en-
counter; *come across; ~ **sattu-
malta** run into

kohde (*koah*-day) *n* object, target

kohdella (*koah*-dayl-lah) *v* treat

kohden (*koah*-dayn) *postp* towards

kohista (*koa*-hiss-tah) *v* roar

kohmettunut (*koah*-mayt-too-noot)
adj numb

kohota (*koa*-hoa-tah) *v* ascend, *rise;
amount to

kohottaa (*koa*-hoat-taa) *v* lift

kohta (*koah*-tah) *n* item, point

kohtaaminen (*koah*-taa-mi-nayn) *n* en-
counter

kohtaamispaikka (*koah*-taa-miss-
pighk-kah) *n* meeting-place

kohtaan (*koah*-taan) *postp* towards

kohtalaisen (*koah*-tah-ligh-sayn) *adv*
fairly

kohtalo (*koah*-tah-loa) *n* fate, destiny,
lot, fortune

kohtalokas (*koah*-tah-loa-kahss) *adj*
fatal

kohtaus (*koah*-tah-ooss) *n* meeting;
fit; date; ~ **näytelmässä** scene

kohteliaisuus (*koah*-tay-li-igh-s$\overline{oo}$ss) *n*
compliment

kohtelias (*koah*-tay-li-ahss) *adj* polite,
courteous

kohti (*koah*-ti) *postp* to, towards

kohtisuora (*koah*-ti-*swoa*-rah) *adj* perpendicular

kohtu (*koah*-too) *n* womb

kohtuullinen (*koah*-tōōl-li-nayn) *adj* moderate, reasonable

kohtuuton (*koah*-tōō-toan) *adj* unreasonable, unfair

koi (*koi*) *n* moth

koillinen (*koil*-li-nayn) *n* north-east

koira (*koi*-rah) *n* dog

koirankoppi (*koi*-rahng-koap-pi) *n* kennel

koirankuje (*koi*-rahng-*koo*-Yay) *n* mischief

koiratarha (*koi*-rah-*tahr*-hah) *n* kennel

koivu (*koi*-voo) *n* birch

koje (*koa*-Yay) *n* gadget, apparatus; appliance

kojelauta (*koa*-Yayl-*lou*-tah) *n* dashboard

koju (*koa*-Yoo) *n* booth

kokaiini (*koa*-kah-ee-ni) *n* cocaine

kokea (*koa*-kay-ah) *v* experience

kokeilla (*koa*-kayl-lah) *v* try; test, experiment

kokeilu (*koa*-kay-loo) *n* experiment, test

kokematon (*koa*-kay-mah-toan) *adj* inexperienced

kokemus (*koa*-kay-mooss) *n* experience

kokenut (*koa*-kay-noot) *adj* experienced

kokkare (*koak*-kah-ray) *n* lump

kokkareinen (*koak*-kah-ray-nayn) *adj* lumpy

kokki (*koak*-ki) *n* cook

koko¹ (*koa*-koa) *n* size; **erikoissuuri** ~ outsize

koko² (*koa*-koa) *adj* total, whole

kokoelma (*koa*-koa-ayl-mah) *n* collection

kokojyväleipä (*koa*-koa-*Yew*-væ-*lay*-pæ) *n* wholemeal bread

kokonaan (*koa*-koa-naan) *adv* completely, wholly, altogether

kokonainen (*koa*-koa-nigh-nayn) *adj* entire, complete

kokonais- (*koa*-koa-nighss) overall, gross

kokonaissumma (*koa*-koa-nighss-*soom*-mah) *n* lump sum

kokonaisuus (*koa*-koa-nigh-sōōss) *n* whole

kokoontua (*koa*-kōān-too-ah) *v* gather

kokoontuminen (*koa*-kōān-too-mi-nayn) *n* reunion; rally

kokous (*koa*-koa-ooss) *n* meeting; assembly

kolaus (*koa*-lah-ooss) *n* bump

kolea (*koa*-lay-ah) *adj* chilly

kolikko (*koa*-lik-koa) *n* coin

kolina (*koa*-li-nah) *n* noise

kolja (*koal*-Yah) *n* haddock

kolkuttaa (*koal*-koot-taa) *v* knock

kolkutus (*koal*-koo-tooss) *n* knock

kolmas (*koal*-mahss) *num* third

kolmaskymmenes (*koal*-mahss-*kewm*-may-nayss) *num* thirtieth

kolmastoista (*koal*-mahss-*toiss*-tah) *num* thirteenth

kolme (*koal*-may) *num* three; ~ **nejännestä** three-quarter

kolmekymmentä (*koal*-may-*kewm*-mayn-tæ) *num* thirty

kolmetoista (*koal*-may-*toiss*-tah) *num* thirteen

kolmikulmainen (*koal*-mi-*kool*-migh-nayn) *adj* triangular

kolmio (*koal*-mi-oa) *n* triangle

Kolumbia (*koa*-loom-bi-ah) Colombia

kolumbialainen (*koa*-loom-bi-ah-ligh-nayn) *n* Colombian; *adj* Colombian

komea (*koa*-may-ah) *adj* handsome

komento (*koa*-mayn-toa) *n* command

komero (*koa*-may-roa) *n* closet

komitea (*koa*-mi-tay-ah) *n* committee

kommunikoida (*koam*-moo-ni-koi-dah)

v communicate

kommunismi (*koam*-moo-niss-mi) *n* communism

kommunisti (*koam*-moo-niss-ti) *n* communist

kompassi (*koam*-pahss-si) *n* compass

kompastua (*koam*-pahss-too-ah) *v* stumble

kone (*koa*-nay) *n* engine, machine

koneisto (*koa*-nayss-toa) *n* machinery; mechanism

konekirjoitettu (*koa*-nayk-*keer*-ᵞoi-tayt-too) *adj* typewritten

konekirjoittaa (*koa*-nayk-*keer*-ᵞoit-taa) *v* type

konekirjoittaja (*koa*-nayk-*keer*-ᵞoit-tah-ᵞah) *n* typist

konekirjoituspaperi (*koa*-nayk-*keer*-ᵞoi-tooss-*pah*-pay-ri) *n* typing paper

konepelti (*koa*-nayp-*payl*-ti) *n* bonnet; hood *nAm*

konerikko (*koa*-nayr-*rik*-koa) *n* breakdown

konevika (*koa*-nayv-*vi*-kah) *n* breakdown

konferenssi (*koan*-fay-rayns-si) *n* conference

kongressi (*koang*-rayss-si) *n* congress

konjakki (*koan*-ᵞahk-ki) *n* cognac

konkreettinen (*koang*-krāyt-ti-nayn) *adj* concrete

konna (*koan*-nah) *n* villain

konsertti (*koan*-sayrt-ti) *n* concert

konserttisali (*koan*-sayrt-ti-*sah*-li) *n* concert hall

konservatiivinen (*koan*-sayr-vah-tee-vi-nayn) *adj* conservative

konsulaatti (*koan*-soo-laat-ti) *n* consulate

konsuli (*koan*-soo-li) *n* consul

kontti (*koant*-ti) *n* knapsack; container

konttoriaika (*koant*-toa-ri-*igh*-kah) *n* business hours

konttoristi (*koant*-toa-riss-ti) *n* clerk

kookas (kōā-kahss) *adj* tall

kookospähkinä (*kōā*-koass-*pæh*-ki-næ) *n* coconut

koomikko (*kōā*-mik-koa) *n* comedian

koominen (*kōā*-mi-nayn) *adj* comic

koostua (*kōāss*-too-ah) *v* consist of

koostumus (*kōāstoo*-mooss) *n* texture

koota (*kōā*-tah) *v* gather, collect; assemble

kopea (*koa*-pay-ah) *adj* presumptuous, proud

kopio (*koa* pi-oa) *n* copy

koppava (*koap*-pah-vah) *adj* snooty

koppi (*koap*-pi) *n* booth

koputtaa (*koa*-poot-taa) *v* tap

koputus (*koa*-poo-tooss) *n* tap

koralli (*koa*-rahl-li) *n* coral

kori (*koa*-ri) *n* hamper, basket

korintti (*koa*-rint-ti) *n* currant

koristeellinen (*koa*-riss-tāyl-li-nayn) *adj* ornamental

koristekuvio (*koa*-riss-tay-*koo*-vi-oa) *n* ornament

koristelu (*koa*-riss-tay-loo) *n* decoration

korjata (*koar*-ᵞah-tah) *v* repair; fix; mend; correct

korjaus (*koar*-ᵞah-ooss) *n* reparation, repair; correction

korkea (*koar*-kay-ah) *adj* high, tall

korkeakoulu (*koar*-kay-ahk-*kua*-loo) *n* college

korkeintaan (*koar*-kayn-taan) *adv* at most

korkeus (*koar*-kay-ooss) *n* height, altitude

korkki (*koark*-ki) *n* cork; **poistaa ~** uncork

korkkiruuvi (*koark*-ki-*rōō*-vi) *n* corkscrew

korko (*koar*-koa) *n* heel; interest

korkokuva (*koar*-koa-*koo*-vah) *n* relief

korostaa (*koa*-roass-taa) *v* emphasize

korostus (*koa*-roass-tooss) *n* accent; stress
korottaa (*koa*-roat-taa) *v* raise
korotus (*koa*-roa-tooss) *n* rise
korppi (*koarp*-pi) *n* raven
korppikotka (*koarp*-pi-*koat*-tah) *n* vulture
korsetti (*koar*-sayt-ti) *n* corset
kortteli (*koart*-tay-li) *n* house block *Am*
kortti (*koart*-ti) *n* card
koru (*koa*-roo) *n* jewel
koruompelu (*koa*-roo-*oam*-pay-loo) *n* embroidery
korut (*koa*-root) *pl* jewellery
korva (*koar*-vah) *n* ear
korvakoru (*koar*-vah-*koa*-roo) *n* earring
korvasärky (*koar*-vah-*sær*-kew) *n* earache
korvata (*koar*-vah-tah) *v* substitute, replace; remunerate; compensate
korvaus (*koar*-vah-ooss) *n* remuneration
korvike (*koar*-vi-kay) *n* substitute
koska (*koass*-kah) *conj* since, as, because
ei koskaan (*ay* koass-kaan) never
koskea (*koass*-kay-ah) *v* touch; ~ **jtk** apply, concern
koskematon (*koass*-kay-mah-toan) *adj* intact, untouched
kosketin (*koass*-kay-tin) *n* plug
koskettaa (*koass*-kayt-taa) *v* touch
kosketus (*koass*-kay-tooss) *n* touch; contact
koski (*koass*-ki) *n* rapids *pl*
koskien jtk (*koass*-ki-ayn) about, regarding
kostea (*koass*-tay-ah) *adj* damp, humid, moist
kosteus (*koass*-tay-ooss) *n* humidity, moisture, damp
kosteusvoide (*koass*-tay-ooss-*voi*-day)

n moisturizing cream
kosto (*koass*-toa) *n* revenge
kostuttaa (*koass*-toot-taa) *v* moisten, damp
kotelo (*koa*-tay-loa) *n* case; sleeve
koti (*koa*-ti) *n* home; **koti-** domestic
kotiapulainen (*koa*-ti-*ah*-poo-ligh-nayn) *n* maid
kotiasu (*koa*-ti-*ah*-soo) *n* negligee
koti-ikävä (*koa*-ti-*i*-kæ-væ) *n* homesickness
kotilo (*koa*-ti-loa) *n* shell
kotimainen (*koa*-ti-migh-nayn) *adj* domestic
kotiopettajatar (*koa*-ti-*oa*-payt-tah-ᵛah-tahr) *n* governess
kotipaikka (*koa*-ti-*pighk*-kah) *n* domicile; seat
kotirouva (*koa*-ti-*roa*-vah) *n* housewife
kotitekoinen (*koa*-ti-*tay*-koi-nayn) *adj* home-made
kotityöt (*koa*-ti-t^{ew}*urt*) *pl* housework
kotka (*koat*-kah) *n* eagle
kotona (*koa*-toa-nah) *adv* home, at home
kottarainen (*koat*-tah-righ-nayn) *n* starling
koukku (*koak*-koo) *n* hook
koulu (*koa*-loo) *n* school
koululaukku (*koa*-loo-*louk*-koo) *n* satchel
koulupoika (*koa*-loo-*poi*-kah) *n* schoolboy
kouluttaa (*koa*-loot-taa) *v* educate; train
koulutus (*koa*-loo-tooss) *n* education; background
koulutyttö (*koa*-loo-*tewt*-tur) *n* schoolgirl
kourallinen (*koa*-rahl-li-nayn) *n* handful
kouriintuntuva (*koa*-reen-*toon*-too-vah) *adj* palpable, tangible
kouristus (*koa*-riss-tooss) *n* convul-

sion
kova (*koa*-vah) *adj* hard; severe
kovakuoriainen (*koa*-vah-*kwoa*-ri-igh-nayn) *n* bug, beetle
kovaonninen (*koa*-vah-*oan*-ni-nayn) *adj* unlucky, unfortunate
kovettuma (*koa*-vayt-too-mah) *n* callus
kraatteri (*kraat*-tay-ri) *n* crater
krapula (*krah*-poo-lah) *n* hangover
krassi (*krahss*-si) *n* watercress
Kreikka (*krayk*-kah) Greece
kreikkalainen (*krayk*-kah-ligh-nayn) *n* Greek; *adj* Greek
kreivi (*kray*-vi) *n* count, earl
kreivikunta (*kray*-vi-*koon*-tah) *n* county
kreivitär (*kray*-vi-tær) *n* countess
krikettipeli (*kri*-kayt-ti-*pay*-li) *n* cricket
kristalli (*kriss*-tahl-li) *n* crystal; **kristalli-** crystal
kristitty (*kriss*-tit-tew) *adj* Christian; *n* Christian
Kristus (*kriss*-tooss) Christ
krokotiili (*kroa*-koa-tee-li) *n* crocodile
kromi (*kroa*-mi) *n* chromium
kronologinen (*kroa*-noa-loa-gi-nayn) *adj* chronological
krooli (*krōā*-li) *n* crawl
krooninen (*krōā*-ni-nayn) *adj* chronic
krouvi (*kroa*-vi) *n* pub
krusifiksi (*kroo*-si-fik-si) *n* crucifix
kruunata (*krōō*-nah-tah) *v* crown
kruunu (*krōō*-noo) *n* crown
kuherruskuukausi (*koo*-hayr-rooss-*kōō*-kou-si) *n* honeymoon
kuhmu (*kooh*-moo) *n* bump, lump
kuilu (*koo*ᵉᵉ-loo) *n* gorge; abyss; cleft, chasm
kuin (*koo*ᵉᵉ*n*) *conj* than, as; **kuinka monta** how many; **kuinka paljon** how much
kuiskata (*koo*ᵉᵉ*ss*-kah-tah) *v* whisper
kuiskaus (*koo*ᵉᵉ*ss*-kah-ooss) *n* whis-

per
kuisti (*koo*ᵉᵉ*ss*-ti) *n* veranda
kuitenkaan (*koo*ᵉᵉ-tayng-kaan) *adv* however
kuitenkin (*koo*ᵉᵉ-tayng-kin) *conj* yet
kuitti (*koo*ᵉᵉ*t*-ti) *n* receipt
kuiva (*koo*ᵉᵉ-vah) *adj* dry
kuivata (*koo*ᵉᵉ-vah-tah) *v* dry; wipe
kuivattaa (*koo*ᵉᵉ-vaht-taa) *v* dry; drain
kuivausrumpu (*koo*ᵉᵉ-vah-ooss-*room*-poo) *n* dryer
kuivua (*koo*ᵉᵉ-voo ah) *v* dry
kuivuus (*koo*ᵉᵉ-vōōss) *n* drought
kuja (*koo*-ᵞah) *n* alley, lane
kuje (*koo*-ᵞay) *n* trick
kuka (*koo*-kah) *pron* who; ~ **tahansa** whoever; anybody; **ei kukaan** nobody
kukin (*koo*-kin) *pron* each
kukka (*kook*-kah) *n* flower
kukkakaali (*kook*-kah-*kaa*-li) *n* cauliflower
kukkakauppa (*kook*-kah-*koup*-pah) *n* flower-shop
kukkakauppias (*kook*-kah-*koup*-pi-ahss) *n* florist
kukkapenkki (*kook*-kah-*payngk*-ki) *n* flowerbed
kukkaro (*kook*-kah-roa) *n* purse
kukkasipuli (*kook*-kah-*si*-poo-li) *n* bulb
kukko (*kook*-koa) *n* cock
kukkula (*kook*-koo-lah) *n* height, hill
kukoistava (*koo*-koa-i-stah-vah) *adj* prosperous
kulho (*kool*-hoa) *n* bowl, dish
kuljeskella (*kool*-ᵞayss-kayl-lah) *v* roam, stroll
kuljettaa (*kool*-ᵞayt-taa) *v* transport; *drive, carry
kuljetus (*kool*-ᵞay-tooss) *n* transportation
kuljetusmaksu (*kool*-ᵞay-tooss-*mahk*-soo) *n* fare

kulkea läpi (*kool*-kay-ah *læ*-pi) pass through

kulku (*kool*-koo) *n* course

kulkue (*kool*-koo-ay) *n* procession

kulkunopeus (*kool*-koo-*noa*-pay-ooss) *n* cruising speed

kulkuri (*kool*-koo-ri) *n* tramp

kulkurielämä (*kool*-koo-ri-*ay*-læ-mæ) *n* vagrancy

kullankeltainen (*kool*-lahng-*kayl*-tigh-nayn) *adj* golden

kullattu (*kool*-laht-too) *adj* gilt

kulma (*kool*-mah) *n* corner; angle

kulmakarva (*kool*-mah-*kahr*-vah) *n* eyebrow

kulmakynä (*kool*-mah-*kew*-næ) *n* eye-pencil

kulta (*kool*-tah) *n* gold

kultakaivos (*kool*-tah-*kigh*-voass) *n* goldmine

kultaseppä (*kool*-tah-*sayp*-pæ) *n* goldsmith

kulttuuri (*koolt*-tōō-ri) *n* culture

kulua (*koo*-loo-ah) *v* pass; ~ **umpeen** expire

kulunut (*koo*-loo-noot) *adj* worn

kulut (*koo*-lit) *pl* expenditure; expense

kuluttaa (*koo*-loot-taa) *v* *spend; ~ **loppuun** use up, wear out

kuluttaja (*koo*-loot-tah-ᵞah) *n* consumer

kuluttua (*koo*-loot-too-ah) *postp* after

kumartua (*koo*-mahr-too-ah) *v* *bend down

kumi (*koo*-mi) *n* gum, rubber

kuminauha (*koo*-mi-*nou*-hah) *n* elastic band, rubber band

kumitossut (*koo*-mi-*toass*-soot) *pl* plimsolls *pl;* sneakers *plAm*

kummallinen (*koom*-mahl-li-nayn) *adj* strange, odd; queer

kummisetä (*koom*-mi-*say*-tæ) *n* godfather

kummitus (*koom*-mi-tooss) *n* ghost, spook

kumoon (*koo*-mōān) *adv* over

kumpi (koom-pi) *pron* whichever

kumpikin (*koom*-pi-kin) *pron* either

kumppani (*koomp*-pah-ni) *n* partner; associate

kumpu (*koom*-poo) *n* hillock

kun (koon) *conj* when; as

kuningas (*koo*-ning-ngahss) *n* king

kuningaskunta (*koo*-ning-ngahss-*koon*-tah) *n* kingdom

kuningatar (*koo*-ning-ngah-tahr) *n* queen

kuninkaallinen (*koo*-ning-kaal-li-nayn) *adj* royal

kunnallinen (*koon*-nahl-li-nayn) *adj* municipal

kunnallishallitus (*koon*-nahl-liss-*hahl*-li-tooss) *n* municipality

kunnes (*koon*-nayss) *conj* till

kunnia (*koon*-ni-ah) *n* honour, glory

kunniakas (*koon*-ni-ah-kahss) *adj* honourable

kunniallinen (*koon*-ni-ahl-li-nayn) *adj* respectable, honourable

kunnianarvoisa (*koon*-ni-ahn-*ahr*-voi-sah) *adj* venerable

kunnianhimoinen (*koon*-ni-ahn-*hi*-moi-nayn) *adj* ambitious

kunnianosoitus (*koon*-ni-ahn-*oa*-soi-tooss) *n* homage

kunniantunto (*koon*-ni-ahn-*toon*-toa) *n* sense of honour

kunnioitettava (*koon*-ni-oi-tayt-tah-vah) *adj* respectable, honourable

kunnioittaa (*koon*-ni-oit-taa) *v* respect, honour

kunnioittava (*koon*-ni-oit-tah-vah) *adj* respectful

kunnioituksenosoitus (*koon*-ni-oi-took-sayn-*oa*-soi-tooss) *n* tribute

kunnioitus (*koon*-ni-oi-tooss) *n* respect, esteem; regard kunnossa (*koon*-noass-sah) *adv* in order

kunnossapito (*koon*-noass-sah-*pi*-toa) *n* upkeep

kunnostaa (*koon*-noass-taa) *v* repair

kunnostautua (*koon*-noass-tou-too-ah) *v* excel

kunta (*koon*-tah) *n* commune

kunto (*koon*-toa) *n* condition; order

kuntouttaminen (*koon*-toa-oot-tah-minayn) *n* rehabilitation

kuohuttava (*kwoa*-hoot-tah-vah) *adj* revolting

kuolema (*kwoa*-lay-mah) *n* death

kuolemanrangaistus (*kwoa*-lay-mahn-rahng*-ngighss-tooss) *n* death penalty

kuolettava (*kwoa*-layt-tah-vah) *adj* fatal, mortal

kuolevainen (*kwoa*-lay-vigh-nayn) *adj* mortal

kuolla (*kwoal*-lah) *v* die

kuollut (*kwoal*-loot) *adj* dead

kuono (*kwoa*-noa) *n* snout, nose

kuoppa (*kwoap*-pah) *n* hole; pit

kuoppainen (*kwoap*-pigh-nayn) *adj* bumpy

kuori (*kwoa*-ri) *n* skin, peel

kuoria (*kwoa*-ri-ah) *v* peel

kuorma (*kwoar*-mah) *n* burden, load; charge

kuorma-auto (*kwoar*-mah-*ou*-toa) *n* lorry; truck *nAm*

kuormittaa (*kwoar*-mit-taa) *v* charge, load

kuoro (*kwoa*-roa) *n* choir

kuorsata (*kwoar*-sah-tah) *v* snore

kupari (*koo*-pah-ri) *n* copper

kupla (*koop*-lah) *n* bubble

kupoli (*koo*-poa-li) *n* dome

kuponki (*koo*-poang-ki) *n* voucher, coupon

kuppi (*koop*-pi) *n* cup

kurainen (*koo*-righ-nayn) *adj* dirty

kuri (*koo*-ri) *n* discipline

kuristaa (*koo*-riss-taa) *v* strangle, choke

kurja (*koor*-ʏah) *adj* miserable

kurjuus (*koor*-ʏ$\overline{oo}$ss) *n* misery

kurkistaa (*koor*-kiss-taa) *v* peep

kurkku (*koork*-koo) *n* throat; cucumber

kurkkukipu (*koork*-koo-*ki*-poo) *n* sore throat

kurkkumätä (*koork*-koo-*mæ*-tæ) *n* diphtheria

kurlata (*koor*-lah-tah) *v* gargle

kurssi (*koors*-si) *n* course

kustannukset (*kooss*-tahn-nook-sayt) *pl* cost; expenses *pl*

kustantaja (*kooss*-tahn-tah-ʏah) *n* publisher

kuten (*koo*-tayn) *conj* as, like, such as

kutina (*koo*-ti-nah) *n* itch

kutistua (*koo*-tiss-too-ah) *v* *shrink

kutistumaton (*koo*-tiss-too-mah-toan) *adj* shrinkproof

kutittaa (*koo*-tit-taa) *v* tickle

kutoa (*koo*-toa-ah) *v* *weave

kutoja (*koo*-toa-ʏah) *n* weaver

kutsu (*koot*-soo) *n* invitation

kutsua (*koot*-soo-ah) *v* call; ask, invite; ~ koolle assemble; ~ takaisin recall

kutsut (*koot*-soot) *pl* party

kuu (*ko͝o*) *n* moon

Kuuba (*k$\overline{oo}$*-bah) Cuba

kuubalainen (*k$\overline{oo}$*-bah-ligh-nayn) *n* Cuban; *adj* Cuban

kuudes (*k$\overline{oo}$*-dayss) *num* sixth

kuudestoista (*k$\overline{oo}$*-dayss-*toiss*-tah) *num* sixteenth

kuukausi (*k$\overline{oo}$*-kou-si) *n* month

kuukausijulkaisu (*k$\overline{oo}$*-kou-si-ʏool-kigh-soo) *n* monthly magazine

kuukausittainen (*k$\overline{oo}$*-kou-sit-tigh-nayn) *adj* monthly

kuukautiset (*k$\overline{oo}$*-kou-ti-sayt) *pl* menstruation

kuula (kōō-lah) n bullet; ball
kuulakärkikynä (kōō-lah-kær-ki-kew-næ) n Biro, ballpoint-pen
kuulla (kōōl-lah) v *hear
kuulo (kōō-loa) n hearing
kuuloke (kōō-loa-kay) n receiver
kuulostaa (kōō-loass-taa) v sound
kuulua (kōō-loo-ah) v belong to; concern
kuuluisa (kōō-loo-ee-sah) adj famous
kuuluisuus (kōō-loo-ee-sōōss) n celebrity
kuulustella (kōō-looss-tayl-lah) v interrogate, question
kuulustelu (kōō-looss-tay-loo) n examination, interrogation
kuuluttaa (kōō-loot-taa) v announce
kuulutus (kōō-loo-tooss) n notice, announcement
kuuluva (kōō-loo-vah) adj audible
kuuma (kōō-mah) adj hot
kuumavesipullo (kōō-mah-vay-si-pool-loa) n hot-water bottle
kuume (kōō-may) n fever
kuumeinen (kōō-may-nayn) adj feverish
kuumuus (kōō-mōōss) n heat
kuunnella (kōōn-nayl-lah) v listen; ~ salaa eavesdrop
kuuntelija (kōōn-tay-li-yah) n auditor, listener
kuuro (kōō-roa) adj deaf
kuusi (kōō-si) num six; n fir-tree
kuusikymmentä (kōō-si-kewm-mayn-tæ) num sixty
kuusitoista (kōō-si-toiss-tah) num sixteen
kuutamo (kōō-tah-moa) n moonlight
kuutio (kōō-ti-oa) n cube
kuva (koo-vah) n picture, image
kuvailla (koo-vighl-lah) v describe
kuvanveistäjä (koo-vahn-vayss-tæ-Yæ) n sculptor
kuvapatsas (koo-vah-paht-sahss) n

statue
kuvapostikortti (koo-vah-poass-ti-koart-ti) n picture postcard
kuvaruutu (koo-vahr-ōō-too) n screen
kuvaus (koo-vah-ooss) n description
kuvernööri (koo-vayr-nūr-ri) n governor
kuvio (koo-vi-oa) n pattern
kuvitella (koo-vi-tayl-lah) v imagine, fancy, *think; imagine; ~ mielessään conceive
kuvitelma (koo-vi-tayl-mah) n fancy; fiction
kuviteltu (koo-vi-tayl-too) adj imaginary
kuvittaa (koo-vit-taa) v illustrate
kuvitus (koo-vi-tooss) n illustration
kuvottava (koo-voat-tah-vah) adj revolting
kyetä (kew-ay-tæ) v *be able to
kykenemättömyys (kew-kay-nay-mæt-tur-mewss) n impotence
kykenemätön (kew-kay-nay-mæ-turn) adj incapable, unable; impotent
kykenevä (kew-kay-nay-væ) adj able; capable
kyky (kew-kew) n ability, capacity; faculty; gift
kyljys (kewl-Yewss) n cutlet, chop
kylkiluu (kewl-ki-lōō) n rib
kylliksi (kewl-lik-si) adv enough
kyllin (kewl-lin) adv enough; adj sufficient
kyllä (kewl-læ) yes
kyllästynyt (kewl-læss-tew-newt) adj tired of, fed up with
kylmyys (kewl-mewss) n cold
kylmä (kewl-mæ) adj cold
kylmänkyhmy (kewl-mæn-kewh-mew) n chilblain
kylpeä (kewl-pay-æ) v bathe
kylpy (kewl-pew) n bath
kylpyhuone (kewl-pew-hwoa-nay) v bathroom

kylpypyyhe (kewl-pew-pew-hay) n bath towel

kylpysuola (kewl-pew-swoa-lah) n bath salts

kylpytakki (kewl-pew-tahk-ki) n bath-robe

kylvettää (kewl-vayt-tææ) v bathe

kylvää (kewl-vææ) v *sow

kylä (kew-læ) n village

kymmenen (kewm-may-nayn) num ten

kymmenes (kewm-may-nayss) num tenth

kymmenjärjestelmä (kewm-mayn-Yær-Yayss-tayl-mæ) n decimal system

kynnys (kewn-newss) n threshold

kynsi (kewn-si) n nail; claw

kynsiharja (kewn-si-hahr-Yah) n nail-brush

kynsilakka (kewn-si-lahk-kah) n nail-polish

kynsisakset (kewn-si-sahk-sayt) pl nail-scissors pl

kynsiviila (kewn-si-vee-lah) n nail-file

kynttilä (kewnt-ti-læ) n candle

kyntää (kewn-tææ) v plough

kynä (kew-næ) n pen

kypsyys (kowp-sewss) n maturity

kypsä (kewp-sæ) adj ripe, mature

kypärä (kew-pæ-ræ) n helmet

kyseenalainen (kew-sāyn-ah-ligh-nayn) adj doubtful

kysellä (kew-sayl-læ) v ask, query

kysely (kew-say-lew) n inquiry

kysymys (kew-sew-mewss) n question; matter

kysymysmerkki (kew-sew-mewss-mayrk-ki) n question mark

kysyntä (kew-sewn-tæ) n demand

kysyvä (kew-sew-væ) adj interrogative

kysyä (kew-sew-æ) v ask; ~ neuvoa consult

kytkeä (kewt-kay-æ) v connect; plug in; switch on; ~ vaihde change gear

kytkin (kewt-kin) n clutch

kyyhkynen (kewh-kew-nayn) n pigeon

kyynel (kew-nayl) n tear

kyynärpää (kew-nær-pææ) n elbow

kädenpuristus (kæ-dayn-poo-riss-tooss) n handshake

käherryssakset (kæ-hayr-rewss-sahk-sayt) pl curling-tongs pl

kähertää (kæ-hayr-tææ) v curl

käheä (kæ-hay-æ) adj hoarse

käki (kæ-ki) n cuckoo

käly (kæ-lew) n sister-in-law

kämmen (kæm-mayn) n palm

käpälä (kæ-pæ-læ) n paw

kärki (kær-ki) n point, tip

kärkäs (kær-kæss) adj eager

kärpänen (kær-pæ-nayn) n fly

kärsimys (kær-si-mewss) n affliction, suffering

kärsimätön (kær-si-mæ-turn) adj impatient, eager

kärsivällinen (kær-si-væl-li-nayn) adj patient

kärsivällisyys (kær-si-væl-li-sewss) n patience

kärsiä (kær-si-æ) v suffer; *bear

käsi (kæ-si) n hand; käsi- manual; käsin kosketeltava tangible

käsiala (kæ-si-ah-lah) n handwriting

käsienhoito (kæ-si-ayn-hoi-toa) n manicure

käsijarru (kæ-si-Yahr-roo) n hand-brake

käsikirja (kæ-si-keer-Yah) n handbook

käsikirjoitus (kæ-si-keer-Yoi-tooss) n manuscript

käsikoukkua (kæ-si-koak-koo-ah) adv arm-in-arm

käsilaukku (kæ-si-louk-koo) n bag, handbag

käsimatkatavara (kæ-si-maht-kah-tah-vah-rah) *n* hand luggage; hand baggage *Am*

käsinoja (*kæ-si-noa-*Yah) *n* arm

käsintehty (*kæ-sin-tayh-*tew) *adj* hand-made

käsiraudat (*kæ-si-rou-*daht) *pl* handcuffs *pl*

käsite (*kæ-si-*tay) *n* idea, notion

käsitellä (*kæ-si-tayl-*læ) *v* handle; *deal with

käsittämätön (*kæ-sit-tæ-mæ-*turn) *adj* puzzling, incomprehensible

käsittää (*kæ-sit-*tææ) *v* include, conceive; *see; ~ **väärin** *misunderstand

käsitys (*kæ-si-*tewss) *n* idea, conception; notion

käsityö (*kæ-si-t*ᵉʷ*ur*) *n* handwork, handicraft; needlework

käsivarsi (*kæ-si-vahr-*si) *n* arm

käsivoide (*kæ-si-voi-*day) *n* hand cream

käskeä (*kæss-*kay-æ) *v* order, command

käsky (*kæss-*kew) *n* order

kätevä (*kæ-*tay-væ) *adj* manageable, handy

kätilö (*kæ-ti-*lur) *n* midwife

kätkeä (*kæt-*kay-æ) *v* *hide; conceal

kävelijä (*kæ-vay-li-*Yæ) *n* walker

kävellä (*kæ-vayl-*læ) *v* walk

kävely (*kæ-vay-*lew) *n* stroll; walk

kävelykeppi (*kæ-vay-lew-kayp-*pi) *n* cane, walking-stick

kävelyretki (*kæ-vay-lew-rayt-*ki) *n* walk

kävelytapa (*kæ-vay-lew-tah-*pah) *n* pace, walk

kävelytie (*kæ-vay-lew-*tyay) *n* footpath, promenade

käydä (*kæ*ᵉʷ*-*dæ) *v* visit; ferment; ~ **kauppaa** trade; ~ **makuulle** *lie down; ~ **ostoksilla** shop

käymälä (*kæ*ᵉʷ*-*mæ-læ) *n* toilet, bath-

room; washroom *nAm*

käynnistysmoottori (*kæ*ᵉʷ*n-*niss-tewss-*mōat-*toa-ri) *n* starter motor

käynti (*kæ*ᵉʷ*n-*ti) *n* gait; pace

käyntikortti (*kæ*ᵉʷ*n-*ti-*koart-*ti) *n* visiting-card

käypä (*kæ*ᵉʷ*-*pæ) *adj* current

käyrä (*kæ*ᵉʷ*-*ræ) *adj* crooked, bent

käytetty (*kæ*ᵉʷ*-*tayt-tew) *adj* secondhand

käyttäjä (*kæ*ᵉʷ*t-*tæ-*Yæ) *n* user

käyttäytyä (*kæ*ᵉʷ*t-*tæ*ᵉʷ*-*tew-æ) *v* act, behave

käyttää (*kæ*ᵉʷ*t-*tææ) *v* apply, employ, use; *spend; *wear; **käytettävissä oleva** available; ~ **hyväksi** exploit; ~ **hyödykseen** utilize

käyttö (*kæ*ᵉʷ*t-*tur) *n* use

käyttöesine (*kæ-*ewt-tur-*ay-*si-nay) *n* utensil

käyttökelpoinen (*kæ*ᵉʷ*t-*tur-*kayl-*poi-nayn) *adj* usable

käyttöohje (*kæ*ᵉʷ*t-*tur-*oah-*Yay) *n* directions for use

käyttövoima (*kæ*ᵉʷ*t-*tur-*voi-*mah) *n* driving force

käytännöllinen (*kæ*ᵉʷ*-*tæn-nurl-li-nayn) *adj* practical

käytäntö (*kæ*ᵉʷ*-*tæn-tur) *n* usage

käytävä (*kæ*ᵉʷ*-*tæ-væ) *n* corridor; aisle

käytös (*kæ*ᵉʷ*-*turss) *n* behaviour, conduct; manners *pl*

käänne (*kææn-*nay) *n* turn

käännekohta (*kææn-*nayk-*koah-*tah) *n* turning-point; crisis

käännellä (*kææn-*nayl-læ) *v* turn round

käännyttää (*kææn-*newt-tææ) *v* convert

käännös (*kææn-*nurss) *n* turn; translation, version

kääntyä (*kææn-*tew-æ) *v* turn round; ~ **takaisin** turn back

kääntää (kææn-tææ) v turn; translate; ~ ylösalaisin invert; ~ ympäri turn over

kääntöpuoli (kææn-tur-pwoa-li) n reverse

kääpiö (kææ-pi-ur) n dwarf

käärepaperi (kææ-rayp-pah-pay-ri) n wrapping paper

kääriä (kææ-ri-æ) v wrap; ~ auki unfold; unwrap

käärme (kæær-may) n snake

käärö (kææ-rur) n bundle

köli (kur-li) n keel

kömpelö (kurm-pay-lur) adj clumsy, awkward

köyhyys (kurew-hēwss) n poverty

köyhä (kurew-hæ) adj poor

köysi (kurew-si) n rope, cord

L

laahata (laa-hah-tah) v drag

laaja (laa-Yah) adj wide; extensive, broad

laajakantoinen (laa-Yah-kahn-toi-nayn) adj extensive

laajennus (laa-Yayn-nooss) n extension

laajentaa (laa-Yayn-taa) v widen, enlarge, expand

laajeta (laa-Yay-tah) v expand

laajuus (laa-Yōōss) n extent; size

laakso (laak-soa) n valley

laastari (laas-ta-ri) n plaster; laastarilappu strip of plaster

laatia (laa-tiah) v *draw up; *make up

laatikko (laa-tik-koa) n box; chest

laatu (laa-too) n quality

laboratorio (lah-boa-rah-toa-ri-oa) n laboratory

laguuni (lah-gōō-ni) n lagoon

lahdelma (lahh-dayl-mah) n bay, inlet

lahja (lahh-Yah) n present, gift

lahjakas (lahh-Yah-kahss) adj talented, gifted; brilliant

lahjoa (lahh-Yoa-ah) v bribe; corrupt

lahjoittaa (lahh-Yoit-taa) v donate

lahjoittaja (lahh-Yoit-tah-Yah) n donor

lahjoitus (lahh-Yoi-tooss) n donation

lahjominen (lahh-Yoa-mi-nayn) n bribery; corruption

lahna (lahh-nah) n bream

lahti (lahh-ti) n bay; inlet

laidun (ligh-doon) n pasture

laiduntaa (ligh-doon-taa) v graze

laiha (ligh-hah) adj thin, lean

laihduttaa (lighh-doot-taa) v slim

laillinen (lighl-li-nayn) adj legal, lawful, legitimate

laillistaminen (lighl-liss-tah-mi-nayn) n legalization

laimentaa (ligh-mayn-taa) v dilute

laiminlyödä (ligh-min-lewur-dæ) v neglect; fail

laiminlyönti (ligh-min-lewurn-ti) n neglect

laina (ligh-nah) n loan; antaa lainaksi *lend

lainata (ligh-nah-tah) v borrow; *lend

lainaus (ligh-nah-ooss) n quotation

lainausmerkit (ligh-nah-ooss-mayr-kit) pl quotation marks

laine (ligh-nay) n wave

lainelauta (ligh-nayl-lou-tah) n surfboard

lainmukainen (lighm-moo-kigh-nayn) adj legal; valid

lainvastainen (lighn-vahss-tigh-nayn) adj unlawful, illegal

laiska (lighss-kah) adj lazy

laita (ligh-tah) n border, edge

laitaosa (ligh-tah-oa-sah) n outskirts pl

laite (ligh-tay) n appliance, device

laiton (ligh-toan) adj illegal

laitos (*ligh*-toass) *n* institution, institute

laituri (*ligh*-too-ri) *n* pier

laiva (*ligh*-vah) *n* boat, ship; **laivan kansi** deck

laivaan (*ligh*-vaan) *adv* aboard

laivanvarustaja (*ligh*-vahn-*vah*-roosstah-Yah) *n* shipowner

laivassa (*ligh*-vahss-sah) *adv* aboard

laivasto (*ligh*-vahss-toa) *n* navy, fleet; **laivasto-** naval

laivata (*ligh*-vah-tah) *v* ship

laivaus (*ligh*-vah-ooss) *n* embarkation

laivaveistämö (*ligh*-vah-vayss-tæ-mur) *n* shipyard

laivaväylä (*ligh*-vah-*væ*ᵉʷ-læ) *n* waterway

laivayhtiö (*ligh*-vah-*ewh*-ti-ur) *n* shipping line

laivue (*ligh*-voo-ay) *n* squadron

laji (*lah*-Yi) *n* breed, species; kind, sort

lajitella (*lah*-Yi-tayl-lah) *v* assort, sort

lajitelma (*lah*-Yi-tayl-mah) *n* assortment

lakaista (*lah*-kighss-tah) *v* *sweep

lakana (*lah*-kah-nah) *n* sheet

lakata (*lah*-kah-tah) *v* stop, discontinue; varnish

laki (*lah*-ki) *n* law

lakimääräinen (*lah*-ki-*mææ*-ræᵉᵉ-nayn) *adj* legal

lakipiste (*lah*-ki-*piss*-tay) *n* zenith

lakitiede (*lah*-ki-*tyay*-day) *n* law

lakka (*lahk*-kah) *n* varnish, lacquer

lakki (*lahk*-ki) *n* cap

lakko (*lahk*-koa) *n* strike

lakkoilla (*lahk*-koil-lah) *v* *strike, *go on strike

lakritsi (*lahk*-rit-si) *n* liquorice

lamakausi (*lah*-mah-*kou*-si) *n* depression

lammas (*lahm*-mahss) *n* sheep

lampaanliha (*lahm*-paan-*li*-hah) *n* mutton

lampi (*lahm*-pi) *n* pond

lamppu (*lahmp*-poo) *n* lamp

lampunvarjostin (*lahm*-poon-*vahr*-Yoass-tin) *n* lampshade

lanka (*lahng*-kah) *n* thread; yarn

lankku (*lahngk*-koo) *n* plank

lanko (*lahng*-koa) *n* brother-in-law

lanne (*lahn*-nay) *n* hip

lanta (*lahn*-tah) *n* dung, manure

lantio (*lahn*-ti-oa) *n* pelvis

lapaset (*lah*-pah-sayt) *pl* mittens *pl*

lapio (*lah*-pi-oa) *n* spade, shovel

lapsenkaitsija (*lahp*-sayng-*kight*-si-Yah) *n* babysitter

lapsi (*lahp*-si) *n* child; kid

lapsihalvaus (*lahp*-si-*hahl*-vah-ooss) *n* polio

lapsipuoli (*lahp*-si-*pwoa*-li) *n* stepchild

lasi (*lah*-si) *n* glass

lasikaappi (*lah*-si-*kaap*-pi) *n* show-case

lasimaalaus (*lah*-si-*maa*-lah-ooss) *n* stained glass

lasinen (*lah*-si-nayn) *adj* glass

lasittaa (*lah*-sit-taa) *v* glaze

laskea (*lahss*-kay-ah) *v* count, reckon; lower, *strike; ~ **mukaan** include; ~ **yhteen** add

laskelma (*lahss*-kayl-mah) *n* calculation

laskelmoida (*lahss*-kayl-moi-dah) *v* calculate

laskento (*lahss*-kayn-toa) *n* arithmetic

laskeutua (*lahss*-kay⁰⁰-too-ah) *v* descend; land

laskeutuminen (*lahss*-kay⁰⁰-too-minayn) *n* descent

laskimo (*lahss*-ki-moa) *n* vein

laskos (*lahss*-koass) *n* crease

laskostaa (*lahss*-koass-taa) *v* fold

lasku (*lahss*-koo) *n* bill; check *nAm;* invoice

laskukausi (*lahss*-koo-*kou*-si) *n* slump

laskukone (*lahss*-koo-*koa*-nay) *n* adding-machine

laskusilta (*lahss*-koo-*sil*-tah) *n* gangway

laskuttaa (*lahss*-koot-taa) *v* bill

laskuvesi (*lahss*-koo-*vay*-si) *n* low tide

lasta (*lahss*-tah) *n* splint

lastata (*lahss*-tah-tah) *v* charge, load

lastenhoitaja (*lahss*-tayn-*hoi*-tah-ʸah) *n* nurse

lastenhuone (*lahss*-tayn-*hwoa*-nay) *n* nursery

lastenseimi (*lahss*-tayn-say-mi) *n* nursery

lastentarha (*lahss*-tayn-*tahr*-hah) *n* kindergarten

lastenvaunut (*lahss*-tayn-*vou*-noot) *pl* pram, baby carriage *Am*

lasti (*lahss*-ti) *n* cargo; load

lastiruuma (*lahss*-ti-*rōō*-mah) *n* hold

lastu (*lahss*-too) *n* chip

Latinalainen Amerikka (*lah*-ti-nah-ligh-nayn-*ah*-may-rik-kah) Latin America

latinalaisamerikkalainen (*lah*-ti-nah-lighss-*ah*-may-rik-kah-ligh-nayn) *adj* Latin-American

lato (*lah*-toa) *n* barn

lattia (*laht* ti-ah) *n* floor

lauantai (*lou*-ahn-tigh) *n* Saturday

laudoitus (*lou*-doi-tooss) *n* panelling

lauha (*lou*-hah) *adj* mild

lauhtua (*louh*-too-ah) *v* thaw

laukaus (*lou*-kah-ooss) *n* shot

laukka (*louk*-kah) *n* gallop

laulaa (*lou*-laa) *v* *sing

laulaja (*lou*-lah-ʸah) *n* vocalist, singer

laulelma (*lou*-layl-mah) *n* tune, song

laulu (*lou*-loo) *n* song; **laulu-** vocal

lauma (*lou*-mah) *n* flock; herd

lause (*lou*-say) *n* sentence

lausua (*lou*-soo-ah) *v* express; utter

lausunto (*lou*-soon-toa) *n* statement

lauta (*lou*-tah) *n* board

lautanen (*lou*-tah-nayn) *n* plate; **syvä** ~ soup-plate

lautasliina (*lou*-tahss-*leenah*) *n* serviette, napkin

lautta (*lout*-tah) *n* raft; ferry-boat

lavantauti (*lah*-vahn-*tou*-ti) *n* typhoid

lavashow (*lah*-vah-*shoa*) *n* floor show

lehdenmyyjä (*layh*-daym-*mēw̄*-ʸæ) *n* newsagent

lehdistötilaisuus (*layh*-diss-tur-*ti*-ligh-sōōss) *n* press conference

lehmus (*layh*-mooss) *n* lime

lehmä (*layh*-mæ) *n* cow

lehmänvuota (*layh*-mæn-*vwoa*-tah) *n* cow-hide

lehti (*layh*-ti) *n* leaf

lehtikulta (*layh*-ti-*kool*-tah) *n* gold leaf

lehtisalaatti (*layh*-ti-*sah*-laat-ti) *n* lettuce

lehtori (*layh*-toa-ri) *n* teacher, master

leijona (*lay*-ʸoa-nah) *n* lion

leikata (*lay*-kah-tah) *v* *cut; operate; ~ siistiksi** trim

leikekirja (*lay*-kayk-*keer*-ʸah) *n* scrapbook

leikillinen (*lay*-kil-li-nayn) *adj* humorous

leikkaus (*layk*-kah-ooss) *n* surgery, operation

leikki (*layk*-ki) *n* play

leikkikalu (*layk*-ki-*kah*-loo) *n* toy

leikkikenttä (*layk*-ki-*kaynt*-tæ) *n* playground, recreation ground

leikkiä (*layk*-ki-æ) *v* play

leima (*lay*-mah) *n* stamp

leimata (*lay*-mah-tah) *v* mark

leipoa (*lay*-poa-ah) *v* bake

leipomo (*lay*-poa-moa) *n* bakery

leipuri (*lay*-poo-ri) *n* baker

leipä (*lay*-pæ) *n* bread

leiri (*lay*-ri) *n* camp

leirintäalue (*lay*-rin-tæ-*ah*-loo-ay) *n* camping site

leiriytyä (*lay*-ri-ew-tew-æ) *v* camp

leivonen (*lay*-voa-nayn) *n* lark

leivonnaiset (*lay*-voan-nigh-sayt) *pl*

pastry
leivos (*lay*-voass) *n* cake
lelukauppa (*lay*-loo-*koup*-pah) *n* toy-shop
lemmikki (*laym*-mik-ki) *n* pet; **lempi-**favourite
lemmikkieläin (*laym*-mik-ki-*ay*-læ[ee]n) *n* pet
lempeä (*laym*-pay-æ) *adj* gentle
leninki (*lay*-ning-ki) *n* robe, dress
lento (*layn*-toa) *n* flight
lentoemäntä (*layn*-toa-*ay*-mæn-tæ) *n* stewardess
lentokapteeni (*layn*-toa-*kahp*-tāy-ni) *n* captain
lentokenttä (*layn*-toa-*kaynt*-tæ) *n* airport, airfield
lentokone (*layn*-toa-*koa*-nay) *n* aeroplane, plane, aircraft; airplane *nAm*
lento-onnettomuus (*layn*-toa-*oan*-nayt-tay-mōōss) *n* plane crash
lentopahoinvointi (*layn*-toa-*pah*-hoin-*voin*-ti) *n* air-sickness
lentoposti (*layn*-toa-*poass*-ti) *n* air-mail
lentoyhtiö (*layn*-toa-*ewh*-ti-ur) *n* air-line
lentäjä (*layn*-tæ-[Y]æ) *n* pilot
lentää (*layn*-tææ) *v* *fly
lepo (*lay*-poa) *n* rest
lepokoti (*lay*-poa-*koa*-ti) *n* rest-home
leposohva (*lay*-poa-*soah*-vah) *n* couch
lepotuoli (*lay*-poa-*twoa*-li) *n* arm-chair
leskimies (*layss*-ki-*myayss*) *n* widower
leskirouva (*layss*-ki-*roa*-vah) *n* widow
leuka (*lay*[oo]-kah) *n* chin
leukapieli (*lay*[oo]-kah-*pyay*-li) *n* jaw
leveys (*lay*-vay-ewss) *n* width, breadth
leveysaste (*lay*-vay-ewss-*ahss*-tay) *n* latitude
leveä (*lay*-vay-æ) *adj* wide, broad
levittää (*lay*-vit-tææ) *v* *spread; ex-

pand
levoton (*lay*-voa-toan) *adj* restless; uneasy
levottomuus (*lay*-voat-toa-mōōss) *n* unrest; disturbance
levy (*lay*-vew) *n* sheet, plate; record; disc
levysoitin (*lay*-vew-*soi*-tin) *n* record-player; gramophone
levätä (*lay*-væ-tæ) *v* rest
Libanon (*li*-bah-noan) Lebanon
libanonilainen (*li*-bah-noa-ni-ligh-nayn) *n* Lebanese; *adj* Lebanese
Liberia (*li*-bay-ri-ah) Liberia
liberialainen (*li*-bay-ri-ah-ligh-nayn) *n* Liberian; *adj* Liberian
lieju (*lyay*-[Y]oo) *n* mud
liejuinen (*lyay*-[Y]oo[ee]-nayn) *adj* muddy
liekki (*lyayk*-ki) *n* flame
liemilusikka (*lyay*-mi-loo-sik-kah) *n* soup-spoon
liesi (*lyay*-si) *n* stove, cooker
lieve (*lyay*-vay) *n* lapel, hem
lievä (*lyay*-væ) *adj* slight
liftata (*lif*-tah-tah) *v* hitchhike
liha (*li*-hah) *n* flesh; meat
lihaksikas (*li*-hahk-si-kahss) *adj* muscular
lihas (*li*-hahss) *n* muscle
lihava (*li*-hah-vah) *adj* corpulent
lihavuus (*li*-hah-vōōss) *n* fatness
liiallinen (*lee*-ahl-li-nayn) *adj* excessive; superfluous
liiallisuus (*lee*-ahl-li-sōōss) *n* excess
liian (*lee*-ahn) *adv* too
liikarasittunut (*lee*-kah-*rah*-sit-too-noot) *adj* over-tired
liikavarvas (*lee*-kah-*vahr*-vahss) *n* corn
liike (*lee*-kay) *n* movement, motion; circulation
liikeasiat (*lee*-kay-*ah*-si-aht) *pl* business; **liikeasioissa** on business
liikematka (*lee*-kaym-*maht*-kah) *n* business trip

liikemies (*lee*-kaym-*myayss*) *n* businessman

liikemiesmäinen (*lee*-kaym-*myayss*-mæ^{oo}-nayn) *adj* business-like

liikeneuvottelu (*lee*-kayn-*nay*^{oo}-voat-tay-loo) *n* deal

liikenne (*lee*-kayn-nay) *n* traffic; **yksi-suuntainen** ~ one-way traffic

liikenneruuhka (*leekayn*-nay-*rōōh*-kah) *n* traffic jam

liikennevalo (*lee*-kayn-nayv-*vah*-loa) *n* traffic light

liikenneympyrä (*lee*-kayn-nay-*ewm*-pew-ræ) *n* roundabout

liiketoimi (*lee*-kayt-*toi*-mi) *n* transaction; deal

liikevaihto (*lee*-kayv-*vighh*-toa) *n* turnover

liikevaihtovero (*lee*-kayv-*vighh*-toa-*vay*-roa) *n* purchase tax, turnover tax; sales tax

liikeyritys (*lee*-kay-*ew*-ri-tewss) *n* business; concern

liikkeenharjoittaja (*koup*-pi-ahss) *n* tradesman

liikkua (*leek*-koo-ah) *v* move

liikkuva (*leek*-koo-vah) *adj* movable; mobile

liikuttaa (*lee*-koot-taa) *v* stir; move

liikuttava (*lee*-kōōt-lah-vah) *adj* touching

liima (*lee*-mah) *n* glue, gum

liimaantua (*lee*-maan-too-ah) *v* *stick

liimanauha (*lee*-mah-*nou*-hah) *n* adhesive tape

liimata (*lee*-mah-tah) *v* *stick

liinavaatteet (*lee*-nah-*vaat*-tāyt) *pl* linen

liioitella (*lee*-oi-tayl-lah) *v* exaggerate

liioitteleva (*lee*-oit-tay-lay-vah) *adj* extravagant

liipasin (*lee*-pah-sin) *n* trigger

liisteröidä (*leess*-tay-rur^{ee}-dæ) *v* paste

liite (*lee*-tay) *n* enclosure; supple-

ment, annex

liitos (*lee*-toass) *n* joint

liitto (*leet*-toa) *n* league, union; **liitto-** federal

liittolainen (*leet*-toa-ligh-nayn) *n* associate; ally

liittoutuneet (*leet*-toa-too-nāyt) *pl* Allies *pl*

liittovaltio (*leet*-toa-*vahl*-ti-oa) *n* federation

liittynyt (*leet*-tew-newt) *adj* affiliated

liittyä (*leet*-tew-æ) *v* join

liittää (*leet*-tææ) *v* connect; attach; associate; ~ **yhteen** link, join

liitu (*lee*-too) *n* chalk

liivit (*lee*-vit) *pl* waistcoat; vest *nAm*; **naisten** ~ girdle

lika (*li*-kah) *n* dirt

likainen (*li*-kigh-nayn) *adj* soiled, dirty

likimäärin (*li*-ki-*mææ*-rin) *adv* approximately

likimääräinen (*li*-ki-*mææ*-ræ^{ee}-nayn) *adj* approximate

likinäköinen (*li*-ki-*næ*-kur^{ee}-nayn) *adj* short-sighted

likööri (*li*-kūr-ri) *n* liqueur

lilja (*lil*-ʸah) *n* lily

limetti (*li*-mayt-ti) *n* lime

limonaati (*li*-moa-naa-ti) *n* lemonade

limppu (*limp*-poo) *n* loaf

linja (*lin*-ʸah) *n* line

linja-auto (*lin*-ʸah-ou-toa) *n* coach

linna (*lin*-nah) *n* castle

linnake (*lin*-nah-kay) *n* fort

linnoitus (*lin*-noi-tooss) *n* stronghold, fortress

linssi (*lins*-si) *n* lens

lintu (*lin*-too) *n* bird

lintukauppias (*lin*-too-*koup*-pi-ahss) *n* poulterer

liottaa (*li*-oat-taa) *v* soak

lipasto (*li*-pahss-toa) *n* chest of drawers; bureau *nAm*

lippu (*lip*-poo) *n* banner, flag; ticket

lippuautomaatti (*lip*-poo-*ou*-toa-maat-ti) *n* ticket machine

lippuluukku (*lip*-poo-*look*-koo) *n* box-office

lippumyymälä (*lip*-poo-*mew*-mæ-læ) *n* box-office

lisenssi (*li*-sayns-si) *n* licence

lisä- (*li*-sæ) additional; further

lisäksi (*li*-sæk-si) *adv* moreover, furthermore; *postp* besides

lisämaksu (*li*-sæ-mahk-soo) *n* surcharge

lisänimi (*li*-sæ-*ni*-mi) *n* nickname

lisärakennus (*li*-sæ-*rah*-kayn-nooss) *n* annex

lisätarvikkeet (*li*-sæ-*tahr*-vik-kayt) *pl* accessories *pl*

lisätä (*li*-sæ-tæ) *v* add; increase

lisäys (*li*-sæ-ewss) *n* addition; increase

lisääntyminen (*li*-sææn-tew-mi-nayn) *n* increase

lisääntyä (*li*-sææn-tew-æ) *v* increase

litra (*lit*-rah) *n* litre

liueta (*lee*ᵒᵒ-ay-tah) *v* dissolve

liukas (*lee*ᵒᵒ-kahss) *adj* slippery

liukastua (*lee*ᵒᵒ-kahss-too-ah) *v* slip

liukeneva (*lee*ᵒᵒ-kay-nay-vah) *adj* soluble

liukua (*lee*ᵒᵒ-koo-ah) *v* *slide, glide

liukuminen (*lee*ᵒᵒ-koo-mi-nayn) *n* slide

liukuobjektiivi (*lee*ᵒᵒ-koo-oab-ᵞayk-tee-vi) *n* zoom lens

liukuovi (*lee*ᵒᵒ-koo-oa-vi) *n* sliding door

liukurata (*lee*ᵒᵒ-koo-*rah*-tah) *n* slide

liuos (*lee*ᵒᵒ-oass) *n* solution

liuottaa (*lee*ᵒᵒ-oat-taa) *v* dissolve

liuskakivi (*lee*ᵒᵒss-kah-*ki*-vi) *n* slate

livahtaa (*li*-vahh-taa) *v* slip

logiikka (*loa*-geek-kah) *n* logic

lohduttaa (*loah*-doot-taa) *v* comfort

lohdutus (*loah*-doo-tooss) *n* comfort, consolation

lohdutuspalkinto (*loah*-doo-tooss-*pahl*-kin-toa) *n* consolation prize

lohi (*loa*-hi) *n* salmon

lohikäärme (*loa*-hi-*kæær*-may) *n* dragon

lohkaista (*loah*-kighss-tah) *v* chip

lohkare (*loah*-kah-ray) *n* boulder

loikata (*loi*-kah-tah) *v* *leap

loistaa (*loiss*-taa) *v* *shine

loistava (*loiss*-tah-vah) *adj* gorgeous, glorious, brilliant

loiste (*loiss*-tay) *n* glare

loisto (*loiss*-toa) *n* splendour

lokakuu (*loa*-kah-*koo*) October

lokasuoja (*loa*-kah-*swoa*-ᵞah) *n* mudguard

lokero (*loa*-kay-roa) *n* locker; compartment

lokki (*loak*-ki) *n* gull; seagull

loma (*loa*-mah) *n* holiday, vacation; leave; **lomalla** on holiday

lomake (*loa*-mah-kay) *n* form

lomaleiri (*loa*-mah-*lay*-ri) *n* holiday camp

lomanviettopaikka (*loa*-mahn-*vyayt*-toa-*pighk*-kah) *n* holiday resort

lommo (*loam*-moa) *n* dent

lompakko (*loam*-pahk-koa) *n* pocketbook, wallet

lopettaa (*loa*-payt-taa) *v* end, finish; cease; stop, discontinue

loppu (*loap*-poo) *n* end, finish; ending

loppua (*loap*-poo-ah) *v* finish, stop

loppupää (*loap*-poo-*pææ*) *n* end

loppusanat (*loap*-poo-*sah*-naht) *pl* epilogue

loppusointu (*loap*-poo-*soin*-too) *n* rhyme

loppusumma (*loa*-poo-*soom*-mah) *n* total

lopputulos (*loap*-poo-*too*-loass) *n* result; conclusion; issue

loppuunmyyty (*loap*-*poon*-*mew*-tew) *adj* sold out

lopullinen (*loa*-pool-li-nayn) *adj* eventual, final

lopulta (*loa*-pool-tah) *adv* last, finally, at last

loput (*loa*-poot) *pl* remainder, rest

loputon (*loa*-poo-toan) *adj* endless

lordi (*lōar*-di) *n* lord

louhos (*loa*-hoass) *n* quarry

loukata (*loa*-kah-tah) *v* *hurt; injure; insult

loukkaaminen (*loak*-kaa-mi-nayn) *n* violation

loukkaantunut (*loak*-kaan-too-noot) *adj* injured

loukkaava (*loak*-kaa-vah) *adj* offensive

loukkaus (*loak*-kah-ooss) *n* insult, offence

lounas (*loa*-nahss) *n* lunch, luncheon; south-west

lovi (*loa*-vi) *n* slot

LP-levy (*ayl*-pāy-*lay*-vew) *n* long-playing record

lude (*loo*-day) *n* bug

luento (*loo*-ayn-toa) *n* lecture

luentosali (*loo*-ayn-toa-*sah*-li) *n* auditorium

luettavissa oleva (*loo*-ayt-tah-viss-sah *oa*-lay-vah) *adj* legible

luettelo (*loo*-ayt-tay-loa) *n* catalogue; list

luistella (*loo*ᵉᵉss-tayl-lah) *v* skate

luistelu (*loo*ᵉᵉss-tay-loo) *n* skating

luistin (*loo*ᵉᵉss-tin) *n* skate

luistinrata (*loo*ᵉᵉss-tin-*rah*-tah) *n* skating-rink

luisua (*loo*ᵉᵉ-soo-ah) *v* skid

luja (*loo*-Yah) *adj* steady, firm

lukea (*loo*-kay-ah) *v* *read

lukeminen (*loo*-kay-mi-nayn) *n* reading

lukita (*loo*-ki-tah) *v* lock; ~ sisään lock up

lukko (*look*-koa) *n* lock

luku (*loo*-koo) *n* number; digit

lukuisa (*loo*-kooᵉᵉ-sah) *adj* numerous

lukukausi (*loo*-koo-*kou*-si) *n* term

lukulamppu (*loo*-koo-*lahmp*-poo) *n* reading-lamp

lukumäärä (*loo*-koo-*mææ*-ræ) *n* number

lukusali (*loo*-koo-*sah*-li) *n* reading-room

lukusana (*loo*-koo-*sah*-nah) *n* numeral

lukutaidoton (*loo*-koo-*tigh*-doa-toan) *n* illiterate

lumi (*loo*-mi) *n* snow

lumimyrsky (*loo*-mi-*mewrs*-kew) *n* blizzard, snowstorm

luminen (*loo*-mi-nayn) *adj* snowy

lumisohjo (*loo*-mi-*soah*-Yoa) *n* slush

lumivyöry (*loo*-mi-*v*ᵉʷ*ur*-rew) *n* avalanche

lumoava (*loo*-moa-ah-vah) *adj* glamorous

lumota (*loo*-moa-tah) *v* bewitch

lumous (*loo*-moa-ooss) *n* spell, glamour

lunastaa (*loo*-nahss-taa) *v* cash; redeem

lunnaat (*loon*-naat) *pl* ransom

luo (*lwoa*) *postp* to

luoda (*lwoa*-dah) *v* create

luode (*lwoa*-day) *n* north-west

luokitella (*lwoa*-ki-tayl-lah) *v* classify; grade

luokka (*lwoak*-kah) *n* class; form

luokkahuone (*lwoak*-kah-*hwoa*-nay) *n* classroom

luokkatoveri (*lwoak*-kah-*toa*-vay-ri) *n* class-mate

luokse (*lwoak*-say) *postp* to

luoksepääsemätön (*lwoak*-sayp-*pææ*-say-mæ-turn) *adj* inaccessible

luola (*lwoa*-lah) *n* grotto, den, cave

luona (*lwoa*-nah) *postp* at, at, with

luonne (*lwoan*-nay) *n* character

luonnehtia (*lwoan*-nayh-ti-ah) *v* characterize

luonnollinen (*lwoan*-noal-li-nayn) *adj* natural

luonnollisesti (*lwoan*-noal-li-sayss-ti) *adv* naturally; of course

luonnonkaunis (*lwoan*-noan-*kou*-niss) *adj* scenic

luonnonlahja (*lwoan*-noan-*lahh*-Yah) *n* talent, faculty

luonnonsuojelualue (*lwoan*-noan-*swoa*-Yay-loo-*ah*-loo-ay) *n* game reserve

luonnontiede (*lwoan*-noan-*tyay*-day) *n* physics

luonnos (*lwoan*-noass) *n* sketch, design

luonnoskirja (*lwoan*-noass-*keer*-Yah) *n* sketch-book

luonnostella (*lwoan*-noass-tayl-lah) *v* sketch

luontainen (*lwoan*-tigh-nayn) *adj* natural

luonteenlaatu (*lwoan*-tāyn-*laa*-too) *n* nature, character

luonteenomainen (*lwoan*-tāyn-*oa*-migh-nayn) *adj* characteristic, typical

luontevuus (*lwoan*-tay-vōōss) *n* ease

luonto (*lwoan*-toa) *n* nature

luontokappale (*lwoan*-toa-*kahp*-pah-lay) *n* creature

luopua (*lwoa*-poo-ah) *v* quit, *give up

luostari (*lwoass*-tah-ri) *n* cloister

luostarikirkko (*lwoass*-tah-ri-*keerk*-koa) *n* abbey

luotettava (*lwoa*-tayt-tah-vah) *adj* trustworthy, reliable

luoti (*lwoa*-ti) *n* bullet

luotsi (*lwoat*-si) *n* pilot

luottaa (*lwoat*-taa) *v* trust, rely on

luottamuksellinen (*lwoat*-tah-mook-sayl-li-nayn) *adj* confidential

luottamus (*lwoat*-tah-mooss) *n* faith, trust, confidence

luottavainen (*lwoat*-tah-vigh-nayn) *adj* confident

luotto (*lwoat*-toa) *n* credit

luottokirje (*lwoat*-toa-*keer*-Yay) *n* letter of credit

luottokortti (*lwoat*-toa-*koart*-ti) *n* credit card; charge plate *Am*

luovuttaa (*lwoa*-voot-taa) *v* *give; extradite

lupa (*loo*-pah) *n* permission, licence; permit

lupaus (*loo*-pah-ooss) *n* promise; vow

lurjus (*loor*-Yooss) *n* rascal

lusikallinen (*loo*-si-kahl-li-nayn) *n* spoonful

lusikka (*loo*-sik-kah) *n* spoon

luu (lōō) *n* bone; **poistaa luut** bone

luukku (*lōōk*-koo) *n* hatch; shutter

luulla (*lōōl*-lah) *v* guess; *think; imagine

luultava (*lōōl*-tah-vah) *adj* probable

luumu (*lōō*-moo) *n* plum; **kuivattu ~** prune

luuranko (*lōō*-*rahng*-koa) *n* skeleton

luuta (*lōō*-tah) *n* broom

luvata (*loo*-vah-tah) *v* promise

luvaton (*loo*-vah-toan) *adj* unauthorized

lyhennys (*lew*-hayn-newss) *n* abbreviation

lyhentää (*lew*-hayn-tææ) *v* shorten

lyhty (*lewh*-tew) *n* lantern

lyhtypylväs (*lewh*-tew-*pewl*-væss) *n* lamp-post

lyhyt (*lew*-hewt) *adj* short, brief

lyhytsanainen (*lew*-hewt-*sah*-nigh-nayn) *adj* concise

lyhyttavaraliike (*lew*-hewt-*tah*-vah-rah-*lee*-kay) *n* haberdashery

lyijy (*lew*ee-Yew) *n* lead

lyijykynä (*lew*ee-Yew-kew-næ) *n* pencil

lykkäys (*lewk*-kæ-ewss) *n* delay; respite

lykätä (*lew*-kæ-tæ) *v* postpone, *put

off, delay

lystikäs (*lewss*-ti-kæss) *adj* funny

lysähtää (*lew*-sæh-tææ) *v* collapse

lyödä (*lew*ur-dæ) *v* *strike, *beat; bump; ~ **vetoa** *bet

lähde (*læh*-day) *n* source, spring, fountain

läheinen (*læ*-hay-nayn) *adj* near, close; intimate

läheisyys (*læ*-hay-sēwss) *n* vicinity

lähellä (*læ*-hayl-læ) *prep/postp* by, near; ~ **oleva** near, nearby

lähes (*læ*-hayss) *adv* almost, nearly

lähestyvä (*læ*-hayss-tew-væ) *adj* oncoming

lähestyä (*læ*-hayss-tewæ) *v* approach

lähetin (*læ*-hay-tin) *n* transmitter

lähettiläs (*læ*-hayt-ti-læss) *n* envoy; ambassador

lähettää (*læ*-hayt-tææ) *v* *send; dispatch; *broadcast, transmit; ~ **edelleen** forward; ~ **noutamaan** *send for; ~ **pois** dismiss; *send off; ~ **(rahaa)** remit

lähetys (*læ*-hay-tewss) *n* expedition; consignment; transmission, broadcast

lähetystö (*læ*-hay-tewss-tur) *n* legation; embassy

lähimmäinen (*læ*-lim mæ*ee*-nayn) *n* neighbour

lähiseutu (*læ*-hi-say*oo*-too) *n* neighbourhood

lähteä (*læh*-tay-æ) *v* *set out, *leave, depart; pull out

lähtien (*læh*-ti-ayn) *postp* as from; **siitä** ~ since

lähtö (*læh*-tur) *n* departure; take-off

lähtöaika (*læh*-tur-*igh*-kah) *n* time of departure

lähtökohta (*læh*-tur-*koah*-tah) *n* starting-point

läikyttää (*læ*ee-kewt-tææ) *v* *spill

läimäys (*læ*ee-mæ-ewss) *n* smack,

slap

läimäyttää (*læ*ee-mæ-ewt-tææ) *v* slap, smack

läjä (*læ*-Yæ) *n* heap

lämmin (*læm*-min) *adj* warm

lämmittää (*læm*-mit tææ) *v* heat, warm

lämmitys (*læm*-mi-tewss) *n* heating

lämmityslaite (*læm*-mi-tewss-*ligh*-tay) *n* heater

lämpiö (*læm*-pi-ur) *n* lobby, foyer

lämpö (*læm*-pur) *n* heat, warmth

lämpömittari (*læm*-pur-*mit*-tah-ri) *n* thermometer

lämpöpatteri (*læm*-pur-*paht*-tay-ri) *n* radiator

lämpötila (*læm*-pur-*ti*-lah) *n* temperature

lämpötyyny (*læm*-pur-*tēw*-new) *n* heating pad

länsi (*læn*-si) *n* west

läntinen (*læn*-ti-nayn) *adj* westerly, western

läpi (*læ*-pi) *prep/postp* through

läpikuultava (*læ*-pi-*kōōl*-tah-vah) *adj* transparent

läpipääsemätön (*læ*-pi-pææ-say-mæturn) *adj* impassable

olla läsnä (*oal*-lah læss-næ) *v* attend

läsnäoleva (*læss*-næ-*oa*-lay-vah) *adj* present

läsnäolo (*læss*-næ-*oa*-loa) *n* presence

lätäkkö (*læ*-tæk-kur) *n* puddle

lävistäjä (*læ*-viss-tæ-Yæ) *n* diagonal

lävistää (*læ*-viss-tææ) *v* pierce

lääke (*læ*æ-kay) *n* medicine; remedy

lääkeaineoppi (*læ*ækay-*igh*-nay-*oap*-pi) *n* pharmacology

lääkemääräys (*læ*æ-kaym-*mææ*-ræewss) *n* prescription

lääketiede (*læ*æ-kayt-*tyay*-day) *n* medicine

lääketieteellinen (*læ*æ-kayt-*tyay*-tāyl-li-nayn) *adj* medical

lääkäri (*læä-kæ-ri*) *n* physician, doctor; **lääkärin-** medical; **naistentautien** ~ gynaecologist

lääni (*læä-ni*) *n* province

lörpöttelijä (*lurr-*purt-tay-li-Yæ) *n* chatterbox

löyhkätä (*lur*ewh-kæ-tæ) *v* *stink

löytää (*lur*ew-tææ) *v* *find; discover; *come across

löytö (*lur*ew-tur) *n* discovery

löytötavarat (*lur*ew-tur-*tah*-vah-raht) *pl* lost and found

löytötavaratoimisto (*lur*ew-tur-*tah*-vah-rah-*toi*-miss-toa) *n* lost property office

M

maa (*maa*) *n* land, country; soil

maaginen (*maa*-gi-nayn) *adj* magic

maahanhyökkäys (*maa*-hahn-*h*ewurk-kæ-ewss) *n* invasion

maahanmuuttaja (*maa*-hahm-*mōōt*-tah-Yah) *n* immigrant

maahanmuutto (*maa*-hahm-*mōōt*-toa) *n* immigration

maahantuoja (*maa*-hahn-*twoa*-Yah) *n* importer

maailma (*maa*-il-mah) *n* world

maailmankaikkeus (*maa*-il-mahn-kighk-kay-ooss) *n* universe

maailmankuulu (*maa*-il-mahn-*kōō*-loo) *adj* world-famous

maailmanlaajuinen (*maa*-il-mahn-*lighoo*ee-nayn) *adj* world-wide; global

maailmansota (*maa*-il-mahn-*soa*-tah) *n* world war

maailmanvalta (*maa*-il-mahn-*vahl*-tah) *n* empire; **maailmanvallan-** imperial

maakunta (maa-*koon*-tah) *n* province

maalainen (*maa*-ligh-nayn) *adj* rural; provincial; **maalais-** rustic

maalaistalo (*maa*-lighss-*tah*-loa) *n* farmhouse

maalari (*maa*-lah-ri) *n* painter

maalata (*maa*-lah-tah) *v* paint

maalauksellinen (*maa*-lah-ook-sayl-li-nayn) *adj* picturesque

maalaus (*maa*-lah-ooss) *n* painting, picture

maali (*maa*-li) *n* paint; goal, finish

maalilaatikko (*maa*-li-*laa*-tik-koa) *n* paint-box

maaliskuu (*maa*-liss-*kōō*) March

maalitaulu (*maa*-li-*tou*-loo) *n* mark; target

maalivahti (*maa*-li-*vahh*-ti) *n* goalkeeper

maaliviiva (*maa*-li-*vee*-vah) *n* finish

maallikko (*maal*-lik-koa) *n* layman

maamerkki (*maa*-mayrk-ki) *n* landmark

maanalainen (*maan*-ah-ligh-nayn) *adj* underground; *n* subway *nAm*

maanantai (*maa*-nahn-tigh) *n* Monday

maanjäristys (*maan*-Yæ-riss-tewss) *n* earthquake

maankamara (*maan*-kah-mah-rah) *n* soil

maankiertäjä (*maang*-kyayr-tæ-Yæ) *n* tramp

maanmies (*maan*-mi-ayss) *n* countryman

maanosa (*maan*-oa-sah) *n* continent

maanpako (*maam*-pah-koa) *n* exile

maanpakolainen (*maam*-pah-koa-ligh-nayn) *n* exile

maantie (*maan*-tyay) *n* causeway, road, highway

maantiede (*maan*-tyay-day) *n* geography

maanviljelijä (*maan*-vil-Yay-li-Yæ) *n* farmer

maanviljelys (*maan*-vil-Yay-lewss) *n*

agriculture

maapallo (*maa-pahl*-loa) *n* globe

maaperä (*maa-pay*-ræ) *n* earth; ground, soil

maapähkinä (*maa-pæh*-ki-næ) *n* peanut

maaseutu (*maa-say*⁰⁰-too) *n* countryside, country

maasilta (*maa-sil*-tah) *n* viaduct

maastamuutto (*maass*-tah-*mōōt*-toa) *n* emigration

maasto (*maass*-toa) *n* terrain

maata (*maa*-tah) *v* *lie

maatalo (*maa-tah*-loa) *n* country house

maatalous- (*maa-tah*-loa-ooss) *adj* agrarian

maatila (*maa-ti*-lah) *n* farm; estate

maatilkku (*maa-tilk*-koo) *n* plot

maaöljy (*maa-url-*Yew) *n* petroleum

magneetti (*mahng-*nāyt-ti) *n* magneto

magneettinen (*mahng-*nāyt-ti-nayn) *adj* magnetic

mahdollinen (*mahh-*doal-li-nayn) *adj* eventual, possible; realizable

mahdollisuus (*mahh-*doal-li-*sōōss*) *n* possibility; chance

mahdoton (*mahh-*doa-toan) *adj* impossible; ~ **hyväksyä** unacceptable; ~ **korjata** irreparable

mahtaa (*mahh-*taa) *v* *may, *must

mahtava (*mahh-*tah-vah) *adj* mighty; powerful; magnificent

maihin (*migh-*hin) *adv* ashore

maila (*migh-*lah) *n* racquet

maili (*migh-*li) *n* mile

mailimäärä (*migh-*li-*mææ*-ræ) *n* mileage

maine (*migh-*nay) *n* reputation, fame

maininta (*migh-*nin-tah) *n* mention

mainio (*migh-*ni-oa) *adj* fine, excellent; swell

mainita (*migh-*ni-tah) *v* mention

mainonta (*migh-*noan-tah) *n* advertis-

ing

mainos (*migh-*noass) *n* commercial, advertisement

mainosvalo (*migh-*noass-*vah*-loa) *n* neon

maisema (*migh-*say mah) *n* landscape, scenery

maisemakortti (*migh-*say-mah-*koart*-ti) *n* picture postcard

maissa (*mighss*-sah) *adv* ashore

maissi (*mighss*-si) *n* maize, corn *Am*

maissintähkä (*mighss*-sin-tæh-kæ) *n* corn on the cob

maistaa (*mighss*-taa) *v* taste

maistua (*mighss*-too-ah) *v* taste

maito (*migh*-toa) *n* milk

maitomainen (*migh*-toa-migh-nayn) *adj* milky

maittava (*might*-tah-vah) *adj* tasty

maja (*mah-*Yah) *n* cabin

majakka (*mah-*Yahk-kah) *n* lighthouse

majatalo (*mah-*Yah-*tah*-loa) *n* inn; roadside restaurant; **majatalon isäntä** inn-keeper

majava (*mah-*Yah-vah) *n* beaver

majoittaa (*mah-*Yoit-taa) *v* *put up; accommodate

majoitus (*mah-*Yoi-tooss) *n* accommodation

majuri (*mah-*Yoo-ri) *n* major

makasiini (*mah*-kah-see-ni) *n* warehouse

makea (*mah-*kay-ah) *adj* sweet; ~ **vesi** fresh water

makeinen (*mah-*kay-nayn) *n* sweet; candy *nAm;* **makeiset** sweets; candy *nAm*

makeiskauppa (*mah-*kayss-*koup*-pah) *n* sweetshop; candy store *Am*

makeuttaa (*mah-*kay-oot-taa) *v* sweeten

makkara (*mahk-*kah-rah) *n* sausage

makrilli (*mahk-*ril-li) *n* mackerel

maksa (*mahk-*sah) *n* liver

maksaa (*mahk*-saa) *v* *pay; *cost; ~ **ennakolta** advance; ~ **loppuun** *pay off; ~ **takaisin** reimburse, *repay, refund

maksettava (*mahk*-sayt-tah-vah) *adj* due

maksu (*mahk*-soo) *n* payment; fee; charge

maksukyvytön (*mahk*-soo-*kew*-vew-turn) *adj* bankrupt

maksulippu (*mahk*-soo-*lip*-poo) *n* coupon

maksunsaaja (*mahk*-soon-*saa*-Yah) *n* payee

maksuosoitus (*mahk*-soo-*oa*-soi-tooss) *n* money order

maksutodiste (*mahk*-soo-*toa*-diss-tay) *n* voucher

maksuton (*mahk*-soo-toan) *adj* free of charge

maku (*mah*-koo) *n* taste, flavour

makuaisti (*mah*-koo-*ighss*-ti) *n* taste

makuuhuone (*mah*-kōō-*hwoa*-nay) *n* bedroom

makuupussi (*mah*-kōō-*pooss*-si) *n* sleeping-bag

makuusali (*mah*-kōō-*sah*-li) *n* dormitory

makuusija (*mah*-kōō-*si*-Yah) *n* berth, bunk

makuuvaunu (*mah*-kōō-*vou*-noo) *n* sleeping-car; Pullman

malaria (*mah*-lah-ri-ah) *n* malaria

Malesia (*mah*-lay-si-ah) Malaysia

malesialainen (*mah*-lay-si-ah-ligh-nayn) *n* Malay; *adj* Malaysian

malja (*mahl*-Yah) *n* bowl; toast

maljakko (*mahl*-Yahk-koa) *n* vase

malli (*mahl*-li) *n* model; pattern

mallinukke (*mahl*-li-*nook*-kay) *n* mannequin

malmi (*mahl*-mi) *n* ore

maltillinen (*mahl*-til-li-nayn) *adj* moderate, sober

malvanvärinen (*mahl*-vahn-*væ*-ri-nayn) *adj* mauve

mammutti (*mahm*-moot-ti) *n* mammoth

mandariini (*mahn*-dah-ree-ni) *n* mandarin, tangerine

maneesi (*mah*-nāy-si) *n* riding ring

mannekiini (*mahn*-nay-kee-ni) *n* model

manner (*mahn*-nayr) *n* continent; mainland

mannermaa (*mahn*-nayr-*maa*) *n* continent

mannermainen (*mahn*-nayr-*migh*-nayn) *adj* continental

mansikka (*mahn*-sik-kah) *n* strawberry

manteli (*mahn*-tay-li) *n* almond

mantteli (*mahnt*-tay-li) *n* cloak

margariini (*mahr*-gah-ree-ni) *n* margarine

marginaali (*mahr*-gi-naa-li) *n* margin

marja (*mahr*-Yah) *n* berry

markkinat (*mahrk*-ki-naht) *pl* fair

marmeladi (*mahr*-may-lah-di) *n* marmalade

marmori (*mahr*-moa-ri) *n* marble

Marokko (*mah*-roak-koa) Morocco

marokkolainen (*mah*-roak-koa-ligh-nayn) *n* Moroccan; *adj* Moroccan

marraskuu (*mahr*-rahss-*kōō*) November

marssi (*mahrs*-si) *n* march

marssia (*mahrs*-siah) *v* march

marsu (*mahr*-soo) *n* guinea-pig

marttyyri (*mahrt*-tēw-ri) *n* martyr

masennus (*mah*-sayn-nooss) *n* depression

masentaa (*mah*-sayn-taa) *v* depress

masentava (*mah*-sayn-tah-vah) *adj* depressing

masentunut (*mah*-sayn-too-noot) *adj* depressed

massa (*mahss*-sah) *n* bulk

massatuotanto (*mahss*-sah-*twoa*-tahn-toa) n mass production

masto (*mahss*-toa) n mast

matala (*mah*-tah-lah) adj low; shallow

matalapaine (*mah*-tah-lah-*pigh*-nay) n depression

matelija (*mah*-tay-li-Yah) n reptile

matemaattinen (*mah*-tay-maat-ti-nayn) adj mathematical

matematiikka (*mah*-tay-mah-teek-kah) n mathematics

matka (*maht*-kah) n trip, journey, voyage; stretch; **edestakainen** ~ round trip Am; **matkalla jhkn** bound for

matka-arkku (*maht*-kah-*ahrk*-koo) n trunk

matkailija (*maht*-kigh-li-Yah) n tourist; traveller

matkailu (*maht*-kigh-loo) n tourism

matkailukausi (*maht*-kigh-loo-*kou*-si) n high season

matkailutoimisto (*maht*-kigh-loo-*toi*-miss-toa) n tourist office

matkakulut (*maht*-kah-koo-loot) pl travelling expenses

matkalaukku (*maht*-kah-*louk*-koo) n case, bag, suitcase

matkareitti (*maht*-kah-*rayt*-ti) n itinerary

matkašekki (*maht*-kah-*shayk*-ki) n traveller's cheque

matkasuunnitelma (*maht*-kah-s$\overline{oo}$n-ni-tayl-mah) n itinerary

matkatavarahylly (*maht*-kah-*tah*-vah-rah-*hewl*-lew) n luggage rack

matkatavarasäilö (*maht*-kah-*tah*-vah-rah-sæ^{ee}-lur) n left luggage office; baggage deposit office Am

matkatavarat (*maht*-kah-*tah*-vah-raht) pl baggage, luggage

matkatoimisto (*maht*-kah-*toi*-miss-toa) n travel agency, travel agent

matkavakuutus (*maht*-kah-*vah*-k$\overline{oo}$-tooss) n travel insurance

matkia (*maht*-ki-ah) v imitate

matkustaa (*maht*-kooss-taa) v travel; ~ **laivalla** sail

matkustaja (*maht*-kooss-tah-Yah) n passenger

matkustajavaunu (*maht*-kooss-tah-Yah-*vou*-noo) n carriage; passenger car Am

matkustamo (*maht*-kooss-tah-moa) n cabin

mato (*mah*-toa) n worm

matto (*maht*-toa) n carpet, rug

maukas (*mou*-kahss) adj savoury, tasty; appetizing

maustaa (*mouss*-taa) v flavour

mauste (*mouss*-tay) n spice

mausteet (*mouss*-t$\overline{ay}$t) pl spices

maustettu (*mouss*-tayt-too) adj spicy, spiced

mauton (*mou*-toan) adj tasteless

me (*may*) pron we

meduusa (*may*-d$\overline{oo}$-sah) n jelly-fish

mehiläinen (*may*-hi-læ^{ee}-nayn) n bee

mehiläispesä (*may*-hi-læ^{ee}ss-*pay*-sæ) n beehive

mehu (*may*-hoo) n juice; syrup

mehukas (*may*-hoo-kahss) adj juicy

meidän (*may*-dæn) pron our

meijeri (*may*-Yay-ri) n dairy

meille (*mayl*-lay) pron us

mekaanikko (*may*-kaa-nik-koa) n mechanic

mekaaninen (*may*-kaa-ni-nayn) adj mechanical

Meksiko (*mayk*-si-koa) Mexico

meksikolainen (*mayk*-si-koa-ligh-nayn) n Mexican; adj Mexican

mela (*may*-lah) n paddle

melkein (*mayl*-kayn) adv nearly, almost; practically

melko (*mayl*-koa) adv quite, rather, fairly, pretty

melkoinen (*mayl*-koi-nayn) adj considerable; substantial mellakka (*mayl*-lahk-kah) *n* riot; revolt

melodraama (*may*-loa-*draa*-mah) *n* melodrama

meloni (*may*-loa-ni) *n* melon

melu (*may*-loo) *n* noise

meluisa (*may*-loo^ee-sah) *adj* noisy; boisterous

menehtyä (*may*-nayh-tew-æ) *v* perish

menestyksellinen (*may*-nayss-tewk-sayl-li-nayn) *adj* successful

menestys (*may*-nayss-tewss) *n* prosperity, success; luck

menetellä (*may*-nay-tayl-læ) *v* proceed

menetelmä (*may*-nay-tayl-mæ) *n* system, method

menettelytapa (*may*-nayt-tay-lew-*tah*-pah) *n* approach, method; procedure, process

menettää (*may*-nayt-tææ) *v* *lose

menetys (*may*-nay-tewss) *n* loss

menneisyys (*mayn*-nay-*sēwss*) *n* past

mennyt (*mayn*-newt) *adj* past

mennä (*mayn*-næ) *v* *go; ~ kotiin *go home; ~ naimisiin marry; ~ ohitse pass by; ~ pois *go away; ~ rikki *break down; ~ sisään *go in, enter; ~ ulos *go out, *go off

menot (*may*-noat) *pl* expenditure, expenses *pl*

merenkulku (*may*-rayng-*kool*-koo) *n* navigation

merenlahti (*may*-rayn-*lahh*-ti) *n* gulf

merenneito (*may*-rayn-*nay*-toa) *n* mermaid

merenrannikko (*may*-rayn-*rahn*-nik-koa) *n* seaside, coast

merenranta (*may*-rayn-*rahn*-tah) *n* sea-coast, seashore

merentakainen (*may*-rayn-*tah*-kigh-nayn) *adj* overseas

meri (*may*-ri) *n* sea; meri- maritime

meriantura (*may*-ri-*ahn*-too-rah) *n* sole

merikortti (*may*-ri-*koart*-ti) *n* chart

merikylpylä (*may*-ri-*kewl*-pew-læ) *n* seaside resort

merilintu (*may*-ri-*lin*-too) *n* sea-bird

merimaisema (*may*-ri-*migh*-say-mah) *n* seascape

merimatka (*may*-ri-*maht*-kah) *n* crossing, passage

merimies (*may*-ri-*myayss*) *n* sailor, seaman

meripihka (*may*-ri-*pih*-kah) *n* amber

merirapu (*may*-ri-*rah*-poo) *n* crab

merirosvo (*may*-ri-*roass*-voa) *n* pirate

merisairas (*may*-ri-*sigh*-rahss) *adj* seasick

merisairaus (*may*-ri-*sigh*-rah-ooss) *n* seasickness

merisiili (*may*-ri-*see*-li) *n* sea-urchin

merivesi (*may*-ri-*vay*-si) *n* sea-water

merkinanto (*mayr*-kin-*ahn*-toa) *n* signal

merkintä (*mayr*-kin-tæ) *n* entry, item

merkittävä (*mayr*-kit-tæ-væ) *adj* significant, remarkable

merkityksellinen (*mayr*-ki-tewk-sayl-li-nayn) *adj* important

merkityksetön (*mayr*-ki-tewk-say-turn) *adj* insignificant, meaningless

merkitys (*mayr*-ki-tewss) *n* meaning, sense

merkitä (*mayr*-ki-tæ) *v* mark; imply, *mean; enter; ~ muistiin note, record

merkki (*mayrk*-ki) *n* sign; mark; token; brand; tick; antaa ~ signal; olla jkn merkkinä mark

messinki (*mayss*-sing-ki) *n* brass

messinkiesineet (*mayss*-sing-ki-*ay*-si-nāyt) *pl* brassware

messu (*mayss*-soo) *n* Mass

messut (*mayss*-soot) *pl* fair

mestari (*mayss*-tah-ri) *n* champion, master

mestariteos (*mayss*-tah-ri-*tay*-oass) *n* masterpiece

metalli (*may*-tahl-li) *n* metal

metallilanka (*may*-tahl-li-*lahng*-kah) *n* wire

metallinen (*may*-tahl-li-nayn) *adj* metal

meteli (*may*-tay-li) *n* noise; racket

metri (*mayt*-ri) *n* metre

metrinen (*mayt*-ri-nayn) *adj* metric

metro (*mayt*-roa) *n* underground

metsikkö (*mayt*-sik-kur) *n* wood; grove

metsä (*mayt*-sæ) *n* forest

metsäaukeama (*mayt*-sæ-*ou*-kay-ah-mah) *n* clearing

metsäinen (*mayt*-sæ^ee-nayn) *adj* wooded

metsäkana (*mayt*-sæ-*kah*-nah) *n* grouse

metsämaa (*mayt*-sæ-*maa*) *n* woodland

metsänvartija (*mayt*-sæn-*vahr*-ti-ᵞah) *n* forester

metsästys (*mayt*-sæss-tewss) *n* chase, hunt

metsästysmaja (*mayt*-sæss-tewss-*mah*-ᵞah) *n* lodge

metsästäjä (*mayt*-sæss-tæ-ᵞæ) *n* hunter

metsästää (*mayt*-sæss-tææ) *v* hunt

miedontaa (*myay*-doan-taa) *v* dilute

miehekäs (*myay*-hay-kæss) *adj* masculine

miehistö (*myay*-hiss-tur) *n* crew

miehittää (*myay*-hit-tææ) *v* occupy

miehitys (*myay*-hi-tewss) *n* occupation

miekka (*myayk*-kah) *n* sword

miekkailla (*myayk*-kighl-lah) *v* fence

mielenkiinto (*myay*-layng-*keen*-toa) *n* interest

mielenkiintoinen (*myay*-layng-*keen*-toi-nayn) *adj* interesting

mielenliikutus (*myay*-layn-lee-koo-tooss) *n* excitement, emotion

mielenosoitus (*myay*-layn-*oa*-soi-tooss) *n* demonstration

mielenvikainen (*myay*-layn-*vi*-kigh-nayn) *n* lunatic

mielenvikaisuus (*myay*-layn-*vi*-kigh-sōōss) *n* lunacy

mieletön (*myay*-lay-turn) *adj* mad; crazy

mieli (*myay*-li) *n* mind; **olla eri mieltä** disagree; **olla jtk mieltä** consider; **olla samaa mieltä** agree; **osoittaa mieltään** demonstrate

mieliala (*myay*-li-*al*-lah) *n* spirit, mood, spirits

mieliharrastus (*myay*-li-*hahr*-rahss-tooss) *n* hobby

mielihyvin (*myay*-li-*hew*-vin) *adv* gladly

mielihyvä (*myay*-li-*hew*-væ) *n* pleasure

mielijohde (*myay*-li-ᵞoah-day) *n* idea; impulse

mielikuvituksellinen (*myay*-li-*koo*-vi-took-sayl-li-nayn) *adj* fantastic

mielikuvitus (*myay*-li-*koo*-vi-tooss) *n* imagination, fancy, fantasy

mielipide (*myay*-li-*pi*-day) *n* view, opinion

mielisairas (*myay*-li-*sigh*-rahss) *adj* insane, lunatic

mielitietty (*myay*-li-*tyayt*-tew) *n* sweetheart

mielivaltainen (*myay*-li-*vahl*-tigh-nayn) *adj* arbitrary

miellyttävä (*myayl*-lewt-tæ-væ) *adj* nice; pleasant, agreeable

miellyttää (*myayl*-lewt-tææ) *v* please

mieltymys (*myayl*-tew-mewss) *n* preference

mieluisampi (*myay*-loo^ee-sahm-pi) *adj* preferable

mieluummin (*myay*-lōōm-min) *adv* sooner, rather

mies (*myayss*) *n* man; fellow

miespalvelija (*myayss*-*pahl*-vay-li-ᵞah)

n valet

miespuolinen (*myayss-pwoa*-li-nayn) *adj* male

miestenhuone (*myayss*-tayn-*hwoa*-nay) *n* men's room

mietiskellä (*myay*-tiss-kayl-læ) *v* meditate

mieto (*myay*-toa) *adj* mild; weak

miettiväinen (*myayt*-ti-væ^{ee}-nayn) *adj* thoughtful

miettiä (*myayt*-ti-æ) *v* *think over; consider

migreeni (*mig*-rāȳ-ni) *n* migraine

miinus (*mee*-nooss) *adv* minus

mikrofoni (*mik*-roa-foa-ni) *n* microphone

miksi (*mik*-si) *adv* why, what for

mikä (*mi*-kæ) *pron* what; which; ~ **tahansa** anything; whichever

mikäli (*mi*-kæ-li) *conj* if

miljonääri (*mil*-Υoa-næǣ-ri) *n* millionaire

miljoona (*mil*-Υōa-nah) *n* million

milloin (*mil*-loin) *adv* when; ~ **hyvänsä** whenever

milloinkaan (*mil*-loing-kaan) *adv* ever

minimi (*mi*-ni-mi) *n* minimum

ministeri (*mi*-niss-tay-ri) *n* minister

ministeriö (*mi*-niss-tay-ri-ur) *n* ministry

minkki (*mingk*-ki) *n* mink

minttu (*mint*-too) *n* mint

minulle (*mi*-nool-lay) *pron* me

minun (*mi*-noon) *pron* my

minut (*mi*-noot) *pron* me

minuutti (*mi*-nōōt-ti) *n* minute

minä (*mi*-næ) *pron* I

missä (*miss*-sæ) *adv* where; ~ **hyvänsä** wherever; anywhere; ~ **tahansa** wherever; anywhere

mitali (*mi*-tah-li) *n* medal

mitata (*mi*-tah-tah) *v* measure

miten (*mi*-tayn) *adv* how; ~ **tahansa** anyhow

mitta (*mit*-tah) *n* measure

mittakaava (*mit*-tah-*kaa*-vah) *n* scale

mittanauha (*mit*-tah-*nou*-hah) *n* tape-measure

mittari (*mit*-tah-ri) *n* meter

mitä (*mi*-tæ) *pron* what; ~ **hyvänsä** whatever; ~ **jhkn tulee** as regards, regarding; **mitä ... sitä** the ... the

mitätön (*mi*-tæ-turn) *adj* insignificant, unimportant

mitäänsanomaton (*mi*-tæǣn-*sah*-noa-mah-toan) *adj* insignificant

modisti (*moa*-diss-ti) *n* milliner

mohair (*moa*-haheer) *n* mohair

moite (*moi*-tay) *n* reproach, blame

moitteeton (*moit*-tāȳ-toan) *adj* faultless; correct

moittia (*moit*-ti-ah) *v* blame, reproach

mokkanahka (*moak*-kah-*nahh*-kah) *n* suede

molemmat (*moa*-laym-maht) *pron* both

molemminpuolinen (*moa*-laym-mim-*pwoa*-li-nayn) *adj* mutual

monarkia (*moa*-nahr-ki-ah) *n* monarchy

monenlaisia (*moa*-nayn-*ligh*-siah) *adj* various

monet (*moa*-nayt) *pron* many

monikko (*moa*-nik-koa) *n* plural

monimutkainen (*moa*-ni-*moot*-kigh-nayn) *adj* complex, complicated

moninainen (*moa*-ni-nigh-nayn) *adj* varied

monipuolinen (*moa*-ni-*pwoa*-li-nayn) *adj* all-round; many-sided

moottori (*mōat*-toa-ri) *n* engine, motor

moottorialus (*mōat*-toa-ri-*ah*-looss) *n* launch

moottoripyörä (*mōat*-toa-ri-*p^{ew}ur*-ræ) *n* motor-cycle

moottoritie (*mōat*-toa-ri-*tyay*) *n* motorway, highway; **maksullinen** ~

turnpike *nAm*

moottorivene (*mōāt*-toa-ri-*vay*-nay) *n* motor-boat

mopedi (*moa*-pay-di) *n* moped; motor-bike *nAm*

moraali (*moa*-raa-li) *n* morals

moraalinen (*moa*-raa-li-nayn) *adj* moral

morfiini (*moar*-fee-ni) *n* morphia, morphine

morsian (*moar*-si-ahn) *n* bride

mosaiikki (*moa*-sah-eek-ki) *n* mosaic

moskeija (*moass*-kay-ʏah) *n* mosque

moskiitto (*moass*-keet-toa) *n* mosquito

motelli (*moa*-tayl-li) *n* motel

muhentaa (*moo*-hayn-taa) *v* mash

muinainen (*mooee*-nigh-nayn) *adj* ancient

muinaisesineet (*mooee*-nighss-*ay*-si-nāyt) *pl* antiquities *pl*

muinaistiede (*mooee*-nighss-*tyay*-day) *n* archaeology

muinoin (*mooee*-noin) *adv* formerly

muistaa (*mooeess*-taa) *v* remember; recall

muistamaton (*mooeess*-tah-mah-toan) *adj* forgetful

muistella (*moooeess*-tayl-lah) *v* recollect, remember

muisti (*mooeess*-ti) *n* memory

muistiinpano (*mooeess*-teen-*pah*-noa) *n* note

muistikirja (*mooeess*-ti-*keer*-ʏah) *n* notebook; writing-pad

muistikuva (*mooeess*-ti-*koo*-vah) *n* memory

muistilehtiö (*mooeess*-ti-*layh*-ti-ur) *n* pad

muistio (*mooeess*-ti-oa) *n* memo

muisto (*mooeess*-toa) *n* remembrance

muistoesine (*mooeess*-toa-ay-si-nay) *n* souvenir

muistojuhla (*mooeess*-toa-ʏooh-lah) *n* commemoration

muistomerkki (*mooeess*-toa-*mayrk*-ki) *n* monument, memorial

muistuttaa (*mooeess*-toot-taa) *v* remind; resemble

(jnkn) mukaan (*moo*-kaan) according to

mukaisesti (*moo*-kigh-sayss-ti) *postp* in accordance with

mukana (*moo*-kah-nah) *postp* with

mukanaolo (*moo*-kah-nah-*oa*-loa) *n* presence

mukava (*moo*-kah-vah) *adj* convenient, comfortable

mukavuus (*moo*-kah-vōōss) *n* comfort; ease

muki (*moo*-ki) *n* mug

mullokala (*mool*-loa-*kah*-lah) *n* mullet

multa (*mool*-tah) *n* earth

mummo (*moom*-moa) *n* grandmother

muna (*moo*-nah) *n* egg

munakas (*moo*-nah-kahss) *n* omelette

munakoiso (*moo*-nah-*koi*-soa) *n* egg-plant

munakuppi (*moo*-nah-*koop*-pi) *n* egg-cup

munankeltuainen (*moo*-nahn-*kayl*-too-igh-nayn) *n* egg-yolk

munkki (*moongk*-ki) *n* monk

munkkiluostari (*moonk*-ki-*lwoass*-tah-ri) *n* monastery

munuainen (*moo*-noo-igh-nayn) *n* kidney

muodikas (*mwoa*-di-kahss) *adj* fashionable

muodollinen (*mwoa*-doal-li-nayn) *adj* formal

muodollisuus (*mwoa*-doal-li-sōōss) *n* formality

muodostaa (*mwoa*-doass-taa) *v* form

muoti (*mwoa*-ti) *n* fashion

muotihullutus (*mwoa*-ti-*hool*-loo-tooss) *n* fad

muoto (*mwoa*-toa) *n* shape, form

muotokuva (*mwoa*-toa-*koo*-vah) *n* portrait

muovailla (*mwoa*-vighl-lah) *v* model, shape

muovi (*mwoa*-vi) *n* plastic

muovinen (*mwoa*-vi-nayn) *adj* plastic

muratti (*moo*-raht-ti) *n* ivy

murea (*moo*-ray-ah) *adj* tender

murha (*moor*-hah) *n* murder

murhaaja (*moor*-haa-ᵞah) *n* murderer

murhata (*moor*-hah-tah) *v* murder

murhe (*moor*-hay) *n* sorrow, grief

murheellinen (*moor*-hāȳl-li-nayn) *adj* sad

murhenäytelmä (*moor*-hayn-*næᵉʷ*-tayl-mæ) *n* tragedy, drama

murista (*moo*-riss-tah) *v* growl

murre (*moor*-ray) *n* dialect

murtaa (*moor*-taa) *v* *break; force

murtautua (jhk) (*moor*-tah-oo-too-ah) *v* burgle

murto-osa (*moor*-toa-*oa*-sah) *n* fraction

murtovaras (*moor*-toa-*vah*-rahss) *n* burglar

murtuma (*moor*-too-mah) *n* break, fracture

muru (*moo*-roo) *n* crumb

museo (*moo*-say-oa) *n* museum

musiikki (*moo*-seek-ki) *n* music

musiikkikorkeakoulu (*moo*-seek-ki-*koar*-kay-ah-*koa*-loo) *n* music academy

musiikkinäytelmä (*moo*-seek-ki-*næᵉʷ*-tayl-mæ) *n* musical comedy, musical

musikaalinen (*moo*-si-kaa-li-nayn) *adj* musical

muskottipähkinä (*mooss*-koat-ti-*pæh*-ki-næ) *n* nutmeg

musliini (*mooss*-lee-ni) *n* muslin

musta (*mooss*-tah) *adj* black

mustaherukka (*mooss*-tah-*hay*-rook-kah) *n* black-currant

mustalainen (*mooss*-tah-ligh-nayn) *n* gipsy

mustarastas (*mooss*-tah-*rahss*-tahss) *n* blackbird

mustasukkainen (*mooss*-tah-*sook*-kigh-nayn) *adj* jealous, envious

mustasukkaisuus (*mooss*-tah-*sook*-kigh-sōōss) *n* jealousy

muste (*mooss*-tay) *n* ink

mustekala (*mooss*-tayk-*kah*-lah) *n* octopus

mustelma (*mooss*-tayl-mah) *n* bruise; **saada** ~ bruise

mutka (*moot*-kah) *n* bend; curve

mutkitella (*moot*-ki-tayl-lah) *v* *wind

mutta (*moot*-tah) *conj* but

mutteri (*moot*-tay-ri) *n* nut

muu (*mōō*) *adj* remaining; **muun muassa** among other things

muualla (*mōō*-ahl-lah) *adv* elsewhere

muukalainen (*mōō*-kah-ligh-nayn) *n* alien, stranger

muuli (*mōō*-li) *n* mule

muunnos (*mōōn*-noass) *n* variation

muuntaa (*mōōn*-taa) *v* convert

muuntaja (*mōōn*-tah-ᵞah) *n* transformer

muuntotaulukko (*mōōn*-toa-*tou*-look-koa) *n* conversion chart

muurahainen (*mōō*-rah-high-nayn) *n* ant

muurari (*mōō*-rah-ri) *n* bricklayer

muurata (*mōō*-rah-tah) *v* *lay bricks

muuri (*mōō*-ri) *n* wall

muusikko (*mōō*-sik-koa) *n* musician

muutama (*mōō*-tah-mah) *pron* some

muuten (*mōō*-tayn) *adv* moreover; by the way

muutoin (*mōō*-toin) *conj* otherwise; *adv* else

muutos (*mōō*-toass) *n* alteration, change

muuttaa (*mōōt*-taa) *v* change, alter; transform; modify; move; ~ **maa-**

han immigrate; ~ **maasta** emigrate

muutto (*mōōt*-toa) *n* move

muuttua (*mōōt*-too-ah) *v* turn into

muuttuva (*mōōt* too-vah) *adj* variable

mykkä (*mewk*-kæ) *adj* dumb, mute

mylly (*mewl*-lew) *n* mill

mylläri (*mewl*-læ-ri) *n* miller

myrkky (*mewrk*-kew) *n* poison

myrkyllinen (*mewr*-kewl-li-nayn) *adj* toxic, poisonous

myrkyttää (*mewr*-kewt-tææ) *v* poison

myrsky (*mewrs*-kew) *n* storm, gale

myrskyinen (*mewrs*-kew^ee-nayn) *adj* stormy

myrskylyhty (*mewrs*-kew-*lewh*-tew) *n* hurricane lamp

mysteerio (*mewss*-tāy-ri-oa) *n* mystery

myydä (*mēw*-dæ) *v* *sell; ~ **vähittäin** retail

myyjä (*mēw*-ʏæ) *n* salesman

myyjätär (*mēw*-ʏæ-tær) *n* salesgirl

myymälä (*mēw*-mæ-læ) *n* store

myymäläapulainen (*mēw*-mæ-læ-ah-poo-ligh-nayn) *n* shop assistant

myynti (*mēwn*-ti) *n* sale

myyntikoju (*mēwn*-ti-*koa*-ʏoo) *n* stand

myyntipöytä (*mēwn*-ti-*pur^ew*-tæ) *n* counter

myyntitavarat (*mēwn*-ti-*tah*-väh-rahi) *pl* wares *pl*, merchandise

myytti (*mēwt*-ti) *n* myth

myytävänä (*mēw*-tæ-væ-næ) for sale

myöhemmin (*m^ewur*-haym-min) *adv* later, afterwards

myöhempi (*m^ewur*-haym-pi) *adj* later, subsequent

myöhäinen (*m^ewur*-hæ^ee-nayn) *adj* late

myöhässä (*m^ewur*-hæss-sæ) *adj* late

myöhästynyt (*m^ewur*-hæss-tew-newt) *adj* overdue

myönnytys (*m^ewurn*-new-tewss) *n* concession

myönteinen (*m^ewurn*-tay-nayn) *adj* positive

myöntyä (*m^ewurn*-tew-æ) *v* consent; agree

myöntävä (*m^ewurn*-tæ-væ) *adj* affirmative

myöntää (*m^ewurn*-tææ) *v* admit, acknowledge; confess, recognize; grant; ~ **lupa** license

myös (*m^ewurss*) *adv* also, too

myötätunto (*m^ewur*-tæ-*toon*-toa) *n* sympathy

myötätuntoinen (*m^ewur*-tæ-*toon*-toi-nayn) *adj* sympathetic

myötävirtaan (*m^ewur*-tæ-*veer*-taan) *adv* downstream

mäenharja (*mæ*-ayn *hoo^ee*p-poo) *n* hilltop

mäki (*mæ*-ki) *n* hill; rise

mäkihyppy (*mæ*-ki-*hewp*-pew) *n* ski-jump

mäkinen (*mæ*-ki-nayn) *adj* hilly

männänrengas (*mæn*-næn-*rayng*-ngahss) *n* piston ring

männänvarsi (*mæn*-næn-*vahr*-si) *n* piston-rod

mänty (*mæn*-tew) *n* pine

mäntä (*mæn*-tæ) *n* piston

märkä (*mær*-kæ) *adj* moist, wet; *n* pus

märkähaava (*mær*-kæ-*haa*-vah) *n* sore, ulcer

mäti (*mæ*-ti) *n* roe

mätä (*mæ*-tæ) *adj* rotten

määritellä (*mææ*-ri-tayl-læ) *v* define

määritelmä (*mææ*-ri-tayl-mæ) *n* definition

määrä (*mææ*-ræ) *n* quantity, amount

määräaika (*mææ*-ræ-*igh*-kah) *n* term

määräinen (*mææ*-ræ^ee-nayn) *adj* definite

määränpää (*mææ*-ræn-*pææ*) *n* destination

määräraha (*mææ-ræ-rah*-hah) *n* allowance

määrätty (*mææ-ræt*-tew) *adj* definite

määrätä (*mææ-ræ*-tæ) *v* order; determine; stipulate; prescribe

määräys (*mææ-ræ*-ewss) *n* order, instruction

määräämisvalta (*mææ-rææ-miss-vahl*-tah) *n* disposal; authority

möhkäle (*murh-kæ*-lay) *n* block

mökki (*murk*-ki) *n* cottage, hut

N

naamio (*naa*-mi-oa) *n* mask

naamioitua (*naa-mi-oi-too-ah*) *v* disguise

naapuri (*naa*-poo-ri) *n* neighbour; **naapuri-** neighbouring

naapurissa (*naa-poo-riss*-sah) *adv* next-door

naarmu (*naar*-moo) *n* scratch

naarmuttaa (*naar-moot*-taa) *v* scratch

nahka (*nahh*-kah) *n* leather; skin

nahkainen (*nahh*-kigh-nayn) *adj* leather

naida (*nigh*-dah) *v* marry

naiivi (*nah-ee*-vi) *adj* naïve

nailon (*nigh*-loan) *n* nylon

naimaton (*nigh*-mah-toan) *adj* single

naimattomuus (*nigh*-maht-toa-mōōss) *n* celibacy

nainen (*nigh*-nayn) *n* woman; **hieno** ~ lady

naisellinen (*nigh*-sayl-li-nayn) *adj* feminine

naispuolinen (*nighss-pwoa*-li-nayn) *adj* female

naistenhuone (*nighss*-tayn-*hwoa*-nay) *n* powder-room, ladies' room

napa (*nah*-pah) *n* navel

napinreikä (*nah-pin-ray*-kæ) *n* button-hole

napittaa (*nah*-pit-taa) *v* button

nappi (*nahp*-pi) *n* button

narista (*nah-riss*-tah) *v* creak

narri (*nahr*-ri) *n* fool

narttu (*nahrt*-too) *n* bitch

naru (*nah*-roo) *n* line

nasta (*nahss*-tah) *n* drawing-pin; thumbtack *nAm*

naudanliha (*nou-dahn-li*-hah) *n* beef

nauha (*nou*-hah) *n* ribbon; tape

nauhuri (*nou-hoo*-ri) *n* recorder, tape-recorder

naula (*nou*-lah) *n* nail; pound

naulakko (*nou-lahk*-koa) *n* hat rack

nauraa (*nou*-raa) *v* laugh

naurettava (*nou-rayt-tah*-vah) *adj* ridiculous, ludicrous; **tehdä naurettavaksi** ridicule

nauru (*nou*-roo) *n* laugh, laughter

nautakarja (*nou-tah-kahr*-Yah) *n* cattle *pl*

nautinto (*nou*-tin-toa) *n* pleasure; delight

nautittava (*nou-tit-tah*-vah) *adj* enjoyable

nauttia (*nout*-ti-ah) *v* enjoy

neekeri (*nāȳ-kay*-ri) *n* Negro

negatiivi (*nay-gah-tee*-vi) *n* negative

neiti (*nay*-ti) *n* miss

neitsyt (*nayt*-sewt) *n* virgin

neliö (*nay*-li-ur) *n* square

neliönmuotoinen (*nay-li-urn-mwoa*-toi-nayn) *adj* square

neljä (*nayl*-Yæ) *num* four

neljäkymmentä (*nayl*-Yæ-*kewm*-mayn-tæ) *num* forty

neljännes (*nayl*-Yæn-nayss) *n* quarter

neljännestunti (*nayl*-Yæn-nayss-*toon*-ti) *n* quarter of an hour

neljännesvuosi (*nayl*-Yæn-nayss-*vwoa*-si) *n* quarter

neljännesvuosittainen (*nayl*-Yæn-nayss-*vwoa*-sit-tigh-nayn) *adj* quar-

terly
neljäs (*nayl-*Υæss) *num* fourth
neljästoista (*nayl-*Υæss-*toiss*-tah) *num*
fourteenth
neljätoista (*nayl-*Υæ-*toiss*-tah) *num*
fourteen
nenä (*nay*-næ) *n* nose
nenäkäs (*nay*-næ-kæss) *adj* impertinent
nenäliina (*nay*-næ-*lee*-nah) *n* handkerchief
nero (*nay*-roa) *n* genius
neronleimaus (*nay*-roan-*lay*-mah-ooss)
n brain-wave
neste (*nayss*-tay) *n* liquid, fluid
nestemäinen (*nayss*-tay-mæ ᵉᵉ-nayn)
adj liquid, fluid
netto (*nayt*-toa) *adv* net
neula (*nay*ᵒᵒ-lah) *n* needle
neulepusero (*nay*ᵒᵒ-layp-*poo*-say-roa)
n sweater, jumper
neuloa (*nay*ᵒᵒ-loa-ah) *v* *knit; *sew
neuroosi (*nay*ᵒᵒ-rōa-si) *n* neurosis
neutrisukuinen (*nay*ᵒᵒt-ri-*soo*-koo ᵉᵉ-nayn) *adj* neuter
neuvo (*nay*ᵒᵒ-voa) *n* advice
neuvoa (*nay*ᵒᵒ-voa-ah) *v* advise; **noudattaa** ~ listen, obey
neuvonantaja (*nay*ᵒᵒ-voan-*ahn*-tah-Υah) *n* counsellor
neuvosmies (*nay*ᵒᵒ-voass-*myayss*) *n* councillor
neuvosto (*nay*ᵒᵒ-voass-toa) *n* council
Neuvostoliitto (*nay*ᵒᵒ-voass-toa-*leet*-toa) Soviet Union
neuvostoliittolainen (*nay*ᵒᵒ-voass-toa-*leet*-toa-ligh-nayn) *adj* Soviet
neuvotella (*nay*ᵒᵒ-voa-tayl-lah) *v* negotiate; consult
neuvottelu (*nay*ᵒᵒ-voat-tay-loo) *n* negotiation; consultation
nide (*ni*-day) *n* volume
nidos (*ni*-doass) *n* binding
niellä (*nyayl*-læ) *v* swallow

nielurisat (*nyay*-loo-*ri*-saht) *pl* tonsils
pl; **nielurisojen tulehdus** tonsilitis
niemi (*nyay*-mi) *n* cape; headland
niemimaa (*nyay*-mi-*maa*) *n* peninsula
Nigeria (*ni*-gay-ri-ah) Nigeria
nigerialainen (*ni*-gay ri-ah-ligh-nayn) *n*
Nigerian; *adj* Nigerian
niin (*neen*) *adv* so; such, *conj* so; ~
kuin as, like; ~ **pian kuin** as soon
as; ~ **sanottu** so-called; **no niin!**
well!
niinipuu (*nee*-ni-*pōō*) *n* limetree
niitty (*neet*-tew) *n* meadow
nikkeli (*nik*-kay-li) *n* nickel
nikotiini (*ni*-koa-tee-ni) *n* nicotine
nilkka (*nilk*-kah) *n* ankle
nimellinen (*ni*-mayl-li-nayn) *adj* nominal
nimenomainen (*ni*-mayn-*oa*-migh-nayn) *adj* explicit, express
nimetä (*ni*-may-tæ) *v* nominate; name
nimetön (*ni*-may-turn) *adj* anonymous
nimeäminen (*ni*-may-æ-mi-nayn) *n*
nomination
nimi (*ni*-mi) *n* name; **olla nimeltään**
*be called
nimikirjain (*ni*-mi-*keer*-Υighn) *n* initial;
varustaa nimikirjaimilla initial
nimikirjoitus (*ni*-mi-*keer*-Υoi-tooss) *n*
signature; autograph
nimilippu (*ni*-mi-*lip*-poo) *n* label; **varustaa nimilipulla** label
nimilipuke (*ni*-mi-*li*-poo-kay) *n* tag
nimisana (*ni*-mi-*sah*-nah) *n* noun
nimissä (*ni*-miss-sæ) *postp* in the
name of, on behalf of
nimittäin (*ni*-mit-tæ ᵉᵉn) *adv* namely
nimittää (*ni*-mit-tææ) *v* name; appoint; nominate, appoint
nimitys (*ni*-mi-tewss) *n* nomination, appointment; denomination
nipistää (*ni*-piss-tææ) *v* pinch
niputtaa (*ni*-poot-taa) *v* bundle
nirso (*neer*-soa) *adj* particular

niska (*niss*-kah) *n* nape of the neck, neck

nisäkäs (*ni*-sæ-kæss) *n* mammal

niukasti (*nee*ᵒᵒ-kahss-ti) *adv* barely

niukka (*nee*ᵒᵒk-kah) *adj* scarce

niukkuus (*nee*ᵒᵒk-kōōss) *n* scarcity

nivustaive (*ni*-vooss-*tigh*-vay) *n* groin

noidannuoli (*noi*-dahn-*nwoa*-li) *n* lumbago

noin (*noin*) *adv* about, approximately

noita (*noi*-tah) *n* witch

noituus (*noi*-tōōss) *n* magic

nojatuoli (*noa*-ᵞah-*twoa*-li) *n* easy chair, armchair

nojautua (*noa*-ᵞou-too-ah) *v* *lean

nokka (*noak*-kah) *n* beak

nokka-akseli (*noak*-kah-*ahk*-say-li) *n* camshaft

nokkaunet (*noak*-kah-*oo*-nayt) *pl* nap

nokkela (*noak*-kay-lah) *adj* clever

nolla (*nol*-lah) *n* zero

nopea (*noa*-pay-ah) *adj* fast, swift, quick, rapid

nopeus (*noa*-pay-ooss) *n* speed

nopeusmittari (*noa*-pay-ooss-*mit*-tah-ri) *n* speedometer

nopeusrajoitus (*noa*-pay-ooss-*rah*-ᵞoi-tooss) *n* speed limit

Norja (*noar*-ᵞah) Norway

norjalainen (*noar*-ᵞah-ligh-nayn) *n* Norwegian; *adj* Norwegian

normaali (*noar*-maa-li) *adj* normal

normi (*noar*-mi) *n* standard

norsunluu (*noar*-soon-*lōō*) *n* ivory

nostaa (*noass*-taa) *v* lift; hoist; ~ rahaa *draw

nostokurki (*noass*-toa-*koor*-ki) *n* crane

nostolaite (*noass*-toa-*ligh*-tay) *n* jack

nostosilta (*noass*-toa-*sil*-tah) *n* drawbridge

notaari (*noa*-taa-ri) *n* notary

notkea (*noat*-kay-ah) *adj* supple

nousta (*noass*-tah) *v* *get up, *rise; *get on; ascend; ~ ilmaan *take off; ~ laivaan embark; ~ maihin disembark, land; ~ pystyyn *get up

nousu (*noa*-soo) *n* rise, ascent

nousuvesi (*noa*-soo-*vay*-si) *n* high tide

noutaa (*noa*-taa) *v* fetch, pick up, collect

nuhdella (*nooh*-dayl-lah) *v* reproach, reprimand

nuija (*noo*ᵉᵉ-ᵞah) *n* mallet, club; cudgel

nukkavieru (*nook*-kah-*vyay*-roo) *adj* threadbare

nukke (*nook*-kay) *n* doll

nukketeatteri (*nook*-kay-*tay*-aht-tay-ri) *n* puppet-show

nukkua (*nook*-koo-ah) *v* *sleep; ~ liikaa *oversleep

nukutus (*noo*-koo-tooss) *n* anaesthesia, narcosis

nukutusaine (*noo*-koo-tooss-*igh*-nay) *n* anaesthetic

numero (*noo*-may-roa) *n* number, figure

nummi (*noom*-mi) *n* heath, moor

nunna (*noon*-nah) *n* nun

nunnaluostari (*noon*-nah-*lwoass*-tah-ri) *n* convent, nunnery

nuo (*nwoa*) *pron* those

nuoli (*nwoa*-li) *n* arrow

nuolla (*nwoal*-lah) *v* lick

nuora (*nwoa*-rah) *n* cord, string

nuorekas (*nwoa*-ray-kahss) *adj* juvenile

nuorempi (*nwoa*-raym-pi) *adj* junior

nuori (*nwoa*-ri) *adj* young

nuoriso (*nwoa*-ri-soa) *n* youth

nuorisomaja (*nwoa*-ri-soa-*mah*-ᵞah) *n* youth hostel

nuorukainen (*nwoa*-roo-kigh-nayn) *n* lad

nuppi (*noop*-pi) *n* knob

nuppineula (*noop*-pi-*nay*ᵒᵒ-lah) *n* pin

nuppu (*noop*-poo) *n* bud

nurin (*noo*-rin) *adv* down

nurinpäin (*noo*-rin-pæ ᵉᵉn) *adv* inside out

nurista (*noo*-riss-tah) *v* grumble

nurmikenttä (*noor*-mi-*kaynt*-læ) *n* lawn

nuttu (*noot*-too) *n* jacket

nykyaika (*new*-kew-*igh*-kah) *n* present

nykyaikainen (*new*-kew-*igh*-kigh-nayn) *adj* modern; contemporary

nykyinen (*new*-kew ᵉᵉ-nayn) *adj* current, present

nykyään (*new*-kew-ææn) *adv* now, nowadays

nykäisy (*new*-kæ ᵒᵉ-sew) *n* tug

nylkeä (*newl*-kay-æ) *v* skin

nyrjähdys (*newr*-Ɣæh-dewss) *n* sprain

nyrjäyttää (*newr*-Ɣæ-ewt-tææ) *v* sprain

nyrkinisku (*newr*-kin-*iss*-koo) *n* punch

nyrkkeillä (*newrk*-kayl-læ) *v* box

nyrkkeilyottelu (*newrk*-kay-lew-*oat*-tay-loo) *n* boxing match

nyrkki (*newrk*-ki) *n* fist

nyt (*newt*) *adv* now

nyökkäys (nᵉʷurk-kæ-ewss) *n* nod

nyökätä (nᵉʷur-kæ-tæ) *v* nod

nyöri (nᵉʷur-ri) *n* string; twine

näennäinen (*næ*-ayn-næ ᵉᵉ-nayn) *adj* apparent

nähden (*næh*-dayn) *postp* concerning

nähdä (*næh*-dæ) *v* *see; ~ **vilahdukselta** glimpse

nähtävyys (*næh*-tæ-vewss) *n* sight

nähtäväksi (*næh*-tæ-væk-si) *adv* on approval

nähtävästi (*næh*-tæ-væss-ti) *adv* apparently

näkemiin! (*næ*-kay-meen) good-bye!

näkemys (*næ*-kay-mewss) *n* view

näkinkenkä (*næ*-king-*kayng*-kæ) *n* seashell

näky (*næ*-kew) *n* sight

näkymä (*næ*-kew-mæ) *n* outlook, view

näkymätön (*næ*-kew-mæ-turn) *adj* invisible

näkyvyys (*næ*-kew-vewss) *n* visibility

näkyvä (*næ*-kew-væ) *adj* visible

näköala (*næ*-kur-*ah*-lah) *n* view

näkökohta (*næ*-kur-*koah*-tah) *n* point of view; aspect

näköpiiri (*næ*-kur-*pee*-ri) *n* horizon

nälkä (*næl*-kæ) *n* hunger

nälkäinen (*næl*-kæ ᵉᵉ-nayn) *adj* hungry

nämä (*næ*-mæ) *pron* these

näppylä (*næp*-pew læ) *n* pimple

näppärä (*næp*-pæ-ræ) *adj* skilful, deft

närästys (*næ*-ræss-tewss) *n* heartburn

näyte (*næ*ᵉʷ-tay) *n* sample, specimen

näyteikkuna (*næ*ᵉʷ-tay-*ik*-koo-nah) *n* shop-window

näytekappale (*næ*ᵉʷ-tayk-*kahp*-pah-lay) *n* specimen

näytellä (*næ*ᵉʷ-tayl-læ) *v* act, play

näytelmä (*næ*ᵉʷ-tayl-mæ) *n* play; drama; spectacle; **yksinäytöksinen ~** one-act play

näytelmäkirjailija (*næ*ᵉʷ-tayl-mæ-*keer*-Ɣigh-li-Ɣah) *n* playwright; dramatist

näytteillepano (*næ*ᵉʷt-tayl-lay-*pah*-noa) *n* exhibition

näyttelijä (*næ*ᵉʷt-tay-li-Ɣæ) *n* comedian, actor

näyttelijätär (*næ*ᵉʷt-tay-li-Ɣæ-tær) *n* actress

näyttely (*næ*ᵉʷt-tay-lew) *n* exposition, show, exhibition; display; ~ **huone** showroom

näyttämö (*næ*ᵉʷt-tæ-mur) *n* stage

näyttömötaide (*næ*ᵉʷt-tæ-mur-*tigh*-day) *n* drama

näyttää (*næ*ᵉʷt-tææ) *v* *show; display; look; ~ **jltk** seem, look; appear; ~ **toteen** demonstrate

näytös (*næ*ᵉʷ-turss) *n* act

nöyrä (*nur^ew*-ræ) *adj* humble

O

objektiivinen (*oab*-Yayk-tee-vi-nayn) *adj* objective

obligaatio (*oab*-li-gaa-ti-oa) *n* bond

odotettavissa (*oa*-doa-tayt-tah-viss-sah) due

odottaa (*oa*-doat-taa) *v* wait; expect

odottamaton (*oa*-doat-tah-mah-toan) *adj* unexpected

odotus (*oa*-doa-tooss) *n* waiting; expectation

odotushuone (*oa*-doa-tooss-*hwoa*-nay) *n* waiting-room

odotuslista (*oa*-doa-tooss-*liss*-tah) *n* waiting-list

ohdake (*oah*-dah-kay) *n* thistle

oheistaa (*oa*-hayss-taa) *v* enclose

ohi (*oa*-hi) *adv* over, *postp* past

ohikulkija (*oa*-hi-*kool*-ki-Yah) *n* passer-by

ohikulkutie (*oa*-hi-*kool*-koo-*tyay*) *n* by-pass

ohimo (*oa*-hi-moa) *n* temple

ohittaa (*oa*-hit-taa) *v* pass by; *overtake; ohitus kielletty no overtaking; no passing *Am*

ohjaaja (*oah*-Yaa-Yah) *n* director; instructor

ohjata (*oah*-Yah-tah) *v* direct; steer; navigate

ohjaus (*oah*-Yah-ooss) *n* direction; steering

ohjauspyörä (*oah*-Yah-ooss-*p^ew ur*-ræ) *n* steering-wheel

ohjaustanko (*oah*-Yah-ooss-*tahng*-koa) *n* steering-column

ohje (*oah*-Yay) *n* direction, instruction

ohjelma (*oah*-Yayl-mah) *n* programme

ohjelmisto (*oah*-Yayl-miss-toa) *n* repertory

ohjesääntö (*oah*-Yayss-*sææn*-tur) *n* regulation

ohjus (*oah*-Yooss) *n* rocket

ohra (*oah*-rah) *n* barley

ohut (*oa*-hoot) *adj* thin; sheer

oikaista (*oi*-kighss-tah) *v* correct

oikaisu (*oi*-kigh-soo) *n* correction

oikea (*oi*-kay-ah) *adj* appropriate, right, correct, just; **olla oikeassa** * be right

oikealla (*oi*-kay-ahl-lah) *adj* right-hand

oikeamielinen (*oi*-kay-ah-*myay*-li-nayn) *adj* righteous

oikeanpuoleinen (*oi*-kay-ahn-*pwoa*-lay-nayn) *adj* right-hand, right; right

oikeaoppinen (*oi*-kay-ah-*oap*-pi-nayn) *adj* orthodox

oikein (*oi*-kayn) *adv* quite

oikeinkirjoitus (*oi*-kayn-*keer*-Yoi-tooss) *n* spelling

oikeudenkäynti (*oi*-kay-oo-dayng-*kæ^ew n*-ti) *n* trial; lawsuit, process

oikeudenmukainen (*oi*-kay-oo-daym-*moo*-kigh-nayn) *adj* just, fair, right

oikeudenmukaisuus (*oi*-kay-oo-daym-*moo*-kigh-*sööss*) *n* justice

oikeudenpalvelija (*oi*-kay-oo-daym-*pahl*-vay-li-Yah) *n* bailiff

oikeudenpäätös (*oi*-kay-oo-daym-*pææ*-turss) *n* verdict

oikeus (*oi*-kay-ooss) *n* right; justice; court

oikeusjuttu (*oi*-kay-ooss-*Yoot*-too) *n* lawsuit; case

oikeutettu (*oi*-kay-oo-*tayt*-too) *adj* just, justified

oikeutetusti (*oi*-kay-oo-*tay*-tooss-ti) *adv* rightly

oikku (*oik*-koo) *n* whim

oikosulku (*oi*-koa-*sool*-koo) *n* short

circuit
oire (oi-ray) n symptom
oivallus (oi-vahl-looss) n insight
oivaltaa (oi-vahl-taa) v realize
oja (oa-Yah) n ditch
ojentaa (oa-Yayn-taa) v pass; hand
ojittaa (oa-Yit-taa) v drain
oksa (oak-sah) n branch, bough
oksentaa (oak-sayn-taa) v vomit
olemassaolo (oa-lay-mahss-sah-oa-loa)
  n existence
olennainen (oa-layn-nigh-nayn) adj es-
  sential
olento (oa-layn-toa) n being; creature
oleskella (oa-layss-kayl-lah) v stay
oleskelu (oa-layss-kay-loo) n stay
oleskelulupa (oa-layss-kay-loo-loo-pah)
  n residence permit
olettaa (oa-layt-taa) v suppose, as-
  sume
oliivi (oa-lee-vi) n olive
oliiviöljy (oa-lee-vi-url-Yew) n olive oil
olkaimet (oal-kigh-mayt) pl braces pl
olki (oal-ki) n straw
olkikatto (oal-ki-kaht-toa) n thatched
  roof
olla (oal-lah) v *be; ~ jklla *have; ~
  jkn veroinen equal; ~ jnkn arvoi-
  nen *be worth; ~ jtkn mieltä
  *think; ~ jtkn vailla lack; ~ läsnä
  assist at; ~ mieltynyt fancy; ~
  olemassa exist; ~ varaa afford; ~
  yllä *wear
ollenkaan (oal-layng-kaan) adv at all
olohuone (oa-loa-hwoa-nay) n sitting-
  room, living-room
olosuhde (oa-loa-sooh-day) n condi-
  tion
olut (oa-loot) n beer, ale
olutpanimo (oa-loot-pah-ni-moa) n
  brewery
oluttupa (oa-loot-too-pah) n tavern;
  public house, pub
oma (oa-mah) adj own

omahyväinen (oa-mah-hew-væ ee-
  nayn) adj presumptuous; smug
omaisuus (oa-migh-sooss) n property;
  fortune; possessions, belongings pl
omaksua (oa-mahk-soo-ah) v adopt
omalaatuinen (oa mah-laa-too ee-nayn)
  adj peculiar, original, quaint
omalaatuisuus (oa-mah-laa-too ee-
  sooss) n peculiarity
omatunto (oa-mah-toon-toa) n con-
  science
omena (oa-may-nah) n apple
ominainen (oa-mi-nigh-nayn) adj char-
  acteristic; specific
ominaispiirre (oa-mi-nighss-peer-ray) n
  characteristic
ominaisuus (oa-mi-nigh-sooss) n prop-
  erty, quality
omintakeinen (oa-min-tah-kay-nayn)
  adj original
omistaa (oa-miss-taa) v possess, own;
  devote
omistaja (oa-miss-tah-Yah) n propri-
  etor, owner
omistus (oa-miss-tooss) n possession
omituinen (oa-mi-too ee-nayn) adj
  curious, strange, odd, peculiar
ommel (oam-mayl) n stitch
ommella (oam-mayl-lah) v *sew; ~
  haava *sew up
ompelija (oam-pay-li-Yah) n dress-
  maker
ompelukone (oam-pay-loo-koa-nay) n
  sewing-machine
ongelma (oang-ngayl-mah) n problem
ongenkoukku (oang-ngayn-koak-
  koo) n fishing hook
ongensiima (oang-ngayn-see-mah) n
  fishing line
onkalo (oan-kah-loa) n cave
onkia (oang-ki-ah) v angle
onkivapa (oang-ki-vah-pah) n fishing
  rod
onnekas (oan-nay-kahss) adj lucky,

fortunate

onnellinen (*oan*-nayl-li-nayn) *adj* happy

onnentoivotus (*oan*-nayn-*toi*-voa-tooss) *n* congratulation

onneton (*oan*-nay-toan) *adj* unhappy, miserable

onnettomuus (*oan*-nayt-toa-mōōss) *n* disaster, accident; calamity

onni (*oan*-ni) *n* fortune, happiness; prosperity

onnistua (*oan*-niss-too-ah) *v* succeed, manage

onnitella (*oan*-ni-tayl-lah) *v* congratulate, compliment

onnittelu (*oan*-nit-tay-loo) *n* congratulation

ontelo (*oan*-tay-loa) *n* cavity

ontto (*oant*-toa) *adj* hollow

ontua (*oan*-too-ah) *v* limp

ontuva (*oan*-too-vah) *adj* lame

onyksi (*oa*-newk-si) *n* onyx

ooppera (ōap-pay-rah) *n* opera

oopperatalo (ōap-pay-rah-*tah*-loa) *n* opera house

opaali (*oa*-paa-li) *n* opal

opas (*oa*-pahss) *n* guide

opaskirja (*oa*-pahss-*keer*-Yah) *n* guidebook

opaskoira (*oa*-pahss-*koi*-rah) *n* guidedog

opastaa (*oa*-pahss-taa) *v* guide

opaste (*oa*-pahss-tay) *n* signal

operetti (*oa*-pay-rayt-ti) *n* operetta

opettaa (*oa*-payt-taa) *v* *teach; instruct

opettaja (*oa*-payt-tah-Yah) *n* teacher, schoolteacher, master, schoolmaster

opettavainen (*oa*-payt-tah-vigh-nayn) *adj* instructive

opetus (*oa*-pay-tooss) *n* tuition, instruction; teachings *pl;* moral

opinnot (*oa*-pin-noat) *pl* study

opiskelija (*oa*-piss-kay-li-Yah) *n* student

opiskella (*oa*-piss-kayl-lah) *v* study

oppia (*oap*-pi-ah) *v* *learn; ~ **ulkoa** memorize

oppiarvo (*oap*-pi-*ahr*-voa) *n* degree

oppikirja (*oap*-pi-*keer*-Yah) *n* textbook

oppikoulu (*oap*-pi-*koa*-loo) *n* secondary school

oppilas (*oap*-pi-lahss) *n* pupil; learner

oppimaton (*oap*-pi-mah-toan) *adj* uneducated

oppinut (*oap*-pi-noot) *n* scholar; *adj* learned

oppitunti (*oap*-pi-*toon*-ti) *n* lesson

optikko (*oap*-tik-koa) *n* optician

optimismi (*oap*-ti-miss-mi) *n* optimism

optimisti (*oap*-ti-miss-ti) *n* optimist

optimistinen (*oap*-ti-miss-ti-nayn) *adj* optimistic

oranssinvärinen (*oa*-rahns-sin-væ-ri-nayn) *adj* orange

orava (*oa*-rah-vah) *n* squirrel

organisoida (*oar*-gah-ni-soi-dah) *v* organize

orja (*oar*-Yah) *n* slave

orkesteri (*oar*-kayss-tay-ri) *n* orchestra

orkesterinjohtaja (*oar*-kayss-tay-rin-Yoah-tah-Yah) *n* conductor

orpo (*oar*-poa) *n* orphan

orvokki (*oar*-voak-ki) *n* violet

osa (*oa*-sah) *n* part; lot

osaaottavainen (*oa*-saa-*oat*-tah-vigh-nayn) *adj* sympathetic

osakas (*oa*-sah-kahss) *n* partner

osake (*oa*-sah-kay) *n* share

osakkeet (*oa*-sahk-kāyt) *pl* stocks and shares

osaksi (*oa*-sahk-si) *adv* partly

osallinen (*oa*-sahl-li-nayn) *adj* concerned

osallistua (*oa*-sahl-liss-too-ah) *v* participate

osamaksuerä (oa-sah-mahk-soo-ay-ræ) n instalment
osanottaja (oa-sahn-oat-tah-Yah) n participant
osanotto (oa sahn-oat-toa) n participation; sympathy
osasto (oa-sahss-toa) n division, department; section
osittain (oa-sit-tighn) adv partly
osittainen (oa-sit-tigh-nayn) adj partial
osoite (oa-soi-tay) n address
osoittaa (oa-soit-taa) v *show; point out; designate; indicate; demonstrate
osoittautua (oa-soit-tah-oo-too-ah) v prove
osoitus (oa-soi-tooss) n indication; token
ostaa (oass-taa) v *buy, purchase
ostaja (oass-tah-Yah) n buyer, purchaser
osteri (oass-tay-ri) n oyster
osto (oass-toa) n purchase
ostohinta (oass-toa-hin-tah) n purchase price
ostoskeskus (oass-toass-kayss-kooss) n shopping centre
ostoslaukku (oass-toass-louk-koo) n shopping bag
osua (oa-soo-ah) v *hit
osuus (oa-sōōss) n share, part
osuustoiminnallinen (oa-sōōss-toi-min-nahl-li-nayn) adj co-operative
osuustoiminta (oa-sōōss-toi-min-tah) n co-operative
otaksua (oa-tahk-soo-ah) v assume
otaksuttava (oa-tahk-soot-tah-vah) adj presumable
ote (oa-tay) n grasp, grip; tiukka ~ clutch
otsa (oat-sah) n forehead
otsikko (oat-sik-koa) n headline, heading

ottaa (oat-taa) v *take; ~ haltuunsa *take up; ~ huolekseen *take charge of; ~ kiinni *catch; ~ palvelukseen employ; ~ pois *take out; ~ puheeksi *bring up; ~ tehtäväkseen *take over; ~ yhteys contact
ottelu (oat-tay-loo) n match
outo (oa-toa) adj strange, unfamiliar; odd
ovela (oa-vay-lah) adj cunning, sly
ovenvartija (oa-vayn-vahr-ti-Yah) n door keeper, porter
ovi (oa-vi) n door
ovikello (oa-vi-kayl-loa) n doorbell
ovimatto (oa-vi-maht-toa) n mat
ovimikko (oa-vi-mik-koa) n doorman

P

paahtaa (paah-taa) v roast
paahtoleipä (paah-toa-lay-pæ) n toast
paavi (paa-vi) n pope
paeta (pah-ay-tah) v escape, *flee
paha (pah-hah) adj ill, bad; n mischief; evil, adj ill
pahaenteinen (pah-hah-ayn-tay-nayn) adj sinister, ominous
pahamaineinen (pah-hah-migh-nay-nayn) adj notorious
pahanhajuinen (pah-hahn-hah-Yoo ee-nayn) adj smelly
pahanlaatuinen (pah-hahn-laa-too ee-nayn) adj malignant
pahansuopa (pah-hahn-swoa-pah) adj spiteful; malicious
pahastuttaa (pah-hahss-toot-taa) v offend
paheellinen (pah-hāyl-li-nayn) adj vicious
paheksua (pah-hayk-soo-ah) v disapprove

pahemmin (*pah*-haym-min) *adv* worse
pahempi (*pah*-haym-pi) *adj* worse
pahimmin (*pah*-him-min) *adv* worst
pahin (*pah*-hin) *adj* worst
pahoillaan (*pah*-hoil-laan) *adv* sorry
pahoinvointi (*pah*-hoin-*voin*-ti) *n* sickness, nausea
pahoinvoipa (*pah*-hoin-*voi*-pah) *adj* sick
pahoitella (*pah*-hoi-tayl-lah) *v* regret
pahoittelu (*pah*-hoit-tay-loo) *n* regret
paholainen (*pah*-hoa-ligh-nayn) *n* devil
pahuus (*pah*-hōōss) *n* evil
pahvi (*pahh*-vi) *n* cardboard
pahvilaatikko (*pahh*-vi-*laa*-tik-koa) *n* carton
pahvinen (*pahh*-vi-nayn) *adj* cardboard
paikallinen (*pigh*-kahl-li-nayn) *adj* local; paikallis- local
paikallisjuna (*pigh*-kahl-liss-*Yoo*-nah) *n* local train; stopping train
paikallispuhelu (*pigh*-kahl-liss-*poo*-hay-loo) *n* local call
paikannäyttäjä (*pigh*-kahn-*næewt*-tæ-Yæ) *n* usher; usherette
paikantaa (*pigh*-kahn-taa) *v* locate
paikata (*pigh*-kah-tah) *v* patch
paikka (*pighk*-kah) *n* place; spot
paikkakunta (*pighk*-kah-*koon*-tah) *n* locality
paimen (*pigh*-mayn) *n* shepherd
painaa (*pigh*-naa) *v* press; print
paine (*pigh*-nay) *n* pressure
painekeitin (*pigh*-nay-*kay*-tin) *n* pressure-cooker
paino (*pigh*-noa) *n* weight
painonappi (*pigh*-noa-nahp-pi) *n* push-button
painos (*pigh*-noass) *n* edition; issue
painostus (*pigh*-noass-tooss) *n* pressure
painottaa (*pigh*-noat-taa) *v* stress
painotuote (*pigh*-noa-*twoa*-tay) *n* printed matter

painovoima (*pigh*-noa-*voi*-mah) *n* gravity
paise (*pigh*-say) *n* boil
paiskata (*pighss*-kah-tah) *v* *throw
paistaa (*pighss*-taa) *v* fry; *shine, roast; fry
paistinkastike (*pighss*-tin-*kahss*-ti-kay) *n* gravy
paistinpannu (*pighss*-tin-*pahn*-noo) *n* frying-pan
paisua (*pigh*-soo-ah) *v* *swell
paita (*pigh*-tah) *n* shirt
paitsi (*pight*-si) *prep* except, but
pakana (*pah*-kah-nah) *n* heathen, pagan
pakanallinen (*pah*-kah-nahl-li-nayn) *adj* heathen, pagan
pakara (*pah*-kah-rah) *n* buttock
pakasteet (*pah*-kahss-tāyt) *pl* frozen food
pakastin (*pah*-kahss-tin) *n* deep-freeze
pakata (*pah*-kah-tah) *v* pack up, pack
paketti (*pah*-kayt-ti) *n* parcel, package
pakettiauto (*pah*-kayt-ti-*ou*-toa) *n* van; pick-up van
pakina (*pah*-ki-nah) *n* chat
Pakistan (*pah*-kiss-tahn) Pakistan
pakistanilainen (*pah*-kiss-tah-ni-ligh-nayn) *n* Pakistani; *adj* Pakistani
pakkasneste (*pahk*-kahss-*nayss*-tay) *n* antifreeze
pakkaus (*pahk*-kah-ooss) *n* packing
pakko (*pahk*-koa) *n* need; olla ~ *be obliged to
pakkomielle (*pahk*-koa-*myayl*-lay) *n* obsession
pako (*pah*-koa) *n* escape
pakokaasu (*pah*-koa-*kaa*-soo) *n* exhaust, exhaust gases
pakokauhu (*pah*-koa-*kou*-hoo) *n* panic
pakollinen (*pah*-koal-li-nayn) *adj* obligatory, compulsory

pakoputki (*pah*-koa-*poot*-ki) *n* exhaust

pakottaa (*pah*-koat-taa) *v* compel, force

paksu (*pahk*-soo) *adj* fat, thick; bulky

paksuus (*pahk*-sōōss) *n* thickness

pala (*pah*-lah) *n* piece; scrap; lump

palaa (*pah*-laa) *v* *burn; ~ **pohjaan** *burn

palanen (*pah*-lah-nayn) *n* bit, fragment, lump; morsel

palapeli (*pah*-lah-*pay*-li) *n* jigsaw puzzle, puzzle

palata (*pah*-lah-tah) *v* return, *go back, *get back

palatsi (*pah*-laht-si) *n* palace

palauttaa (*pah*-lah-oot-taa) *v* *send back, *bring back

paljas (*pahl*-ᵞahss) *adj* bare

paljastaa (*pahl*-ᵞahss-taa) *v* reveal; uncover

paljastus (*pahl*-ᵞahss-tooss) *n* revelation

paljon (*pahl*-ᵞoan) *adv* far, much

paljous (*pahl*-ᵞoa-ooss) *n* mass; volume

palkankorotus (*pahl*-kahn-*koa*-roa-tooss) *n* rise; raise *nAm*

palkata (*pahl*-kah-tah) *v* engage, hire

palkinto (*pahl*-kin-toa) *n* prize, award

palkita (*pahl*-ki-tah) *v* reward; award

palkka (*pahlk*-kah) *n* wages *pl*, salary, pay

palkkio (*pahlk*-ki-oa) *n* reward; fee

pallas (*pahl*-lahss) *n* halibut

pallero (*pahl*-lay-roa) *n* tot

pallo (*pahl*-loa) *n* ball

palmu (*pahl*-moo) *n* palm

palohaava (*pah*-loa-*haa*-vah) *n* burn

palohälytys (*pah*-loa-*hæ*-lew-tewss) *n* fire-alarm

palokunta (*pah*-loa-*koon*-tah) *n* fire-brigade

paloportaat (*pah*-loa-*poar*-taat) *pl* fire-escape

paloöljy (*pah*-loa-*url*-ᵞew) *n* paraffin; kerosene

palsta (*pahls*-tah) *n* column

paluu (*pah*-lōō) *n* return

paluulento (*pah*-lōō-*layn*-toa) *n* return flight

paluumatka (*pah*-lōō-*maht*-kah) *n* return journey

paluutie (*pah*-lōō-*tyay*) *n* way back

palvelija (*pahl*-vay-li-ᵞah) *n* servant, domestic; boy

palvella (*pahl*-vayl-lah) *v* attend on, wait on

palvelu (*pahl*-vay-loo) *n* service

palvelumaksu (*pahl*-vay-loo-*mahk*-soo) *n* service charge

palvelus (*pahl*-vay-looss) *n* favour, service

palvoa (*pahl*-voa-ah) *v* worship

paneeli (*pah*-nāy-li) *n* panel

panettelu (*pah*-nayt-tay-loo) *n* slander

pankki (*pahngk*-ki) *n* bank

pankkitili (*pahngk*-ki-*ti*-li) *n* bank account

panna (*pahn*-nah) *v* *put, *lay; ~ **alulle** launch; ~ **merkille** notice; ~ **olutta** brew; ~ **pahakseen** resent; ~ **paikoilleen** *put away

pannu (*pahn*-noo) *n* pan

pantata (*pahn*-tah-tah) *v* pawn

pantti (*pahnt*-ti) *n* pawn; deposit

panttilainaaja (*pahnt*-ti-*llgh*-naa-ᵞah) *n* pawnbroker

panttivanki (*pahnt*-ti-*vahng*-ki) *n* hostage

paperi (*pah*-*pay*-ri) *n* paper

paperiarkki (*pah*-*pay*-ri-*ahrk*-ki) *n* sheet

paperikauppa (*pah*-*pay*-ri-*koup*-pah) *n* stationer's

paperikori (*pah*-*pay*-ri-*koa*-ri) *n* waste-paper-basket

paperilautasliina (*pah*-*pay*-ri-*lou*-tahss-*lee*-nah) *n* paper napkin

paperinen (*pah*-pay-ri-nayn) *adj* paper

paperinenäliina (*pah*-pay-ri-*nay*-næ-lee-nah) *n* tissue

paperipussi (*pah*-pay-ri-*pooss*-si) *n* paper bag

paperitavarat (*pah*-pay-ri-*tah*-vah-raht) *pl* stationery

paperiveitsi (*pah*-pay-ri-*vayt*-si) *n* paper-knife

papiljotit (*pah*-pil-Yoa-tit) *pl* hair rollers

papiljotti (*pah*-pil-Yoat-ti) *n* curler

pappi (*pahp*-pi) *n* minister, clergyman, priest

pappila (*pahp*-pi-lah) *n* parsonage, rectory, vicarage

papu (*pah*-poo) *n* bean

papukaija (*pah*-poo-kigh-Yah) *n* parrot, parakeet

paraati (*pah*-raa-ti) *n* parade

parannus (*pah*-rahn-nooss) *n* improvement

parannuskeino (*pah*-rahn-nooss-*kay*-noa) *n* remedy

parannuskuuri (*pah*-rahn-nooss-*kōō*-ri) *n* cure

parantaa (*pah*-rahn-taa) *v* improve; cure, heal

parantola (*pah*-rahn-toa-lah) *n* sanatorium

parantumaton (*pah*-rahn-too-mah-toan) *adj* incurable

parantuminen (*pah*-rahn-too-mi-nayn) *n* recovery; cure

paras (*pah*-rahss) *adj* best

parempi (*pah*-raym-pi) *adj* superior, better; preferable

pari (*pah*-ri) *n* couple, pair

parila (*pah*-ri-lah) *n* grill

parillinen (*pah*-ril-li-nayn) *adj* even

pariloida (*pah*-ri-loi-dah) *v* grill

parissa (*pah*-riss-sah) *postp* among

paristo (*pah*-riss-toa) *n* battery

pariton (*pah*-ri-toan) *adj* odd

parlamentaarinen (*pahr*-lah-mayn-taa-ri-nayn) *adj* parliamentary

parlamentti (*pahr*-lah-maynt-ti) *n* parliament

parranajokone (*pahr*-rahn-ah-Yoa-*koa*-nay) *n* safety-razor, razor

parranajosaippua (*pahr*-rahn-ah-Yoa-*sighp*-poo-ah) *n* shaving-soap

parsa (*pahr*-sah) *n* asparagus

parsia (*pahr*-si-ah) *v* darn

parsinlanka (*pahr*-sin-*lahng*-kah) *n* darning wool

partasuti (*pahr*-tah-*soo*-ti) *n* shaving-brush

partaterä (*pahr*-tah-*tay*-ræ) *n* razor-blade

partavaahdoke (*pahr*-tah-*vaah*-doa-kay) *n* shaving-cream

partavesi (*pahr*-tah-*vay*-si) *n* after-shave lotion

partio (*pahr*-ti-oa) *n* patrol

partioida (*pahr*-ti-oi-dah) *v* patrol

partiolainen (*pahr*-ti-oa-*ligh*-nayn) *n* scout

partiopoika (*pahr*-ti-oa-*poi*-kah) *n* boy scout

partiotyttö (*pahr*-ti-oa-*tewt*-tur) *n* girl guide

parturi (*pahr*-too-ri) *n* barber

parveke (*pahr*-vay-kay) *n* balcony

parvi (*pahr*-vi) *n* gallery, circle

pasifisti (*pah*-si-fiss-ti) *n* pacifist

pasifistinen (*pah*-si-fiss-ti-nayn) *adj* pacifist

passi (*pahss*-si) *n* passport

passiivinen (*pahss*-see-vi-nayn) *adj* passive

passikuva (*pahss*-si-*koo*-vah) *n* passport photograph

passitarkastus (*pahss*-si-*tahr*-kahss-tooss) *n* passport control

pastori (*pahss*-toa-ri) *n* clergyman; parson

pata (*pah*-tah) *n* pot

patentti (*pah*-taynt-ti) *n* patent

patja (*paht*-Yah) *n* mattress

pato (*pah*-toa) *n* dam; dike

patruuna (*paht*-rōō-nah) *n* cartridge

patukka (*pah*-took kah) *n* club

pauhu (*pou*-hoo) *n* roar

paviljonki (*pah*-vil-Yoang-ki) *n* pavilion

pehmennysaine (*payh*-mayn-newss-*igh*-nay) *n* water-softener

pehmeä (*payh*-may-æ) *adj* soft

pehmittää (*payh*-mit-tææ) *v* soften

pehmustaa (*payh*-mooss-taa) *v* upholster

peili (*pay*-li) *n* mirror, looking-glass

peilikuva (*pay*-li-*koo*-vah) *n* reflection

peippo (*payp*-poa) *n* finch

peittää (*payt*-tææ) *v* cover

pekoni (*pay*-koa-ni) *n* bacon

pelaaja (*pay*-laa-Yah) *n* player

pelastaa (*pay*-lahss-taa) *v* save, rescue

pelastaja (*pay*-lahss-tah-Yah) *n* rescuer; saviour

pelastaminen (*pay*-lahss-tah-mi-nayn) *n* rescue

pelastus (*pay*-lahss-tooss) *n* rescue, delivery; salvation

pelastusrengas (*pay*-lahss-tooss-rayng-ngahss) *n* life-buoy

peli (*pay*-li) *n* game

pelikaani (*pay*-li-kaa-ni) *n* pelican

pelikortti (*pay*-li-*koart*-ti) *n* playing-card

pelikuula (*pay*-li-*kōō*-lah) *n* marble

pelimarkka (*pay*-li-*mahrk*-kah) *n* chip

pelkkä (*paylk*-kæ) *adj* sheer

pelko (*payl*-koa) *n* fear, dread; scare, fright

pelkuri (*payl*-koo-ri) *n* coward

pelkästään (*payl*-kæss-tææn) *adv* merely

pellava (*payl*-lah-vah) *n* linen

peloissaan (*pay*-loiss-saan) *adv* afraid

pelottava (*pay*-loat-tah-vah) *adj* terrifying, awful

peltirasia (*payl*-ti-*rah*-si-ah) *n* canister, tin

pelto (*payl*-toa) *n* field

peltopyy (*payl*-toa-*pēw*) *n* partridge

pelästynyt (*pay*-læss-tew-newt) *adj* frightened

pelästys (*pay*-læss-tewss) *n* fright

pelästyttää (*pay*-læss-tewt-tææ) *v* scare, frighten; alarm

pelästyä (*pay*-læss-tew-æ) *v* *be frightened

pelätä (*pay*-læ-tæ) *v* *be afraid; fear, dread

pengerrys (*payng*-ngayr-rewss) *n* embankment

penisilliini (*pay*-ni-sil-lee-ni) *n* penicillin

penkki (*payngk*-ki) *n* bench

pensaikko (*payn*-sighk-koa) *n* scrub, bush

pensas (*payn*-sahss) *n* bush, shrub

pensasaita (*payn*-sahss-*igh*-tah) *n* hedge

perhe (*payr*-hay) *n* family

perhonen (*payr*-hoa-nayn) *n* butterfly

perhosuinti (*payr*-hoass-*ooᵉᵉn*-ti) *n* butterfly stroke

periaate (*pay*-ri-*aatay*) *n* principle

perilletulo (*pay*-ril-layt-*too*-loa) *n* arrival

porinne (*pay*-rin-nay) *n* tradition

perinnöllinen (*pay*-rin-nurl-li-nayn) *adj* hereditary

perinpohjainen (*pay*-rim-*poah*-Yigh-nayn) *adj* thorough

perinteinen (*pay*-rin-tay-nayn) *adj* traditional

perintö (*pay*-rin-tur) *n* inheritance

periä (*pay*-ri-æ) *v* inherit

perjantai (*payr*-Yahn-tigh) *n* Friday

permanentti (*payr*-mah-naynt-ti) *n* permanent wave

permantopaikka (*payr*-mahn-toa-*pighk*-kah) *n* stall; orchestra seat

Am
Persia (*payr*-si-ah) Persia
persialainen (*payr*-si-ah-ligh-nayn) *adj*
  Persian; *n* Persian
persikka (*payr*-sik-kah) *n* peach
persilja (*payr*-sil-Yah) *n* parsley
persoonallisuus (*payr*-sōa-nahl-li-
  sōōss) *n* personality
persoonaton (*payr*-sōa-nah-toan) *adj*
  impersonal
perspektiivi (*payrs*-payk-tee-vi) *n* per-
  spective
peruna (*pay*-roo-nah) *n* potato; **rans-
  kalaiset perunat** chips
perus- (*pay*-rooss) basic
perusaine (*pay*-rooss-*igh*-nay) *n* el-
  ement
perusajatus (*pay*-rooss-*ah*-Yah-tooss)
  n principle, basic idea
perusolemus (*pay*-rooss-*oa*-lay-mooss)
  n essence
perusta (*pay*-rooss-tah) *n* base, basis
perustaa (*pay*-rooss-taa) *v* found, in-
  stitute; establish; base; **perustavaa
  laatua oleva** fundamental
peruste (*pay*-rooss-tay) *n* cause;
  argument; basis
perusteellinen (*pay*-rooss-tāyl-li-nayn)
  adj thorough
peruukki (*pay*-rōōk-ki) *n* wig
peruuttaa (*pay*-rōōt-taa) *v* recall, can-
  cel; reverse
peruuttamaton (*pay*-rōōt-tah-mah-
  toan) *adj* irrevocable
peruutus (*pay*-rōō-tooss) *n* cancella-
  tion
peruutusvaihde (*pay*-rōō-tooss-*vighh*-
  day) *n* reverse
peräkkäisyys (*pay*-ræk-kæ ᵉᵉ-sēwss) *n*
  sequence
perämies (*pay*-ræ-*myayss*) *n*
  steersman; (first) mate
peräpuikko (*pay*-ræ-*poo ᵉᵉk*-koa) *n*
  suppository

peräpukamat (*pay*-ræ-*poo*-kah-maht)
  pl piles *pl*, haemorrhoids *pl*
peräsin (*pay*-ræ-sin) *n* helm, rudder
perästäpäin (*pay*-ræss-tæ-*pæ ᵉᵉ*n) *adv*
  afterwards
peräsuoli (*pay*-ræ-*swoa*-li) *n* rectum
perävaunu (*pay*-ræ-*vou*-noo) *n* trailer
pessimismi (*payss*-si-miss-mi) *n* pessi-
  mism
pessimisti (*payss*-si-miss-ti) *n* pessi-
  mist
pessimistinen (*payss*-si-miss-ti-nayn)
  adj pessimistic
pestä (*payss*-tæ) *v* wash; ~ **astiat**
  wash up; ~ **kemiallisesti** dry-
  clean
pesu (*pay*-soo) *n* washing
pesuaine (*pay*-soo-*igh*-nay) *n* deter-
  gent
pesuallas (*pay*-soo-*ahl*-lahss) *n* wash-
  stand, sink, wash-basin
pesuhuone (*pay*-soo-*hwoa*-nay) *n*
  lavatory
pesujauhe (*pay*-soo-*You*-hay) *n* wash-
  ing-powder
pesukone (*pay*-soo-*koa*-nay) *n* wash-
  ing-machine
pesula (*pay*-soo-lah) *n* laundry
pesunkestävä (*pay*-soong-*kayss*-tæ-
  væ) *adj* fast-dyed, washable
pesupulveri (*pay*-soo-*pool*-vay-ri) *n*
  soap powder, washing-powder
pesusieni (*pay*-soo-*syay*-ni) *n* sponge
pesä (*pay*-sæ) *n* nest
pesäpallo (*pay*-sæ-*pahl*-loa) *n* baseball
petkuttaa (*payt*-koot-taa) *v* swindle,
  cheat
petoeläin (*pay*-toa-ay-læ ᵉᵉn) *n* beast
  of prey
petos (*pay*-toass) *n* fraud; deceit
petturi (*payt*-too-ri) *n* traitor
pettymys (*payt*-tew-mewss) *n* disap-
  pointment
pettää (*payt*-tææ) *v* betray; deceive;

*let down; ~ **toiveet** disappoint

peukalo (*pay^oo-kah-loa*) *n* thumb

peukalokyytiläinen (*pay^oo-kah-loa-kew-ti-læ^ee-nayn*) *n* hitchhiker

pian (*pi-ahn*) *adv* shortly, presently, soon

pianisti (*pi-ah-niss-ti*) *n* pianist

piano (*pi-ah-noa*) *n* piano

pidellä (*pi-dayl-læ*) *v* *hold, *keep

pidennys (*pi-dayn-newss*) *n* extension

pidentää (*pi-dayn-tææ*) *v* lengthen; extend

pidättyä jstk (*pi-dæt-tew-æ*) abstain from; refrain from

pidättää (*pi-dæt-tææ*) *v* arrest; restrain

pidätys (*pi-dæ-tewss*) *n* arrest

pielus (*pyay-looss*) *n* pillow

pienentää (*pyay-nayn-tææ*) *v* reduce, lessen

pieni (*pyay-ni*) *adj* little, small; petty, minor

pienin (*pyay-nin*) *adj* least, smallest

pienoiskuva (*pyay-noiss-koo-vah*) *n* miniature

piha (*pi-hah*) *n* yard

pihdit (*pih-dit*) *pl* pliers *pl*, tongs *pl*

pihka (*pih-kah*) *n* resin

pihvi (*pih-vi*) *n* steak

piikivi (*pee-ki-vi*) *n* flint

piikki (*peek-ki*) *n* thorn

piikkisika (*peek-ki-si-kah*) *n* porcupine

piilolasit (*pee-loa-lah-sit*) *pl* contact lenses

piilottaa (*pee-loat-taa*) *v* *hide

piippu (*peep-poo*) *n* pipe

piipputupakka (*peep-poo-too-pahk-kah*) *n* pipe tobacco

piipunpuhdistaja (*pee-poon-pooh-diss-tah-Yah*) *n* pipe cleaner

piiri (*pee-ri*) *n* circle; sphere; district

piiritys (*pee-ri-tewss*) *n* siege

piirre (*peer-ray*) *n* feature, trait

piirros (*peer-roass*) *n* picture, draw-

piirtää (*peer-tææ*) *v* *draw, sketch

piirustus (*peerooss-tooss*) *n* sketch, drawing

piispa (*peess-pah*) *n* bishop

pikabaari (*pi-kah baa-ri*) *n* snack-bar

pikainen (*pi-kigh-nayn*) *adj* rapid; prompt; **pika-** express; quick

pikajuna (*pi-kah-Yoo-nah*) *n* express train; through train

pikakirjoittaja (*pi-kah-keer-Yoit-tah-Yah*) *n* stenographer

pikakirjoitus (*pi-kah-keer-Yoi-tooss*) *n* shorthand

pikakurssi (*pi-kah-koors-si*) *n* intensive course

pikakuva (*pi-kah-koo-vah*) *n* snapshot

pikaposti (*pi-kah-poass-ti*) *n* special delivery

pikaside (*pi-kah-si-day*) *n* plaster

pikemminkin (*pi-kaym-ming-kin*) *adv* sooner, rather

pikkelssi (*pik-kayls-si*) *n* pickles *pl*

pikkukala (*pik-koo-kah-lah*) *n* whitebait

pikkukatu (*pik-koo-kah-too*) *n* lane

pikkukivi (*pik-koo-ki-vi*) *n* pebble

pikkukylä (*pik-koo-kew-læ*) *n* hamlet

pikkulapsi (*pik-koo-lahp-si*) *n* infant

pikkupaketti (*pik-koo-pah-kayt-ti*) *n* packet

pikkuraha (*pik-koo-rah-hah*) *n* change, coins *pl*

pikkuruinen (*pik-koo-roo^ee-nayn*) *adj* minute, tiny

pikkusormi (*pik-koo-soar-mi*) *n* little finger

pikkutakki (*pik-koo-tahk-ki*) *n* jacket

pila (*pi-lah*) *n* joke

pilaantuva (*pi-laan-too-vah*) *adj* perishable

pilari (*pi-lah-ri*) *n* column, pillar

pilkahdus (*pil-kahh-dooss*) *n* glimpse

pilkata (*pil-kah-tah*) *v* mock

pilkka (*pilk*-kah) *n* mockery, scorn
pilkku (*pilk*-koo) *n* comma
pilleri (*pil*-lay-ri) *n* pill
pilvenpiirtäjä (*pil*-vayn-*peer*-tæ-ᵞæ) *n* skyscraper
pilvi (*pil*-vi) *n* cloud
pilvinen (*pil*-vi-nayn) *adj* overcast, cloudy
pimennys (*pi*-mayn-newss) *n* eclipse
pimeys (*pi*-may-ewss) *n* dark
pimeä (*pi*-may-æ) *adj* obscure, dark
pinaatti (*pi*-naat-ti) *n* spinach
pingottua (*ping*-ngoat-too-ah) *v* tighten
pingviini (*ping*-vee-ni) *n* penguin
pinna (*pin*-nah) *n* spoke
pinnallinen (*pin*-nahl-li-nayn) *adj* superficial
pinnata (*pin*-nah-tah) *v* play truant
pino (*pi*-noa) *n* pile, stack
pinota (*pi*-noa-tah) *v* pile
pinsetti (*pin*-sayt-ti) *n* tweezers *pl*
pinta (*pin*-tah) *n* surface
pinta-ala (*pin*-tah-*ah*-lah) *n* area
pintapuolinen (*pin*-tah-*pwoa*-li-nayn) *adj* superficial
piparjuuri (*pi*-pahr-ᵞo͞o-ri) *n* horse-radish
piparminttu (*pi*-pahr-*mint*-too) *n* peppermint
pippuri (*pip*-poo-ri) *n* pepper
piristysaine (*pi*-riss-tewss-*ighnay*) *n* stimulant
piristyslääke (*pi*-riss-tewss-*lææ*-kay) *n* tonic
piristää (*pi*-riss-tææ) *v* stimulate
pirtelö (*peer*-tay-lur) *n* milk-shake
pisara (*pi*-sah-rah) *n* drop
piste (*piss*-tay) *n* period, full stop; **saada pisteitä** score
pistemäärä (*piss*-taym-*mææ*-ræ) *n* score
pistooli (*piss*-to͞a-li) *n* pistol
pistorasia (*piss*-toa-*rah*-si-ah) *n* socket

pistos (*piss*-toass) *n* sting; stitch
pistää (*piss*-tææ) *v* *sting; prick
pitkin (*pit*-kin) *prep/postp* along
pitkittäin (*pit*-kit-tæᵉᵉn) *adv* lengthways
pitkulainen (*pit*-koo-ligh-nayn) *adj* oblong
pitkä (*pit*-kæ) *adj* long
pitkäaikainen (*pit*-kæ-*igh*-kigh-nayn) *adj* long
pitsi (*pit*-si) *n* lace
pituus (*pi*-to͞oss) *n* length
pituusaste (*pi*-to͞oss-*ahss*-tay) *n* longitude
pitää (*pi*-tææ) *v* *hold; *shall, need to; **ei** ~ dislike; ~ **jnak** count, regard, consider; ~ **jstk** like; *be fond of; ~ **parempana** prefer; ~ **yllä** *keep
planeetta (*plah*-nāyt-tah) *n* planet
planetaario (*plah*-nay-taa-ri-oa) *n* planetarium
platina (*plah*-ti-nah) *n* platinum
pohdinta (*poah*-din-tah) *n* discussion
pohja (*poah*-ᵞah) *n* ground
pohjakerros (*poah*-ᵞah-*kayr*-roass) *n* ground floor
pohjavirta (*poah*-ᵞah-*veer*-tah) *n* undercurrent
pohje (*poah*-ᵞay) *n* (pl pohkeet) calf
pohjoinen (*poah*-ᵞoi-nayn) *adj* northerly, north; *n* north; **pohjois-** northern
pohjoisnapa (*poah*-ᵞoiss-*nah*-pah) *n* North Pole
poiju (*poi*-ᵞoo) *n* buoy
poika (*poi*-kah) *n* boy; lad; son
poikamies (*poi*-kah-*myayss*) *n* bachelor
poiketa (*poi*-kay-tah) *v* vary; deviate
poikkeaminen (*poik*-kay-ah-mi-nayn) *n* aberration
poikkeuksellinen (*poik*-kay-ook-sayl-li-nayn) *adj* exceptional

poikkeus (*poik*-kay-ooss) *n* exception

poikki (*poik*-ki) *postp* across

poikue (*poi*-koo-ay) *n* litter

poimia (*poi*-mi-ah) *v* pick up, pick

poiminto (*poi*-min-toa) *n* excerpt

poimu (*poi*-moo) *n* crease

pois (*poiss*) *adv* off

poissa (*poiss*-sah) *adv* out of, gone, away

poissaoleva (*poiss*-sah-*oa*-lay-vah) *adj* absent

poissaolo (*poiss*-sah-*oa*-loa) *n* absence

poistaa (*poiss*-taa) *v* *take away, re- move; abolish, eliminate

poisto (*poiss*-toa) *n* removal

poistua (*poiss*-too-ah) *v* *leave, de- part; *get off

pojanpoika (*poa*-Yahm-*poi*-kah) *n* grandson

pojantytär (*poa*-Yahn-*tew*-tær) *n* granddaughter

pokaali (*poa*-kaa-li) *n* cup

poliisi (*poa*-lee-si) *n* policeman, police *pl*

poliisiasema (*poa*-lee-si-*ah*-say-mah) *n* police-station

poliitikko (*poa*-lee-tik-koa) *n* politician

poliittinen (*poa*-leet-ti-nayn) *adj* pol- itical

politiikka (*poa*-li-teek-kah) *n* policy, politics

poljin (*poal*-Yin) *n* pedal

polku (*poal*-koo) *n* path; trail

polkupyörä (*poal*-koo-*p*ᵉʷ*ur*-ræ) *n* bi- cycle, cycle

polttaa (*poalt*-taa) *v* *burn; ~ ruu- mis cremate

polttoaine (*poalt*-toa-*igh*-nay) *n* fuel

polttohautaus (*poalt*-toa-*hou*-tah-ooss) *n* cremation

polttomerkki (*poalt*-toa-*mayrk*-ki) *n* brand

polttopiste (*poalt*-toa-*piss*-tay) *n* focus

polttoöljy (*poalt*-toa-*url*-Yew) *n* fuel oil

polvi (*poal*-vi) *n* knee

polvilumpio (*poal*-vi-*loom*-pi-oa) *n* kneecap

polvistua (*poal*-viss-too-ah) *v* *kneel

pommi (*poam*-mi) *n* bomb

pommittaa (*poam* mit taa) *v* bomb

pomo (*poa*-moa) *n* boss

poni (*poa*-ni) *n* pony

ponnistus (*poan*-niss-tooss) *n* effort, struggle

popliini (*poap*-lee-ni) *n* poplin

popmusiikki (*poap*-moo-seek-ki) *n* pop music

pora (*poa*-rah) *n* drill

porata (*poa*-rah-tah) *v* bore, drill

poreilu (*poa*-ray-loo) *n* fizz

porkkana (*poark*-kah-nah) *n* carrot

pormestari (*poar*-mayss-tah-ri) *n* mayor

poro (*poa*-roa) *n* reindeer

poroporvarillinen (*poa*-roa-poar-*vah*-ril-li-nayn) *adj* bourgeois

porras (*poar*-rahss) *n* step

porsas (*poar*-sahss) *n* pig

portaat (*poar*-taat) *pl* stairs *pl*, stair- case

portinvartija (*poar*-tin-*vahr*-ti-Yah) *n* concierge

portti (*poart*-ti) *n* gate

portto (*poart*-toa) *n* prostitute

porttola (*poart*-toa-lah) *n* brothel

Portugali (*poar*-too-gah-li) Portugal

portugalilainen (*poar*-too-gah-li-*ligh*-nayn) *n* Portuguese; *adj* Portuguese

porukka (*poa*-rook-kah) *n* gang

porvarillinen (*poar*-vah-ril-li-nayn) *adj* middle-class

poseitiivi (*poa*-say-tee-vi) *n* street-or- gan

positiivi (*poa*-si-tee-vi) *n* positive

poski (*poass*-ki) *n* cheek

poskihammas (*poass*-ki-*hahm*-mahss) *n* molar

poskiparta (*poass*-ki-*pahr*-tah) *n* side-

burns *pl*
poskipuna (*poass*-ki-*poo*-nah) *n* rouge
poskipää (*poass*-ki-*pææ*) *n* cheek-
bone
posliini (*poass*-lee-ni) *n* porcelain,
china
possu (*poass*-soo) *n* piglet
poste restante (*poass*-tay *rayss*-tahn-
tay) poste restante
posti (*poass*-ti) *n* mail, post
postikortti (*poass*-ti-*koart*-ti) *n* card,
postcard
postilaatikko (*poass*-ti-*laa*-tik-koa) *n*
pillar-box; mailbox *nAm*
postilaitos (*poass*-ti-*ligh*-toass) *n*
postal service
postimaksu (*poass*-ti-*mahk*-soo) *n*
postage
postimaksuton (*poass*-ti-*mahk*-soo-
toan) *adj* postage paid, post-paid
postimerkki (*poass*-ti-*mayrk*-ki) *n*
stamp, postage stamp; **varustaa**
postimerkillä stamp
postimerkkiautomaatti (*poass*-ti-
mayrk-ki-*ou*-toa-maat-ti) *n* stamp ma-
chine
postinkantaja (*poass*-ting-*kahn*-tah-
ʸah) *n* postman
postinumero (*poass*-ti-*noo*-may-roa) *n*
zip code *Am*
postiosoitus (*poass*-ti-*oa*-soi-tooss) *n*
postal order; mail order *Am*
postitoimisto (*poass*-ti-*toi*-miss-toa) *n*
post-office
postittaa (*poass*-tit-taa) *v* mail, post
potilas (*poa*-ti-lahss) *n* patient
potkaista (*poat*-kighss-tah) *v* kick
potkia (*poat*-ki-ah) *v* kick
potku (*poat*-koo) *n* kick
potkulauta (*poat*-koo-*lou*-tah) *n* scoot-
er
potkuri (*poat*-koo-ri) *n* propeller
povi (*poa*-vi) *n* bosom
prepositio (*pray*-poa-si-ti-oa) *n* prep-

osition
presidentti (*pray*-si-daynt-ti) *n* presi-
dent
prinsessa (*prin*-sayss-sah) *n* princess
prinssi (*prins*-si) *n* prince
profeetta (*proa*-fāʸt-tah) *n* prophet
professori (*proa*-fayss-soa-ri) *n* pro-
fessor
pronomini (*proa*-noa-mi-ni) *n* pronoun
pronssi (*proans*-si) *n* bronze
pronssinen (*proans*-si-nayn) *adj*
bronze
propaganda (*proa*-pah-gahn-dah) *n*
propaganda
prosentti (*proa*-saynt-ti) *n* percent
prosenttimäärä (*proa*-saynt-ti-*mææ*-
ræ) *n* percentage
protestanttinen (*proa*-tayss-tahnt-ti-
nayn) *adj* Protestant
psykiatri (*psew*-ki-aht-ri) *n* psychia-
trist
psykoanalyytikko (*psew*-koa-*ah*-nah-
lēw-tik-koa) *n* analyst, psychoanal-
yst
psykologi (*psew*-koa-loa-gi) *n* psychol-
ogist
psykologia (*psew*-koa-loa-gi-ah) *n* psy-
chology
psykologinen (*psew*-koa-loa-gi-nayn)
adj psychological
pudota (*poo*-doa-tah) *v* *fall
pudottaa (*poo*-doat-taa) *v* drop
puhallettava (*poo*-hahl-layt-tah-vah)
adj inflatable
puhaltaa (*poo*-hahl-taa) *v* *blow; ~
täyteen inflate
puhdas (*pooh*-dahss) *adj* pure, clean
puhdistaa (*pooh*-diss-taa) *v* clean
puhdistamo (*pooh*-diss-tah-moa) *n* re-
finery
puhdistus (*pooh*-diss-tooss) *n* clean-
ing
puhdistusaine (*pooh*-diss-tooss-*igh*-
nay) *n* cleaning fluid

puhe (*poo*-hay) *n* speech

puheenjohtaja (*poo*-hāyn-*Yoah*-tah-Yah) *n* president, chairman

puhekyky (*poo*-hay-*kew*-kew) *n* speech

puhelias (*poo*-hay-li-ahss) *adj* talkative

puhelin (*poo*-hay-lin) *n* phone, telephone

puhelinkeskus (*poo*-hay-lin-*kayss*-kooss) *n* telephone exchange; benefit

puhelinkoppi (*poo*-hay-lin-*koap*-pi) *n* telephone booth

puhelinluettelo (*poo*-hay-lin-*loo*-ayt-tay-loa) *n* telephone directory; telephone book *Am*

puhelinneiti (*poo*-hay-lin-*nay*-ti) *n* telephonist

puhelinsoitto (*poo*-hay-lin-*soit*-toa) *n* call

puhelu (*poo*-hay-loo) *n* telephone call

puhelunvälittäjä (*poo*-hay-loon-væ-littæ-Yæ) *n* operator, telephone operator

puhetapa (*poo*-hay-*tah*-pah) *n* speech

puhjennut (*pooh*-Yayn-noot) *adj* punctured

puhjeta (*pooh*-Yay-tah) *v* *burst

puhkeaminen (*pooh*-kay-ah-mi-nayn) *n* puncture

puhua (*poo*-hoo-ah) *v* *speak, talk; ~ puolesta plead

puhujakoroke (*poo*-hoo-Yah-*koa*-roa-kay) *n* desk

puhutella (*poo*-hoo-tayl-lah) *v* address

puijata (*poo*ee-Yah-tah) *v* fool

puinen (*poo*ee-nayn) *adj* wooden

puisto (*poo*eess-toa) *n* park; yleinen ~ public garden

puistotie (*poo*eess-toa-*tyay*) *n* avenue

puitteet (*poo*eet-tāyt) *pl* setting

pujottaa (*poo*-Yoat-taa) *v* thread

pukea (*poo*-kay-ah) *v* *become; ~ yl-

leen *put on

pukeutua (*poo*-kay-oo-too-ah) *v* dress

pukeutumishuone (*poo*-kay-oo-too-miss-*hwoa*-nay) *n* dressing-room

pukeutumiskoppi (*poo*-kay-oo-too-miss-*koap*-pi) *n* cabin

puku (*poo*-koo) *n* suit; vaihtaa pukua change

pula (*poo*-lah) *n* shortage

pulisongit (*poo*-li-soang-ngit) *pl* whiskers *pl*

pullea (*pool*-lay-ah) *adj* plump

pullo (*pool*-loa) *n* bottle; flask

pullonavaaja (*pool*-loan-*ah*-vaa-Yah) *n* bottle opener

pullonkaula (*pool*-loang-*kou*-lah) *n* bottleneck

pulma (*pool*-mah) *n* question, problem

pulmakysymys (*pool*-mah-*kew*-sew-mewss) *n* issue

pulmallinen (*pool*-mahl-li-nayn) *adj* complicated

pulpetti (*pool*-payt-ti) *n* desk

pultti (*poolt*-ti) *n* bolt

pumpata (*poom*-pah-tah) *v* pump

pumppu (*poomp*-poo) *n* pump

punainen (*poo*-nigh-nayn) *adj* red

punajuuri (*poo*-nah-*Yōō*-ri) *n* beetroot

punakampela (*poo*-nah-*kahm*-pay-lah) *n* plaice

punarinta (*poo*-nah-*rin*-tah) *n* robin

punastua (*poo*-nahss-too-ah) *v* blush

punatauti (*poo*-nah-*tou*-ti) *n* dysentery

punnita (*poon*-ni-tah) *v* weigh

Puola (*pwoa*-lah) Poland

puola (*pwoa*-lah) *n* spool

puolalainen (*pwoa*-lah-ligh-nayn) *n* Pole; *adj* Polish

puoleensavetävä (*pwoa*-lāyn-sah-*vay*-tæ-væ) *adj* attractive

puoleksi (*pwoa*-layk-si) *adv* half

puolesta (*pwoa*-layss-tah) *postp* on behalf of

puoli (*pwoa*-li) *n* side; **puoli-** half, semi-

puoliaika (*pwoa*-li-*igh*-kah) *n* half-time

puolikas (*pwoa*-li-kahss) *n* half

puolipiste (*pwoa*-li-*piss*-tay) *n* semicolon

puoliso (*pwoa*-li-soa) *n* spouse

puolisukka (*pwoa*-li-*sook*-kah) *n* sock

puolitiessä (*pwoa*-li-*tyayss*-sæ) *adv* halfway

puolittaa (*pwoa*-lit-taa) *v* halve

puoliympyrä (*pwoa*-li-*ewm*-pew-ræ) *n* semicircle

puoltaa (*pwoal*-taa) *v* recommend

puolue (*pwoa*-loo-ay) *n* party

puolueellinen (*pwoa*-loo-*āyl*-li-nayn) *adj* partial

puolueeton (*pwoa*-loo-*āy*-toan) *adj* impartial; neutral

puolustaa (*pwoa*-looss-taa) *v* defend

puolustus (*pwoa*-looss-tooss) *n* defence

puolustuspuhe (*pwoa*-looss-tooss-*poo*-hay) *n* plea

puomi (*pwoa*-mi) *n* barrier

puoskari (*pwoass*-kah-ri) *n* quack

puoti (*pwoa*-ti) *n* shop

purema (*poo*-ray-mah) *n* bite

pureskella (*poo*-rayss-kayl-lah) *v* chew

pureva (*poo*-ray-vah) *adj* keen

purje (*poor*-Yay) *n* sail

purjehduskelpoinen (*poor*-Yayh-dooss-*kayl*-poi-nayn) *adj* navigable

purjehduskilpailu (*poor*-Yayh-dooss-*kil*-pigh-loo) *n* regatta

purjehdusseura (*poor*-Yayh-dooss-*say*ᵒᵒ-rah) *n* yacht-club

purjehtia (*poor*-Yayh-ti-ah) *v* sail

purjehtiminen (*poor*-Yayh-ti-mi-nayn) *n* yachting

purjekangas (*poor*-Yay-*kahng*-ngahss) *n* canvas

purjelentokone (*poor*-Yayl-*layn*-toa-*koa*-nay) *n* glider

purjevene (*poor*-Yayv-*vay*-nay) *n* sailing-boat

purkaa (*poor*-kaa) *v* discharge; unpack; ~ **lasti** unload

purkaantua (*poor*-kaan-too-ah) *v* fray

purkaminen (*poor*-kah-mi-nayn) *n* demolition

purkinavaaja (*poor*-kin-*ah*-vaa-Yah) *n* can opener

purnata (*poor*-nah-tah) *v* grumble

puro (*poo*-roa) *n* brook; stream

purolohi (*poo*-roa-*loa*-hi) *n* trout

purppuranpunainen (*poorp*-poo-rahm-*poo*-nigh-nayn) *adj* purple

purra (*poor*-rah) *v* *bite

purukumi (*poo*-roo-*koo*-mi) *n* chewing-gum

pusero (*poo*-say-roa) *n* blouse

pusertaa (*poo*-sayr-taa) *v* press

puskuri (*pooss*-koo-ri) *n* fender

pussi (*pooss*-si) *n* bag, pouch

putiikki (*poo*-teek-ki) *n* boutique

putki (*poot*-ki) *n* pipe, tube

putkilo (*poot*-ki-loa) *n* tube

putkimies (*poot*-ki-*myayss*) *n* plumber

putoaminen (*poo*-toa-ah-mi-nayn) *n* fall

puu (pōō) *n* tree; wood

puuhiili (*pōō*-hee-li) *n* charcoal

puukenkä (*pōō*-*kayng*-kæ) *n* wooden shoe

puuleikkaus (*pōō*-*layk*-kah-ooss) *n* wood-carving

puunrunko (*pōōn*-roong-koa) *n* trunk

puuseppä (*pōō*-*sayp*-pæ) *n* carpenter

puutarha (*pōō*-*tahr*-hah) *n* garden

puutarhanhoito (*pōō*-*tahr*-hahn-*hoi*-toa) *n* horticulture

puutarhuri (*pōō*-*tahr*-hoo-ri) *n* gardener

puute (*pōō*-tay) *n* lack, want

puuteri (*pōō*-tay-ri) *n* face-powder

puuterihuisku (*pōō*-tay-ri-*hoo*ᵉᵉss-koo) *n* powder-puff

puuterirasia (pōo-tay-ri-rah-si-ah) n powder compact

puutteellinen (pōot-tāyl-li-nayn) adj faulty, defective

puuttua (pōot-too-ah) v fail; ~ **asiaan** interfere

puuttuva (pōot-too-vah) adj missing

puuvilla (pōo-vil-lah) n cotton

puuvillainen (pōo-vil-ligh-nayn) adj cotton

puuvillasametti (pōo-vil-lah-sah-maytti) n velveteen

pyhiinvaellusmatka (pew-heen-vah-ayl-looss-maht-kah) n pilgrimage

pyhiinvaeltaja (pew-heen-vah-ayl-tah-ᴠah) n pilgrim

pyhimys (pew-hi-mewss) n saint

pyhittää (pew-hit-tææ) v dedicate

pyhä (pew-hæ) adj sacred, holy

pyhäinhäväistys (pew-hæᵉᵉn-hæ-væᵉᵉss-tewss) n sacrilege

pyhäinjäännös (pew-hæᵉᵉn-ᴠæænnurss) n relic

pyhäinjäännöslipas (pew-hæᵉᵉn-ᴠæænn-nurss-li-pahss) n shrine

pyhäkkö (pew-hæk-kur) n shrine

pyhäpäivä (pew-hæ-pæᵉᵉ-væ) n holiday

pykälä (pew-kæ-læ) n paragraph

pylväs (pewl-væss) n column, pillar

pyrkiä (newr-ki-æ) v aspire; tend; ~ **jhk** aim at

pysty (pewss-tew) adj upright; erect

pystyssä (pewss-tewss-sæ) adv upright

pystysuora (pewss-tew-swoa-rah) adj vertical

pystyttää (pewss-tewt-tææ) v erect

pystyvä (pewss-tew-væ) adj able, capable

pysyvä (pew-sew-væ) adj permanent, fixed

pysyä poissa *keep away from; ~ **tasalla** *keep up with

pysähdyttää (pew-sæh-dewt-tææ) v stop

pysähtyä (pew-sæh-tew-æ) v pull up, halt

pysäkki (pew-sæk-ki) n stop

pysäköidä (pew-sæ-kurᵉᵉ-dæ) v park

pysäköimisalue (pew-sæ-kurᵉᵉ-miss-ah-loo-ay) n car park, parking zone; parking lot Am

pysäköinti (pew-sæ-kurᵉᵉn-ti) n parking; ~ **kielletty** no parking

pysäköintimaksu (pew-sæ-kurᵉᵉn-ti-mahk-soo) n parking fee

pysäköintimittari (pew-sæ-kurᵉᵉn-ti-mit-tah-ri) n parking meter

pyyhekumi (pēw-hayk-koo-mi) n eraser, rubber

pyyheliina (pēw-hayl-lee-nah) n towel

pyyhkiä (pēwh-ki-æ) v wipe

pyykki (pēwk-ki) n laundry, washing

pyylevä (pēw-lay-væ) adj corpulent

pyyntö (pēwn-tur) n request; wish

pyytää (pēw-tææ) v ask, beg; request; ~ **anteeksi** apologize

pyökki (pᵉwurk-ki) n beech

pyöreä (pᵉwur-ray-æ) adj round

pyöristetty (pᵉwur-riss-tayt-tew) adj rounded

pyörittää (pᵉwur-rit-tææ) v *spin

pyörremyrsky (pᵉwurr-raym-mewrs-kew) n hurricane

pyörtyä (pᵉwurr-tew-æ) v faint

pyörä (pᵉwur-ræ) n wheel

pyöräilijä (pᵉwur-ræᵉᵉ-li-ᴠæ) n cyclist

pyöröovi (pᵉwur-rur-oa-vi) n revolving door

pyöveli (pᵉwur-vay-li) n executioner

pähkinä (pæh-ki-næ) n nut; hazelnut

pähkinämakeinen (pæh-ki-næ-mah-kay-nayn) n nougat

pähkinänkuori (pæh-ki-næng-kwoa-ri) n nutshell

pähkinänsärkijä (pæh-ki-næn-sær-ki-ᴠæ) n nutcrackers pl

päihtynyt (pæ*eeh*-tew-newt) *adj* intoxicated, drunk

päinvastainen (pæ*ee*n-vahss-tighnayn) *adj* reverse, opposite, contrary

päinvastoin (pæ*ee*n-vahss-toin) *adv* the other way round, on the contrary

päivetys (pæ*ee*-vay-tewss) *n* sunburn

päivittäin (pæ*ee*-vit-tæ*ee*n) *adv* per day

päivittäinen (pæ*ee*-vit-tæ*ee*-nayn) *adj* daily

päivä (pæ*ee*-væ) *n* day

päiväjärjestys (pæ*ee*-væ-Yær-Yaysstewss) *n* agenda

päiväkirja (pæ*ee*-væ-keer-Yah) *n* diary

päivälehti (pæ*ee*-væ-layh-ti) *n* daily

päivällinen (pæ*ee*-væl-li-nayn) *n* dinner

päivällä (pæ*ee*-væl-læ) *adv* by day

päivämatka (pæ*ee*-væ-maht-kah) *n* day trip

päivämäärä (pæ*ee*-væ-mææ-ræ) *n* date

päivänkoitto (pæ*ee*-væng-koit-toa) *n* daybreak

päiväntasaaja (pæ*ee*-væn-tah-sighah) *n* equator

päivänvalo (pæ*ee*-væn-vah-loa) *n* daylight; sunlight

päiväpeite (pæ*ee*-væ-pay-tay) *n* counterpane

päivää! (pæ*ee*-vææ) hello!

pätemätön (pæ-tay-mæ-turn) *adj* void, invalid

pätevyys (pæ-tay-vēwss) *n* qualification

pätevä (pæ-tay-væ) *adj* qualified; **olla** ~ qualify

pää (pææ) *n* head; **pää-** chief, main

pääasiallinen (pææ-ah-si-ahl-li-nayn) *adj* principal, capital, main; cardinal

pääasiallisesti (pææ-ah-si-ahl-li-sayssti) *adv* mainly

päähine (pææ-hi-nay) *n* cap

päähänpisto (pææ-hæn-piss-toa) *n* whim; fancy

pääkaapeli (pææ-kaa-pay-li) *n* mains *pl*

pääkansi (pææ-kahn-si) *n* main deck

pääkatu (pææ-kah-too) *n* main street

pääkaupunki (pææ-kou-poong-ki) *n* capital

päällikkö (pææl-lik-kur) *n* boss, chief; commander; chieftain

päällinen (pææl-li-nayn) *n* cover

päällys (pææl-lewss) *n* jacket

päällystakki (pææl-lewss-tahk-ki) *n* coat, overcoat; topcoat

päällystää (pææl-lewss-tææ) *v* pave

päällä (pææl-læ) *postp* on top of, upon, over

päämaja (pææ-mah-Yah) *n* headquarters *pl*

pääministeri (pææ-mi-niss-tay-ri) *n* Prime Minister, premier

päämäärä (pææ-mææ-ræ) *n* goal

päänsärky (pææn-sær-kew) *n* headache

pääoma (pææ-oa-mah) *n* capital

pääosa (pææ-oa-sah) *n* bulk

päärata (pææ-rah-tah) *n* main line

päärme (pæær-may) *n* hem

päärynä (pææ-rew-næ) *n* pear

pääsiäinen (pææ-si-æ*ee*-nayn) Easter

pääskynen (pææss-kew-nayn) *n* swallow

päästä (pææss-tæ) *v* *get; ~ **jäljille** trace; ~ **pakoon** escape

päästää (pææss-tææ) *v* *let *go, release; deliver; ~ **sisään** admit

pääsy (pææ-sew) *n* access, approach, admittance, entrance; ~ **kielletty** no entry, no admittance

pääsymaksu (pææ-sew-mahk-soo) *n* entrance-fee

pääteasema (pææ-tay-ah-say-mah) n terminal

päätie (pææ-tyay) n main road

päättyminen (pææt-tew-mi-nayn) n expiry

päättyä (pææt-tew-æ) v end, expire

päättäväinen (pææt-tæ-væ ⁱᵉ-nayn) adj resolute, determined

päättää (pææt-tææ) v decide; determine

päätykolmio (pææ-tew-koal-mi-oa) n gable

päätös (pææ-turss) n decision

pöllö (purl-lur) n owl

pöly (pur-lew) n dust

pölyinen (pur-lew ᵉᵉ-nayn) adj dusty

pölynimuri (pur-lewn-i-moo-ri) n vacuum cleaner

pörssi (purrs-si) n exchange; musta ~ black market

pöty (pur-tew) n rubbish

pöyristyttävä (purᵉʷ-riss-tewt-tæ-væ) adj horrible

pöytä (purᵉʷ-tæ) n table; seisova ~ buffet

pöytäkirja (purᵉʷ-tæ-keer-Yah) n record; minutes

pöytälaatikko (purᵉʷ-tæ-laa-tik-koa) n drawer

pöytäliina (purᵉʷ-tæ-lee-nah) n tablecloth

pöytätennis (purᵉʷ-tæ-tayn-niss) n ping-pong, table tennis

R

raahata (raa-hah-tah) v haul

raaja (righah) n limb

raajarikkoinen (raa-Yah-rik-koi-nayn) adj crippled

raaka (raa-kah) adj raw

raaka-aine (raa-kah-igh-nay) n raw material

raakamainen (raa-kah-migh-nayn) adj brutal

raamattu (raa-maht-too) n bible

raapia (raapi-ah) v scratch, scrape; grate

raataa (raa-taa) v labour

radikaali (rah-di-kaa-li) adj radical

radio (rah-di-oa) n radio; wireless

rae (rah-ay) n (pl rakeet) hail; corn

raha (rah-hah) n money; käteinen ~ cash; raha- monetary; vaihtaa rahaksi cash

rahake (rah-hah-kay) n token

rahalähetys (rah-hah-læ-hay-tewss) n remittance

rahansijoitus (rah-hahn-si-Yoi-tooss) n investment

rahanvaihto (rah-hahn-vighh-toa) n exchange office, money exchange

rahastaja (rah-hahss-tah-Yah) n ticket collector, conductor

rahasto (rah-hahss-toa) n fund

rahastonhoitaja (rah-hahss-toan-hoi-tah-Yah) n treasurer

rahaton (rah-hah-toan) adj broke

rahavarat (rah-hah-vah-raht) pl finances pl

rahayksikkö (rah-hah-ewk-sik-kur) n monetary unit

rahoittaa (rah-hoit-taa) v finance

rahti (rahh-ti) n freight

rahvaanomainen (rahh-vaan-oa-migh-nayn) adj vulgar; common

raidallinen (righ-dahl-li-nayn) adj striped

raide (righ-day) n track

raikas (righ-kahss) adj fresh

raiskata (righss-kah-tah) v rape

raita (righ-tah) n stripe

raitiovaunu (righ-ti-oa-vou-noo) n tram; streetcar nAm

raitis (righ-tiss) adj sober; täysin ~ teetotaller

raivo (*righ*-voa) *n* rage

raivoisa (*righ*-voi-sah) *adj* furious

raivostunut (*righ*-voass-too-noot) *adj* mad

raivota (*righ*-voa-tah) *v* rage

raja (*rah*-Yah) *n* limit, boundary, frontier, bound, border

rajaton (*rah*-Yah-toan) *adj* unlimited

rajoitettu (*rah*-Yoi-tayt-too) *adj* limited

rajoittaa (*rah*-Yoit-taa) *v* limit

rajoittamaton (*rah*-Yoit-tah-mah-toan) *adj* unlimited

rajoitus (*rah*-Yoi-tooss) *n* restriction; qualification

raju (*rah*-Yoo) *adj* fierce, violent

rajuilma (*rah*-Yoo-*il*-mah) *n* tempest

rakas (*rah*-kahss) *adj* dear; *n* darling

rakastaa (*rah*-kahss-taa) *v* love

rakastaja (*rah*-kahss-tah-Yah) *n* lover

rakastajatar (*rah*-kahss-tah-Yah-tahr) *n* mistress

rakastava (*rah*-kahss-tah-vah) *adj* affectionate

rakastettu (*rah*-kahss-tayt-too) *adj* beloved

rakastunut (*rah*-kahss-too-noot) *adj* in love

rakenne (*rah*-kayn-nay) *n* structure, construction, fabric

rakennus (*rah*-kayn-nooss) *n* house, construction, building

rakennuskompleksi (*rah*-kayn-nooss-*koamp*-layk-si) *n* complex

rakennuspuut (*rah*-kayn-nooss-*pōōt*) *pl* timber

rakennustaide (rah-kayn-nooss-*tigh*-day) *n* architecture

rakennustelineet (*rah*-kayn-nooss-*tay*-li-*nāyt*) *pl* scaffolding

rakentaa (*rah*-kayn-taa) *v* *build, construct

rakentaminen (*rah*-kayn-tah-mi-nayn) *n* construction

rakkaus (*rahk*-kah-ooss) *n* love

rakkausjuttu (*rahk*-kah-ooss-*Yoot*-too) *n* affair, love-story

rakko (*rahk*-koa) *n* bladder

rakkotulehdus (*rahk*-koa-*too*-layh-dooss) *n* cystitis

rakkula (*rahk*-koo-lah) *n* blister

rako (*rah*-koa) *n* chink

rampa (*rahm*-pah) *adj* lame

ramppi (*rahmp*-pi) *n* ramp

rangaista (*rahng*-ngighss-tah) *v* punish

rangaistus (*rahng*-ngighss-tooss) *n* punishment; penalty

rangaistuspotku (*rahng*-ngighss-tooss-*poat*-koo) *n* penalty kick

ranne (*rahn*-nay) *n* wrist

rannekello (*rahn*-nayk-*kayl*-loa) *n* wrist-watch

rannerengas (*rahn*-nayr-*rayng*-ngahss) *n* bracelet; bangle

rannikko (*rahn*-nik-koa) *n* coast

Ranska (*rahns*-kah) France

ranskalainen (*rahns*-kah-ligh-nayn) *n* Frenchman; *adj* French

ranta (*rahn*-tah) *n* shore

rantakallio (*rahn*-tah-*kahl*-li-oa) *n* cliff

rantakotilo (*rahn*-tah-*koa*-ti-loa) *n* winkle

rantatörmä (*rahn*-tah-*turr*-mæ) *n* cliff

raparperi (*rah*-pahr-pay-ri) *n* rhubarb

rapea (*rah*-pay-ah) *adj* crisp

rappaus (*rahp*-pah-ooss) *n* plaster

rappeutunut (*rahp*-pay-oo-too-noot) *adj* dilapidated

rasite (*rah*-si-tay) *n* charge

rasittaa (*rah*-sit-taa) *v* strain

rasitus (*rah*-si-tooss) *n* strain; stress

raskas (*rahss*-kahss) *adj* heavy; **raskaana oleva** pregnant, *adj* pregnant

rastas (*rahss*-tahss) *n* thrush

rastia (*rahss*-ti-ah) *v* tick off

rasva (*rahss*-vah) *n* fat; grease

rasvainen (*rahss*-vigh-nayn) *adj* fat,

greasy, fatty
rasvata (*rahss*-vah-tah) *v* grease
rata (*rah*-tah) *n* track
ratkaista (*raht*-kighss-tah) *v* solve; decide
ratkaisu (*raht*-kigh-soo) *n* solution
ratsastaa (*raht*-sahss-taa) *v* *ride
ratsastaja (*raht*-sahss-tah-ʏah) *n* horseman, rider
ratsastus (*raht*-sahss-tooss) *n* riding
ratsastuskilpailu (*raht*-sahss-tooss-*kil*-pigh-loo) *n* horserace
ratsastuskoulu (*raht*-sahss-tooss-*koa*-loo) *n* riding-school
rattaat (*raht*-taat) *pl* cart; carriage
rauha (*rou*-hah) *n* peace; quiet
rauhallinen (*rou*-hahl-li-nayn) *adj* calm, peaceful; quiet
rauhanaate (*rou*-hahn-*aa*-tay) *n* pacifism
rauhanen (*rou*-hah-nayn) *n* gland
rauhantuomari (*rou*-hahn-*twoa*-mah-ri) *n* magistrate
rauhaton (*rou*-hah-toan) *adj* restless
rauhoittava (*rou*-hoit-tah-vah) *adj* restful; ~ **lääke** tranquillizer; sedative
rauhoittua (*rou*-hoit-too-ah) *v* calm down
raukkamainen (*rouk*-kah-migh-nayn) *adj* cowardly
raunio (*rou*-ni-oa) *n* ruins
rauta (*rou*-tah) *n* iron
rautainen (*rou*-tigh-nayn) *adj* iron
rautakauppa (*rou*-tah-*koup*-pah) *n* hardware store
rautalanka (*rou*-tah-*lahng*-kah) *n* wire
rautaromu (*rou*-tah-*roa*-moo) *n* scrap-iron
rautatavarat (*rou*-tah-*tah*-vah-raht) *pl* hardware
rautatehdas (*rou*-tah-*tayh*-dahss) *n* ironworks
rautatie (*rou*-tah-*tyay*) *n* railway; rail-

road *nAm*
rautatieasema (*rou*-tah-*tyay*-ah-say-mah) *n* station
ravinto (*rah*-vin-toa) *n* food
ravintoaineet (*rah*-vin-toa-*igh*-nāyt) *pl* foodstuffs *pl*
ravintola (*rah*-vin-toa-lah) *n* restaurant
ravintolavaunu (*rah*-vin-toa-lah-*vou*-noo) *n* dining-car
ravistaa (*rah*-viss-taa) *v* *shake
ravistus (*rah*-viss-tooss) *n* wrench
ravitseva (*rah*-vit-say-vah) *adj* nutritious, nourishing
rehellinen (*ray*-hayl-li-nayn) *adj* honest, straight; fair
rehellisyys (*ray*-hayl-li-sēwss) *n* honesty
rehtori (*rayh*-toa-ri) *n* headmaster, principal
reikä (*ray*-kæ) *n* hole
reipas (*ray*-pahss) *adj* brisk
reipastuttaa (*ray*-pahss-toot-taa) *v* cheer up
reisi (*ray*-si) *n* thigh
reitti (*rayt*-ti) *n* route
reki (*ray*-ki) *n* sleigh, sledge
rekisterikilpi (*ray*-kiss-tay-ri-*kil*-pi) *n* registration plate; licence plate *Am*
rekisterinumero (*ray*-kiss-tay-ri-noo-may-roa) *n* registration number; licence number *Am*
rengas (*rayng*-ngahss) *n* tyre, tire
rengaspaine (*rayng*-ngahss-*pigh*-nay) *n* tyre pressure
rengasrikko (*rayng*-ngahss-*rik*-koa) *n* puncture, blow-out, flat tyre
rentoutua (*rayn*-toa-too-ah) *v* relax
rentoutuminen (*rayn*-toa-oo-too-mi-nayn) *n* relaxation
repeämä (*ray*-pay-æ-mæ) *n* tear
repiä (*ray*-pi-æ) *v* *tear; rip
reppu (*rayp*-poo) *n* haversack

reputtaa (*ray*-poot-taa) *v* fail
retiisi (*ray*-tee-si) *n* radish
retkeilijä (*rayt*-kay-li-Υæ) *n* camper
retkeillä (*rayt*-kayl-læ) *v* hike
retkeilymaja (*rayt*-kay-lew-*mah*-Υah) *n* hostel
retki (*rayt*-ki) *n* excursion, trip
reumatismi (*ray*ᵒᵒ-mah-tiss-mi) *n* rheumatism
reuna (*ray*ᵒᵒ-nah) *n* edge, verge, side, rim; brim; **kadun** ~ curb
reunus (*ray*ᵒᵒ-nooss) *n* margin
revolveri (*ray*-voal-vay-ri) *n* revolver, gun
revyy (*ray*-vēw) *n* revue
revyyteatteri (*ray*-vēw-*tay*-aht-tay-ri) *n* music-hall
riemujuhla (*ryay*-moo-Υooh-lah) *n* jubilee
riemukas (*ryay*-moo-kahss) *adj* joyful
riemuvoitto (*ryay*-moo-*voit*-toa) *n* triumph
rientää (*ryayn*-tææ) *v* hurry
riepu (*ryay*-poo) *n* cloth, rag
rihma (*rih*-mah) *n* thread
riidellä (*ree*-dayl-læ) *v* quarrel
riikinkukko (*ree*-king-*kook*-koa) *n* peacock
riippua (*reep*-poo-ah) *v* *hang
riippulukko (*reep*-poo-*look*-koa) *n* padlock
riippumaton (*reep*-poo-mah-toan) *adj* independent
riippumatto (*reep*-poo-maht-toa) *n* hammock
riippumattomuus (*ree*-p-poo-maht-toa-mōōss) *n* independence
riippusilta (*reep*-poo-*sil*-tah) *n* suspension bridge
riippuvainen (*reep*-poo-vigh-nayn) *adj* dependant; **olla** ~ **jstk** depend on
riipus (*ree*-pooss) *n* pendant
riisi (*ree*-si) *n* rice
riista (*reess*-tah) *n* game

riistää (*reess*-tææ) *v* exploit; ~ **jltk** deprive of
riisuutua (*ree*-sōō-too-ah) *v* undress
riita (*ree*-tah) *n* quarrel, row; dispute
riittämätön (*reet*-tæ-mæ-turn) *adj* insufficient, inadequate
riittävä (*reet*-tæ-væ) *adj* sufficient, enough, adequate
riittää (*reet*-tææ) *v* suffice; *do
riivattu (*reevaht*-too) *adj* possessed
riivinrauta (*ree*-vin-rou-tah) *n* grater
rikas (*ri*-kahss) *adj* rich
rikastin (ri-kahss-tin) *n* choke
rikkalaatikko (rik-kah-*laa*-tik-koa) *n* dustbin; trash can *Am*
rikkaruoho (rik-kah-*rwoa*-hoa) *n* weed
rikkaus (*rik*-kah-ooss) *n* riches *pl*
rikki (*rik*-ki) *adv* broken
rikkinäinen (rik-ki-næᵉᵉ-nayn) *adj* broken
rikkoa (*rik*-koa-ah) *v* *break; ~ **jtkn vastaan** offend
rikkomus (*rik*-koa-mooss) *n* offence
rikoksentekijä (*ri*-koak-sayn-*tay*-ki-Υæ) *n* criminal
rikollinen (*ri*-koal-li-nayn) *n* criminal; *adj* criminal
rikollisuus (*ri*-koal-li-sōōss) *n* criminality
rikos (*ri*-koass) *n* crime; **rikos-** criminal
rikoslaki (*ri*-koass-*lah*-ki) *n* criminal law
rikostoveri (*ri*-koass-toa-vay-ri) *n* accessary
rinnakkainen (*rin*-nahk-kigh-nayn) *adj* parallel
rinnastaa (*rin*-nahss-taa) *v* co-ordinate
rinnastus (*rin*-nahss-tooss) *n* co-ordination
rinne (*rin*-nay) *n* hillside, slope
rinta (*rin*-tah) *n* breast, chest, bosom
rintakehä (*rin*-tah-kay-hæ) *n* chest

rintakuva (*rin*-tah-*koo*-vah) *n* bust
rintaliivit (*rin*-tah-*lee*-vit) *pl* brassiere, bra
rintaneula (*rin*-tah-*nay*^{oo}-lah) *n* brooch
rintauinti (*rin*-tah-*oo*^{ee}n-ti) *n* breast-stroke
ripeä (*ri*-pay-æ) *adj* prompt
ripittäytyä (*ri*-pit-tæ^{ew}-tew-æ) *v* confess
rippi (*rip*-pi) *n* confession
ripuli (*ri*-poo-li) *n* diarrhoea
ripustaa (*ri*-pooss-taa) *v* *hang
ripustin (*ri*-pooss-tin) *n* hanger
riski (*riss*-ki) *n* chance
risteily (*riss*-tay-lew) *n* cruise
risteys (*riss*-tay-ewss) *n* intersection, crossing; junction, crossroads
risti (*riss*-ti) *n* cross
ristiinnaulita (*riss*-teen-*nou*-li-tah) *v* crucify
ristiinnaulitseminen (*riss*-teen-*nou*-lit-say-mi-nayn) *n* crucifixion
ristimänimi (*riss*-ti-mæ-*ni*-mi) *n* Christian name
ristiretki (*riss*-ti-*rayt*-ki) *n* crusade
ristiriita (*riss*-ti-*ree*-tah) *n* conflict
ristiriitainen (*riss*-ti-*ree*-tigh-nayn) *adj* contradictory
ritari (*ri* tah-ri) *n* knight
riutta (ree^{oo}t-tah) *n* reef
rivi (*ri*-vi) *n* rank, row; line
rivistö (*ri*-viss-tur) *n* column
rohdoskauppa (*roah*-doass-*koup*-pah) *n* chemist's; drugstore *nAm*
rohjeta (*roah*-Yay-tah) *v* dare
rohkaista (*roah*-kighss-tah) *v* encourage
rohkea (*roah*-kay-ah) *adj* brave, courageous; bold
rohkeus (*roah*-kay-ooss) *n* courage
roju (*roa*-Yoo) *n* trash
rokottaa (*roa*-koat-taa) *v* vaccinate; inoculate
rokotus (*roa*-koa-tooss) *n* vaccination; inoculation

romaani (*roa*-maa-ni) *n* novel
romaanikirjailija (*roa*-maa-ni-*keer*-Yigh-li-Yah) *n* novelist
romahtaa (*roa*-mahh-taa) *v* collapse
Romania (*roa* mah-ni-ah) Rumania
romanialainen (*roa*-mah-ni-ah-ligh-nayn) *n* Rumanian; *adj* Rumanian
romanssi (*roa*-mahns-si) *n* romance
romanttinen (*roa*-mahnt-ti-nayn) *adj* romantic
romu (*roa*-moo) *n* junk
roomalaiskatolinen (*rōa*-mah-lighss-*kah*-toa-li-nayn) *adj* Roman Catholic
roska (*roass*-kah) *n* rubbish
roskasanko (*roass*-kah-*sahng*-koa) *n* rubbish-bin
rosvo (*roass*-voa) *n* bandit, robber
rotko (*roat*-koa) *n* glen
rotta (*roat*-tah) *n* rat
rottinki (*roat*-ting-ki) *n* rattan
rotu (*roa*-too) *n* breed, race; rotu-racial
routa (*roa*-tah) *n* frost
rouva (*roa*-vah) *n* madam
rubiini (*roo*-bee-ni) *n* ruby
ruiske (*roo*^{ee}ss-kay) *n* injection, shot
ruisku (*roo*^{ee}ss-koo) *n* syringe, spout
ruiskuttaa (*roo*^{ee}ss-koot-taa) *v* inject
rukoilla (*roo*-koil-lah) *v* pray
rukous (*roo*-koa-ooss) *n* prayer
rukousnauha (*roo*-koa-ooss-*nou*-hah) *n* rosary, beads *pl*
rulettipeli (*roo*-layt-ti-*pay*-li) *n* roulette
rulla (*rool*-lah) *n* roll
rullaluistelu (*rool*-lah-*loo*^{ee}ss-tay-loo) *n* roller-skating
rullaportaat (*rool*-lah-*poar*-taat) *pl* escalator
rullatuoli (*rool*-lah-*twoa*-li) *n* wheelchair
ruma (*roo*-mah) *adj* ugly
rumpu (*room*-poo) *n* drum
runo (*roo*-noa) *n* poem

runoilija (*roo*-noi-li-Yah) *n* poet

runous (*roo*-noa-ooss) *n* poetry

runsas (*roon*-sahss) *adj* abundant, plentiful

runsaus (*roon*-sah-ooss) *n* abundance, plenty

ruoansulatus (*rwoa*-ahn-*soo*-lah-tooss) *n* digestion

ruoansulatushäiriö (*rwoa*-ahn-*soo*-lah-tooss-*hæ*ee-li-ur) *n* indigestion

ruoho (*rwoa*-hoa) *n* grass

ruohokenttä (*rwoa*-hoa-*kaynt*-tæ) *n* lawn

ruoholaukka (*rwoa*-hoa-*louk*-kah) *n* chives *pl*

ruoka (*rwoa*-kah) *n* food; fare; **laittaa ruokaa** cook

ruoka-annos (*rwoa*-kah-*ahn*-noass) *n* helping

ruokahalu (*rwoa*-kah-*hah*-loo) *n* appetite

ruokailuvälineet (*rwoa*-kigh-loo-*væ*-li-nāyt) *pl* cutlery

ruokakaappi (*rwoa*-kah-*kaap*-pi) *n* larder

ruokakauppa (*rwoa*-kah-*koup*-pah) *n* grocer's

ruokalaji (*rwoa*-kah-*lah*-Yi) *n* course, dish

ruokalista (*rwoa*-kah-*liss*-tah) *n* menu; **kiinteä ~** set menu

ruokalusikka (*rwoa*-kah-*loo*-sik-kah) *n* tablespoon

ruokamyrkytys (*rwoa*-kah-*mewr*-kew-tewss) *n* food poisoning

ruokasali (*rwoa*-kah-*sah*-li) *n* dining-room

ruokatarvikkeet (ay-lin-*tahr*-vik-kāyt) *pl* provisions *pl*, food-stuffs *pl*

ruokavalio (*rwoa*-kah-*vah*-li-oa) *n* diet

ruokaöljy (*rwoa*-kah-*url*-Yew) *n* salad-oil

ruokkia (*rwoak*-ki-ah) *v* *feed

ruoko (*rwoa*-koa) *n* cane

ruokoton (*rwoa*-koa-toan) *adj* obscene

ruorimies (*rwoa*-ri-*myayss*) *n* helmsman

ruoska (*rwoass*-kah) *n* whip

ruoskia (*rwoass*-ki-ah) *v* flog; whip

ruoste (*rwoass*-tay) *n* rust

ruosteinen (*rwoass*-tay-nayn) *adj* rusty

ruoto (*rwoa*-toa) *n* fishbone, bone

ruotsalainen (*rwoat*-sah-ligh-nayn) *n* Swede; *adj* Swedish

Ruotsi (*rwoat*-si) Sweden

rupatella (*roo*-pah-tayl-lah) *v* chat

rupattelu (*roo*-paht-tay-loo) *n* chat

rupisammakko (*roo*-pi-*sahm*-mahk-koa) *n* toad

rusetti (*roo*-sayt-ti) *n* bow tie

rusina (*roo*-si-nah) *n* raisin

ruskea (*rooss*-kay-ah) *adj* brown

ruskeaverikkö (*rooss*-kay-ah-*vay*-rik-kur) *n* brunette

ruskettunut (*rooss*-kayt-too-noot) *adj* tanned

rusto (*rooss*-toa) *n* cartilage

rutiini (*roo*-tee-ni) *n* routine

rutikuiva (*roo*-ti-*koo*ee-vah) *adj* arid

ruudullinen (*rōō*-dool-li-nayn) *adj* chequered

ruuhka (*rōōh*-kah) *n* jam

ruuhka-aika (*rōōh*-kah-*igh*-kah) *n* rush-hour, peak hour

ruukku (*rōōk*-koo) *n* jar

ruumiinavaus (*rōō*-meen-*ah*-vah-ooss) *n* autopsy

ruumis (*rōō*-miss) *n* corpse

ruusu (*rōō*-soo) *n* rose

ruusukaali (*rōō*-soo-*kaa*-li) *n* sprouts *pl*

ruuti (*rōō*-ti) *n* gunpowder

ruutu (*rōō*-too) *n* pane; check

ruuvata (*rōō*-vah-tah) *v* screw

ruuvi (*rōō*-vi) *n* screw

ruuvipuristin (*rōō*-vi-*poo*-riss-tin) *n* clamp

ruuvitaltta (*rōō*-vi-*tahlt*-tah) *n* screwdriver

ryhmä (*rewh*-mæ) *n* group; bunch

ryhtyä jhk (*rewh*-tew-æ) *undertake; **ryhtyä uudelleen** resume

rynnätä (*rewn*-næ-tæ) *v* rush

rypistää (*rew*-piss-tææ) *v* crease

ryppy (*rewp*-pew) *n* wrinkle

rystynen (*rewss*-tew-nayn) *n* knuckle

rytmi (*rewt*-mi) *n* rhythm

ryömiä (*rew*ur-mi-æ) *v* *creep, crawl

ryöstää (*rew*urss-tææ) *v* rob

ryöstö (*rew*urss-tur) *n* robbery; **aseellinen** ~ hold-up

räiskyttää (*ræ*ee*ss*-kewt-tææ) *v* splash

räjähdys (*ræ*-Yæh-dewss) *n* explosion, blast

räjähdysaine (*ræ*-Yæh-dewss-*igh*-nay) *n* explosive

räjähtävä (*ræ*-Yæh-tæ-væ) *adj* explosive

räjähtää (*ræ*-Yæh-tææ) *v* explode

räme (*ræ*-may) *n* marsh

ränsistynyt (*ræn*-siss-tew-newt) *adj* ramshackle

räsähdys (*ræ*-sæh-dewss) *n* crack

räsähtää (*ræ*-sæh-tææ) *v* crack

räyhäävä (*ræ*ew-hæææ-væ) *adj* rowdy

rääkäisy (*rææ*-kæ ee-sew) *n* shriek

räätäli (*rææ*-tæ-li) *n* tailor

räätälintekemä (*rææ*-tæ-lin-*tay*-kay-mæ) *adj* tailor-made

röntgenkuva (*rurnt*-gayn-*koo*-vah) *n* X-ray; **ottaa** ~ X-ray

röyhkeys (*rur*ew*h*-kay-ewss) *n* insolence; nerve

röyhkeä (*rur*ew*h*-kay-æ) *adj* insolent, bold

S

saada (*saa*-dah) *v* *get; *have, contract; *may, *be allowed to; ~ **aikaan** achieve; effect; ~ **alkunsa** *arise; ~ **luopumaan** dissuade from; ~ **oppiarvo** graduate; ~ **osakseen** receive; ~ **takaisin** recover; ~ **tekemään** jtn cause to; ~ **vakuuttuneeksi** convince

saakka (*saak*-kah) *postp* until, till

saapas (*saapahss*) *n* boot

saapua (*saa*-poo-ah) *v* arrive

saapuminen (*saa*-poo-mi-nayn) *n* arrival

saapumisaika (*saa*-poo-miss-*igh*-kah) *n* time of arrival

saari (*saa*-ri) *n* island

saarna (*saar*-nah) *n* sermon

saarnata (*saar*-nah-tah) *v* preach

saarnatuoli (*saar*-nah-*twoa*-li) *n* pulpit

saartaa (*saar*-taa) *v* circle; encircle

saastainen (*saass*-tigh-nayn) *adj* filthy

saaste (*saass*-tay) *n* pollution

saastuttaminen (*saass*-toot-tah-mi-nayn) *n* pollution

saatavat (*saa*-tah-vaht) *pl* dues *pl*

saattaa (*saat*-taa) *v* conduct, accompany, escort; *take; ~ **hämilleen** embarrass; ~ **päätökseen** accomplish; ~ **ymmälle** confuse

saattaisi (*saat*-tigh-si) *v* (p saattaa) *might

saattue (*saat*-too-ay) *n* escort

saavuttaa (*saa*-voot-taa) *v* attain, achieve; reach; obtain

saavutus (*saa*-voo-tooss) *n* achievement

sade (*sah*-day) *n* rain; precipitation

sadekuuro (*sah*-dayk-*kōō*-roa) *n* shower

sademetsä (*sah*-daym-*mayt*-sæ) *n* jungle

sadetakki (*sah*-dayt-*tahk*-ki) *n* raincoat, mackintosh

safiiri (*sah*-fee-ri) *n* sapphire

saha (*sah*-hah) *n* saw

sahajauho (*sah*-hah-*You*-hoa) *n* saw-dust

sahalaitos (*sah*-hah-*ligh*-toass) *n* saw-mill

saippua (*sighp*-poo-ah) *n* soap

sairaala (*sigh*-raa-lah) *n* hospital

sairaanhoitaja (*sigh*-raan-*hoi*-tah-*Yah*) *n* nurse

sairas (*sigh*-rahss) *adj* ill, sick

sairasauto (*sigh*-rahss-*ou*-toa) *n* ambulance

sairastupa (*sigh*-rahss-*too*-pah) *n* infirmary

sairaus (*sigh*-rah-ooss) *n* ailment, sickness, illness; affection

saita (*sigh*-tah) *adj* avaricious, stingy

sakariini (*sah*-kah-ree-ni) *n* saccharin

sakea (*sah*-kay-ah) *adj* thick

sakki (*sahk*-ki) *n* gang

šakki! (*shahk*-ki) check!

šakkilauta (shahk-ki-*lou*-tah) *n* checkerboard *nAm*

šakkipeli (*shahk*-ki-*pay*-li) *n* chess

sakko (*sahk*-koa) *n* penalty, fine

sakkolappu (*sahk*-koa-*lahp*-poo) *n* ticket

Saksa (*sahk*-sah) Germany

saksalainen (sahk-sah-ligh-nayn) *n* German; *adj* German

saksanpähkinä (*sahk*-sahn-*pæh*-ki-næ) *n* walnut

sakset (*sahk*-sayt) *pl* scissors *pl*

sala-ampuja (*sah*-lah-*ahm*-poo-*Yah*) *n* sniper

salaatti (*sah*-laat-ti) *n* salad

salahanke (sah-lah-*hahng*-kay) *n* plot

salainen (*sah*-ligh-nayn) *adj* secret

salaisuus (*sah*-ligh-sōōss) *n* secret

salakieli (*sah*-lah-*kyay*-li) *n* code

salakuljettaa (*sah*-lah-*kool*-*Y*ayt-taa) *v* smuggle

salaliitto (*sah*-lah-*leet*-toa) *n* plot

salama (*sah*-lah-mah) *n* lightning

salamavalolamppu (*sah*-lah-mah-*vah*-loa-*lahmp*-poo) *n* flash-bulb

salaperäinen (*sah*-lah-*pay*-ræ ee-nayn) *adj* mysterious

salapoliisiromaani (*sah*-lah-*poa*-lee-si-roa-maa-ni) *n* detective story

saldo (*sahl*-doa) *n* balance

sali (*sah*-li) *n* drawing-room

salkku (*sahlk*-koo) *n* briefcase

sallia (*sahl*-li-ah) *v* permit, allow; *let; olla sallittua *be allowed

sallimus (*sahl*-li-mooss) *n* destiny, fate

salonki (*sah*-loang-ki) *n* salon, lounge

salpa (*sahl*-pah) *n* bolt

salva (*sahl*-vah) *n* salve

sama (*sah*-mah) *adj* same

samalla (*sah*-mahl-lah) *adv* at once; ∼ kun whilst; ∼ tavalla alike

samanaikainen (*sah*-mahn-*igh*-kigh-nayn) *adj* simultaneous, contemporary

samanaikaisesti (*sah*-mahn-*igh*-kigh-sayss-ti) *adv* simultaneously

samanarvoinen (*sah*-mahn-*ahr*-voi-nayn) *adj* equivalent

samankaltainen (*sah*-mahn-kahl-tigh-nayn) *adj* alike

samanlainen (*sah*-mahn-ligh-nayn) *adj* similar; even

samanlaisuus (*sah*-mahn-ligh-sōōss) *n* similarity

samanmielinen (*sah*-mahn-*myay*-li-nayn) *adj* like-minded

sametinpehmeä (*sah*-may-tin-*payh*-may-æ) *adj* mellow

sametti (*sah*-mayt-ti) *n* velvet

sammakko (*sahm*-mahk-koa) *n* frog

sammal (*sahm*-mahl) *n* moss

sammutin (*sahm*-moo-tin) *n* fire-extinguisher

sammuttaa (*sahm*-moot-taa) *v* extinguish, *put out; switch off

samoin (*sah*-moin) *adv* as well, like-

wise
samppanja (*sahmp*-pahn-Yah) *n* champagne
sana (*sah*-nah) *n* word
sanakirja (*sah*-nah-*keer*-Yah) *n* dictionary
sananlasku (*sah*-nahn-*lahss*-koo) *n* proverb
sanansaattaja (*sah*-nahn-*saat*-tah-Yah) *n* messenger
sanasto (*sah*-nahss-toa) *n* vocabulary
sanaton (*sah*-nah-toan) *adj* speechless
sanavarasto (*sah*-nah-*vah*-rahss toa) *n* vocabulary
sandaali (*sahn*-daa-li) *n* sandal
sanella (*sah*-nayl-lah) *v* dictate
sanelu (*sah*-nay-loo) *n* dictation
sanelukone (*sah*-nay-loo-*koa*-nay) *n* dictaphone
sangat (*sahng*-ngaht) *pl* frame
sankari (*sahng*-kah-ri) *n* hero
sanko (*sahng*-koa) *n* pail, bucket
sanoa (*sah*-noa-ah) *v* *say
sanoma (*sah*-noa-mah) *n* message, tidings *pl*
sanomalehdistö (*sah*-noa-mah-*layh*-diss-tur) *n* press
sanomalehti (*sah*-noa-mah-*layh*-ti) *n* paper, newspaper
sanomalehtiala (*sah*-noa-mah-*layh*-ti-ah lah) *n* journalism
sanomalehtikoju (*sah*-noa-mah-*layh*-ti-*koa*-Yoo) *n* newsstand
sanomalehtimies (*sah*-noa-mah-*layh*-ti-*myayss*) *n* journalist
sanonta (*sah*-noan-tah) *n* phrase
saostaa (*sah*-oass-taa) *v* thicken
sappi (*sahp*-pi) *n* gall, bile
sappikivi (*sahp*-pi-*ki*-vi) *n* gallstone
sappirakko (*sahp*-pi-*rahk*-koa) *n* gall bladder
sarana (*sah*-rah-nah) *n* hinge
sarastus (*sah*-rahss-tooss) *n* dawn
sardiini (*sahr*-dee-ni) *n* sardine

sarja (*sahr*-Yah) *n* series; set
sarjakuva (*sahr*-Yah-*koo*-vah) *n* comics *pl*
sarvi (*sahr*-vi) *n* horn
sarvikuono (*sahr*-vi-*kwoa*-noa) *n* rhinoceros
sata (*sah*-tah) *num* hundred
sataa (*sah*-taa) *v* rain; ~ **lunta** snow
satakieli (*sah*-tah-*kyay*-li) *n* nightingale
satama (*sah*-tah-mah) *n* seaport, port, harbour
satamalaituri (*sah*-tah-mah-*ligh*-too-ri) *n* quay, dock, wharf
satamatyöläinen (*sah*-tah-mah-*t*ewurlæee-nayn) *n* docker
sateenkaari (*sah*-tāyng-*kaa*-ri) *n* rainbow
sateenpitävä (*sah*-tāym-*pi*-tæ-væ) *adj* rainproof
sateensuoja (*sah*-tāyn-*swoa*-Yah) *n* umbrella
sateinen (*sah*-tay-nayn) *adj* rainy
satelliitti (*sah*-tayl-leet-ti) *n* satellite
satiini (*sah*-teeni) *n* satin
sato (*sah*-toa) *n* crop, harvest
sattua (*saht*-too-ah) *v* occur, happen; ~ **samaan aikaan** coincide
sattuma (*saht*-too-mah) *n* luck; chance
sattumalta (*saht*-too-mahl-tah) *adv* by chance
satu (*sah*-too) *n* fairytale
satula (*sah*-too-lah) *n* saddle
satunnainen (*sah*-toon-nigh-nayn) *adj* accidental, incidental, casual
satuttaa (*sah*-toot-taa) *v* *hit
Saudi-Arabia (*sou*-di-*ah*-rah-bi-ah) Saudi Arabia
saudiarabialainen (*sou*-di-*ah*-rah-bi-ah-ligh-nayn) *adj* Saudi Arabian
sauma (*sou*-mah) *n* seam
saumaton (*sou*-mah-toan) *adj* seamless

sauna (*sou*-nah) *n* sauna; **turkkilainen** ~ Turkish bath

savi (*sah*-vi) *n* clay

saviastiat (*sah*-vi-*ahss*-ti-aht) *pl* earthenware, pottery, crockery

savitavara (*sah*-vi-*tah*-vah-rah) *n* pottery, crockery

savu (*sah*-voo) *n* smoke

savuke (*sah*-voo-kay) *n* cigarette

savukekotelo (*sah*-voo-kayk-*koa*-tay-loa) *n* cigarette-case

savuketupakka (*sah*-voo-kay-*too*-pahk-kah) *n* cigarette tobacco

savukkeensytytin (*sah*-vook-kāyn-sew-tew-tin) *n* cigarette-lighter

savupiippu (*sah*-voo-*peep*-poo) *n* chimney

se (say) *pron* it

seepra (*sāyp*-rah) *n* zebra

seerumi (*sāy*-roo-mi) *n* serum

seesteinen (*sāyss*-tay-nayn) *adj* serene

seikkailu (*sayk*-kigh-loo) *n* adventure

seikkaperäinen (*sayk*-kah-*pay*-ræ ee-nayn) *adj* detailed

seimi (*say*-mi) *n* manger

seinä (*say*-næ) *n* wall

seinäpaperi (*say*-næ-*pah*-pay-ri) *n* wallpaper

seinävaate (*say*-næ-*vaa*-tay) *n* tapestry

seis! (*sayss*) stop!

seisoa (*say*-soa-ah) *v* *stand

seisontavalo (*say*-soan-tah-*vah*-loa) *n* parking light

seitsemän (*sayt*-say-mæn) *num* seven

seitsemänkymmentä (*sayt*-say-mæn-*kewm*-mayn-tæ) *num* seventy

seitsemäntoista (*sayt*-say-mæn-*toiss*-tah) *num* seventeen

seitsemäs (*sayt*-say-mæss) *num* seventh

seitsemästoista (*sayt*-say-mæss-*toiss*-tah) *num* seventeenth

seiväs (*say*-væss) *n* pole

sekaantua (*say*-kaan-too-ah) *v* interfere with; involve

sekaantunut (*say*-kaan-too-noot) *adj* involved

sekalainen (*say*-kah-ligh-nayn) *adj* miscellaneous

sekamelska (*say*-kah-*mayls*-kah) *n* muddle

sekasorto (*say*-kah-*soar*-toa) *n* chaos

sekasortoinen (*say*-kah-*soar*-toi-nayn) *adj* chaotic

sekasotku (*say*-kah-*soat*-koo) *n* mess

sekatavarakauppias (*say*-kah-*tah*-vah-rah-*koup*-pi-ahss) *n* grocer

sekava (*say*-kah-vah) *adj* complex

šekki (*shayk*-ki) *n* cheque; check *nAm*

šekkivihko (*shayk*-ki-*vih*-koa) *n* cheque-book; check-book *nAm*

sekoitettu (*say*-koi-tayt-too) *adj* mixed

sekoittaa (*say*-koit-taa) *v* mix; muddle; ~ **kortit** shuffle

sekunti (*say*-koon-ti) *n* second

sekä ... että (*say*-kæ ayt-tæ) both ... and; as well as

selittämätön (*say*-lit-tæ-mæ-turn) *adj* unaccountable

selittää (*say*-lit-tææ) *v* explain

selitys (*say*-li-tewss) *n* explanation

selkä (*sayl*-kæ) *n* back

selkäranka (*sayl*-kæ-*rahng*-kah) *n* spine, backbone

selkäreppu (*sayl*-kæ-*rayp*-poo) *n* rucksack; knapsack

selkäsauna (*sayl*-kæ-*sou*-nah) *n* spanking

selkäsärky (*sayl*-kæ-*sær*-kew) *n* backache

sellainen (*sayl*-ligh-nayn) *adj* such

selleri (*sayl*-lay-ri) *n* celery

selli (*sayl*-li) *n* cell

sellofaani (*sayl*-loa-faani) *n* cellophane

selonteko (*say*-loan-*tay*-koa) *n* report, account

selostus (*say*-loass-tooss) *n* report

selventää (*sayl*-vayn-tææ) *v* clarify

selvittää (*sayl*-vit-tææ) *v* clarify; settle

selvitys (*sayl*-vi-tewss) *n* explanation

selvä (*sayl*-væ) *adj* clear, distinct, plain, evident

sementti (*say*-maynt-ti) *n* cement

senaatti (*say*-naat-ti) *n* senate

senaattori (*say*-naat-toa-ri) *n* senator

sen jälkeen (sayn ˅æl-kāyn) then; **sen jälkeen kun** since, after

sensaatio (*sayn*-saa-ti-oa) *n* sensation

sensuuri (*sayn*-sōō-ri) *n* censorship

senttimetri (*saynt*-ti-*mayt*-ri) *n* centimetre

seos (*say*-oass) *n* mixture

seppä (*sayp*-pæ) *n* smith, blacksmith

septinen (*sayp*-ti-nayn) *adj* septic

serkku (*sayrk*-koo) *n* cousin

seteli (*say*-tay-li) *n* banknote

setä (*say*-tæ) *n* uncle

seula (*say*ᵒᵒ-lah) *n* sieve

seuloa (*say*ᵒᵒ-loa-ah) *v* sift, sieve

seura (*say*ᵒᵒ-rah) *n* society, company

seuraava (*say*ᵒᵒ-raa-vah) *adj* next, following

seurakunta (*say*ᵒᵒ-rah-*koon*-tah) *n* congregation; parish

seuralainen (*say*ᵒᵒ-rah-ligh-nayn) *n* companion

seurata (*say*ᵒᵒ-rah-tah) *v* follow; succeed

seuraus (*soo*-rah-ooss) *n* consequence, result; **olla seurauksena** result

seurue (*say*ᵒᵒ-roo-ay) *n* party

seurustella (*say*ᵒᵒ-rooss-tayl-lah) *v* mix with, associate with

seurustelu (*say*ᵒᵒ-rooss-tay-loo) *n* intercourse

seutu (*say*ᵒᵒ-too) *n* region

shortsit (*shoart*-sit) *pl* shorts *pl*

Siam (*si*-ahm) Siam

siamilainen (*si*-ah-mi-ligh-nayn) *n* Siamese; *adj* Siamese

sianliha (*si*-ahn-*li*-hah) *n* pork

siannahka (*si*-ahn-*nahh*-kah) *n* pigskin

side (*si*-day) *n* bandage

siedettävä (*syay*-dayt-tæ-væ) *adj* tolerable

siellä (*syayl*-læ) *adv* there

sielu (*syay*-loo) *n* soul; spirit

siemaus (*syay*-mah-ooss) *n* sip

siemon (*syay*-mayn) *n* pip; seed

siemenkota (*syay*-mayng-*koa*-tah) *n* core

sieni (*syay*-ni) *n* mushroom, toadstool

sierain (*syay*-righn) *n* nostril

sietämätön (*syay*-tæ-mæ-turn) *adj* unbearable; intolerable

sietää (*syay*-tææ) *v* *bear, endure

sievä (*syay*-væ) *adj* pretty

sifoni (*si*-foa-ni) *n* syphon

sihteeri (*sih*-tāy-ri) *n* secretary, clerk

siili (*see*-li) *n* hedgehog

siipi (*see*-pi) *n* wing

siipikarja (*see*-pi-*kahr*-˅ah) *n* fowl, poultry

siirappi (*see*-rahp-pi) *n* syrup

siirrettävä (*seer*-rayt-tæ-væ) *adj* mobile

siirto (*seer*-toa) *n* transport; move

siirtokunta (*seer*-toa-*koon*-tah) *n* colony

siirtolainen (*seer*-toa-ligh-nayn) *n* emigrant

siirtyminen (*seer*-tew-mi-nayn) *n* transition

siirtää (*seer*-tææ) *v* transfer; move

siis (*seess*) *adv* consequently

siisti (*seess*-ti) *adj* clean, tidy

siivilä (*see*-vi-læ) *n* strainer

siivilöidä (*see*-vi-lur ᵉᵉ-dæ) *v* strain

siivooja (*see*-vōa-˅ah) *n* chambermaid

siivota (*see*-voa-tah) v clean; tidy up

siivoton (*see*-voa-toan) adj filthy, foul

siivottomuus (*see*-voat-toa-mōōss) n mess

siivous (*seevoa*-ooss) n cleaning

sija (*si*-ᵞah) n room

sijainen (*si*-ᵞigh-nayn) n substitute, deputy

sijainti (*si*-ᵞighn-ti) n situation, location, site

sijaitseva (*si*-ᵞight-say-vah) adj situated

sijasta (*si*-ᵞahss-tah) postp instead of

sijoittaa (*si*-ᵞoit-taa) v *lay, *put; place

sijoittaja (*si*-ᵞoit-tah-ᵞah) n investor

sijoitus (*si*-ᵞoi-tooss) n investment

sikari (*si*-kah-ri) n cigar

sikotauti (*si*-koa-*tou*-ti) n mumps

siksi (*sik*-si) adv therefore

sileä (*si*-lay-æ) adj smooth, even; level

silittää (*si*-lit-tææ) v press, iron

silitysrauta (*si*-li-tewss-*rou*-tah) n iron

silkka (*silk*-kah) adj sheer

silkki (*silk*-ki) n silk

silkkinen (*silk*-ki-nayn) adj silken

silkkiäismarja (*silk*-ki-æ ᵉᵉss-*mahr*-ᵞah) n mulberry

silli (*sil*-li) n herring

silloin (*sil*-loin) adv then; ~ kun when; ~ tällöin occasionally, now and then

sillä (*sil*-læ) conj for; ~ aikaa kun while; ~ välin in the meantime, meanwhile

silminnäkijä (*sil*-min-*næ*-ki-ᵞæ) n eyewitness

silmukka (*sil*-mook-kah) n loop, link

silmä (*sil*-mæ) n eye

silmäehostus (*sil*-mæ-*ay*-hoass-tooss) n eye-shadow

silmäillä (*sil*-mæ ᵉᵉl-læ) v glance

silmälasit (*sil*-mæ-*lah*-sit) pl spectacles, glasses

silmäluomi (*sil*-mæ-*lwoa*-mi) n eyelid

silmälääkäri (*sil*-mæ-*læ*æ-kæ-ri) n oculist

silmänräpäys (*sil*-mæn-ræ-pæ-ewss) n second

silmäripsi (*sil*-mæ-*rip*-si) n eyelash

silmäripsiväri (*sil*-mæ-*rip*-si-væ-ri) n mascara

silmäys (*sil*-mæ-ewss) n look, glance

silmäänpistävä (*sil*-mææm-*piss*-tævæ) adj striking

silokampela (*si*-loa-*kahm*-pay-lah) n brill

silta (*sil*-tah) n bridge

silti (*sil*-ti) adv yet

simpukka (*sim*-pook-kah) n mussel

sinappi (*si*-nahp-pi) n mustard

sinetti (*si*-nayt-ti) n seal

sinfonia (*sin*-foa-ni-ah) n symphony

singahduttaa (*sing*-gahh-doot-taa) v launch

sininen (*si*-ni-nayn) adj blue

sinipunainen (*si*-ni-*poo*-nigh-nayn) adj violet

sinkilä (*sin*-ki-læ) n clamp, staple

sinkki (*singk*-ki) n zinc

sinne (*sin*-nay) adv there

sinulle (*si*-nool-lay) pron you

sinun (*si*-noon) pron your

sinä (*si*-næ) pron you

sipuli (*si*-poo-li) n onion; bulb

sireeni (*si*-rāy-ni) n siren

sirkka (*seerk*-kah) n cricket

sirkus (*seer*-kooss) n circus

sirotella (*si*-roa-tayl-lah) v scatter

sirpale (*seer*-pah-lay) n splinter

sisar (*si*-sahr) n sister

sisarenpoika (*si*-sah-raym-*poi*-kah) n nephew

sisarentytär (*si*-sah-rayn-*tew*-tær) n niece

sisu (*si*-soo) n guts

sisukas (*si*-soo-kahss) adj plucky

sisus (*si*-sooss) *n* core
sisusta (*si*-sooss-tah) *n* interior
sisustaa (*si*-sooss-taa) *v* furnish
sisä- (*si*-sæ) indoor
sisäinen (*si*-sæ ᵉᵉ-nayn) *adj* inner, internal; **sisä-** inside
sisäkatto (*si*-sæ-*kaht*-toa) *n* ceiling
sisäkkö (*si*-sæk-kur) *n* housemaid
sisällys (*si*-sæl-lewss) *n* contents *pl*
sisällysluettelo (*si*-sæl-lewss-*loo*-ayt-tay-loa) *n* table of contents
sisällytetty (*si*-sæl-lew-tayt-tew) *adj* included
sisällyttää (*si*-sæl-lewt-tææ) *v* insert
sisällä (*si*-sæl-læ) *postp* inside; *adv* within, indoors
sisälmykset (*si*-sæl-mewk-sayt) *pl* bowels *pl*, insides
sisältä (*si*-sæl-tæ) *adv* inside
sisältää (*si*-sæl-tææ) *v* contain, comprise, include
sisäoppilaitos (*si*-sæ-*oap*-pi-*ligh*-toass) *n* boarding-school
sisäpuolella (*si*-sæ-*pwoa*-layl-lah) *postp* within
sisäpuoli (*si*-sæ-*pwoa*-li) *n* inside
sisärengas (*si*-sæ-*rayng*-ngahss) *n* inner tube
sisässä (*si*-sæss-sæ) *adv* inside
sisään (*si*-sææn) *adv* in; *postp* inside, into
sisäänkäynti (*si*-sææng-*kæ*ᵉʷⁿ-ti) *n* entry, way in
sisäänkäytävä (*si*-sææng-*kæ*ᵉʷ-tævæ) *n* entrance, entry
sisäänpäin (*si*-sææm-*pæ*ᵉᵉn) *adv* inwards
sisäänpääsy (*si*-sææn-*pææ*-sew) *n* admission, entry
sisääntulo (*si*-sææn-*too*-loa) *n* entrance
siteerata (*si*-*tāy*-rah-tah) *v* quote
siten (*si*-tayn) *adv* so
sitkeä (*sit*-kay-æ) *adj* tough

sitoa (*si*-toa-ah) *v* *bind, tie; ~ haava* dress; *~ yhteen* bundle
sitoumus (*si*-toa-oo-mooss) *n* engagement
sitoutua (*si*-toa-oo-too-ah) *v* engage
sitruuna (*sit*-rōō-nah) *n* lemon
sitten (*sit*-tayn) *adv* then; *postp* ago
sittenkin (*sit*-tayng-kin) *adv* still
sitäpaitsi (*si*-tæ-*pight*-si) *adv* besides, also
siunata (*see*ᵒᵒ-nah-tah) *v* bless
siunaus (*see*ᵒᵒ-nah-ooss) *n* blessing
siveellinen (*si*-*vāyl*-li-nayn) *adj* moral
sivellin (*si*-vayl-lin) *n* paint-brush, brush
siveysoppi (*si*-vay-ewss-*oap*-pi) *n* morality
siveä (*si*-vay-æ) *adj* chaste
siviili- (*si*-vee-li) civilian
siviilioikeus (*si*-vee-li-*oi*-kay-ooss) *n* civil law, civilian
sivistymätön (*si*-viss-tew-mæ-turn) *adj* vulgar
sivistynyt (*si*-viss-tew-newt) *adj* cultured, civilized
sivistys (*si*-viss-tewss) *n* civilization; culture
sivu (*si*-voo) *n* page; side; **sivu-** additional
sivujoki (*si*-voo-ʸoa-ki) *n* tributary
sivukatu (*si*-voo-*kah*-too) *n* side-street
sivulaiva (*si*-voo-*ligh*-vah) *n* aisle
sivulle (*si*-vool-lay) *adv* sideways
sivumennen sanoen (*si*-voo-mayn-nayn *sah*-noa-ayn) by the way
sivumerkitys (*si*-voo-*mayr*-ki-tewss) *n* connotation
sivuun (*si*-vōōn) *adv* aside
sivuuttaa (*si*-vōōt-taa) *v* pass
sivuvalo (*si*-voo-*vah*-loa) *n* sidelight
skandinaavi (*skahn*-di-naa-vi) *n* Scandinavian
skandinaavinen (*skahn*-di-naa-vi-nayn) *adj* Scandinavian

Skandinavia (*skahn*-di-nah-vi-ah)
Scandinavia
skootteri (*skōat*-tay-ri) *n* scooter
Skotlanti (*skoat*-lahn-ti) Scotland
skotlantilainen (*skoat*-lahn-ti-ligh-nayn) *n* Scot; *adj* Scottish, Scotch
slummi (*sloom*-mi) *n* slum
smaragdi (*smah*-rahg-di) *n* emerald
smokki (*smoak*-ki) *n* dinner-jacket;
tuxedo *nAm*
sohva (*soah*-vah) *n* sofa
soihtu (*soih*-too) *n* torch
soikea (*soi*-kay-ah) *adj* oval
soinen (*soi*-nayn) *adj* marshy
sointi (*soin*-ti) *n* tone
sointu (*soin*-too) *n* sound
sointuva (*soin*-too-vah) *adj* tuneful
soitin (*soi*-tin) *n* musical instrument
soittaa (*soit*-taa) *v* *ring, play; ~ pu-helimella phone, call, ring up; call up *Am*
soittokello (*soit*-toa-*kayl*-loa) *n* bell
sokaista (*soa*-kighss-tah) *v* blind
sokea (*soa*-kay-ah) *adj* blind
sokeri (*soa*-kay-ri) *n* sugar
sokerileipomo (*soa*-kay-ri-lay-poa-moa) *n* pastry shop
sokerileipuri (*soa*-kay-ri-*lay*-poo-ri) *n* confectioner
sokeripala (*soa*-kay-ri-*pah*-lah) *n* lump of sugar
sokeritauti (*soa*-kay-ri-*tou*-ti) *n* diabetes
sokeritautinen (*soa*-kay-ri-*tou*-ti-nayn) *n* diabetic
sokkelo (*soak*-kay-loa) *n* maze, labyrinth
sola (*soa*-lah) *n* mountain pass
solakka (*soa*-lahk-kah) *adj* slim
solisluu (*soa*-liss-*lōo*) *n* collarbone
solki (*soal*-ki) *n* buckle
solmia (*soal*-mi-ah) *v* knot, tie
solmio (*soal*-mi-oa) *n* necktie, tie
solmu (*soal*-moo) *n* knot

solmuke (*soal*-moo-kay) *n* bow tie
soma (*soa*-mah) *adj* neat
sommitella (*soam*-mi-tayl-lah) *v* compile
sommittelu (*soam*-mit-tay-loo) *n* composition
sonta (*soan*-tah) *n* muck
sooloesitys (*sōa*-loa-ay-si-tewss) *n* recital
sopia (*soa*-pi-ah) *v* suit, fit; ~ jklle suit; ~ yhteen agree, match
sopimaton (*soa*-pi-mah-toan) *adj* improper, unsuitable, unfit; misplaced, inconvenient
sopimus (*soa*-pi-mooss) *n* agreement; treaty, settlement; contract
sopiva (*soa*-pi-vah) *adj* proper, suitable, appropriate, convenient
sopusointu (*soa*-poo-soin-too) *n* harmony
sora (*soa*-rah) *n* grit, gravel
sorkkarauta (*soark*-kah-*rou*-tah) *n* crowbar
sormenjälki (*soar*-mayn-*Yæl*-ki) *n* fingerprint
sormi (*soar*-mi) *n* finger
sormus (*soar*-mooss) *n* ring
sormustin (*soar*-mooss-tin) *n* thimble
sortaa (*soar*-taa) *v* oppress
sosialismi (*soa*-si-ah-liss-mi) *n* socialism
sosialisti (*soa*-si-ah-liss-ti) *n* socialist
sosialistinen (*soa*-siah-liss-ti-nayn) *adj* socialist
sota (*soa*-tah) *n* war; **sotaa edeltävä** pre-war
sotalaiva (*soa*-tah-ligh-vah) *n* man-of-war
sotamies (*soa*-tah-*myayss*) *n* knave
sotavanki (*soa*-tah-*vahng*-ki) *n* prisoner of war
sotavoimat (*soa*-tah-*voi*-maht) *pl* military force; armed forces
sotilas (*soa*-ti-lahss) *adj* military; *n*

pawn, soldier
sotkea (*soat*-kay-ah) v mess up
sotku (*soat*-koo) n muddle
soutaa (*soa*-taa) v row
soutuvene (*soa*-too-*vay*-nay) n row-
ing-boat
sovelias (*soa*-vay-li-ahss) adj proper,
fit
soveltaa (*soa*-vayl-taa) v adjust, apply
soveltaminen (*soa*-vayl-tah-mi-nayn) n
application
sovinto (*soa*-vin-toa) n reconciliation;
settlement
sovittaa (*soa*-vit-taa) v adapt, suit;
try on
sovitteluratkaisu (*soa*-vit-tay-loo-*raht*-
kigh-soo) n compromise
sovittu! (*soa*-vit-too) okay!
sovitushuone (*soa*-vi-tooss-*hwoa*-nay)
n fitting room
spitaalitauti (*spi*-taa-li-*tou*-ti) n lep-
rosy
spriikeitin (*spree*-kay-tin) n spirit
stove
stadion (stah-di-oan) n stadium
steriili (*stay*-ree-li) adj sterile
sterilisoida (*stay*-ri-li-soi-dah) v steril-
ize
strutsi (*stroot*-si) n ostrich
stuertti (*stoo*-ayrt-ti) n steward
suahili (*soo*-ah-hi-li) n Swahili
substantiivi (*soob*-stahn-tee-vi) n
noun
suhde (*soohday*) n relation, propor-
tion; connection; affair
suhteellinen (*sooh*-tāy-l-li-nayn) adj
proportional, relative, comparative
suhteen (*sooh*-tāyn) postp concerning
suihku (*soo*ᵉᵉh-koo) n shower; jet,
squirt
suihkukaivo (*soo*ᵉᵉh-koo-*kigh*-voa) n
fountain
suihkukone (*soo*ᵉᵉh-koo-*koa*-nay) n jet
suihkuturbiini (*soo*ᵉᵉh-koo-*toor*-bee-ni)

n turbojet
suippo (*soo*ᵉᵉp-poa) adj pointed
suisto (*soo*ᵉᵉss-toa) n estuary
suitsutus (*soo*ᵉᵉt-soo-tooss) n incense
sujuva (*soo*-Yoo-vah) adj fluent
sukeltaa (*soo*-kayl-taa) v dive
sukka (*sook*-kah) n stocking
sukkahousut (*sook*-kah-*hoa*-soot) pl
panty-hose, tights pl
sukkanauhaliivit (*sook*-kah-*nou*-hah-
lee-vit) pl suspender belt; garter
belt Am
sukkela (*sook*-kay-lah) adj witty
suklaa (*sook*-laa) n chocolate
suklaajuoma (*sook*-laa-ʸwoa-mah) n
chocolate
suksi (*sook*-si) n ski
suksisauvat (*sook*-si-*sou*-vaht) pl ski
sticks; ski poles Am
suku (*soo*-koo) n family; gender
sukulainen (*soo*-koo-ligh-nayn) n rela-
tive, relation
sukunimi (*soo*-koo-*ni*-mi) n family
name, surname
sukupolvi (*soo*-koo-*poal*-vi) n gener-
ation
sukupuoli (*soo*-koo-*pwoa*-li) n sex; su-
kupuoli- genital; sexual
sukupuolielämä (*soo*-koo-*pwoa*-li-ay-
læ-mæ) n sex
sukupuolisuus (*soo*-koo-*pwoa*-li-sōōss)
n sexuality
sukupuolitauti (*soo*-koo-*pwoa*-li-*tou*-ti)
n venereal disease
sulaa (*soo*-laa) v melt; thaw
sulake (*soo*-lah-kay) n fuse
sulattaa (*soo*-laht-taa) v digest
sulatusuuni (*soo*-lah-tooss-ōō-ni) n
furnace
sulhanen (*sool*-hah-nayn) n fiancé,
bridegroom
suljettu (*sool*-ʸayt-too) adj shut,
closed
sulkea (*sool*-kay-ah) v *shut, close;

fasten, turn off; ~ **pois** exclude;
~ **syliin** hug
sulku (*sool*-koo) *n* lock
sulkuportti (*sool*-koo-*poart*-ti) *n* sluice
sulo (*soo*-loa) *n* grace
suloinen (*soo*-loi-nayn) *adj* lovely,
graceful
summa (*soom*-mah) *n* sum, amount
sumu (*soo*-moo) *n* fog, mist
sumuinen (*soo*-moo^{ee}-nayn) *adj* foggy
sumutin (*soo*-moo-tin) *n* atomizer
sumuvalo (*soo*-moo-*vah*-loa) *n* fog-
lamp
sunnuntai (*soon*-noon-tigh) *n* Sunday
suntio (*soon*-ti-oa) *n* sexton
suo (*swoa*) *n* bog, swamp
suoda (*swoa*-dah) *v* allow, permit;
grant
suodatin (*swoa*-dah-tin) *n* filter
suoja (*swoa*-Yah) *n* shelter, cover
suojakaide (*swoa*-Yah-*kigh*-day) *n*
crash barrier
suojakangas (*swoa*-Yah-*kahng*-ngahss)
n tarpaulin
suojalasit (*swoa*-Yah-*lah*-sit) *pl*
goggles *pl*
suojapuku (*swoa*-Yah-*poo*-koo) *n* over-
alls *pl*
suojasää (*swoa*-Yah-*sææ*) *n* thaw
suojata (*swoa*-Yah-tah) *v* shelter
suojatie (*swoa*-Yah-*tyay*) *n* pedestrian
crossing; crosswalk *nAm*
suojella (*swoa*-Yayl-lah) *v* protect
suojelus (*swoa*-Yay-looss) *n* protec-
tion
suojus (*swoa*-Yooss) *n* screen
suola (*swoa*-lah) *n* salt
suola-astia (*swoa*-lah-*ahss*-ti-ah) *n*
salt-cellar
suolainen (*swoa*-ligh-nayn) *adj* salty
suoli (*swoa*-li) *n* gut, intestine
suolisto (*swoa*-liss-toa) *n* intestines,
bowels *pl*
suomalainen (*swoa*-mah-ligh-nayn) *n*

Finn; *adj* Finnish
Suomi (*swoa*-mi) Finland
suomus (*swoa*-mooss) *n* scale
suonenveto (*swoa*-nayn-*vay*-toa) *n*
cramp
suonikohju (*swoa*-ni-*koah*-Yoo) *n* vari-
cose vein
suora (*swoa*-rah) *adj* straight; direct;
right; **suoraa päätä** straight away
suoraan (*swoa*-raan) *adv* straight; ~
eteenpäin straight ahead; straight
on
suorakaide (*swoa*-rah-*kigh*-day) *n* ob-
long
suorakulmainen (*swoa*-rah-*kool*-migh-
nayn) *adj* rectangular
suorakulmio (*swoa*-rah-*kool*-mi-oa) *n*
rectangle
suorittaa (*swoa*-rit-taa) *v* perform,
execute; ~ **loppuun** complete
suosia (*swoa*-si-ah) *v* favour
suosikki (*swoa*-sik-ki) *n* favourite;
suosikki- pet
suosio (*swoa*-si-oa) *n* grace; **osoittaa**
suosiota clap
suosionosoitus (*swoa*-si-oan-*oa*-soi-
tooss) *n* applause
suositella (*swoa*-si-tayl-lah) *v* recom-
mend
suosittelija (*swoa*-sit-tay-li-Yah) *n* ref-
erence
suosittu (*swoa*-sit-too) *adj* popular
suositus (*swoa*-si-tooss) *n* recommen-
dation
suosituskirje (*swoa*-si-tooss-*keer*-Yay)
n letter of recommendation
suostua (*swoass*-too-ah) *v* consent,
agree
suostumus (*swoass*-too-mooss) *n* con-
sent
suostutella (*swoass*-too-tayl-lah) *v*
persuade
suotuisa (*swoa*-too^{ee}-sah) *adj* favour-
able

superlatiivi (*soo*-payr-lah-tee-vi) *n* superlative

superoksidi (*soo*-payr-*oak*-si-di) *n* peroxide

supistaa (*soo*-piss-taa) *v* *cut

suppea (*soop*-pay-ah) *adj* narrow

suppilo (*soop*-pi-loa) *n* funnel

surkea (*soor*-kay-ah) *adj* sad

surkeus (*soor*-kay-ooss) *n* misery

surkutella (*soor*-koo-tayl-lah) *v* pity

surmata (*soor*-mah-tah) *v* kill

surra (*soor*-rah) *v* grieve

suru (*soo*-roo) *n* sorrow, grief

suruaika (*soo*-roo-*igh*-kah) *n* mourning

surullinen (*soo*-rool-li-nayn) *adj* sad

surumielisyys (*soo*-roo-*myay*-li-sēwss) *n* melancholy

susi (*soo*-si) *n* wolf

suu (*sōō*) *n* mouth

suudella (*sōō*-dayl-lah) *v* kiss

suudelma (*sōō*-dayl-mah) *n* kiss

suukappale (*sōō*-*kahp*-pah-lay) *n* nozzle

suukko (*sōōk*-koa) *n* kiss

suullinen (*sōōl*-li-nayn) *adj* oral, verbal

suunnata (*sōōn*-nah-tah) *v* direct

suunnaton (*sōōn*-nah-toan) *adj* enormous, huge; immense

suunnilleen (*sōōn*-nil-lāyn) *adv* about

suunnistautua (*sōōn*-niss-tou-too-ah) *v* orientate

suunnitella (*sōōn*-ni-tayl-lah) *v* plan

suunnitelma (*sōōn*-ni-tayl-mah) *n* plan; project

suunta (*sōōn*-tah) *n* direction, way; course

suuntanumero (*sōōn*-tah-*noo*-may-roa) *n* area code

suuntavalo (*sōōn*-tah-*vah*-loa) *n* trafficator; directional signal *Am*

suupala (*sōō*-*pah*-lah) *n* bite

suurempi (*sōō*-raym-pi) *adj* superior, major

suurenmoinen (*sōō*-raym-moi-nayn) *adj* grand, splendid, magnificent, superb

suurennus (*sōō*-rayn-nooss) *n* enlargement

suurennuslasi (*sōō*-rayn-nooss-*lah*-si) *n* magnifying glass

suurentaa (*sōō*-rayn-taa) *v* enlarge

suuri (*sōō*-ri) *adj* big, large, great; major

suurin (*sōō*-rin) *adj* main

suurlähettiläs (*sōōr*-læ-hayt-ti-læss) *n* ambassador

suurlähetystö (*sōōr*-læ-hay-tewss-tur) *n* embassy

suurpiirteinen (*sōōr*-peer-tay-nayn) *adj* liberal

suuruus (*sōō*-rōōss) *n* size

suutari (*sōō*-tah-ri) *n* shoemaker

suuttumus (*sōōt*-too-mooss) *n* anger; indignation

suuttunut (*sōōt*-too-noot) *adj* angry

suuvesi (*sōō*-vay-si) *n* mouthwash

Sveitsi (*svayt*-si) Switzerland

sveitsiläinen (*svayt*-si-læ[ee]-nayn) *n* Swiss; *adj* Swiss

sydämellinen (*sew*-dæm-mayl-li-nayn) *adj* cordial, hearty

sydämentykytys (*sew*-dæm-mayn-*tew*-kew-tewss) *n* palpitation

sydämetön (*sew*-dæm-may-turn) *adj* heartless

sydän (*sew*-dæn) *n* heart

sydänkohtaus (*sew*-dæng-*koah*-tah-ooss) *n* heart attack

sydänkäpy (*sew*-dæn-*kæ*-pew) *n* sweetheart

syksy (*sewk*-sew) *n* autumn; fall *nAm*

syleillä (*sew*-lyayl-læ) *v* hug, embrace; cuddle

syleily (*sew*-lay-lew) *n* hug, embrace

sylinteri (*sew*-lin-tay-ri) *n* cylinder

sylinterinkansi (*sew*-lin-tay-ring-*kahn*-si) *n* cylinder head
sylkeä (*sewl*-kay-æ) *v* *spit
sylki (*sewl*-ki) *n* spit
synagoga (*sew*-nah-gōā-gah) *n* synagogue
synkkyys (*sewngk*-kēwss) *n* gloom
synkkä (*sewnk*-kæ) *adj* obscure, sombre, gloomy; dark
synnyinmaa (*sewn*-new-im-*maa*) *n* native country
synnynnäinen (*sewn*-newn-næ ᵉᵉ-nayn) *adj* born
synnytys (*sewn*-new-tewss) *n* childbirth, delivery
synnytyspoltot (*sewn*-new-tewss-*poal*-toat) *pl* labour
synonyymi (*sew*-noa-nēw-mi) *n* synonym
synteettinen (*sewn*-tāyt-ti-nayn) *adj* synthetic
synti (*sewn*-ti) *n* sin
syntipukki (*sewn*-ti-*pook*-ki) *n* scapegoat
synty (*sewn*-tew) *n* birth; rise
syntymä (*sewn*-tew-mæ) *n* birth
syntymäpaikka (*sewn*-tew-mæ-*pighk*-kah) *n* place of birth
syntymäpäivä (*sewn*-tew-mæ-*pæ*ᵉᵉ-væ) *n* birthday
syntyperä (*sewn*-tew-*pay*-ræ) *n* origin
syntyperäinen (*sewn*-tew-*pay*-ræ ᵉᵉ-nayn) *adj* native
syrjäinen (*sewr*-ᵞæ ᵉᵉ-nayn) *adj* remote; out of the way
syrjään (*sewr*-ᵞææn) *adv* aside
sysätä (*sew*-sæ-tæ) *v* push
sysäys (*sew*-sæ-ewss) *n* push; impulse
syttyminen (*sewt*-tew-mi-nayn) *n* outbreak
sytytin (*sew*-tew-tin) *n* lighter
sytyttää (*sew*-tewt-tææ) *v* *light; turn on

sytytys (*sew*-tew-tewss) *n* ignition
sytytyslaite (*sew*-tew-tewss-*ligh*-tay) *n* ignition coil
sytytyslanka (*sew*-tew-tewss-*lahng*-kah) *n* fuse
sytytystulppa (*sew*-tew-tewss-*toolp*-pah) *n* sparking-plug
syvyys (*sew*-vēwss) *n* depth
syvä (*sew*-væ) *adj* deep
syvämielinen (*sew*-væ-*myay*-li-nayn) *adj* profound
syy (*sēw*) *n* cause, reason; blame
syyhy (*sēw*-hew) *n* itch
syyhytä (*sēw*-hew-tæ) *v* itch
syyllinen (*sēw*l-li-nayn) *adj* guilty
syyllisyys (*sēw*l-li-sēwss) *n* guilt
Syyria (*sēw*-ri-ah) Syria
syyrialainen (*sēw*-ri-ah-ligh-nayn) *n* Syrian; *adj* Syrian
syyskuu (*sēw*ss-*kōō*) September
syytetty (*sēw*-tayt-tew) *n* accused
syyttää (*sēw*t-tææ) *v* accuse; charge
syytös (*sēw*-turss) *n* charge
syödä (sᵉʷur-dæ) *v* *eat; ~ **illallista** dine
syöksyä (sᵉʷurk-sew-æ) *v* dash; ~ **maahan** crash
syöpä (sᵉʷur-pæ) *n* cancer
syötti (sᵉʷurt-ti) *n* bait
syötävä (sᵉʷur-tæ-væ) *adj* edible; **syötäväksi kelpaamaton** inedible
säde (sæ-day) *n* ray, beam; radius
säe (sæ-ay) *n* verse
säestää (sæ-ayss-tææ) *v* accompany
sähke (sæh-kay) *n* telegram
sähkö (sæh-kur) *n* electricity
sähköasentaja (sæh-kur-*ah*-sayn-tah-ᵞah) *n* electrician
sähköinen (sæh-kur ᵉᵉ-nayn) *adj* electric
sähköparranajokone (sæh-kur-*pahr*-rahn-*ah*-ᵞoa-*koa*-nay) *n* electric razor, shaver
sähkösanoma (sæh-kur-*sah*-noa-mah)

n cable

sähköttää (*sæh*-kurt-tææ) *v* telegraph, cable

säie (*sæ*ᵉᵉ-ay) *n* fibre

säihke (*sæ*ᵉᵉʰ-kay) *n* glare

säiliö (*sæ*ᵉᵉ-li-ur) *n* container, reservoir; tank

säiliöalus (*sæ*ᵉᵉ-li-ur-*ah*-looss) *n* tanker

säilykepurkki (*sæ*ᵉᵉ-lew-kay-*poork*-ki) *n* tin

säilykerasia (*sæ*ᵉᵉ-lew-kayr-*rah*-si-ah) *n* tin; **säilykerasian avaaja** tinopener

säilykeruoka (*sæ*ᵉᵉ-lew-kayr-*rwoa*-kah) *n* tinned food

säilyttäminen (*sæ*ᵉᵉ-lewt-tæ-mi-nayn) *n* preservation

säilyttää (*sæ*ᵉᵉ-lewt-tææ) *v* *keep, preserve

säilytyspaikka (*sæ*ᵉᵉ-lew-tewss-*pighk*-kah) *n* depository

säilöä (*sæ*ᵉᵉ-lur-æ) *v* preserve

säkeistö (*sæ*-kayss-tur) *n* stanza

säkki (*sæk*-ki) *n* sack

sälekaihdin (*sæ*-layk-*kighh*-din) *n* blind

sälelaatikko (*sæ*-layl-*laa*-tik-koa) *n* crate

sämpylä (*sæm*-pew-læ) *n* bun, roll

särkeä (*sær*-kay-æ) *v* crack; ache

särki (*sær*-ki) *n* roach

särky (*sær*-kew) *n* ache

särkymätön (*sær*-kew-mæ-turn) *adj* unbreakable

särkyä (*sær*-kew-æ) *v* crack; **helposti särkyvä** fragile

sättiä (*sæt*-ti-æ) *v* scold

sävel (*sæ*-vayl) *n* melody, note

sävellys (*sæ*-vayl-lewss) *n* composition

sävelmä (*sæ*-vayl-mæ) *n* tune

säveltäjä (*sæ*-vayl-tæ-Yæ) *n* composer

sävy (*sæ*-vew) *n* nuance

säyseä (*sæ*ᵉʷ-say-æ) *adj* tame

sää (*sææ*) *n* weather

säädyllinen (*sææ*dewl-li-nayn) *adj* decent; proper

säädyllisyys (*sææ*-dewl-li-se̅w̅ss) *n* decency

säädytön (*εæ*ꝛ-dəw-turn) *adj* indecent

sääli (*sææ*-li) *n* pity

sääliä (*sææ*-li-æ) *v* pity

säännöllinen (*sææn*-nurl-li-nayn) *adj* regular

säännönmukainen (*sææn*-nurm-*moo*-kigh-nayn) *adj* regular

säännös (*sææn*-nurss) *n* regulation

säännöstellä (*sææn*-nurss-tayl-læ) *v* control

sääntö (*sææn*-tur) *n* rule

sääri (*sææ*-ri) *n* leg

sääski (*sææss*-ki) *n* mosquito

säästäväinen (*sææss*-tæ-væ ᵉᵉ-nayn) *adj* economical, thrifty

säästää (*sææss*-tææ) *v* spare; economize, save

säästöpankki (*sææss*-tur-*pahngk*-ki) *n* savings bank

säästörahat (*sææss*-tur-*rah*-haht) *pl* savings *pl*

säätiedotus (*sææ*-tyay-doa-tooss) *n* weather forecast

säätiö (*sææ*-ti-ur) *n* foundation

säätää (*sææ*-tææ) *v* regulate

säätö (*sææ*-tur) *n* regulation

T

taajuus (*taa*-Yo̅o̅ss) *n* frequency

taaksepäin (*taak*-sayp-*pæ*ᵉᵉn) *adv* backwards

taantuminen (*taan*-too-mi-nayn) *n* recession

taapertaja (*taa*-payr-tah-Yah) *n* toddler

taas (*taass*) *adv* again

taata (*taa*-tah) *v* guarantee

taateli (*taa*-tay-li) *n* date

tabletti (*tahb*-layt-ti) *n* tablet

tabu (*tah*-boo) *n* taboo

tahallaan (*tah*-hahl-laan) *adv* on purpose

tahallinen (*tah*-hahl-li-nayn) *adj* intentional

tahaton (*tah*-hah-toan) *adj* unintentional

tahdonvoima (tahh-doan-*voi*-mah) *n* will-power

tahmea (*tahh*-may-ah) *adj* sticky

tahna (*tahh*-nah) *n* paste

taho (*tah*-hoa) *n* way

tahra (*tahh*-rah) *n* spot, stain; blot

tahrainen (*tahh*-righ-nayn) *adj* spotted

tahranpoistoaine (*tahh*-rahn-*poiss*-toa-*igh*-nay) *n* stain remover

tahrata (*tahh*-rah-tah) *v* stain

tahraton (*tahh*-rah-toan) *adj* stainless, spotless

tahti (*tahh*-ti) *n* pace

tahto (*tahh*-toa) *n* will

tahtoa (*tahh*-toa-ah) *v* *will

tai (*tigh*) *conj* or

taide (*tigh*-day) *n* art; fine arts

taidegalleria (*tigh*-dayg-*gahl*-lay-ri-ah) *n* gallery, art gallery

taidehistoria (*tigh*-dayh-*hiss*-toa-ri-ah) *n* art history

taidekokoelma (*tigh*-dayk-*koa*-koa-ayl-mah) *n* art collection

taidekorkeakoulu (*tigh*-dayk-*koar*-kay-ah-*koa*-loo) *n* art school

taidenäyttely (*tigh*-dayn-*næ*ewt-tay-lew) *n* art exhibition

taideteollisuus (*tigh*-dayt-*tay*-oal-li-sōōss) *n* arts and crafts

taideteos (*tigh*-dayt-*tay*-oass) *n* work of art

taika (*tigh*-kah) *n* magic

taikausko (*tigh*-kah-*ooss*-koa) *n* superstition

taikina (*tigh*-ki-nah) *n* dough, batter

taikuri (*tigh*-koo-ri) *n* magician

taimisto (*tigh*-miss-toa) *n* nursery

taipuisa (*tigh*-poo*ee*-sah) *adj* flexible, supple

taipumus (*tigh*-poo-mooss) *n* tendency, inclination

taipuvainen (*tigh*-poo-vigh-nayn) *adj* inclined; olla ~ *be inclined to

taistella (*tighss*-tayl-lah) *v* *fight, battle; ~ jtkn vastaan combat

taistelu (*tighss*-tay-loo) *n* fight, battle; combat; strife, contest

taitava (*tigh*-tah-vah) *adj* skilled, smart, skilful

taite (*tigh*-tay) *n* fold

taiteellinen (*tigh*-tāyl-li-nayn) *adj* artistic

taiteilija (*tigh*-tay-li-ʏah) *n* artist

taito (*tigh*-toa) *n* art; ability, skill

taittaa (*tigh*-taa) *v* fold; fracture

taivaanranta (*tigh*-vaan-*rahn*-tah) *n* horizon

taivas (*tigh*-vahss) *n* heaven, sky

taivuttaa (*tigh*-voot-taa) *v* *bend; bow

tajuta (*tah*-ʏoo-tah) *v* perceive, *see; *take

tajuton (*tah*-ʏoo-toan) *adj* unconscious

tajuttomuus (*tah*-ʏoot-toa-mōōss) *n* coma

takaaja (*tah*-kaa-ʏah) *n* guarantor

takaisin (*tah*-kigh-sin) *adv* back

takaisinmaksu (*tah*-kigh-sin-*mahk*-soo) *n* refund, repayment

takamus (*tah*-kah-mooss) *n* bottom

takana (*tah*-kah-nah) *postp* behind

takaosa (*tah*-kah-*oa*-sah) *n* rear

takaus (*tah*-kah-ooss) *n* bail

takavalo (*tah*-kah-*vah*-loa) *n* tail-light, rear-light

takavarikoida (*tah*-kah-*vah*-ri-koi-dah) *v* confiscate, impound

takia (*tah*-ki-ah) *postp* because of
takka (*tahk*-kah) *n* fireplace
takki (*tahk*-ki) *n* coat
taksamittari (*tahk*-sah-*mit*-tah-ri) *n* taxi-meter
taksi (*tahk*-si) *n* cab, taxi
taksiasema (*tahk*-si-*ah*-say-mah) *n* taxi rank; taxi stand *Am*
taksinkuljettaja (*tahk*-sin-*kool*-Ⅴayt-tah-Ⅴah) *n* cab-driver
taktiikka (*tahk*-teek-kah) *n* tactics *pl*
takuu (*tah*-kōō) *n* guarantee; security
talja (*tahl*-Ⅴah) *n* hide
talkki (*tahlk*-ki) *n* talc powder
tallata (*tahl*-lah-tah) *v* stamp
tallelokero (*tahl*-layl-*loa*-kay-roa) *n* safe
tallettaa (*tahl*-layt-taa) *v* deposit; ∼ pankkiin bank
talletus (*tahl*-lay-tooss) *n* deposit
talli (*tahl*-li) *n* stable
talo (*tah*-loa) *n* house
talonmies (*tah*-loam-*myayss*) *n* janitor
talonomistaja (*tah*-loan-*oa*-miss-tah-Ⅴah) *n* landlord
talonpoika (*tah*-loam-*poi*-kah) *n* peasant
talonpoikaisvaimo (*tah*-loam-*poi*-kighss-*vigh*-moa) *n* farmer's wife
taloudellinen (*tah*-loa-oo-dayl-li-nayn) *adj* economical
taloudenhoitaja (*tah*-loa-oo-dayn-*hoi*-tah-Ⅴah) *n* housekeeper
taloudenhoito (*tah*-loa-oo-dayn-*hoi*-toa) *n* housekeeping
talous (*tah*-loa-ooss) *n* economy; household
talousarvio (*tah*-loa-ooss-*ahr*-vi-oa) *n* budget
taloussprii (*tah*-loa-ooss-*spree*) *n* methylated spirits
taloustieteellinen (*tah*-loa-ooss-*tyay*-tāyl-li-nayn) *adj* economic
taloustieteilijä (*tah*-loa-ooss-*tyay*-tay-

li-Ⅴæ) *n* economist
taltta (*tahlt*-tah) *n* chisel
talutushihna (*tah*-loo-tooss-*hih*-nah) *n* lead
talutusnuora (*tah*-loo-tooss-*nwoa*-rah) *n* leash
talvi (*tahl*-vi) *n* winter
talviurheilu (*tahl*-vi-*oor*-hay-loo) *n* winter sports
tamma (*tahm*-mah) *n* mare
tammenterho (*tahm*-mayn-*tayr*-hoa) *n* acorn
tammi (*tahm*-mi) *n* oak
tammikuu (*tahm*-mi-*kōō*) January
tammilauta (*tahm*-mi-*lou*-tah) *n* draught-board
tammipeli (*tahm*-mi-*pay*-li) *n* draughts; checkers *plAm*
tamponi (*tahm*-poa-ni) *n* tampon
tanko (*tahng*-koa) *n* bar
Tanska (*tahns*-kah) Denmark
tanskalainen (*tahns*-kah-ligh-nayn) *n* Dane; *adj* Danish
tanssi (*tahns*-si) *n* dance
tanssia (*tahns*-si-ah) *v* dance
tanssiaiset (*tahns*-si-igh-sayt) *pl* ball
tanssisali (*tahns*-si-*sah*-li) *n* ballroom
tapa (*tah*-pah) *n* manner, fashion; custom, way; olla tapana *be used to, would
tapaaminen (*tah*-paa-mi-nayn) *n* meeting; appointment
tapahtua (*tah*-pahh-too-ah) *v* happen, occur; *take place
tapahtuma (*tah*-pahh-too-mah) *n* incident, happening, occurrence, event
tapaturma (*tah*-pah-*toor*-mah) *n* accident
tapaus (*tah*-pah-ooss) *n* case, instance; joka tapauksessa though, however; siinä tapauksessa että in case of
tapella (*tah*-payl-lah) *v* *fight; struggle

tappaa (*tahp*-paa) v kill

tappelu (*tahp*-pay-loo) n fight

tappio (*tahp*-pi-oa) n defeat

taputtaa (*tah*-poot-taa) v clap

tariffi (*tah*-rif-fi) n rate, tariff

tarina (*tah*-ri-nah) n tale; fiction

tarjoilija (*tahr*-Yoi-li-Yah) n waiter

tarjoilijatar (*tahr*-Yoi-li-Yah-tahr) n waitress; barmaid

tarjoilla (*tahr*-Yoil-lah) v serve

tarjonta (*tahr*-Yoan-tah) n supply

tarjota (*tahr*-Yoa-tah) v offer

tarjotin (*tahr*-Yoa-tin) n tray

tarjous (*tahr*-Yoa-ooss) n offer

tarkastaa (*tahr*-kahss-taa) v inspect; search, check

tarkastaja (*tahr*-kahss-tah-Yah) n inspector

tarkastus (*tahr*-kahss-tooss) n inspection; revision, search, check-up

tarkata (*tahr*-kah-tah) v attend to

tarkistaa (*tahr*-kiss-taa) v check; adjust; revise

tarkka (*tahrk*-kah) adj very, precise, accurate

tarkkaavainen (*tahrk*-kaa-vigh-nayn) adj attentive

tarkkaavaisuus (*tahrk*-kaa-vigh-sōōss) n attention; notice

tarkkanäköisyys (*tahrk*-kah-næ-kur^{ee}-sēwss) n vision

tarkoittaa (*tahr*-koit-taa) v *mean; aim at; destine

tarkoituksenmukainen (*tahr*-koi-took-sayn-*moo*-kigh-nayn) adj appropriate

tarkoitus (*tahr*-koi-tooss) n purpose

tarmokas (*tahr*-moa-kahss) adj energetic

tarpeellinen (*tahr*-pāȳl-li-nayn) adj requisite

tarpeeton (*tahr*-pāȳ-toan) adj unnecessary

tarrautua (*tahr*-rou-tooah) v *hold on

tarttua (*tahrt*-too-ah) v grasp, *take,

grip, seize

tarttuva (*tahrt*-too-vah) adj contagious, infectious

tartunta (*tahr*-toon-tah) n infection

tartuttaa (*tahr*-toot-taa) v infect

tarve (*tahr*-vay) n need, want; **olla tarpeen** need

tarvita (*tahr*-vi-tah) v need; demand

tasa-arvoisuus (*tah*-sah-*ahr*-voi-sōōss) n equality

tasainen (*tah*-sigh-nayn) adj level, even; flat, plane

tasanko (*tah*-sahng-koa) n plain

tasapaino (*tah*-sah-*pigh*-noa) n balance

tasavalta (*tah*-sah-*vahl*-tah) n republic

tasavaltalainen (*tah*-sah-*vahl*-tah-ligh-nayn) adj republican

tasavirta (*tah*-sah-*veer*-tah) n direct current

tase (*tah*-say) n balance

tasku (*tahss*-koo) n pocket

taskukampa (*tahss*-koo-*kahm*-pah) n pocket-comb

taskukello (*tahss*-koo-*kayl*-loa) n pocket-watch

taskukirja (*tahss*-koo-*keer*-Yah) n paperback

taskulamppu (*tahss*-koo-*lahmp*-poo) n torch, flash-light

taskuveitsi (*tahss*-koo-*vayt*-si) n penknife, pocket-knife

taso (*tah*-soa) n level

tasoittaa (*tah*-soit-taa) v equalize; level

tasoristeys (*tah*-soa-*riss*-tay-ewss) n crossing

tasoylikäytävä (*tah*-soa-ew-li-*kæ^{ew}*-tæ-væ) n level crossing

tauko (*tou*-koa) n pause; **pitää ~** pause

taulu (*tou*-loo) n board; picture; **luokan ~** blackboard

taulukko (*tou*-look-koa) n chart, table

tausta (*touss*-tah) *n* background
tauti (*tou*-ti) *n* disease
tavallinen (*tah*-vahl-li-nayn) *adj* common, ordinary, plain; usual, regular, simple; frequent
tavallisesti (*tah*-vahl-li-sayss-ti) *adv* as a rule, usually
tavanmukainen (*tah*-vahm-*moo*-kigh-nayn) *adj* normal
tavanomainen (*tah*-vahn-*oa*-migh-nayn) *adj* customary; habitual
tavara (*tah*-vah-rah) *n* article
tavara auto (*tah* vah rah-*ou*-toa) *n* delivery van
tavarajuna (*tah*-vah-rah-*Yoo*-nah) *n* goods train; freight-train *nAm*
tavaramerkki (*tah*-vah-rah-*mayrk*-ki) *n* trademark
tavarat (*tah*-vah-raht) *pl* goods *pl*
tavaratalo (*tah*-vah-rah-*tah*-loa) *n* department store; drugstore *nAm*
tavaratila (*tah*-vah-rah-*ti*-lah) *n* boot; trunk *nAm*
tavaravaunu (*tah*-vah-rah-*vou*-noo) *n* luggage van
tavata (*tah*-vah-tah) *v* *meet; *spell
tavaton (*tah*-vah-toan) *adj* enormous
tavoite (*tah*-voi-tay) *n* aim, objective
tavoiteltava (*tah*-voi-tayl-tah-vah) *adj* desirable
tavoittaa (*tah*-voit-taa) *v* *catch
tavu (*tah*-voo) *n* syllable
Te (*tay*) *pron* you
te (*tay*) *pron* you
teatteri (*tay*-aht-tay-ri) *n* theatre
tee (*tāy*) *n* tea
teeastiasto (*tāy*-*ahss*-ti-ahss-toa) *n* tea-set
teehuone (*tāy*-*hwoa*-nay) *n* tea-shop
teekannu (*tāy*-*kahn*-noo) *n* teapot
teekuppi (*tāy*-*koop*-pi) *n* teacup
teelusikallinen (*tāy*-*loo*-si-kahl-li-nayn) *n* teaspoonful
teelusikka (*tāy*-*loo*-sik-kah) *n* tea-

spoon
teennäinen (*tāyn*-næ ee-nayn) *adj* affected
teeskennellä (*tāyss*-kayn-nayl-læ) *v* pretend
teeskentelevä (*tāyss*-kayn-tay-lay-væ) *adj* hypocritical
teeskentelijä (*tāyss*-kayn-tay-li-Yæ) *n* hypocrite
teevati (*tāy*-*vah*-ti) *n* saucer
tehdas (*tayh*-dahss) *n* works *pl*, plant, factory, mill
tehdä (*tayh*-dæ) *v* *do; *make; commit; ~ **mahdolliseksi** enable; ~ **mieli** *v* *feel like, fancy; ~ **vaihtokauppa** swap
teho (*tay*-hoa) *n* capacity
tehokas (*tay*-hoa-kahss) *adj* efficient, effective
tehota (*tay*-hoa-tah) *v* operate
tehoton (*tay*-hoa-toan) *adj* inefficient
tehtävä (*tayh*-tæ-væ) *n* assignment, errand, task
teidän (*tay*-dæn) *pron* your
teidät (*tay*-dæt) *pron* you
teille (*tayl*-lay) *pron* you
teini-ikäinen (*tay*-ni-*i*-kæ ee-nayn) *n* teenager
teippi (*tayp*-pi) *n* adhesive tape
tekeytyä jksk (*tay*-kay-ew-tew-æ) simulate
tekijä (*tay*-ki-Yæ) *n* author; factor
tekniikka (*tayk*-neek-kah) *n* technique
teknikko (*tayk*-nik-koa) *n* technician
tekninen (*tayk*-ni-nayn) *adj* technical
teknologia (*tayk*-noa-loa-gi-ah) *n* technology
teko (*tay*-koa) *n* action, deed, act
tekohampaat (*tay*-koa-*hahm*-paat) *pl* denture, false teeth
tekopyhyys (*tay*-koa-*pew*-hēwss) *n* hypocrisy
tekopyhä (*tay*-koa-*pew*-hæ) *adj* hypocritical

tekosyy (*tay*-koa-*sew*) *n* pretext

teksti (*tayks*-ti) *n* text

tekstiili (*tayks*-tee-li) *n* textile

telakka (*tay*-lahk-kah) *n* dock

telakoida (*tay*-lah-koi-dah) *v* dock

teleobjektiivi (*tay*-lay-*oab*-ᵞayk-tee-vi) *n* telephoto lens

telepatia (*tay*-lay-pah-ti-ah) *n* telepathy

televisio (*tay*-lay-vi-si-oa) *n* television

televisiovastaanotin (*tay*-lay-vi-si-oa-*vahss*-taan-*oa*-tin) *n* television set

teljetä (*tayl*-ᵞay-tæ) *v* *shut in

teloitus (*tay*-loi-tooss) *n* execution

teltta (*taylt*-tah) *n* tent

telttailu (*taylt*-tigh-loo) *n* camping

telttasänky (*taylt*-tah-sæng-kew) *n* camp-bed; cot *nAm*

temppeli (*taymp*-pay-li) *n* temple

temppu (*taymp*-poo) *n* trick

tenhoava (*tayn*-hoa-ah-vah) *adj* glamorous

tennis (*tayn*-niss) *n* tennis

tenniskengät (*tayn*-niss-*kayng*-ngæt) *pl* tennis shoes

tenniskenttä (*tayn*-niss-*kaynt*-tæ) *n* tennis-court

teollisuus (*tay*-oal-li-sōōss) *n* industry

teollisuusalue (*tay*-oal-li-sōōss-*ah*-looay) *n* industrial area

teoreettinen (*tay*-oa-rāyt-ti-nayn) *adj* theoretical

teoria (*tay*-oa-ri-ah) *n* theory

terassi (*tay*-rahss-si) *n* terrace

termospullo (*tayr*-moass-*pool*-loa) *n* vacuum flask, thermos flask

termostaatti (*tayr*-moass-taat-ti) *n* thermostat

teroitin (*tay*-roi-tin) *n* pencil-sharpener

teroittaa (*tay*-roit-taa) *v* sharpen

terrorismi (*tayr*-roa-riss-mi) *n* terrorism

terroristi (*tayr*-roa-riss-ti) *n* terrorist

terva (*tayr*-vah) *n* tar

terve (*tayr*-vay) *adj* healthy, well; **terve!** hello!

terveellinen (*tayr*-vāyl-li-nayn) *adj* wholesome

tervehdys (*tayr*-vayh-dewss) *n* greeting

tervehtiä (*tayr*-vayh-ti-æ) *v* salute, greet

tervetullut (*tayr*-vayt-*tool*-loot) *adj* welcome

tervetulotoivotus (*tayr*-vayt-*too*-loa-*toi*-voa-tooss) *n* welcome

terveydenhoidollinen (*tayr*-vayᵉʷ-dayn-*hoi*-doal-li-nayn) *adj* sanitary

terveys (*tayr*-vay-ewss) *n* health

terveyskeskus (*tayr*-vay-ewss-*kayss*-kooss) *n* health centre

terveyskylpylä (*tayr*-vay-ewss-*kewl*-pew-læ) *n* spa

terveysside (*tayr*-vay-ewss-*si*-day) *n* sanitary towel

terä (*tay*-ræ) *n* blade; edge

terälehti (*tay*-ræ-*layh*-ti) *n* petal

teräs (*tay*-ræss) *n* steel; **ruostumaton** ~ stainless steel

terävä (*tay*-ræ-væ) *adj* sharp

testamentti (*tayss*-tah-maynt-ti) *n* will

testamenttilahjoitus (*tayss*-tah-maynt-ti-*lahh*-ᵞoi-tooss) *n* legacy

teurastaja (*tay*ᵒᵒ-rahss-tah-ᵞah) *n* butcher

Thaimaa (*tigh*-maa) Thailand

thaimaalainen (*tigh*-maa-ligh-nayn) *n* Thai; *adj* Thai

tie (*tyay*) *n* road, way

tiede (*tyay*-day) *n* science

tiedekunta (*tyay*-dayk-*koon*-tah) *n* faculty

tiedemies (*tyay*-daym-*myayss*) *n* scientist

tiedonanto (*tyay*-doan-*ahn*-toa) *n* announcement, notice; **virallinen** ~ communiqué

tiedonantotoimisto (*tyay*-doan-*ahn*-toa-*toi*-miss-toa) *n* information bureau, inquiry office

tiedonhaluinen (*tyay*-doan-*hah*-loo^{ee}-nayn) *adj* curious

tiedottaa (*tyay*-doat-taa) *v* inform; notify, report

tiedotus (*tyay*-doa-tooss) *n* communication, information

tiedustella (*tyay*-dooss-tayl-lah) *v* enquire, inquire

tiedustelu (*tyay*-dooss-tay-loo) *n* query, inquiry, enquiry

tiekartta (*tyay*-*kahrt*-tah) *n* road map

tiemaksu (*tyay*-*mahk*-soo) *n* toll

tienristeys (*tyayn*-*riss*-tay-ewss) *n* road fork

tienvieri (*tyayn*-*vyay*-ri) *n* roadside, wayside

tienviitta (*tyayn*-*veet*-tah) *n* signpost, milepost

tieteellinen (*tyay*-tāyl-li-nayn) *adj* scientific

tietenkin (*tyay*-tayng-kin) *adv* of course, naturally

tieto (*tyay*-toa) *n* knowledge; information

tietoinen (*tyay*-toi-nayn) *adj* aware; conscious

tietoisuus (*tyay*-toi-sōōss) *n* consciousness

tietokilpailu (*tyay*-toa-*kil*-pigh-loo) *n* quiz

tietosanakirja (*tyay*-toa-*sah*-nah-*keer*-ᵞah) *n* encyclopaedia

tietty (*tyayt*-tew) *adj* certain

tietyö (*tyay*-t^{ew}ur) *n* road up

tietämätön (*tyay*-tæ-mæ-turn) *adj* ignorant, unaware

tietää (*tyay*-tææ) *v* *know

tieverkko (*tyay*-vayrk-koa) *n* road system

tiheä (*ti*-hay-æ) *adj* dense

tihkusade (*tih*-koo-*sah*-day) *n* drizzle

tiikeri (*tee*-kay-ri) *n* tiger

tiili (*tee*-li) *n* brick; tile

tiistai (*teess*-tigh) *n* Tuesday

tiivis (*tee*-viss) *adj* tight

tiivistelmä (*tee*-viss-tayl-mæ) *n* résumé, summary

tiivistää (*tee*-viss-tææ) *v* tighten

tikapuut (*ti*-kah-*pōōt*) *pl* ladder

tikki (*tik*-ki) *n* stitch

tila (*ti*-lah) *n* space, room; condition, state

tilaaja (*ti*-laa-ᵞah) *n* subscriber

tilaavievä (*ti*-laa-*vyay*-væ) *adj* bulky

tilaisuus (*ti*-ligh-sōōss) *n* chance, occasion, opportunity

tilanne (*ti*-lahn-nay) *n* situation, position

tilapäinen (*ti*-lah-*pæ*^{ee}-nayn) *adj* temporary

tilasto (*ti*-lahss-toa) *n* statistics *pl*

tilata (*ti*-lah-tah) *v* order; book; **tilauksesta valmistettu** made to order

tilaus (*ti*-lah-ooss) *n* order; booking; subscription

tilauslento (*ti*-lah-ooss-*layn*-toa) *n* charter flight

tilauslomake (*ti*-lah-ooss-*loa*-mah-kay) *n* order-form

tilava (*ti*-lah-vah) *adj* spacious, large, roomy

tilavuus (*ti*-lah-vōōss) *n* bulk

tili (*ti*-li) *n* account; pay; **tehdä ~** account for

timantti (*ti*-mahnt-ti) *n* diamond

timjami (*tim*-ᵞah-mi) *n* thyme

tina (*ti*-nah) *n* pewter, tin

tinapaperi (*ti*-nah-*pah*-pay-ri) *n* tinfoil

tiski (*tiss*-ki) *n* counter

tiukasti (*tee*^{oo}-kahss-ti) *adv* tight

tiukka (*tee*^{oo}k-kah) *adj* tight

toalettilaukku (*toaah*-layt-ti-*louk*-koo) *n* toilet case

toalettipaperi (*toaah*-layt-ti-*pah*-pay-ri)

n toilet-paper

toalettitarvikkeet (*toaah*-layt-ti-*tahr*-vik-kāyt) *pl* toiletry

todella (*toa*-dayl-lah) *adv* really; indeed

todellinen (*toa*-dayl-li-nayn) *adj* actual, very, true, substantial, real

todellisuudessa (*toa*-dayl-li-sōō-dayss-sah) *adv* as a matter of fact

todellisuus (*toa*-dayl-li-sōōss) *n* reality

todennäköinen (*toa*-dayn-*næ*-kur ᵉᵉ-nayn) *adj* probable, likely

todennäköisesti (*toa*-dayn-*næ*-kur ᵉᵉ-sayss-ti) *adv* probably

todentaa (*toa*-dayn-taa) *v* verify

todeta (*toa*-day-tah) *v* ascertain, diagnose, note

todistaa (*toa*-diss-taa) *v* prove; testify; *show

todistaja (*toa*-diss-tah-ᵞah) *n* witness

todiste (*toa*-diss-tay) *n* evidence

todistus (*toa*-diss-tōōss) *n* certificate; proof; **kirjallinen** ~ certificate; **lääkärin** ~ health certificate

toffeekaramelli (*toaf*-fāy-*kah*-rah-mayl-li) *n* toffee

tohtori (*toah*-toa-ri) *n* doctor

tohveli (*toah*-vay-li) *n* slipper

toimeenpaneva (*toi*-māym-*pah*-nay-vah) *adj* executive

toimeenpanovalta (*toi*-māyn-*pah*-noa-*vahl*-tah) *n* executive

toimeentulo (*toi*-māyn-*too*-loa) *n* livelihood

toimenpide (*toi*-maym-*pi*-day) *n* measure

toimeton (*toi*-may-toan) *adj* idle

toimi (*toi*-mi) *n* occupation, employment; job, business

toimia (*toi*-mi-ah) *v* operate, work; act

toimikunta (*toi*-mi-*koon*-tah) *n* commission

toimilupa (*toi*-mi-*loo*-pah) *n* concession

toiminimi (*toi*-mi-*ni*-mi) *n* firm, company

toiminta (*toi*-min-tah) *n* action, activity; working, operation; function

toimintaohje (*toi*-min-tah-*oah*-ᵞay) *n* directive

toimisto (*toi*-miss-toa) *n* office, agency

toimistoaika (*toi*-miss-toa-*igh*-kah) *n* office hours

toimittaa (*toi*-mit-taa) *v* furnish, deliver

toimittaja (*toi*-mit-tah-ᵞah) *n* editor

toimitus (*toi*-mi-tooss) *n* delivery

toinen[1] (*toi*-nayn) *num* second

toinen[2] (*toi*-nayn) *adj* other; ~ **toistaan** each other

tointua (*toin*-too-ah) *v* recover

toipua (*toi*-poo-ah) *v* recover

toipuminen (*toi*-poo-mi-nayn) *n* recovery

toisarvoinen (*toiss*-ahr-voi-nayn) *adj* secondary, subordinate

toisella puolella (*toi*-sayl-lah *pwoa*-layl-lah) across

toisin (*toi*-sin) *adv* otherwise

toisinaan (*toi*-si-naan) *adv* sometimes

toissapäivänä (*toiss*-sah-*pæ*ᵉᵉ-væ-næ) *adv* the day before yesterday

toistaa (*toiss*-taa) *v* repeat

toistaiseksi (*toiss*-tigh-sayk-si) *adv* so far

toistaminen (*toiss*-tah-mi-nayn) *n* repetition

toistuminen (*toiss*-too-mi-nayn) *n* frequency

toistuva (*toiss*-too-vah) *adj* frequent

toiveikas (*toi*-vay-kahss) *adj* hopeful

toiveunelma (*toi*-vay-*oo*-nayl-mah) *n* illusion

toivo (*toi*-voa) *n* hope

toivoa (*toi*-voa-ah) *v* hope; desire, wish, want

toivomus (*toi*-voa-mooss) *n* desire, wish

toivoton (*toi*-voa-toan) *adj* hopeless

toivottomuus (*toi*-voat-toa-mooss) *n* despair

tolppa (*toalp*-pah) *n* post

tomaatti (*toa*-maat-ti) *n* tomato

tonni (*toan*-ni) *n* ton

tonnikala (*toan*-ni-*kah*-lah) *n* tuna

tontti (*toant*-ti) *n* grounds

tori (*toa*-ri) *n* market-place; market

torjua (*toar*-Yoo-ah) *v* prevent, avert; reject

torni (*toar*-ni) *n* tower

tornikello (*toar*-ni-*kayl*-loa) *n* bell

torstai (*toars*-tigh) *n* Thursday

torua (*toa*-roo-ah) *v* scold

torvi (*toar*-vi) *n* horn; trumpet

torvisoittokunta (*toar*-vi-*soit*-toa-*koon*-tah) *n* brass band

tosi (*toa*-si) *adj* very, true

tosiasia (*toa*-si-*ah*-si-ah) *n* fact

tosiasiallinen (*toa*-si-*ah*-si-ahl-li-nayn) *adj* factual

tosiasiallisesti (*toa*-si-*ah*-si-ahl-li-sayss-ti) *adv* really

tosiseikka (*toa*-si-*sayk*-kah) *n* data *pl*

totalisaattori (*toa*-tah-li-saat-toa-ri) *n* totalizator

totalitaarinen (*toa*-tah-li-taa-ri-nayn) *adj* totalitarian

totella (*toa*-tayl-lah) *v* obey

toteuttaa (*toa*-tay-oot-taa) *v* realize; implement; carry out

tottelevainen (*toat*-tay-lay-vigh-nayn) *adj* obedient

tottelevaisuus (*toat*-tay-lay-vigh-sōōss) *n* obedience

tottumaton (*toat*-too-mah-toan) *adj* unaccustomed

tottumus (*toat*-too-mooss) *n* custom, habit

tottunut (*toat*-too-noot) *adj* accustomed

totunnainen (*toa*-toon-nigh-nayn) *adj* accustomed, customary

totuttaa (*toa*-toot-taa) *v* accustom

totuudenmukainen (*toa*-tōō-daym-moo-kigh-nayn) *adj* truthful

totuus (*toa*-tōōss) *n* truth

touhu (*toa*-hoo) *n* bustle; fuss

toukokuu (*toa*-koa-*kōō*) May

toveri (*toa*-vay-ri) *n* comrade

traaginen (*traa*-gi-nayn) *adj* tragic

traktori (*trahk*-toa-ri) *n* tractor

trikootavarat (*tri*-kōa-*tah*-vah-raht) *pl* hosiery

trooppinen (*trōap*-pi-nayn) *adj* tropical

tropiikki (*troa*-peek-ki) *n* tropics *pl*

tšekki (*chayk*-ki) *n* Czech

Tšekkoslovakia (*chayk*-koa-sloa-vah-ki-ah) Czechoslovakia

tšekkoslovakialainen (*chayk*-koa-sloa-vah-ki-ah-ligh-nayn) *adj* Czech

tuberkuloosi (*too*-bayr-koo-lōa-si) *n* tuberculosis

tuhat (*too*-haht) *num* thousand

tuhka (*tooh*-kah) *n* ash

tuhkakuppi (*tooh*-kah-*koop*-pi) *n* ashtray

tuhkarokko (*tooh*-kah-*roak*-koa) *n* measles

tuhlaavainen (*tooh*-laa-vigh-nayn) *adj* lavish, wasteful

tuhlata (*tooh*-lah-tah) *v* waste

tuhlaus (*tooh*-lah-ooss) *n* waste

tuhma (*tooh*-mah) *adj* naughty

tuho (*too*-hoa) *n* destruction; disaster

tuhoisa (*too*-hoi-sah) *adj* disastrous

tuhota (*too*-hoa-tah) *v* destroy, ruin, wreck

tuijottaa (*too*[ee]-Yoat-taa) *v* stare, gaze

tukahduttaa (*too*-kahh-doot-taa) *v* suppress

tukanleikkuu (*too*-kahn-*layk*-kōō) *n* haircut

tukanpesuaine (*too*-kahn-*pay*-soo-*igh*-nay) *n* shampoo

tukea (*too*-kay-ah) *v* support; *hold up

tukehtua (*too*-kayh-too-ah) *v* choke

tukeva (*too*-kay-vah) *adj* corpulent, stout

tuki (*too*-ki) *n* support

tukikohta (*too*-ki-*koah*-tah) *n* base

tukisukka (*too*-ki-sook-kah) *n* support hose

tukka (*took*-kah) *n* hair

tukkia (*took*-ki-ah) *v* block

tukkukauppa (*took*-koo-*koup*-pah) *n* wholesale

tukkukauppias (*took*-koo-*koup*-pi-ahss) *n* wholesale dealer

tulehdus (*too*-layh-dooss) *n* inflammation; **kurkunpään** ~ laryngitis

tulehtua (*too*-layh-too-ah) *v* infect, *become septic

tulenarka (*too*-layn-*ahr*-kah) *adj* inflammable

tulenkestävä (*too*-layn-*kayss*-tæ-væ) *adj* fireproof

tuleva (*too*-lay-vah) *adj* future

tulevaisuudennäkymä (*too*-lay-vigh-sōō-*dayn*-næ-kew-mæ) *n* prospect

tulevaisuus (*too*-lay-vigh-sōōss) *n* future

tuli (*too*-li) *n* fire

tulipalo (*too*-li-*pah*-loa) *n* fire

tulisija (*too*-li-*si*-Yah) *n* hearth

tulitikku (*too*-li-*tik*-koo) *n* match

tulitikkulaatikko (*too*-li-*tik*-koo-*laa*-tik-koa) *n* match-box

tulivuori (*too*-li-*vwoa*-ri) *n* volcano

tulkinta (*tool*-kin-tah) *n* version

tulkita (*tool*-ki-tah) *v* interpret

tulkki (*toolk*-ki) *n* interpreter

tulkkisanakirja (*toolk*-ki-*sah*-nah-*keer*-Yah) *n* phrase-book

tulla (*tool*-lah) *v* *come; ~ **jksk** *go, *become, *grow, *get; ~ **toimeen**

*make do with; ~ **väliin** intervene

tulli (*tool*-li) *n* Customs duty, Customs *pl*; **ilmoittaa tullattavaksi** declare

tulli-ilmoitus (*tool*-li-*il*-moi-tooss) *n* declaration

tullimaksu (*tool*-li-*mahk*-soo) *n* Customs duty

tullinalainen (*tool*-lin-*ah*-ligh-nayn) *adj* dutiable

tulliton (*tool*-li-toan) *adj* duty-free

tullivirkailija (*tool*-li-*veer*-kigh-li-Yah) *n* Customs officer

tulo (*too*-loa) *n* coming

tulos (*too*-loass) *n* issue, outcome, result

tulot (*too*-loat) *pl* earnings *pl*, revenue, income

tulovero (*too*-loa-*vay*-roa) *n* income-tax

tulppa (*toolp*-pah) *n* stopper

tulppaani (*toolp*-paa-ni) *n* tulip

tulva (*tool*-vah) *n* flood

tungettelija (*toong*-ngayt-tay-li-Yah) *n* trespasser

tungos (*toong*-ngoass) *n* crowd

tunika (*too*-ni-kah) *n* tunic

Tunisia (*too*-ni-si-ah) Tunisia

tunisialainen (*too*-ni-si-ah-ligh-nayn) *n* Tunisian; *adj* Tunisian

tunkea (*toong*-kay-ah) *v* push

tunkeutua (*toong*-kay^(oo)-tooah) *v* trespass; ~ **läpi** penetrate

tunkio (*toong*-ki-oa) *n* dunghill

tunne (*toon*-nay) *n* feeling, sensation, emotion

tunneli (*toon*-nay-li) *n* tunnel

tunnelma (*toon*-nayl-mah) *n* atmosphere

tunnettu (*toon*-nayt-too) *adj* noted, well-known

tunnistaa (*toon*-niss-taa) *v* identify; recognize

tunnistaminen (*toon*-niss-tah-mi-nayn)

n identification

tunnus (*toon*-nooss) *n* sign

tunnuskuva (*toon*-nooss-*koo*-vah) *n* symbol

tunnuslause (*toon*-nooss-*lou*-say) *n* motto

tunnusmerkki (*toon*-nooss-*mayrk*-ki) *n* characteristic; emblem

tunnussana (*toon*-nooss-*sah*-nah) *n* password

tunnustaa (*toon*-nooss-taa) *v* acknowledge, admit, confess; ~ **syylliseksi** convict

tunnustella (*toon*-nooss-tayl-lah) *v* *feel

tunnustus (*toon*-nooss-tooss) *n* confession; recognition

tuntea (*toon*-tay-ah) *v* *feel; *know

tunteellinen (*toon*-tāyl-li-nayn) *adj* sentimental

tunteeton (*toon*-tāy-toan) *adj* insensitive

tunteileva (*toon*-tay-lay-vah) *adj* tearjerker

tuntematon (*toon*-tay-mah-toan) *adj* unknown, *n* stranger

tunti (*toon*-ti) *n* hour

tuntija (*toon*-ti-ʸah) *n* connoisseur

tunto (*toon*-toa) *n* touch

tuntomerkit (*toon*-toa-*mayr*-kit) *pl* description

tuntua (*toon*-too-ah) *v* seem; ~ **oudolta** *strike

tuo (twoa) *pron* (nuo) that

tuoda (*twoa*-dah) *v* *bring; ~ **maahan** import

tuokio (*twoa*-ki-oa) *n* while, moment

tuoksu (*twoak*-soo) *n* scent

tuoli (*twoa*-li) *n* chair

tuolla (*twoal*-lah) *adv* over there; ~ **puolen** beyond

tuomari (*twoa*-mah-ri) *n* judge

tuomaristo (*twoa*-mah-riss-toa) *n* jury

tuomio (*twoa*-mi-oa) *n* judgment, sentence

tuomioistuin (*twoa*-mi-oa-*iss*-tooᵉᵉn) *n* court, law court

tuomiokirkko (*twoa*-mi-oa-*keerk*-koa) *n* cathedral

tuomita (*twoa*-mi-tah) *v* judge; sentence

tuomitseminen (*twoa*-mit-say-mi-nayn) *n* conviction

tuomittu (*twoa*-mit-too) *n* convict

tuonti (*twoan*-ti) *n* import

tuontitavarat (*twoan*-ti-*tah*-vah-raht) *pl* import

tuontitulli (*twoan*-ti-*tool*-li) *n* duty, import duty

tuoppi (*twoap*-pi) *n* tumbler

tuore (*twoa*-ray) *adj* fresh

tuotanto (*twoa*-tahn-toa) *n* output, production

tuotapikaa (*twoa*-tah-*pi*-kaa) *adv* soon

tuote (*twoa*-tay) *n* product, produce

tuottaa (*twoat*-taa) *v* produce; generate

tuottaja (*twoat*-tah-ʸah) *n* producer

tuottoisa (*twoat*-toi-sah) *adj* profitable

tupakka (*too*-pahk-kah) *n* tobacco

tupakkahuone (*too*-pahk-kah-*hwoa*-nay) *n* smoking-room

tupakkakauppa (*too*-pahk-kah-*koup*-pah) *n* cigar shop, tobacconist's

tupakkakauppias (*too*-pahk-kah-*koup*-pi-ahss) *n* tobacconist

tupakkakukkaro (*too*-pahk-kah-*kook*-kah-roa) *n* tobacco pouch

tupakkaosasto (*too*-pahk-kah-*oa*-sahss-toa) *n* smoking-compartment, smoker

tupakoida (*too*-pah-koi-dah) *v* smoke; **tupakointi kielletty** no smoking

tupakoitsija (*too*-pah-koit-si-ʸah) *n* smoker

turbiini (*toor*-bee-ni) *n* turbine

turha (*toor*-hah) *adj* vain

turhaan (*toor*-haan) *adv* in vain

turhamainen (*toor*-hah-migh-nayn) *adj* vain

turistiluokka (*too*-riss-ti-*lwoak*-kah) *n* tourist class

turkikset (*toor*-kik-sayt) *pl* furs

turkis (*toor*-kiss) *n* fur

Turkki (*toork*-ki) Turkey

turkki (*toork*-ki) *n* fur coat

turkkilainen (*toork*-ki-ligh-nayn) *n* Turk; *adj* Turkish

turkkuri (*toork*-koo-ri) *n* furrier

turmella (*toor*-mayl-lah) *v* *spoil

turmeltunut (*toor*-mayl-too-noot) *adj* corrupt

turmio (*toor*-mi-oa) *n* ruin

turnaus (*toor*-nah-ooss) *n* tournament

turska (*toors*-kah) *n* cod

turta (*toor*-tah) *adj* numb

turvakoti (*toor*-vah-*koa*-ti) *n* asylum

turvallinen (*toor*-vahl-li-nayn) *adj* safe

turvallisuus (*toor*-vahl-li-sōōss) *n* security, safety

turvapaikka (*toor*-vah-*pighk*-kah) *n* asylum

turvaton (*toor*-vah-toan) *adj* unprotected

turvavyö (*toor*-vah-v^ew^ur) *n* seat-belt, safety-belt

turvotus (*toor*-voa-tooss) *n* swelling

tusina (*too*-si-nah) *n* dozen

tuska (*tooss*-kah) *n* pain, anguish

tuskallinen (*tooss*-kahl-li-nayn) *adj* painful

tuskaton (*tooss*-kah-toan) *adj* painless

tuskin (*tooss*-kin) *adv* hardly, scarcely

tutkia (*toot*-ki-ah) *v* enquire, examine; explore; investigate

tutkielma (*toot*-ki-ayl-mah) *n* essay

tutkimus (*toot*-ki-mooss) *n* inquiry, enquiry, investigation; research

tutkimusretki (*toot*-ki-mooss-*rayt*-ki) *n* expedition

tutkinto (*toot*-kin-toa) *n* examination

tuttava (*toot*-tah-vah) *n* acquaintance

tuttavallinen (*toot*-tah-vahl-li-nayn) *adj* familiar

tuttavuus (*toot*-tah-vōōss) *n* acquaintance

tuttu (*toot*-too) *adj* familiar

tuulahdus (*tōō*-lahh-dooss) *n* blow

tuulenhenkäys (*tōō*-layn-hayng-kæ-ewss) *n* breeze

tuulenpuuska (*tōō*-layn-*pōōss*-kah) *n* gust

tuuletin (*tōō*-lay-tin) *n* ventilator; fan

tuuletinhihna (*tōō*-lay-tin-hih-nah) *n* fan belt

tuulettaa (*tōō*-layt-taa) *v* ventilate; air

tuuletus (*tōō*-lay-tooss) *n* ventilation

tuuli (*tōō*-li) *n* wind; mood

tuulilasi (*tōō*-li-*lah*-si) *n* windscreen; windshield *nAm*

tuulilasinpyyhkijä (*tōō*-li-*lah*-sim-pēwh-ki-^Yæ^) *n* windscreen wiper; windshield wiper *Am*

tuulimylly (*tōō*-li-*mewl*-lew) *n* windmill

tuulinen (*tōō*-li-nayn) *adj* gusty, windy

tuulla (*tōōl*-lah) *v* *blow

tweedkangas (*tvāyd*-*kahng*-ngahss) *n* tweed

tyhjentäminen (*tewh*-^Y^ayn-tæ-mi-nayn) *n* collection

tyhjentää (*tewh*-^Y^ayn-tææ) *v* empty; vacate

tyhjiö (*tewh*-^Y^i-ur) *n* vacuum

tyhjä (*tewh*-^Yæ^) *adj* empty; blank; **tehdä tyhjäksi** *upset

tyhmä (*tewh*-mæ) *adj* dumb, stupid

tykki (*tewk*-ki) *n* gun

tylppä (*tewlp*-pæ) *adj* blunt

tylsä (*tewl*-sæ) *adj* dull, blunt

tylsämielinen (*tewl*-sæ-*myay*-li-nayn) *adj* idiotic

tynnyri (*tewn*-new-ri) *n* cask, barrel;

pieni ~ keg
typerä (*tew*-pay-tæ) *adj* silly, dumb, foolish
typpi (*tewp*-pi) *n* nitrogen
tyranni (*tew*-rahn-ni) *n* tyrant
tyrä (*tew*-ræ) *n* hernia; slipped disc
tyttärenpoika (*tewt*-tæ-raym-*poi*-kah) *n* grandson
tyttärentytär (*tewt*-tæ-rayn-*tew*-tær) *n* granddaughter
tyttö (*tewt*-tur) *n* girl
tyttönimi (*tewt*-tur-*ni*-mi) *n* maiden name
tytär (*tew*-tær) *n* daughter
tyven (*tew*-vayn) *adj* smooth
tyydyttää (*tew̄*-dewt-tææ) *v* satisfy
tyydytys (*tew̄*-dew-tewss) *n* satisfaction
tyyli (*tew̄*-li) *n* style
tyylikkyys (*tew̄*-lik-kew̄ss) *n* elegance
tyylikäs (*tew̄*-li-kæss) *adj* smart
tyyni (*tew̄*-ni) *adj* quiet, calm, tranquil; sedate, serene
Tyynimeri (*tew̄*-ni-*may*-ri) Pacific Ocean
tyynnyttää (*tew̄n*-newt-tææ) *v* reassure, calm down
tyyny (*tew̄*-new) *n* pillow; cushion, pad
tyynyliina (*tew̄*-new-*leenah*) *n* pillowcase
tyypillinen (*tew̄*-pil-li-nayn) *adj* typical
tyyppi (*tew̄p*-pi) *n* type
tyyris (*tew̄*-riss) *adj* prohibitive
tyyrpuuri (*tew̄r*-pōō-ri) *n* starboard
tyytymätön (*tew̄*-tew-mæ-turn) *adj* discontented, dissatisfied
tyytyväinen (*tew̄*-tew-væ^ee-nayn) *adj* pleased, content, satisfied
tyytyväisyys (*tew̄*-tew-væ^ee-sew̄ss) *n* satisfaction
työ (*t^ew*ur) *n* work; labour; employment
työhuone (*t^ew*ur-hwoa-nay) *n* study

työkalu (*t^ew*ur-kah-loo) *n* tool, utensil; implement
työkalulaatikko (*t^ew*ur-kah-loo-*laatik*-koa) *n* tool kit
työlupa (*t^ew*ur-loo-pah) *n* work permit; labor permit *Am*
työläinen (*t^ew*ur-læ^ee-nayn) *n* worker, labourer
työmies (*t^ew*ur-myayss) *n* workman
työnantaja (*t^ew*urn-ahn-tah-ᵞah) *n* employer
työnjohtaja (*t^ew*urn-ᵞoah-tah-ᵞah) *n* foreman
työntekijä (*t^ew*urn-tay-ki-ᵞæ) *n* employee
työntää (*t^ew*urn-tææ) *v* push
työntökärryt (*t^ew*urn-tur-kær-rewt) *pl* wheelbarrow
työnvälitystoimisto (*t^ew*urn-væ-li-tewss-*toi*-miss-toa) *n* employment exchange
työpaikka (*t^ew*ur-pighk-kah) *n* job; post
työpaja (*t^ew*ur-pah-ᵞah) *n* workshop
työpäivä (*t^ew*ur-pæ^ee-væ) *n* working day
työryhmä (*t^ew*ur-rewh-mæ) *n* team
työskennellä (*t^ew*urss-kayn-nayl-læ) *v* work
työtoveri (*t^ew*ur-toa-vay-ri) *n* associate
työttömyys (*t^ew*urt-tur-mew̄ss) *n* unemployment
työtäsäästävä (*t^ew*ur-tæ-sææss-tæ-væ) *adj* labour-saving
työtön (*t^ew*ur-turn) *adj* unemployed
työvuoro (*t^ew*ur-voo-oa-roa) *n* shift
työväline (*t^ew*ur-væ-li-nay) *n* implement; instrument
tähdätä (*tæh*-dæ-tæ) *v* aim at
tähti (*tæh*-ti) *n* star
tähtitiede (*tæh*-ti-*tyay*-day) *n* astronomy
tähtitorni (*tæh*-ti-*toar*-ni) *n* observ-

atory
tähän asti (tæ-hæn *ahss*-ti) so far
täi (tæ ᵉᵉ) *n* louse
täkki (tæk-ki) *n* quilt
tämä (tæ-mæ) *pron* (pl nämä) this
tänään (tæ-nææn) *adv* today
täplä (tæp-læ) *n* speck
täpötäysi (tæ-pur-tæ ᵉʷ-si) *adj* crowded, full up; chock-full
tärkeys (tær-kay-ewss) *n* importance
tärkeä (tær-kay-æ) *adj* big, important; capital; **olla tärkeää** matter
tärkki (tærk-ki) *n* starch
tärkätä (tær-kæ-tæ) *v* starch
tärpätti (tær-pæt-ti) *n* turpentine
tärykalvo (tæ-rew-*kahl*-voa) *n* eardrum
täsmälleen (tæss-mæl-lāyn) *adv* exactly
täsmällinen (tæss-mæl-li-nayn) *adj* precise, exact; punctual
täsmällisyys (tæss-mæl-li-sēwss) *n* correctness
tästä lähtien (tæss-tæ *læh*-ti-ayn) henceforth
täten (tæ-tayn) *adv* thus
täti (tæ-ti) *n* aunt
täydellinen (tæ ᵉʷ-dayl-li-nayn) *adj* perfect; total, utter, complete
täydellisesti (tæ ᵉʷ-dayl-li-sayss-ti) *adv* completely
täydellisyys (tæ-dayl-li-sēwss) *n* perfection
täysi (tæ ᵉʷ-si) *adj* whole
täysiaikainen (tæ ᵉʷ-si-igh-kigh-nayn) *adj* mature
täysihoito (tæ ᵉʷ-si-hoi-toa) *n* board and lodging
täysihoitola (tæ ᵉʷ-si-*hoi*-toa-lah) *n* pension, guest-house, boarding-house
täysihoitolainen (tæ ᵉʷ-si-*hoi*-toa-ligh-nayn) *n* boarder
täysi-ikäinen (tæ ᵉʷ-si-*i*-kæ ᵉᵉ-nayn)

adj of age
täysikasvuinen (tæ ᵉʷ-si-*kahss*-voo ᵉᵉ-nayn) *adj* grown-up
täysin (tæ ᵉʷ-sin) *adv* completely, entirely, quite
täysinäinen (tæ ᵉʷ-si-næ ᵉᵉ-nayn) *adj* full
täysiverinen (tæ ᵉʷ-si-*vay*-ri-nayn) *adj* thoroughbred
täyskäännös (tæ ᵉʷss-kææn-nurss) *n* reverse
täyte (tæ ᵉʷ-tay) *n* stuffing, filling
täytekynä (tæ ᵉʷ-tayk-*kew*-næ) *n* fountain-pen
täytetty (tæ ᵉʷ-tayt-tew) *adj* stuffed
täyttää (tæ ᵉʷt-tææ) *v* fill up, fill in; fill out *Am*
täytyä (tæ ᵉʷ-tew-æ) *v* *ought to, *must, *be obliged to, *be bound to; *have to, *should
täällä (tææl-læ) *adv* here
tölkki (turlk-ki) *n* can
törky (turr-kew) *n* rubbish
törmätä (turr-m-æ-tæ) *v* bump; knock against; ~ **yhteen** crash, collide
törmäys (turr-mæ-ewss) *n* bump
töyhtöhyyppä (tur ᵉʷh-tur-*hēwp*-pæ) *n* pewit
töyräs (tur ᵉʷ-ræss) *n* bank
töytäys (tur ᵉʷ-tæ-ewss) *n* push

U

uhata (*oo*-hah-tah) *v* threaten
uhka (*ooh*-kah) *n* threat; risk
uhkaava (*ooh*-kaa-vah) *adj* threatening
uhkaus (*ooh*-kah-ooss) *n* threat
uhmata (*ooh*-mah-tah) *v* face
uhrata (*ooh*-rah-tah) *v* sacrifice
uhraus (*ooh*-rah-ooss) *n* sacrifice
uhri (*ooh*-ri) *n* victim, casualty

uida (*oo^{ee}*-dah) *v* *swim

uima-allas (*oo^{ee}*-mah-*ahl*-lahss) *n* swimming pool

uimahousut (*oo^{ee}*-mah-*hoa*-soot) *pl* swimming-trunks *pl*

uimalakki (*oo^{ee}*-mah-*lahk*-ki) *n* bathing-cap

uimapuku (*oo^{ee}*-mah-*poo*-koo) *n* swim-suit, bathing-suit

uimaranta (*oo^{ee}*-mah-rahn-tah) *n* beach; **nudistien** ~ nudist beach

uimari (*oo^{ee}*-mah-ri) *n* swimmer

uimuri (*oo^{ee}*-moo-ri) *n* float

uinti (*oo^{ee}n*-ti) *n* swimming

ujo (*oo*-^Yoa) *adj* timid, shy

ujostuttaa (*oo*-^Yoass-toot-taa) *v* embarrass

ujous (*oo*-^Yoa-ooss) *n* timidity

ukkonen (*ook*-koa-nayn) *n* thunder; **ukkosta ennustava** thundery

ukonilma (*oo*-koan-*il*-mah) *n* thunderstorm

ulkoa (*ool*-koa-ah) *adv* by heart

ulkoinen (*ool*-koi-nayn) *adj* outward, exterior

ulkokultainen (*ool*-koa-*kool*-tigh-nayn) *adj* hypocritical

ulkomaalainen (*ool*-koa-*maa*-ligh-nayn) *n* foreigner; *adj* foreign

ulkomaanvaluutta (*ool*-koa-*maan*-vah-lōōt-tah) *n* foreign currency

ulkomailla (*ool*-koa-*mighl*-lah) abroad

ulkomaille (*ool*-koa-*mighl*-lay) abroad

ulkomainen (*ool*-koa-*migh*-nayn) *adj* alien

ulkomuoto (*ool*-koa-mwoa-toa) *n* semblance

ulkona (*ool*-koa-nah) *adv* outdoors, outside, out

ulkonäkö (*ool*-koa-*næ*-kur) *n* look, appearance

ulkopuolella (*ool*-koa-*pwoa*-layl-lah) *postp* outside

ulkopuoli (*ool*-koa-*pwoa*-li) *n* exterior, outside

ulkopuolinen (*ool*-koa-*pwoa*-li-nayn) *adj* external

ullakko (*ool*-lahk-koa) *n* attic

ulos (*oo*-loass) *adv* out; ~ **jstk** out of

uloskäynti (*oo*-loass-*kæ^{ew}n*-ti) exit, *n* way out

uloskäytävä (*oo*-loass-*kæ^{ew}*-tæ-væ) *n* exit; issue

ulospäin (*oo*-loass-*pæ^{ee}n*) *adv* outwards

ulospääsy (*oo*-loass-*pææ*-sew) *n* issue

ulostusaine (*oo*-loass-tooss-*igh*-nay) *n* laxative

ultravioletti (*oolt*-rah-*vioa*-layt-ti) *adj* ultraviolet

ummehtunut (*oom*-mayh-too-noot) *adj* stuffy

ummettunut (*oom*-mayt-too-noot) *adj* constipated

ummetus (*oom*-may-tooss) *n* constipation

umpeenkasvanut (*oom*-pāyn-*kahss*-vah-noot) *adj* overgrown

umpikuja (*oom*-pi-*koo*-^Yah) *n* cul-de-sac

umpilisäke (*oom*-pi-*li*-sæ-kay) *n* appendix; **umpilisäkkeen tulehdus** appendicitis

umpinainen (*oom*-pi-nigh-nayn) *adj* closed

umpitauti (*oom*-pi-*tou*-ti) *n* constipation

uneksia (*oonayk*-si-ah) *v* *dream

unessa (*oo*-nayss-sah) *adv* asleep

uneton (*oo*-nay-toan) *adj* sleepless

unettomuus (*oo*-nayt-toa-mōōss) *n* insomnia

uni (*oo*-ni) *n* sleep; dream; **nähdä unta** *dream

unikko (*oo*-nik-koa) *n* poppy

uninen (*oo*-ni-nayn) *adj* sleepy

unipilleri (*oo*-ni-*pil*-lay-ri) *n* sleeping-pill

Unkari (*oong*-kah-ri) Hungary

unkarilainen (*oong*-kah-ri-ligh-nayn) *n* Hungarian; *adj* Hungarian

unohtaa (*oo*-noah-taa) *v* *forget; unlearn

untuva (*oon*-too-vah) *n* down

untuvapeite (*oon*-too-vah-*pay*-tay) *n* eiderdown

upea (*oo*-pay-ah) *adj* magnificent

upouusi (*oo*-poa-ōō-si) *adj* brand-new

uppiniskainen (*oop*-pi-*niss*-kigh-nayn) *adj* obstinate, head-strong

uppokuumennin (*oop*-poa-kōō-maynnin) *n* immersion heater

upseeri (*oop*-sāy-ri) *n* officer

urakoitsija (*oo*-rah-koit-si-ʸah) *n* contractor

urheilija (*oor*-hay-li-ʸah) *n* athlete, sportsman

urheilu (*oor*-hay-loo) *n* sport

urheiluasusteet (*oor*-hay-loo-*ah*-soosstāyt) *pl* sportswear

urheiluauto (*oor*-hay-loo-*ou*-toa) *n* sports-car

urheiluhousut (*oor*-hay-loo-*hoa*-soot) *n* trunks *pl*

urheilutakki (*oor*-hay-loo-*tahk*-ki) *n* blazer, sports-jacket

urheus (*oor*-hay-ooss) *n* courage

urhoollinen (*oor*-hōal-li-nayn) *adj* brave, courageous

urotyö (*oo*-roa-t*ew*ur) *n* feat

Uruguay (*oo*-roo-gooigh) Uruguay

uruguaylainen (*oo*-roo-goo-igh-lighnayn) *n* Uruguayan; *adj* Uruguayan

urut (*oo*-root) *pl* organ

useampi (*oo*-say-ahm-pi) *adj* more

useat (*oo*-say-aht) *adj* several

useimmat (*oo*-saym-maht) *adj* most

usein (*oo*-sayn) *adv* frequently, often

uskalias (*ooss*-kah-li-ahss) *adj* daring, bold

uskallettu (*ooss*-kahl-layt-too) *adj* risky

uskaltaa (*ooss*-kahl-taa) *v* venture, dare

usko (*ooss*-koa) *n* belief, faith

uskoa (*ooss*-koa-ah) *v* believe; **uskoa** (jllk) commit

uskollinen (*ooss*-koal-li-nayn) *adj* true, faithful; loyal

uskomaton (*ooss*-koa-mah-toan) *adj* incredible, inconceivable

uskonnollinen (*ooss*-koan-noal-li-nayn) *adj* religious

uskonpuhdistus (*ooss*-koan-*pooh*-disstooss) *n* reformation

uskonto (*ooss*-koan-toa) *n* religion

uskoton (*ooss*-koa-toan) *adj* unfaithful

uskottava (*ooss*-koat-tah-vah) *adj* credible

usva (*ooss*-vah) *n* mist

usvainen (*ooss*-vigh-nayn) *adj* hazy, misty

uteliaisuus (*oo*-tay-li-igh-sōōss) *n* curiosity

utelias (*oo*-tay-li-ahss) *adj* inquisitive, curious

utu (*oo*-too) *n* vapour; haze

utuinen (*oo*-too^ee-nayn) *adj* hazy

uudisraivaaja (ōō-diss-*righ*-vaa-ʸah) *n* pioneer

uudistaa (ōō-diss-taa) *v* renew

uuni (ōō-ni) *n* oven, stove

uupunut (ōō-poo-noot) *adj* tired, weary

uurre (ōōr-ray) *n* groove

uusi (ōō-si) *adj* new

Uusi Seelanti (ōō-si say-lahn-ti) New Zealand

uutiset (ōō-ti-sayt) *pl* news

uutisfilmi (ōō-tiss-*fil*-mi) *n* newsreel

uutislähetys (ōō-tiss-*læ*-hay-tewss) *n* news

uutistoimittaja (ōō-tiss-*toi*-mit-tahʸah) *n* reporter

uuttera (ōōt-tay-rah) *adj* diligent
uutteruus (ōōt-tay-rōōss) *n* diligence
uuvuttaa (ōō-voot-taa) *v* exhaust

V

vaahdota (vaah-doa-tah) *v* foam
vaahtera (vaah-tay-rah) *n* maple
vaahto (vaah-toa) *n* froth, lather, foam
vaahtokumi (vaah-toa-koo-mi) *n* foam-rubber
vaaka (vaa-kah) *n* scales *pl*, weighing-machine
vaakasuora (vaa-kah-swoa-rah) *adj* horizontal
vaalea (vaa-lay-ah) *adj* pale, fair, light
vaaleanpunainen (vaa-lay-ahn-poo-nigh-nayn) *adj* pink
vaaleatukkainen (vaa-lay-ah-took-kigh-nayn) *adj* fair
vaaleaverikkö (vaa-lay-ah-vay-rik-kur) *n* blonde
vaalipiiri (vaa-li-pee-ri) *n* constituency
vaalit (vaa-lit) *pl* election
vaan (vaan) *conj* but
vaania (vaa-niah) *v* watch for
vaara (vaa-rah) *n* peril, danger; risk, hazard
vaarallinen (vaa-rahl-li-nayn) *adj* perilous, dangerous; risky
vaaranalainen (vaa-rahn-ah-ligh-nayn) *adj* critical
vaarantaa (vaa-rahn-taa) *v* risk
vaaraton (vaa-rah-toan) *adj* harmless
vaari (vaa-ri) *n* grandfather
vaateharja (vaa-tayh-hahr-Yah) *n* clothes-brush
vaatekaappi (vaa-tayk-kaap-pi) *n* wardrobe; closet *nAm*
vaatenaulakko (vaa-tay-nou-lahk-koa)

n peg
vaateripustin (vaa-tayr-ri-pooss-tin) *n* coat-hanger
vaatesäilö (vaa-tayss-sæee-lur) *n* cloakroom; checkroom *nAm*
vaatevarasto (vaa-tayv-vah-rahss-toa) *n* wardrobe
vaatia (vaa-ti-ah) *v* require, claim, charge, demand; **vaatimalla** ~ insist
vaatimaton (vaa-ti-mah-toan) *adj* modest, simple
vaatimattomasti (vaa-ti-maht-toa-mahss-ti) *adv* simply
vaatimattomuus (vaa-ti-maht-toa-mōōss) *n* modesty
vaatimus (vaa-ti-mooss) *n* requirement, demand, claim
vaatteet (vaat-tāyt) *pl* clothes *pl*
vadelma (vah-dayl-mah) *n* raspberry
vaeltaa (vah-ayl-taa) *v* tramp, wander; walk
vaha (vah-hah) *n* wax
vahakabinetti (vah-hah-kah-bi-nayt-ti) *n* waxworks *pl*
vahingoittaa (vah-hing-ngoit-taa) *v* harm
vahingoittumaton (vah-hing-ngoit-too-mah-toan) *adj* unhurt
vahingollinen (vah-hing-ngoal-li-nayn) *adj* hurtful, harmful
vahingonkorvaus (vah-hıng-ngoang-koar-vah-ooss) *n* indemnity, compensation
vahinko (vah-hing-koa) *n* harm, mischief; **mikä vahinko!** what a pity!
vahva (vahh-vah) *adj* strong
vahvistaa (vahh-viss-taa) *v* acknowledge, confirm; establish
vahvistus (vahh-viss-tooss) *n* confirmation
vahvuus (vahh-vōōss) *n* strength
vaientaa (vigh-ayn-taa) *v* silence
vaieta (vigh-ay-tah) *v* *keep quiet,

*be silent
vaihde (*vighh*-day) *n* gear
vaihdelaatikko (*vighh*-dayl-*laa*-tik-koa) *n* gear-box
vaihdella (*vighh*-dayl-lah) *v* vary
vaihdepöytä (*vighh*-day-*pur*ᵉʷ-tæ) *n* switchboard
vaihdetanko (*vighh*-dayt-tahng-koa) *n* gear lever
vaihdos (*vighh*-doass) *n* change
vaihe (*vigh*-hay) *n* phase, stage
vaihtaa (*vighh*-taa) *v* change; switch, exchange; ~ **kulkuneuvoa** change
vaihtelu (*vighh*-tay-loo) *n* variation
vaihto (*vighh*-toa) *n* exchange
vaihtoehto (*vighh*-toa-*ayh*-toa) *n* alternative
vaihtokurssi (*vighh*-toa-*koors*-si) *n* rate of exchange, exchange rate
vaihtoraha (*vighh*-toa-*rah*-hah) *n* change
vaihtovirta (*vighh*-toa-*veer*-tah) *n* alternating current
vaikea (*vigh*-kay-ah) *adj* hard, difficult
vaikeroida (*vigh*-kay-roi-dah) *v* moan
vaikeus (*vigh*-kay-ooss) *n* difficulty
vaikka (*vighk*-kah) *conj* though, although
vaikkakin (*vighk*-kah-kin) *conj* though
vaikutelma (*vigh*-koo-tayl-mah) *n* impression
vaikutin (*vigh*-koo-tin) *n* motive
vaikuttaa (*vigh*-koot-taa) *v* affect, influence
vaikuttava (*vigh*-koot-tah-vah) *adj* imposing, impressive
vaikutus (*vigh*-koo-tooss) *n* effect; influence; **tehdä** ~ impress; **tehdä valtava** ~ overwhelm
vaikutusvalta (*vigh*-koo-tooss-*vahl*-tah) *n* prestige
vaikutusvaltainen (*vigh*-koo-tooss-*vahl*-tigh-nayn) *adj* influential

vailla (*vighl*-lah) *postp* to
vaillinainen (*vighl*-li-nigh-nayn) *adj* incomplete
vaimo (*vigh*-moa) *n* wife
vain (*vighn*) *adv* only
vaisto (*vighss*-toa) *n* instinct
vaitelias (*vigh*-tay-li-ahss) *adj* quiet, silent
vaiva (*vigh*-vah) *n* trouble; inconvenience, nuisance
vaivalloinen (*vigh*-vahl-loi-nayn) *adj* troublesome
vaivannäkö (*vigh*-vahn-*næ*-kur) *n* pains
vaivata (*vigh*-vah-tah) *v* trouble; annoy
vaivautua (*vigh*-vou-too-ah) *v* bother
vaja (*vah*-ᵞah) *n* shed
vajaus (*vah*-ᵞah-ooss) *n* deficit
vajavaisuus (*vah*-ᵞah-vigh-sõõss) *n* shortcoming
vajavuus (*vah*-ᵞah-võõss) *n* fault
vajota (*vah*-ᵞoa-tah) *v* *sink
vakaa (*vah*-kaa) *adj* stable, even
vakanssi (*vah*-kahns-si) *n* vacancy
vakaumus (*vah*-kah-oo-mooss) *n* conviction; persuasion
vakava (*vah*-kah-vah) *adj* serious, grave; bad
vakavuus (*vah*-kah-võõss) *n* gravity, seriousness
vakio (*vah*-ki-oa) *n* standard; **vakio-** standard
vakiomitta (*vah*-ki-oa-*mit*-tah) *n* gauge
vakituinen (*vah*-ki-too*ᵉᵉ*-nayn) *adj* permanent
vakoilija (*vah*-koi-li-ᵞah) *n* spy
vakosametti (*vah*-koa-*sah*-mayt-ti) *n* corduroy
vakuus (*vah*-kõõss) *n* guarantee
vakuuttaa (*vah*-kõõt-taa) *v* insure, assure; persuade
vakuutus (*vah*-kõõ-tooss) *n* insurance
vakuutuskirja (*vah*-kõõ-tooss-*keer*-ᵞah) *n* policy, insurance policy; au-

ton vakuutuskortti green card
vakuutusmaksu (*vah*-kōō-tooss-*mahk*-soo) *n* premium
vala (*vah*-lah) *n* oath, vow; **väärä ~** perjury
valaista (*vah*-lighss-tah) *v* illuminate; elucidate
valaistus (*vah*-lighss-tooss) *n* lighting; illumination
valas (*vah*-lahss) *n* whale
valehdella (*vah*-layh-dayl-lah) *v* lie
valepuku (*vah*-layp-*poo*-koo) *n* disguise
valhe (*vahl*-hay) *n* lie
valheellinen (*vahl*-hāyl-li-nayn) *adj* untrue, false
valikoida (*vah*-li-koi-dah) *v* pick; select
valikoima (*vah*-li-koi-mah) *n* choice, assortment, selection; variety
valikoitu (*vah*-li-koi-too) *adj* select
valinnainen (*vah*-lin-nigh-nayn) *adj* optional
valinta (*vah*-lin-tah) *n* pick, choice
valintamyymälä (*vah*-lin-tah-*mēw*-mæ-læ) *n* supermarket
valiokunta (*vah*-li-oa-*koon*-tah) *n* committee
valita (*vah*-li-tah) *v* select, *choose; elect
valitettava (*vah*-li-tayt-tah-vah) *adj* lamentable
valitettavasti (*vah*-li-tayt-tah-vahss-ti) *adv* unfortunately
valittaa (*vah*-lit-taa) *v* complain
valitus (*vah*-li-tooss) *n* complaint
valituskirja (*vah*-li-tooss-*keer*-Yah) *n* complaints book
valkaista (*vahl*-kighss-tah) *v* bleach
valkoinen (*vahl*-koi-nayn) *adj* white
valkokangas (*vahl*-koa-*kahng*-ngahss) *n* screen
valkosipuli (*vahl*-koa-*si*-poo-li) *n* garlic
valkoturska (*vahl*-koa-*toors*-kah) *n* whiting

valkuaisaine (*vahl*-koo-ighss-*igh*-nay) *n* protein
vallankumouksellinen (*vahl*-lahn-*koo*-moa-ook-sayl-li-nayn) *adj* revolutionary
vallankumous (*vahl*-lahng-*koo*-moa ooss) *n* revolution
vallata (*vahl*-lah-tah) *v* capture; **~ kokonaan** overwhelm
vallaton (*vahl*-lah-toan) *adj* mischievous
valli (*vahl*-li) *n* dike, mound
vallihauta (*vahl*-li-*hou*-tah) *n* moat
vallita (*vahl*-li-tah) *v* rule
valloittaa (*vahl*-loit-taa) *v* conquer; invade
valloittaja (*vahl*-loit-tah-Yah) *n* conqueror
valloitus (*vahl*-loi-tooss) *n* conquest
valmennus (*vahl*-mayn-nooss) *n* training
valmentaa (*vahl*-mayn-taa) *v* train
valmentaja (*vahl*-mayn-tah-Yah) *n* coach
valmis (*vahl*-miss) *adj* finished, ready; prepared; **valmis-** ready-made; **~ yhteistyöhön** co-operative
valmistaa (*vahl*-miss-taa) *v* prepare; manufacture; **~ huolellisesti** elaborate; **~ ruokaa** *v* cook
valmistaja (*vahl*-miss-tah-Yah) *n* manufacturer
valmistaminen (*vahl*-miss-tah-mi-nayn) *n* preparation
valmistava (*vahl*-miss-tah-vah) *adj* preliminary
valmistella (*vahl*-miss-tayl-lah) *v* arrange
valmistusohje (*vahl*-miss-tooss-*oah*-Yay) *n* recipe
valo (*vah*-loa) *n* light
valoisa (*vah*-loi-sah) *adj* bright; luminous
valokopio (*vah*-loa-*koa*-pi-oa) *n* photo-

stat

valokuva (*vah*-loa-*koo*-vah) *n* photograph, photo; snapshot

valokuvaaja (*vah*-loa-*koo*-vaa-ᵞah) *n* photographer

valokuvata (*vah*-loa-*koo*-vah-tah) *v* photograph

valokuvaus (*vah*-loa-*koo*-vah-ooss) *n* photography

valokuvausliike (*vah*-loa-*koo*-vah-ooss-*lee*-kay) *n* camera shop

valonheitin (*vah*-loan-*hay*-tin) *n* searchlight, spotlight

valotus (*vah*-loa-tooss) *n* exposure

valotusmittari (*vah*-loa-tooss-*mit*-tah-ri) *n* exposure meter

valpas (*vahl*-pahss) *adj* vigilant; bright

valssi (*vahls*-si) *n* waltz

valta (*vahl*-tah) *n* might, power; rule

valtaistuin (*vahl*-tah-*iss*-tooᵉᵉn) *n* throne

valtakunta (*vahl*-tah-*koon*-tah) *n* state, kingdom

valtameri (*vahl*-tah-*may*-ri) *n* ocean

valtatie (*vahl*-tahtyay) *n* thoroughfare

valtaus (*vahl*-tah-ooss) *n* capture

valtava (*vahl*-tah-vah) *adj* vast, immense, tremendous, huge

valtias (*vahl*-ti-ahss) *n* ruler

valtimo (*vahl*-ti-moa) *n* artery; pulse

valtio (*vahl*-ti-oa) *n* state

valtiollinen (*vahl*-ti-oal-li-nayn) *adj* national

valtiomies (*vahl*-ti-oa-*myayss*) *n* statesman

valtionpäämies (*vahl*-ti-oan-*pææ*-mi-ayss) *n* head of state

valtionvirkamies (*vahl*-ti-oan veer-kah-*myayss*) civil servant

valtiopäivämies (*vahl*-ti-oa-*pæᵉᵉ*-væ-myayss) *n* deputy

valtiosääntö (*vahl*-ti-oa-*sææn*-tur) *n* constitution

valtiovarainministeriö (*vahl*-ti-oa-*vah*-righn-*mi*-niss-tay-ri-ur) *n* Treasury

valtuus (*vahl*-tōōss) *n* authority; mandate

valtuuskunta (*vahl*-tōōss-*koon*-tah) *n* delegation

valtuutettu (*vahl*-tōō-tayt-too) *n* delegate

valtuutus (*vahl*-tōō-tooss) *n* authorization

valurauta (*vah*-loo-*rou*-tah) *n* cast iron

valuutta (*vah*-lōōt-tah) *n* currency

valvoa (*vahl*-voa-ah) *v* watch; look after; supervise; control

valvoja (*vahl*-voa-ᵞah) *n* supervisor; attendant

valvonta (*vahl*-voan-tah) *n* control, supervision

vamma (*vahm*-mah) *n* injury

vammainen (*vahm*-migh-nayn) *adj* disabled, invalid

vanginvartija (*vahng*-ngin-*vahr*-ti-ᵞah) *n* jailer

vangita (*vahng*-ngi-tah) *v* imprison, capture

vangitseminen (*vahng*-ngit-say-mi-nayn) *n* capture

vanha (*vahn*-hah) *adj* aged, old; ancient

vanhahko (*vahn*-hahh-koa) *adj* elderly

vanhanaikainen (*vahn*-hahn-*igh*-kigh-nayn) *adj* old-fashioned, ancient; quaint

vanhemmat (*vahn*-haym-maht) *pl* parents *pl*

vanhempi (*vahn*-haym-pi) *adj* elder

vanhentunut (*vahn*-hayn-too-noot) *adj* ancient; out of date, expired

vanhin (*vahn*-hin) *adj* eldest

vanhoillinen (*vahn*-hoil-li-nayn) *adj* conservative

vanhuudenheikko (*vahn*-hōō-dayn-*hayk*-koa) *adj* senile

vanhuus (*vahn*-hōōss) *n* age, old age

vanilja (*vah*-nil-Yah) *n* vanilla

vankeus (*vahng*-kay-ooss) *n* imprisonment; custody

vanki (*vahng*-ki) *n* prisoner

vankila (*vahng*-ki-lah) *n* jail, gaol, prison

vankka (*vahngk*-kah) *adj* robust, firm

vanne (*vahn*-nay) *n* rim

vannoa (*vahn*-noa-ah) *v* *swear, vow

vanu (*vah*-noo) *n* cotton-wool

vapa (*vah*-pah) *n* rod

vapaa (*vah*-paa) *adj* free; unoccupied, vacant; **vapautettu jstk** exempt

vapaa-aika (*vah*-paa-*iyh*-kah) *n* leisure

vapaaehtoinen (*vah*-paa-*ayh*-toi-nayn) *n* volunteer; *adj* voluntary

vapaalippu (*vah*-paa-*lip*-poo) *n* free ticket

vapaamielinen (*vah*-paa-*myay*-li-nayn) *adj* liberal

vapaus (*vah*-pah-ooss) *n* freedom, liberty

vapauttaa (*vah*-pah-oot-taa) *v* exempt; discharge of, relieve

vapauttaminen (*vah*-pah-oot-tah-mi-nayn) *n* emancipation; ~ **syytteestä** acquittal

vapautus (*vah*-pah-oo-tooss) *n* liberation; exemption

vapista (*vah*-piss-tah) *v* shiver, tremble

varakas (*vah*-rah-kahss) *adj* wealthy, well-to-do

varallisuus (*vah*-rahl-li-sōōss) *n* wealth

varaosa (*vah*-rah-*oa*-sah) *n* spare part

varapresidentti (*vah*-rah-*pray*-si-daynt-ti) *n* vice-president

varapyörä (*vah*-rah-*pᵉʷur*-ræ) *n* spare wheel

vararengas (*vah*-rah-*rayng*-ngahss) *n* spare tyre

vararikkoinen (*vah*-rah-*rik*-koi-nayn) *adj* bankrupt

varas (*vah*-rahss) *n* thief

varastaa (*vah*-rahss-taa) *v* *steal

varasto (*vah*-rahss-toa) *n* store, supply, stock; depot, warehouse, storehouse

varastoida (*vah*-rahss-toi-dah) *v* stock, store

varastointi (*vah*-rahss-toin-ti) *n* storage

varasäiliö (*vah*-rah-sæᵉᵉ-li-ur) *n* refill

varata (*vah*-rah-tah) *v* reserve, book; engage

varattu (*vah*-raht-too) *adj* reserved, occupied, engaged

varauloskäytävä (*vah*-rah-*oo*-loass-kæᵉʷ-tæ-væ) *n* emergency exit

varaus (*vah*-rah-ooss) *n* booking, reservation; qualification

varhainen (*vahr*-high-nayn) *adj* early

varhaisempi (*vahr*-high-saym-pi) *adj* prior

varietee-esitys (*vah*-ri-ay-tāy-*ay*-si-tewss) *n* variety show

varieteeteatteri (*vah*-ri-ay-tāy-*tay*-aht-tay-ri) *n* variety theatre

varis (*vah*-riss) *n* crow

varjo (*vahr*-Yoa) *n* shadow, shade

varjoisa (*vahr*-Yoi-sah) *adj* shady

varkaus (*vahr*-kah-ooss) *n* theft, robbery

varma (*vahr*-mah) *adj* secure, certain, sure; solid

varmasti (*vahr*-mahss-ti) *adv* surely; **ihan** ~ without fail

varmistua (*vahr*-miss-too-ah) *v* secure; ~ **jstk** ascertain

varoa (*vah*-roa-ah) *v* beware, mind; **olla varuillaan** watch out, look out, beware

varoittaa (*vah*-roi-taa) *v* caution, warn

varoitus (*vah*-roi-tooss) *n* warning

varovainen (*vah*-roa-vigh-nayn) *adj* careful, cautious; wary

varovaisuus (*vah*-roa-vigh-sōōss) *n*

caution; precaution
varpu (*vahr*-poo) *n* twig
varpunen (*vahr*-poo-nayn) *n* sparrow
varras (*vahr*-rahss) *n* spit
varrella (*vahr*-rayl-lah) *postp* on
varsi (*vahr*-si) *n* handle; stem
varsinainen (*vahr*-si-nigh-nayn) *adj* actual
varsinkin (*vahr*-sing-kin) *adv* especially
vartalo (*vahr*-tah-loa) *n* figure
varten (*vahr*-tayn) *postp* for
vartija (*vahr*-ti-Yah) *n* custodian, guard
vartio (*vahr*-ti-oa) *n* guard; **olla vartiossa** patrol
vartioida (*vahr*-ti-oi-dah) *v* guard; watch
varustaa (*vah*-rooss-taa) *v* equip; furnish; ~ **jllk** furnish with
varusteet (*vah*-rooss-tāyt) *pl* outfit, kit, equipment
varvas (*vahr*-vahss) *n* toe
vasara (*vah*-sah-rah) *n* hammer
vasemmanpuolinen (*vah*-saym-mahm-pwoa-li-nayn) *adj* left-hand
vasen (*vah*-sayn) *adj* left-hand, left
vasenkätinen (*vah*-sayng-kæ-ti-nayn) *adj* left-handed
vasikanliha (*vah*-si-kahn-*li*-hah) *n* veal
vasikannahka (*vah*-si-kahn-*nahh*-kah) *n* calf skin
vasikka (*vah*-sik-kah) *n* calf
vasta-alkaja (*vahss*-tah-*ahl*-kah-Yah) *n* beginner
vastaan (*vahss*-taan) *postp* against; versus; **olla jtk** ~ mind; ~ **tuleva** oncoming
vastaanottaa (*vahss*-taan-*oat*-taa) *v* receive
vastaanottaja (*vahss*-taan-*oat*-tah-Yah) *n* addressee
vastaanotto (*vahss*-taan-*oat*-toa) *n* reception, receipt

vastaanottoaika (*vahss*-taan-*oat*-toa-*igh*-kah) *n* consultation hours
vastaanottoapulainen (*vahss*-taan-*oat*-toa-*ah*-poo-ligh-nayn) *n* receptionist
vastaanottohuone (*vahss*-taan-*oat*-toa-*hwoa*-nay) *n* surgery, reception office
vastaava (*vahss*-taa-vah) *adj* equivalent
vastahakoinen (*vahss*-tah-*hah*-koi-nayn) *adj* unwilling, averse
vastakohta (*vahss*-tah-*koah*-tah) *n* reverse, contrast, contrary
vastalause (*vahss*-tah-*lou*-say) *n* protest, objection; **esittää** ~ protest
vastapäinen (*vahss*-tah-*pæ*ᵉᵉ-nayn) *adj* opposite
vastapäätä (*vahss*-tah-*pææ*-tæ) *postp* facing, opposite
vastata (*vahss*-tah-tah) *v* answer, reply; correspond
vastaus (*vahss*-tah-ooss) *n* reply, answer; **vastaukseksi** *adv* in reply
vastavaikutus (*vahss*-tah-*vigh*-koo-tooss) *n* reaction
vastavirtaan (*vahss*-tah-*veer*-taan) *adv* upstream
vastaväite (*vahss*-tah-væᵉᵉ-tay) *n* objection
vastenmielinen (*vahss*-taym-*myay*-li-nayn) *adj* unpleasant, repulsive, disgusting, repellent
vastenmielisyys (*vahss*-taym-*myay*-li-sēwss) *n* aversion, dislike, antipathy; **tuntea vastenmielisyyttä** dislike
vastoinkäyminen (*vahss*-toin-kæᵉʷ-mi-nayn) *n* reverse
vastustaa (*vahss*-tooss-taa) *v* object, oppose
vastustaja (*vahss*-tooss-tah-Yah) *n* opponent
vastustus (*vahss*-tooss-tooss) *n* resis-

tance
vastuu (*vahss*-tōō) *n* responsibility;
vastuussa jstk in charge of
vastuullinen (*vahss*-tōōl-li-nayn) *adj*
responsible; liable
vastuuvelvollisuus (*vahss*-tōō-vayl-
voal-li-sōoss) *n* liability
vati (*vah*-ti) *n* dish, basin
vatkain (*vaht*-kighn) *n* mixer
vatkata (*vaht*-kah-tah) *v* whip; mix
vatsa (*vaht*-sah) *n* belly, stomach
vatsahaava (*vaht*-sah-*haa*-vah) *n* gas-
tric ulcer
vatsakipu (*vaht*-sah-*ki*-poo) *n*
stomach-ache
vauhti (*vouh*-ti) *n* rate, speed; **hiljen-
tää vauhtia** slow down
vaunu (*vou*-noo) *n* coach, waggon
vaununosasto (*vou*-noon-*oa*-sahss-toa)
n compartment
vaunut (*vou*-noot) *pl* carriage, coach
vauraus (*vou*-rah-ooss) *n* prosperity
vaurio (*vou*-ri-oa) *n* damage
vaurioittaa (*vou*-ri-oit-taa) *v* damage
vauva (*vou*-vah) *n* baby; **vauvan kan-
tokassi** carry-cot
vauvanvaippa (*vou*-vahn-*vighp*-pah) *n*
diaper *nAm*
vedenalainen (*vay*-dayn-*ah*-ligh-nayn)
adj underwater
vedenpitävä (*vøy*-daym-*pi*-tæ-væ) *adj*
waterproof
vedonlyönti (*vay*-doan-*lewurn*-ti) *n* bet;
vedonlyönnin välittäjä bookmaker
vedos (*vay*-doass) *n* print
vehkeillä (*vayh*-kayl-læ) *v* conspire
vehkeily (*vayh*-kay-lew) *n* intrigue
vehnä (*vayh*-næ) *n* wheat
vehnäjauho (*vayh*-næ-*You*-hoa) *n* flour
veistos (*vayss*-toass) *n* sculpture;
carving
veistää (*vayss*-tææ) *v* carve
veitsi (*vayt*-si) *n* knife
vekotin (*vay*-koa-tin) *n* gadget

vekseli (*vayk*-say-li) *n* draft
veli (*vay*-li) *n* brother
veljenpoika (*vayl*-Yaym-*poi*-kah) *n*
nephew
veljentytär (*vayl*-Yayn-*tew*-tær) *n*
niece
veljeys (*vayl*-Yay-ewss) *n* fraternity
velka (*vayl*-kah) *n* debt; **olla velkaa**
owe
velkoja (*vayl*-koa-Yah) *n* creditor
veltto (*vaylt*-toa) *adj* limp
velvoittaa (*vayl*-voit-taa) *v* oblige
velvollisuus (*vayl*-voal-li-sōoss) *n* duty
vene (*vay*-nay) *n* boat
Venezuela (*vay*-nayt-soo-*āy*-lah) Ven-
ezuela
venezuelalainen (*vay*-nayt-soo-*āy*-lah-
ligh-nayn) *n* Venezuelan; *adj* Ven-
ezuelan
venttiili (*vaynt*-teeli) *n* valve
venyttää (*vaynewt*-tææ) *v* stretch
Venäjä (*vay*-næ-*Yæ*) Russia
venäläinen (*vay*-næ-læ*ee*-nayn) *n* Rus-
sian; *adj* Russian
verbi (*vayr*-bi) *n* verb
verenkierto (*vay*-rayng-*kyayr*-toa) *n*
circulation
verenmyrkytys (*vay*-raym-*mewr*-kew-
tewss) *n* blood-poisoning
verenpaine (*vay*-raym-*pigh*-nay) *n*
blood pressure
verenvuoto (*vay*-rayn-*vwoa*-toa) *n*
haemorrhage; ~ **nenästä** nose-
bleed
verho (*vayr*-hoa) *n* curtain
verhoilla (*vayr*-hoil-lah) *v* upholster
veri (*vay*-ri) *n* blood
verisuoni (*vay*-ri-*swoa*-ni) *n* blood-
vessel
verkko (*vayrk*-koa) *n* net
verkkokalvo (*vayrk*-koa-*kahl*-voa) *n*
retina
verkkoryhmä (*vayrk*-koa-*rewh*-mæ) *n*
network

verkonsilmä (*vayr*-koan-*sil*-mæ) *n* mesh

vernissa (*vayr*-niss-sah) *n* varnish

vero (*vay*-roa) *n* tax

veroton (*vay*-roa-toan) *adj* tax-free

verottaa (*vay*-roat-taa) *v* tax

verotus (*vay*-roa-tooss) *n* taxation

verrata (*vayr*-rah-tah) *v* compare

verraton (*vayr*-rah-toan) *adj* priceless, exquisite, terrific; superlative

vertailukohta (*vayr*-tah-*i*-loo-koah-tah) *n* parallel

vertaus (*vayr*-tah-ooss) *n* comparison

veruke (*vay*-roo-kay) *n* pretence

veräjä (*vay*-ræ-ᵞæ) *n* gate

vesi (*vay*-si) *n* water; **juokseva ~** running water

vesikauhu (*vay*-si-*kou*-hoo) *n* rabies

vesillelasku (*vay*-sil-layl-*lahss*-koo) *n* launching

vesimeloni (*vay*-si-*may*-loa-ni) *n* watermelon

vesipannu (*vay*-si-*pahn*-noo) *n* kettle

vesipumppu (*vay*-si-*poomp*-poo) *n* water pump

vesiputous (*vay*-si-*poo*-toa-ooss) *n* waterfall

vesirokko (*vay*-si-*roak*-koa) *n* chicken-pox

vesisuksi (*vay*-si-*sook*-si) *n* water ski

vesivaaka (*vay*-si-*vaa*-kah) *n* level

vesiväri (*vay*-si-*væ*-ri) *n* water-colour

vesivärimaalaus (*vay*-si-*væ*-ri-*maa*-lah-ooss) *n* water-colour

veto (*vay*-toa) *n* draught

vetoketju (*vay*-toa-*kayt*-ᵞoo) *n* zip, zipper

vetoomus (*vay*-tōā-mooss) *n* appeal

vetovoima (*vay*-toa-*voi*-mah) *n* attraction

veturi (*vay*-too-ri) *n* locomotive, engine

vety (*vay*-tew) *n* hydrogen

vetäytyä (*vay*-tæᵉᵂ-tew-æ) *v* *with-draw

vetää (*vay*-tææ) *v* pull, *draw; *wind; **~ puoleensa** attract; **~ ulos** extract

viallinen (*vi*-ahl-li-nayn) *adj* defective

viaton (*vi*-ah-toan) *adj* innocent

viattomuus (*vi*-aht-toa-mōōss) *n* innocence

viedä (*vi*-ay-dæ) *v* *take away; **~ kirjoihin** book; **~ maasta** export

viehkeä (*vyayh*-kay-æ) *adj* graceful

viehättävä (*vyay*-hæt-tæ-væ) *adj* charming, lovely

viehätys (*vyay*-hæ-tewss) *n* charm, attraction

vielä (*vyay*-læ) *adv* yet, still

viemäri (*vyay*-mæ-ri) *n* drain, sewer

vienti (*vyayn*-ti) *n* export, exportation

vientitavarat (*vyayn*-ti-*tah*-vah-raht) *pl* exports *pl*

vieraanvarainen (*vyay*-raan-*vah*-righ-nayn) *adj* hospitable

vieraanvaraisuus (*vyay*-raan-*vah*-righ-sōōss) *n* hospitality

vierailija (*vyay*-righ-li-ᵞah) *n* visitor

vierailla (*vyay*-righl-lah) *v* call on, visit

vierailu (*vyay*-righ-loo) *n* visit

vierailuaika (*vyay*-righ-loo-*igh*-kah) *n* visiting hours

vieras (*vyay*-rahss) *n* alien, guest; *adj* foreign

vierashuone (*vyay*-rahss-*hwoa*-nay) *n* spare room, guest-room

vieraskäynti (*vyay*-rahss-*kæᵉᵂn*-ti) *n* call

vieressä (*vyay*-rayss-sæ) *postp* beside, next to

viesti (*vyayss*-ti) *n* message

viestintä (*vyayss*-tin-tæ) *n* communication

vietellä (*vyay*-tayl-læ) *v* seduce

viettävä (*vyayt*-tæ-væ) *adj* sloping

viettää[1] (*vyayt*-tææ) *v* *spend; **~ riemuvoittoa** triumph

viettää² (*vyayt*-tææ) *v* slope
viha (*vi*-hah) *n* hate, hatred
vihainen (*vi*-high-nayn) *adj* cross, angry
vihamielinen (*vi*-hah-*myay*-li-nayn) *adj* hostile
vihannekset (*vi*-hahn-nayk-sayt) *pl* greens *pl*
vihanneskauppias (*vi*-hahn-nayss-*koup*-pi-ahss) *n* greengrocer; vegetable merchant
vihata (*vi*-hah-tah) *v* hate
vihdoin (*vih*-doin) *adv* at last
vihellyspilli (*vi*-hayl-lewss-*pil*-li) *n* whistle
viheltää (*vi*-hayl-tææ) *v* whistle
vihjata (*vih*-Yah-tah) *v* imply
vihkisormus (*vih*-ki-*soar*-mooss) *n* wedding-ring
vihollinen (*vi*-hoal-li-nayn) *n* enemy
vihreä (*vih*-ray-æ) *adj* green
viidakko (*vee*-dahk-koa) *n* jungle
viides (*vee*-dayss) *num* fifth
viidestoista (*vee*-dayss-*toiss*-tah) *num* fifteenth
viihde (*veeh*-day) *n* entertainment
viihdyttävä (*veeh*-dewt-tæ-væ) *adj* entertaining
viihdyttää (*veeh*-dewt-tææ) *v* entertain
viikko (*veek*-koa) *n* week; **kaksi viikkoa** fortnight
viikonloppu (*vee*-koan-*loap*-poo) *n* weekend
viikottainen (*vee*-koat-tigh-nayn) *adj* weekly
viikset (*veek*-sayt) *pl* moustache
viikuna (*vee*-koo-nah) *n* fig
viila (*vee*-lah) *n* file
viileä (*vee*-lay-æ) *adj* cool
viilto (*veel*-toa) *n* cut
viime (*vee*-may) *adj* past, last; **~ aikoina** lately
viimeinen (*vee*-may-nayn) *adj* ulti-

mate, last
viimeistellä (*vee*-mayss-tayl-læ) *v* finish
viina (*vee*-nah) *n* liquor
viini (*vee*-ni) *n* wine
viinikauppias (*vee*-ni-*koup*-pi-ahss) *n* wine-merchant
viinikellari (*vee*-ni-*kayl*-lah-ri) *n* wine-cellar
viiniköynnös (*vee*-ni-*kur*ᵉʷⁿ-nurss) *n* vine
viinilista (*vee*-ni-*liss*-tah) *n* wine-list
viininkorjuu (*vee*-nin-*koar*-Yōō) *n* vintage
viinirypäleet (*vee*-ni-*rew*-pæ-lāyt) *pl* grapes *pl*
viinitarha (*vee*-ni-*tahr*-hah) *n* vineyard
viinuri (*vee*-noo-ri) *n* wine-waiter
viipale (*vee*-pah-lay) *n* slice
viipymättä (*vee*-pew-mæt-tæ) *adv* immediately
viiriäinen (*vee*-ri-æ ᵉᵉ-nayn) *n* quail
viisas (*vee*-sahss) *adj* wise
viisaus (*vee*-sah-ooss) *n* wisdom
viisi (*vee*-si) *num* five
viisikymmentä (*vee*-si-*kewm*-mayn-tæ) *num* fifty
viisitoista (*vee*-si-*toiss*-tah) *num* fifteen
viisto (*veess*-toa) *adj* slanting
viisumi (*vee*-soo-mi) *n* visa
viitata (*vee*-tah-tah) *v* point; **~ jhk** refer to
viitaten (*vee*-tah-tayn) *adv* with reference to
viite (*vee*-tay) *n* reference
viitta (*veet*-tah) *n* robe
viittaus (*veet*-tah-ooss) *n* sign
viiva (*vee*-vah) *n* line
viivoitin (*vee*-voi-tin) *n* ruler
viivyttää (*vee*-vewt-tææ) *v* delay
viivytys (*vee*-vew-tewss) *n* delay
vika (*vi*-kah) *n* fault; deficiency
vilahdus (*vi*-lahh-dooss) *n* glimpse

vilja (*vil-*Yah) *n* corn

viljapelto (*vil-*Yah-*payl-*toa) *n* cornfield

viljelemätön (*vil-*Yay-lay-mæ-turn) *adj* uncultivated

viljellä (*vil-*Yayl-læ) *v* cultivate; raise

viljelys (*vil-*Yay-lewss) *n* plantation

vilkas (*vil-*kahss) *adj* active

vilkasliikenteinen (*vil-*kahss-*lee-*kayn-tay-nayn) *adj* busy

vilkkuvalo (*vilk-*koo-*vah-*loa) *n* indicator

villa (*vil-*lah) *n* wool

villainen (*vil-*ligh-nayn) *adj* woollen

villapaita (*vil-*lah-*pigh-*tah) *n* pullover, jersey

villatakki (*vil-*lah-*tahk-*ki) *n* cardigan

villi (*vil-*li) *adj* savage; wild; fierce

villitys (*vil-*lew-tewss) *n* craze

vilpillinen (*vil-*pil-li-nayn) *adj* false

vilpitön (*ooss-*koal-li-nayn) *adj* sincere, honest

vilustua (*vi-*looss-too-ah) *v* *catch a cold

vilustuminen (*vi-*looss-too-mi-nayn) *n* cold

vimma (*vim-*mah) *n* passion

vino (*vi-*noa) *adj* slanting

vinokirjaimet (*vi-*noa-*keer-*Yigh-mayt) *pl* italics *pl*

vinottainen (*vi-*noat-tigh-nayn) *adj* diagonal

vintiö (*vin-*ti-ur) *n* rascal

vinttikoira (*vint-*ti-*koi-*rah) *n* greyhound

vipu (*vi-*poo) *n* lever

vipuvarsi (*vi-*poo-vahr-si) *n* lever

virallinen (*vi-*rahl-li-nayn) *adj* official

viranomaiset (*vi-*rahn-*oa-*migh-sayt) *pl* authorities *pl*

virasto (*vi-*rahss-toa) *n* office

virhe (*veer-*hay) *n* mistake, fault, error

virheellinen (veer-hāyl-li-nayn) *adj* wrong, incorrect, faulty

virheetön (*veer-*hāy-turn) *adj* faultless

virittää (*vi-*rit-tææ) *v* tune in

virka (*veer-*kah) *n* office

virkapuku (*veer-*kah-*poo-*koo) *n* uniform

virkata (*veer-*kah-tah) *v* crochet

virkaura (*veer-*kah-*oo-*rah) *n* career

virkavaltaisuus (*veer-*kah-*vahl-*tigh-sōōss) *n* bureaucracy

virkaveli (*veer-*kah-vay-li) *n* colleague

virkistys (*veer-*kiss-tewss) *n* recreation

virkistyskeskus (*veer-*kiss-tewss-*kayss-*kooss) *n* recreation centre

virkistää (*veer-*kiss-tææ) *v* refresh

virnistys (*veer-*niss-tewss) *n* grin

virnistää (*veer-*niss-tææ) *v* grin

virranjakaja (*veer-*rahn-*Yah-*kah-*Yah*) *n* distributor

virrata (*veer-*rah-tah) *v* flow, stream

virsi (*veer-*si) *n* hymn

virta (*veer-*tah) *n* stream; current

virtsa (*veert-*sah) *n* urine

virvoke (*veer-*voa-kay) *n* refreshment

vitamiini (*vi-*tah-mee-ni) *n* vitamin

vitsaus (*vit-*sah-ooss) *n* plague

vitsi (*vit-*si) *n* joke

viuhka (vee^(oo)h-kah) *n* fan

viulu (vee^(oo)-loo) *n* violin

vivahdus (*vi-*vahh-dooss) *n* shade

vohveli (*voah-*vay-li) *n* wafer, waffle

voi (*voi*) *n* butter

voida (*voi-*dah) *v* *can, *be able to

voide (*voi-*day) *n* cream; ointment

voidella (*voi-*dayl-lah) *v* lubricate

voihkia (*voih-*ki-ah) *n* groan

voikukka (*voi-*kook-kah) *n* dandelion

voileipä (*voi-*lay-pæ) *n* sandwich

voima (*voi-*mah) *n* strength, energy, force, power

voimakas (*voi-*mah-kahss) *adj* strong; powerful

voimakkuus (*voi-*mahk-kōōss) *n* power

voimalaitos (*voi-*mah-*ligh-*toass) *n* power-station

voimaton (*voi*-mah-toan) *adj* powerless; faint

voimistelija (*voi*-miss-tay-li-Yah) *n* gymnast

voimistelu (*voi*-miss-tay-loo) *n* gymnastics *pl*

voimistelusali (*voi*-miss-tay-loo-*sah*-li) *n* gymnasium

voimistelutossut (*voi*-miss-tay-loo-*toass*-soot) *pl* gym shoes

voitelu (*voi*-tay-loo) *n* lubrication

voitelujärjestelmä (*voi*-tay-loo-Yær-Yayss-tayl-mæ) *n* lubrication system

voiteluöljy (*voi*-tay-loo-*url*-Yew) *n* lubrication oil

voitollinen (*voi*-toal-li-nayn) *adj* winning

voittaa (*voit*-taa) *v* gain, *win; defeat, *beat; *overcome

voittaja (*voit*-tah-Yah) *n* winner

voittamaton (*voit*-tah-mah-toan) *adj* unsurpassed

voitto (*voit*-toa) *n* victory; profit, benefit

voittoisa (*voit*-toi-sah) *adj* triumphant

voittosumma (*voit*-toa-*soom*-mah) *n* winnings *pl*

vokaali (*voa*-kaa-li) *n* vowel

voltti (*voalt*-ti) *n* volt

vuodattaa (*vwoa*-daht-taa) *v* *shed

vuode (*vwoa*-day) *n* bed

vuodenaika (*vwoa*-dayn-*igh*-kah) *n* season

vuodevaatteet (*vwoa*-dayv-*vaat*-tāyt) *pl* bedding

vuohennahka (*vwoa*-hayn-*nahh*-kah) *n* kid

vuohi (*vwoa*-hi) *n* goat

vuohipukki (*vwoa*-hi-*pook*-ki) *n* goat

vuokra (*vwoak*-rah) *n* rent; **antaa vuokralle** lease

vuokra-autoilija (*vwoak*-rah-*ou*-toi-li-

Yah) *n* taxi-driver

vuokraemäntä (*vwoak*-rah-*ay*-mæn-tæ) *n* landlady

vuokraisäntä (*vwoak*-rah-*i*-sæn-tæ) *n* landlord

vuokralainen (*vwoak*-rah-ligh-nayn) *n* lodger, tenant

vuokrasopimus (*vwoak*-rah-*soa*-pi-mooss) *n* lease

vuokrata (*vwoak*-rah-tah) *v* *let, hire, rent, lease

vuokratalo (*vwoak*-rah-*tah*-loa) *n* apartment house *Am*

vuokrattavana (*vwoak*-raht-tah-vah-nah) for hire

vuoksi (*vwoak*-si) *postp* owing to, because of, for; *n* flood

vuolla (*lay*-kah-tah) *v* carve

vuono (*vwoa*-noa) *n* fjord

vuorenharjanne (*vwoa*-rayn-*hahr*-Yahn-nay) *n* ridge

vuori (*vwoa*-ri) *n* mount, mountain; lining

vuorijono (*vwoa*-ri-Yoa-noa) *n* mountain range

vuorinen (*vwoa*-ri-nayn) *adj* mountainous

vuoristokiipeily (*vwoa*-riss-toa-*kee*-pay-lew) *n* mountaineering

vuoro (*vwoa*-roa) *n* turn

vuorokausi (*vwoa*-roa-*kou*-si) *n* twenty-four hours

vuorolaiva (*vwoa*-roa-*ligh*-vah) *n* liner

vuorottainen (*vwoa*-roat-tigh-nayn) *adj* alternate

vuorovesi (*vwoa*-roa-*vay*-si) *n* tide

vuosi (*vwoa*-si) *n* year; **uusi ~** New Year

vuosikirja (*vwoa*-si-*keer*-Yah) *n* annual

vuosipäivä (*vwoa*-si-*pæ*ee-væ) *n* anniversary

vuosisata (*vwoa*-si-*sah*-tah) *n* century

vuosittain (*vwoa*-sit-tighn) *adv* per annum

vuotaa (*vwoa*-taa) *v* leak; ~ **verta**
*bleed

vuotava (*vwoa*-tah-vah) *adj* leaky

vuoto (*vwoa*-toa) *n* leak

vuotuinen (*vwoa*-tigh-nayn) *adj* year-
ly, annual

vyö (*v^ew^ur*) *n* belt

vyöhyke (*v^ew^ur*-hew-kay) *n* zone

vyötärö (*v^ew^ur*-tæ-rur) *n* waist

väestö (*væ*-ayss-tur) *n* population

vähemmistö (*væ*-haym-miss-tur) *n* mi-
nority

vähemmän (*væ*-haym-mæn) *adv* less

vähennys (*væ*-hayn-newss) *n* de-
crease; rebate, discount

vähentää (*væ*-hayn-tææ) *v* reduce,
lessen, decrease; subtract, deduct

vähetä (*væ*-hay-tææ) *v* decrease

vähin (*væ*-hin) *adj* least

vähintään (*væ*-hin-tææn) *adv* at least

vähitellen (*væ*-hi-tayl-layn) *adv* grad-
ually

vähittäiskauppa (*væ*-hit-tæ^ee^ss-*koup*-
pah) *n* retail trade

vähittäiskauppias (*væ*-hit-tæ^ee^ss-
koup-pi-ahss) *n* retailer

vähittäismaksukauppa (*væ*-hit-
tæ^ee^ss-mahk-soo-*koup*-pah) *n* hire-
purchase

vähäinen (*væ*-hæ^ee^-nayn) *adj* minor,
small; slight

vähäisin (*væ*-hæ^ee^-sin) *adj* least

vähän (*væ*-hæn) *adv* some; ~ **lisää**
some more

vähäpätöinen (*væ*-hæ-pæ-tur^ee^-nayn)
adj petty; minor

väijytys (*væ^ee^-*Yew-tewss) *n* ambush

väistämätön (*væ^ee^*ss-tæ-mæ-turn) *adj*
unavoidable, inevitable

väite (*væ^ee^*-tay) *n* thesis

väitellä (*væ^ee^*-tayl-læ) *v* argue; dis-
cuss

väittely (*væ^ee^t*-tay-lew) *n* argument;
discussion

väittää (*væ^ee^t*-tææ) *v* insist, claim;
~ **vastaan** contradict; object to

väkevä (*væ*-kay-væ) *adj* powerful

väkijuomat (*væ*-ki-^Y^woa-maht) *pl* spir-
its

väkipyörä (*væ*-ki-p^ew^ur-ræ) *n* pulley

väkirikas (*væ*-ki-*ri*-kahss) *adj* popu-
lous

väkisin (*væ*-ki-sin) *adv* by force

väkivalta (*væ*-ki-*vahl*-tah) *n* violence;
force; **tehdä väkivaltaa** assault

väkivaltainen (*væ*-ki-*vahl*-tigh-nayn)
adj violent

väli (*væ*-li) *n* space; interval

väliaika (*væ*-li-*igh*-kah) *n* interval, in-
termission; interim

väliaikainen (*væ*-li-*igh*-kigh-nayn) *adj*
temporary; provisional

väliintulo (*væ*-leen-*too*-loa) *n* interfer-
ence

välikerros (*væ*-li-*kayr*-roass) *n* mezza-
nine

välikohtaus (*væ*-li-*koah*-tah-ooss) *n*
episode, interlude

välimatka (*væ*-li-*maht*-kah) *n* space

Välimeri (*væ*-li-*may*-ri) Mediterra-
nean

väline (*væ*-li-nay) *n* tool

välinpitämätön (*væ*-lim-*pi*-tæ-mæ-
turn) *adj* indifferent; careless

välipala (*væ*-li-*pah*-lah) *n* snack

väliseinä (*væ*-li-*say*-næ) *n* partition

välissä (*væ*-liss-sæ) *postp* between

välittäjä (*væ*-lit-tæ-^Y^æ) *n* intermedi-
ary, mediator; broker

välittää (*væ*-lit-tææ) *v* mediate; **olla
välittämättä** ignore; ~ **jstk** care
for

välittömästi (*væ*-lit-tur-mæss-ti) *adv*
instantly, immediately

välitunti (*væ*-li-*toon*-ti) *n* break

välitysliike (*væ*-li-tewss-*lee*-kay) *n*
agency

välitön (*væ*-li-turn) *adj* direct, im-

mediate
väljähtynyt (*væl-*ᵞæh-tew-newt) *adj*
stale
välttämättömyys (*vælt-*tæ-mæt-tur-
mēwss) *n* necessity
välttämätön (*vælt-*tæ-mæ-turn) *adj*
necessary; essential
välttää (*vælt-*tææ) *v* avoid; escape
välähdys (*væ-*læh-dewss) *n* flash
väri (*væ-*ri) *n* colour
väriaine (*væ-*ri-*igh-*nay) *n* colourant
värifilmi (*væ-*ri-*fil-*mi) *n* colour film
värikäs (*væ-*ri-kæss) *adj* colourful
värillinen (*væ-*ril-li-nayn) *adj* coloured
värinpitävä (*væ-*rim-*pi-*tæ-væ) *adj*
fast-dyed
värisevä (*væ-*ri-say-væ) *adj* shivery
värisokea (*væ-*ri-*soa-*kay-ah) *adj* col-
our-blind
väristys (*væ-*riss-tewss) *n* chill; shiv-
er, shudder
väristä (*væ-*riss-tæ) *v* tremble, shiver
värjätä (*vær-*ᵞæ-tæ) *v* dye
värjäys (*vær-*ᵞæ-ewss) *n* dye
värähdellä (*væ-*ræh-dayl-læ) *v* vibrate
värähtely (*væ-*ræh-tay-lew) *n* vibra-
tion
väsynyt (*væ-*sew-newt) *adj* tired
väsyttävä (*væ-*sewt-tæ-væ) *adj*
weary, tiring
väsyttää (*væ-*sewt-tææ) *v* tire
vävy (*væ-*vew) *n* son-in-law
väylä (*væ*ᵉʷ-læ) *n* passage
vääntynyt (*vææn-*tew-newt) *adj*
crooked
vääntää (*vææn-*tææ) *v* wrench, twist
vääntö (*vææn-*tur) *n* twist
väärennys (*vææ-*rayn-newss) *n* fake
väärentää (*vææ-*rayn-tææ) *v* forge,
counterfeit
väärinkäsitys (*vææ-*ring-kæ-si-tewss)
n misunderstanding; mistake
väärinkäyttö (*vææ-*ring-kæ*ᵉʷ*t-tur) *n*
abuse, misuse

vääryys (*vææ-*rēwss) *n* injustice,
wrong; **tehdä vääryyttä** wrong
väärä (*vææ-*ræ) *adj* incorrect, wrong,
false; **olla väärässä** *be wrong

W

watti (*vaht-*ti) *n* watt

Y

ydin (*ew-*din) *n* heart, essence, nu-
cleus; marrow; **ydin-** nuclear,
atomic
ydinvoima (*ew-*din-*voi-*mah) *n* nuclear
energy
yhdeksän (*ewh-*dayk-sæn) *num* nine
yhdeksänkymmentä (*ewh-*dayk-sæng-
kewm-mayn-tæ) *num* ninety
yhdeksäntoista (*ewh-*dayk-sæn-*toiss-*
tah) *num* nineteen
yhdeksäs (*ewh-*dayk-sæss) *num* ninth
yhdeksästoista (*ewh-*dayk-sæss-*toiss-*
tah) *num* nineteenth
yhdenmukainen (*ewh-*daym-*moo-*kigh-
nayn) *adj* uniform
yhdenmukaistaa (*ewh-*daym-moo-
kighss-taa) *v* level
yhdennäköisyys (*ewh-*dayn-*næ-*kur*ᵉᵉ-*
sēwss) *n* resemblance
yhdensuuntainen (*ewh-*dayn-*sōōn-*
tigh-nayn) *adj* parallel
yhdessä (*ewh-*dayss-sæ) *adv* togeth-
er; jointly
yhdestoista (*ewh-*dayss-*toiss-*tah)
num eleventh
yhdistelmä (*ewh-*diss-tayl-mæ) *n* com-
bination
yhdistetty (*ewh-*diss-tayt-tew) *adj*
joint

yhdistys (*ewh*-diss-tewss) *n* society, association; union

yhdistää (*ewh*-diss-tææ) *v* unite; join; connect; combine; ~ **jälleen** reunite

yhdyskunta (*ewh*-dewss-*koon*-tah) *n* community

yhdysside (*ewh*-dewss-*si*-day) *n* band, link

Yhdysvallat (*ewh*-dewss-*vahl*-laht) the States, United States

yhdysviiva (*ewh*-dewss-*vee*-vah) *n* hyphen

yhteenlasku (*ewh*-tāyn-*lahss*-koo) *n* addition

yhteensattuma (*ewh*-tāyn-*saht*-toomah) *n* concurrence

yhteentörmäys (*ewh*-tāyn-*turr*-mæewss) *n* collision, crash

yhteenveto (*ewh*-tāyn-*vay*-toa) *n* summary

yhteinen (*ewh*-tay-nayn) *adj* common, joint; **yhteis-** collective

yhteiskunnallinen (*ewh*-tayss-*koon*-nahl-li-nayn) *adj* social

yhteiskunta (*ewh*-tayss-*koon*-tah) *n* society

yhteistoiminnallinen (*ewh*-tayss-*toi*-min-nahl-li-nayn) *adj* co-operative

yhteistoiminta (*ewh*-tayss-*toi*-min-tah) *n* co-operation

yhteistyö (*ewh*-tayss-t*ewur*) *n* co-operation

yhteisymmärrys (*ewh*-tayss-*ewm*-mær-rewss) *n* agreement

yhteisö (*ewh*-tay-sur) *n* community

yhtenäisyys (*ewh*-tay-næ^ee^-sēwss) *n* coherence

yhteys (*ewh*-tay-ewss) *n* connection; touch, contact; relation

yhtiö (*ewh*-ti-ur) *n* company

yhtye (*ewh*-tew-ay) *n* band

yhtymä (*ewh*-tew-mæ) *n* concern; merger

yhtyä (*ewh*-tew-æ) *v* join

yhtä (*ewh*-tæ) *adv* equally; ~ **paljon** as much; as

yhtäläinen (*ewh*-tæ-læ^ee^-nayn) *adj* equal

yhä (*ew*-hæ) *adv* ever; ~ **uudelleen** again and again

ykseys (*ewk*-say-ewss) *n* unity

yksi (*ewk*-si) *num* one

yksikkö (*ewk*-sik-kur) *n* singular; unit

yksilö (*ewk*-si-lur) *n* individual

yksilöllinen (*ewk*-si-lurl-li-nayn) *adj* individual

yksimielinen (*ewk*-si-*myay*-li-nayn) *adj* unanimous

yksin (*ewk*-sin) *adv* alone

yksinkertainen (*ewk*-sing-*kayr*-tighnayn) *adj* simple, plain

yksinkertaisesti (*ewk*-sing-*kayr*-tighsayss-ti) *adv* simply

yksinoikeus (*ewk*-sin-*oi*-kay-ooss) *n* monopoly

yksinomaan (*ewk*-sin-*oa*-maan) *adv* exclusively, solely

yksinomainen (*ewk*-sin-*oa*-migh-nayn) *adj* exclusive

yksinpuhelu (*ewk*-sim-*poo*-hay-loo) *n* monologue

yksinäinen (*ewk*-si-næ^ee^-nayn) *adj* lonely

yksipuolinen (*ewk*-si-*pwoa*-li-nayn) *adj* one-sided

yksitoikkoinen (*ewk*-si-*toik*-koi-nayn) *adj* monotonous

yksitoista (*ewk*-si-*toiss*-tah) *num* eleven

yksityinen (*ewk*-si-tew^ee^-nayn) *adj* private; individual

yksityiselämä (*ewk*-si-tew^ee^ss-ay-*læ*-mæ) *n* privacy

yksityiskohta (*ewk*-si-tew^ee^ss-*koah*-tah) *n* detail

yksityiskohtainen (*ewk*-si-tew^ee^ss-*koah*-tigh-nayn) *adj* detailed

yksityisopettaja (*ewk*-si-tew^ee^ss-*oa*-payt-tah-^Y^ah) *n* tutor

yleensä (*ew*-lāyn-sæ) *adv* as a rule, in general

yleinen (*ew*-lay-nayn) *adj* public, general; total, universal

yleiskatsaus (*ew*-layss-*kaht*-sah-ooss) *n* survey

yleislääkäri (*ew*-layss-*læ*æ-kæ-ri) *n* general practitioner

yleismaailmallinen (*ew*-layss-*maa*-il-mahl-li-nayn) *adj* universal

yleisurheilu (*ew*-layss-*oor*-hay-loo) *n* athletics *pl*

yleisö (*ew*-lay-sur) *n* audience, public

ylellinen (*ew*-layl-li-nayn) *adj* luxurious

ylellisyys (*ew*-layl-li-sēwss) *n* luxury

ylempi (*ew*-laym-pi) *adj* upper, superior

ylenkatse (*ew*-layng-*kaht*-say) *n* scorn, contempt

ylennys (*ew*-layn-newss) *n* promotion

ylenpalttinen (*ew*-layn-*pahlt*-ti-nayn) *adj* exuberant

ylentää (*ew*-layn-tæ) *v* promote

yli (*ew*-li) *prep/postp* over, above; beyond; ~ **yön** overnight

yliherkkyys (*ew*-li-*hayrk*-kēwss) *n* allergy

yliherruus (*ew*-li-*hayr*-rōōss) *n* dominion

ylijäämä (*ew*-li-^Y^ææ-mæ) *n* remainder, surplus

ylimielinen (*ew*-li-*myay*-li-nayn) *adj* haughty

ylimääräinen (*ew*-li-*mææ*-ræ^ee^-nayn) *adj* extra, spare

ylin (*ew*-lin) *adj* top; chief

ylinopeus (*ew*-li-*noa*-pay-ooss) *n* speeding

yliopisto (*ew*-li-*oa*-piss-toa) *n* university

ylioppilas (*ewli*-oap-pi-lahss) *n* student

ylipaino (*ew*-li-*pigh*-noa) *n* overweight

ylirasittua (*ew*-li-*rah*-sit-too-ah) *v* overwork

ylirasittunut (*ew*-li-*rah*-sit-too-noot) *adj* overstrung

ylistys (*ew*-liss-tewss) *n* praise, glory

ylistää (*ew*-liss-tææ) *v* praise

ylittää (*ew*-lit-tææ) *v* cross; exceed, *outdo; ~ **sallittu ajonopeus** *speed

ylityspaikka (*ewli*-tewss-*pighk*-kah) *n* crossing

ylivoimainen (*ew*-li-*voi* migh nayn) *adj* superior

ylläpito (*ewl*-læ-*pi*-toa) *n* maintenance

ylläpitää (*ewl*-læ-*pi*-tææ) *v* maintain; *keep up

yllättää (*ewl*-læt-tææ) *v* surprise; *catch

yllätys (*ewl*-læ-tewss) *n* surprise

ylpeys (*ewl*-pay-ewss) *n* pride

ylpeä (*ewl*-pay-æ) *adj* proud

yltäkylläisyys (*ewl*-tæ-*kewl*-læ^ee^-sēwss) *n* plenty

ylä- (*ew*-læ) upper

yläkerta (*ew*-læ-*kayr*-tah) *n* upstairs

yläkertaan (*ew*-læ-*kayr*-taan) *adv* upstairs

ylänkö (*ew*-læn-kur) *n* uplands *pl*

yläosa (*ew*-læ-*oa*-sah) *n* top

yläpuolella (*ew*-læ-*pwoa*-layl-lah) *postp* over; *adv* above, overhead

yläpuoli (*ew*-læ-*pwoa*-li) *n* top side

ylätasanko (*ew*-læ-*tah*-sahng-koa) *n* plateau

ylös (*ew*-lurss) *adv* up

ylösalaisin (*ew*-lurss-*ah*-ligh-sin) *adv* upside-down

ylöspäin (*ew*-lurss-*pæ*^ee^n) *adv* upwards; up

ymmärrys (*ewm*-mær-rewss) *n* understanding; reason

ymmärtää (*ewm*-mær-tææ) *v* *understand; *take

ympyrä (*ewm*-pew-ræ) *n* circle

ympäri (*ewm*-pæ-ri) *prep/postp* around; *adv* about, around

ympärillä (*ewm*-pæ-ril-læ) *postp* round; about, around; *adv* round

ympäristö (*ewm*-pæ-riss-tur) *n* environment, surroundings *pl;* neighbourhood

ympäröidä (*ewm*-pæ-rur*ee*-dæ) *v* circle, surround; encircle

ympäröivä (*ewm*-pæ-rur*ee*-væ) *adj* surrounding

ynnä (*ewn*-næ) *conj* plus

yrittää (*ew*-rit-tææ) *v* try, attempt

yritys (*ew*-ri-tewss) *n* attempt, try; enterprise, undertaking

yrtti (*ewrt*-ti) *n* herb

yskiä (*ewss*-ki-æ) *v* cough

yskä (*ewss*-kæ) *n* cough

ystävyys (*ewss*-tæ-vēwss) *n* friendship

ystävä (*ewss*-tæ-væ) *n* friend

ystävällinen (*ewss*-tæ-væl-li-nayn) *adj* friendly; kind

ystävätär (*ewss*-tæ-væ-tær) *n* friend

yö (*ew*ur) *n* night; **tänä yönä** tonight

yöjuna (*ew*ur-*Yoo*-nah) *n* night train

yökerho (*ew*ur-*kayr*-hoa) *n* nightclub

yölento (*ew*ur-*layn*-toa) *n* night flight

yöllä (*ew*url-læ) *adv* by night

yöpaita (*ew*ur-*pigh*-tah) *n* nightdress

yöpuku (*ew*ur-*poo*-koo) *n* pyjamas *pl*

yötaksa (*ew*ur-*tahk*-sah) *n* night rate

yövoide (*ew*ur-*voi*-day) *n* night-cream

Ä

äidinkieli (æ*ee*-ding-*kyay*-li) *n* native language, mother tongue

äiti (æ*ee*-ti) *n* mother

äitipuoli (æ*ee*-ti-*pwoa*-li) *n* stepmother

äkillinen (æ-kil-li-nayn) *adj* sudden; acute

äkkijyrkkä (æk-ki-*Yewrk*-kæ) *adj* steep

äkkipikainen (æk-ki-*pi*-kigh-nayn) *adj* irascible, quick-tempered

äkkiä (æk-ki-æ) *adv* suddenly

äkäinen (æ-kæ*ee*-nayn) *adj* cross

ällistyttää (æl-liss-tewt-tææ) *v* amaze

äly (æ-lew) *n* intellect, brain; wits *pl*

älykkyys (æ-lewk-kēwss) *n* intelligence

älykäs (æ-lew-kæss) *adj* clever, intelligent; smart, bright

älyllinen (æ-lewl-li-nayn) *adj* intellectual

änkyttää (æng-kewt-tææ) *v* falter

äpärä (æ-pæ-ræ) *n* bastard

äristä (æ-riss-tæ) *v* tremble

ärsyttävä (ær-sewt-tæ-væ) *adj* annoying

ärsyttää (ær-sewt-tææ) *v* irritate, annoy

ärtyisä (ær-tew*ee*-sæ) *adj* irritable

äskeinen (æss-kay-nayn) *adj* recent

äskettäin (æss-kayt-tæ*ee*n) *adv* recently

äyriäinen (æ*ew*-ri-æ*ee*-nayn) *n* shellfish

ääneen (ææ-nāyn) *adv* aloud

äänekäs (ææ-nay-kæss) *adj* loud

äänensävy (ææ-nayn-sæ-vew) *n* tone

äänenvaimennin (ææ-nayn-*vigh*-maynnin) *n* silencer; muffler *nAm*

äänestys (ææ-nayss-tewss) *n* vote

äänestää (ææ-nayss-tææ) *v* vote

äänetön (ææ-nay-turn) *adj* silent

ääni (ææ-ni) *n* voice; sound; vote; **antaa äänimerkki** hoot; honk *vAm*, toot *vAm*

äänieristetty (ææ-ni-*ay*-riss-tayt-tew) *adj* soundproof

äänilevy (ææ-ni-*lay*-vew) *n* record, disc

äänioikeus (ææ-ni-*oi*-kay-ooss) *n* suffrage, franchise

äänitorvi (ææ-ni-*toar*-vi) *n* horn
äänitys (ææ-ni-tewss) *n* recording
ääntäminen (ææn-tæ-mi-nayn) *n* pro-
   nunciation
ääntää (ææn-tææ) *v* pronounce
ääretön (ææ-ray-turn) *adj* infinite;
   immense
äärimmäinen (ææ-rim-mæ^ee-nayn) *adj*
   utmost, extreme
äärimmäisyys (ææ-rim-mæ^ee-sēwss) *n*
   extreme
ääriviiva (ææ-ri-*vee*-vah) *n* outline,
   contour

Ö

öinen (ur^ee-nayn) *adj* nightly
öljy (url-^Yew) *n* oil
öljyinen (url-^Yew^ee-nayn) *adj* oily
öljylähde (url-^Yew-*læh*-day) *n* oil-well
öljymaalaus (url-^Yew-*maa*-lah-ooss) *n*
   oil-painting
öljynpuhdistamo (url-^Yewn-*pooh*-diss-
   tah-moa) *n* oil-refinery
öljynsuodatin (url-^Yewn-*swoa*-dah-tin)
   n oil filter

Food

aamiainen breakfast
ahven perch
alkupala appetizer, starter
ananas pineapple
anjovis marinated sprats
ankerias eel
ankka duck
annos portion
appelsiini orange
aprikoosi apricot
aromivoi herb butter
ateria meal
Aura blue cheese
avokaado avocado (pear)
banaani banana
blini buckwheat pancake
borssikeitto borscht; beetroot
   soup consisting of chopped
   meat, cabbage and carrot,
   served with sour cream
broileri broiler, chicken
dieettiruoka diet food
dippikastike dip sauce
donitsi doughnut
etana snail
etikka white vinegar
   ~ kurkku gherkin
   ~ sienet pickled mushrooms
eturuoka warm first course
fasaani pheasant
fenkoli fennel
filee fillet
forelli trout

friteerattu deep-fried
graavi/lohi salmon cured with
   salt, sugar, pepper and dill
   ~ siika salt- and sugar-cured
   whitefish
   ~ silakat cured and marinated
   Baltic herrings
grahamleipä graham bread
gratiini gratin
gratinoitu gratinéed
greippi grapefruit
grillattu grilled
grilli/makkara grilled sausage
   ~ pihvi grilled steak
halstrattu barbecued (fish)
hampurilainen hamburger
hanhenmaksa goose liver
   ~ pasteija goose-liver pâté
hanhi goose
hapan/imelä sweet-and-sour
   ~ kaali sauerkraut
   ~ kerma sour cream
   ~ korppu very thin rye crisp
   bread (US hardtack)
   ~ leipä rye bread
hasselpähkinä hazelnut
haudutettu braised
hauki pike
hedelmä fruit
   ~ hilloke stewed fruit
   ~ salaatti fruit salad
herkkusieni button mushroom
herne (pl herneet) pea

~ **keitto** thick pea soup with pork
hienonnettu mashed, minced
hiillostettu barbecued
hiivaleipä yeast bread
hillo jam
  ~ **munkki** jam (US jelly) doughnut
  ~ **sipuli** pickled pearl onion
hirven/käristys roast elk served in cream sauce
  ~ **liha** elk meat
  ~ **seläke** saddle of elk
hirvipaisti roast elk
hummeri lobster
hunaja honey
  ~ **meloni** cantaloupe
hyvin paistettu well-done
hyytelö jelly
hyytelöity jellied
härän/filee fillet of beef
  ~ **häntäkeitto** oxtail soup
  ~ **kyljys** rib steak
  ~ **leike** porterhouse steak
  ~ **liha** beef
  ~ **paisti** roast joint of beef
illallinen supper
inkivääri ginger
italiansalaatti boiled vegetables in mayonnaise
Janssonin kiusaus baked casserole of sliced potatoes, onions and marinated sprats in cream sauce
jauheliha minced meat
  ~ **pihvi** hamburger steak
  ~ **sämpylä** hamburger
jauhettu minced
joulu/kinkku baked ham covered with mustard and breadcrumbs
  ~ **pöytä** buffet of Christmas specialities
jugurtti yoghurt
Juhla kind of Cheddar cheese

juomaraha tip
juottoporsas suck(l)ing pig
juurekset root vegetables
juusto cheese
  ~ **kohokas** cheese soufflé
  ~ **tanko** cheese straw
  ~ **tarjotin** cheese board
jälkiruoka dessert
jälkiuunileipä rye bread baked in a slow oven
jänispaisti roast hare
jäädyke water ice (US sherbet)
jäätelö ice-cream
kaali cabbage
  ~ **keitto** cabbage soup with mutton or pork
  ~ **kääryleet** cabbage leaves stuffed with minced meat and rice
  ~ **laatikko** layers of cabbage and minced meat
kahvi/aamiainen continental breakfast
  ~ **leipä** coffee cake; generic term for cakes, sweet rolls and pastries
kakku cake
kala fish
  ~ **keitto** fish soup
  ~ **kukko** pie made of small whitefish and pork, baked in rye dough
  ~ **mureke** fish mousse
  ~ **pulla**, ~ **pyörykkä** fish ball
  ~ **ruoka** fish course
  ~ **vuoka** fish gratin
kalkkuna turkey
kampela flounder
kana hen
kanan/koipi chicken thigh
  ~ **maksa** chicken liver
  ~ **muna** egg
  ~ **poika** spring chicken
  ~ **rinta** chicken breast

315

kaneli cinnamon
kantarelli chanterelle mushroom
kapris caper
karhun/liha bear meat
~ paisti roast bear
~ vatukka blackberry
karitsanliha lamb
karjalan/paisti stew of beef, mut-
ton, pork, kidneys, liver and
onions
~ piirakka a thin and crisp rye-
pastry shell filled with rice or
mashed potatoes, served with
finely chopped hard-boiled
eggs mixed with butter
karpalo cranberry
karviaismarja gooseberry
kastanja chestnut
kastike sauce, gravy
kasvis (pl kasvikset) vegetable
~ ruoka vegetable course
katajanmarja juniper berry
kateenkorva sweetbread
katemaksu cover charge
katkarapu shrimp
kaura/keksi oatmeal biscuit
~ puuro oatmeal
kauris deer
kaviaari caviar
keitetty boiled, cooked
keitetyt perunat boiled potatoes
keitto soup, cream
keksi biscuit (US cookie)
keltasieni chanterelle mushroom
kerma cream
~ juusto cream cheese
~ kakku sponge layer cake
with cream and jam filling
~ kastike cream sauce
~ leivos cream pastry
~ vaahto whipped cream
~ viili kind of sour cream
Kesti hard cheese flavoured with
caraway seeds

kesäkeitto spring vegetable soup
ketsuppi catsup
kevyt/kerma coffee cream
~ viili low-calorie yoghurt
kieli tongue
kiisseli dessert of berry or fruit
juice thickened with potato
flour
kinkku ham
kirjolohi salmon trout
kirsikka cherry
kohokas soufflé
kokojyväleipä whole-meal bread
kolja haddock
korppu rusk (US zwieback)
~ jauhotettu breaded
korva/puusti cinnamon roll
~ sieni morel mushroom
kotiruoka home cooking, plain
food
kotitekoinen home-made
kovaksi keitetty muna hard-
boiled egg
Kreivi semi-hard cheese, mildly
pungent
kuha pike-perch
kuivattu luumu prune
kukkakaali cauliflower
kukkoa viinissä chicken stewed in
red wine
kulibjaka pie stuffed with salmon,
rice, hard-boiled eggs and dill,
served in slices with melted
butter
kumina caraway
kuoriperunat potatoes in their
jacket
kuorrutettu oven-browned
kuorukka croquette
kurkku cucumber
kurpitsa gourd, pumpkin, squash
kutunjuusto goat's cheese, brown
in colour
kyljys chop

kylkipaisti spare-rib
kylmä cold
kypsä well-done
kyyhkynen pigeon
kääre/syltty kind of brawn (US head cheese)
~ **torttu** Swiss roll
kääryle thin slice of meat, stuffed and rolled
köyhät ritarit French toast; slices of bread dipped in egg batter, fried and served with jam
laatikko casserole, gratin
lahna bream
lakka Arctic cloudberry
lammas mutton
~ **kaali** Irish stew; lamb and cabbage stew
~ **muhennos** lamb stew
lampaan/kyljys lamb chop
~ **liha** lamb
~ **paisti** leg of lamb
lankkupihvi steak served on a board (US plank steak)
lanttu swede
~ **laatikko** oven-browned swede purée
lapa shoulder
lasimestarinsilli pieces of herring fillets marinated in sweetened vinegar with onion, carrot, black and white peppercorns and bay leaves
laskiaispulla bun filled with almond paste and whipped cream
lasku bill, check
lasten ruokalista children's menu
lautanen plate
lehti/pihvi very thin slice of beef
~ **salaatti** lettuce
leike cutlet
leikkeleet cold meat (US cold cuts)

leikkelelautanen plate of cold meat
leipä (pl **leivät**) bread
leivitetty breaded
leivos (pl **leivokset**) cake, pastry
lenkkimakkara ring-shaped sausage, eaten grilled, fried, baked or as an ingredient in stews and soups
liekitetty flamed
liemi broth
liha meat
~ **keitto** beef and vegetable soup
~ **liemi** meat broth, consommé
~ **mureke** meat-loaf
~ **piirakka** pie stuffed with rice and minced meat
~ **pulla,** ~ **pyörykkä** meat ball
~ **ruoka** meat course
limppu sweetened rye bread
Lindströmin pihvi hamburger steak flavoured with pickled beetroot and capers
linnapaisti pot roast flavoured with brandy, molasses and marinated sprats
linturuoka fowl course
lipeäkala specially treated stock-fish poached and served with potatoes and white sauce
lohi salmon
~ **piirakka** pie stuffed with salmon, rice, hard-boiled eggs and dill, served in slices with melted butter
loimu/lohi salmon grilled on an open fire
~ **siika** whitefish grilled very slowly on an open fire
lounas lunch
luu bone
luumu plum
luuydin bone marrow

lämmin warm
 ~ ruoka (pl lämpimät ruoat)
 main course, hot dish
länsirannikon salaatti seafood
 salad
maa-artisokka Jerusalem arti-
 choke
maapähkinä peanut
made burbot
maissi maize (US corn)
maissintähkä corn on the cob
majoneesi mayonnaise
makaroni macaroni
 ~ laatikko baked macaroni
makea sweet
makkara sausage
 ~ kastike diced sausages
 stewed in a sauce
makrilli mackerel
maksa liver
 ~ laatikko liver and meat-loaf
 flavoured with molasses, oni-
 ons and raisins
 ~ makkara liver sausage
 ~ pasteija liver paste
mandariini mandarin (US tanger-
 ine)
mansikka strawberry
 ~ kakku sponge layer cake
 with strawberries and whipped
 cream
 ~ leivos strawberry pastry
 ~ torttu strawberry flan
manteli almond
marenki meringue
marinoitu marinated
marja berry
marmelaati, marmeladi marma-
 lade
mateenmäti burbot roe
mauste (pl mausteet) spice, con-
 diment
 ~ silli spiced, marinated her-
 ring

meetvursti kind of salami
mehukeitto dessert of berry or
 fruit juice slightly thickened
 with potato flour
meloni melon
meriantura sole
merimiespihvi sliced beef, onions
 and potatoes braised in beer
mesimarja Arctic raspberry
metso capercaillie, wood-grouse
metsämansikka wild strawberry
metsästäjänleike veal scallop with
 mushroom sauce
muhennettu stewed, mashed
muhennos stew, purée
muikku vendace (small whitefish)
 ~ pata vendace casserole
muikunmäti vendace roe
multasieni truffle
muna egg
munakas omelet
munakoiso aubergine (US egg-
 plant)
munakokkeli scrambled eggs
munariisipasteija egg and rice
 pasty
munavoi finely chopped hard-
 boiled eggs mixed with butter
munkki (jam) doughnut
munuainen (pl munuaiset) kidney
munuaishöystö kidney stew
mureke 1) fish or meat mousse
 2) forcemeat, stuffing
murot breakfast cereals
musta viinimarja blackcurrant
mustikka blueberry
 ~ keitto dessert of blueberry
 juice thickened with potato
 flour
 ~ piirakka blueberry pie
muurain (pl muuraimet) Arctic
 cloudberry
mämmi dessert pudding of malted
 rye and rye flour flavoured

with orange rind, served cold
with cream and sugar
mäti fish roe
nahkiaïnen lamprey
nakki (pl **nakit**) frankfurter
naudanliha beef
näkkileipä crisp bread (US hard-
tack)
ohrasämpylä barley roll
ohukaiset small thin pancakes
oliivi olive
  ~ **öljy** olive oil
omeletti omelet
omena apple
  ~ **hilloke** stewed apples
  ~ **paistos** baked apple
  ~ **sose** apple sauce
oopperavoileipä toast topped with
a hamburger steak and a fried
egg
osteri oyster
paahdettu toasted, roasted
paahto/leipä toast
  ~ **paisti** roast beef
  ~ **vanukas** caramel custard
painosyltty brawn (US head
cheese)
paistettu fried, roasted
  ~ **muna** fried egg
paistetut perunat fried potatoes
paisti roast
paistinliemi gravy
paistos generic term for fried or
baked dishes
pala piece
  ~ **paisti** beef stew
palvattu cured, smoked
palvikinkku cured ham
pannu generic term for sautéed
dishes
  ~ **kakku** kind of pancake
  ~ **pihvi** hamburger steak served
with fried onions
paprika sweet pepper

papu (pl **pavut**) bean
pariloitu grilled, barbecued
parsa asparagus
  ~ **kaali** broccoli
pasteija 1) paste 2) pastry, pie
pata (baked) casserole
  ~ **kukko** rye-flour pie with
vendace and bacon
  ~ **paisti** pot roast
patonki French bread
pehmeäksi keitetty muna soft-
boiled egg
pekoni bacon
  ~ **pannu** fried bacon, sausages,
potatoes and eggs
peltopyy partridge
persikka peach
persilja parsley
  ~ **voi** parsley butter
peruna potato
  ~ **lastut** crisps (US potato
chips)
  ~ **pannukakku** potato pancake
  ~ **muhennos** mashed potatoes
pihlajanmarja rowanberry
  ~ **jäädyke** rowanberry water-
ice
pihvi beefsteak
piimä sour milk
  ~ **juusto** fresh curd cheese
  ~ **piirakka** kind of cheese cake
piirakka pie
piiras (pl **piiraat**) small pie, pasty
pikkuleipä biscuit (US cookie)
pinaatti spinach
piparjuuri horse-radish
  ~ **liha** boiled beef with horse-
radish sauce
piparkakku gingerbread
pippuri pepper
  ~ **juusto** pepper cheese
  ~ **pihvi** pepper steak
porkkana carrot
  ~ **raaste** grated carrots

poron/kieli reindeer tongue
~ **käristys** roast reindeer served
in cream sauce
~ **liha** reindeer meat
~ **paisti** roast reindeer
~ **seläke** saddle of reindeer
porsaan/kyljys pork chop
~ **paisti** roast joint of pork
~ **selkäpaisti** roast loin of pork
potka leg, shank
pulla bun
punainen viinimarja redcurrant
puna/juuri beetroot
~ **kaali** red cabbage
puolikypsä medium (done)
puolukka lingonberry, kind of
cranberry
~ **puuro** lingonberry and
semolina pudding
purjo leek
puuro porridge
pyttipannu kind of bubble and
squeak; diced meat, potatoes
and onions fried and served
with a raw egg-yolk or a fried
egg
pyy hazelhen
pähkinä nut
päivällinen dinner
päivän annos speciality of the day
pääruoka main course
päärynä pear
raaka raw
~ **pihvi** steak tartare; raw,
spiced minced beef
~ **suolattu** cured in brine
raastettu grated
raavaanliha heifer meat
raejuusto cottage cheese
rahkapiirakka kind of cheese cake
ranskalaiset pavut French beans
(US green beans)
ranskalaiset perunat chips
(US French fries)

ranskanleipä white bread
raparperi rhubarb
rapu (pl **ravut**) freshwater crayfish
~ **silakat** poached Baltic her-
rings, flavoured with tomato
sauce and dill, served cold
reikäleipä ring-shaped rye bread
retiisi radish
riekko ptarmigan
rieska unleavened barley bread
riisi rice
~ **puuro** rice pudding
riista game
rinta breast, brisket
rosolli herring salad with pickled
beetroot, onions, hard-boiled
eggs, capers and sour cream
rouhesämpylä whole-meal roll
ruijanpallas halibut
ruisleipä rye bread
ruohosipuli chive
ruoka (pl **ruoat**) food
~ **laji** dish, course
~ **lista** menu
rusina raisin
ruskea kastike gravy
ruskistettu sautéed
ruusukaali brussels sprout
saksanpähkinä walnut
salaatti salad
sammakonreidet frogs' legs
savu/kala smoked fish
~ **kinkku** smoked ham
~ **poro** smoked reindeer meat
~ **silakat** smoked Baltic her-
rings
~ **silli** smoked herring
savustettu smoked
sei, seiti black cod
seisova pöytä buffet with a large
variety of hot and cold dishes,
salads, cheeses and desserts
sekasalaatti mixed salad
seljanka salmon soup

selleri celery
setsuuri sweetened rye bread
sianliha pork
~ kastike sliced pork in gravy
siansorkka (pl siansorkat) pigs'
trotters (US pigs' feet)
sieni (pl sienet) mushroom
~ kastike mushroom sauce
~ muhennos creamed mush-
rooms
~ salaatti salad of chopped
mushrooms and onions with a
cream sauce
siianmäti whitefish roe
siika whitefish
silakka Baltic herring
~ laatikko baked casserole of
sliced potatoes and Baltic her-
ring
~ pihvi breaded Baltic herring
fillets stuffed with dill and
parsley
~ rulla salted and pickled Bal-
tic herring
silavapannukakku pancake with
diced bacon
silli herring
~ lautanen plate of assorted
herring
~ pöytä buffet of a large
variety of herring specialities
~ salaatti herring salad with
pickled beetroot, hard-boiled
eggs, onions, apples, capers
and topped with sour cream
~ tarjotin assorted herring
served on a tray
~ voileipä open-faced sand-
wich with hard-boiled eggs and
herring
simpukka mussel
sinappi mustard
~ silakat Baltic herrings in
mustard sauce

sipuli onion
~ pihvi steak and fried onions
siskonmakkarakeito vegetable
soup with diced veal sausage
sitruuna lemon
smetana sour cream
sokeri sugar
~ herneet sugar peas
~ kakku sponge cake
sokeriton sugarless
sokeroitu sweetened
sorsa wild duck
sose mash, purée
stroganoff beef Stroganoff: thin
sliced beef and mushrooms in a
sour-cream sauce
suklaa chocolate
sulatejuusto processed cheese
suola salt
~ kurkku pickled and salted
gherkin
~ liha cured beef, sliced and
served cold
~ sienet mushrooms preserved
in brine
~ silli salted herring
suolattu salted; preserved in
brine
suomuurain (pl suomuuraimet)
Arctic cloudberry
suutarinlohi sugar-salted, mari-
nated Baltic herring
sveitsinleike cordon bleu;
breaded veal scallop stuffed
with ham and Swiss cheese
sämpylä roll
T-luupihvi T-bone steak
tahkojuusto kind of Swiss cheese
taimen trout
tarjoilupalkkio service charge
~ ei sisälly hintaan not in-
cluded
~ sisältyy hintaan included
tartarpihvi steak tartare; raw,

spiced minced beef
taskurapu crab
tatti boletus mushroom
teeri black grouse
terveysruoka health food
tilli dill
  ~ **liha** boiled lamb or veal in
  dill sauce, flavoured with
  lemon juice or vinegar
  ~ **silli** poached herring
  seasoned with dill, white pep-
  per and lemon juice
tomaatti tomato
tonnikala tunny (US tuna)
torttu tart, flan, cake
tumma leipä dark bread
tuore fresh
  ~ **suolattu lohi** fresh and
  slightly salted salmon
turska cod
täyte stuffing, filling
  ~ **kakku** layer cake
täytetty stuffed, filled
upotettu muna, uppomuna
  poached egg
uudet perunat spring potatoes
uuniperuna baked potato
uunissa paistettu baked
vadelma raspberry
valikoima assorted, mixed
valkoinen leipä white bread
valkokaali white cabbage
valkokastike white sauce
valkosipuli garlic
  ~ **perunat** baked sliced po-
  tatoes flavoured with butter
  and garlic
  ~ **voi** garlic butter
valkoturska whiting
vanilja vanilla
  ~ **kastike** vanilla sauce
vanukas pudding, custard
varhaisaamiainen breakfast
varras (pl **vartaat**) spit, skewer

vasikan/kateenkorva calf's sweet-
  bread
  ~ **leike** veal cutlet
  ~ **liha** veal
  ~ **paisti** roast veal
vatkuli beef stew flavoured with
  bay leaves
velli gruel
venäläinen silli herring fillets with
  diced, pickled beetroot and cu-
  cumber, hard-boiled eggs and
  lettuce, served with sour cream
veri/ohukaiset blood pancakes
  ~ **makkara** blood sausage
  ~ **palttu** blood (black) pudding
vesimeloni watermelon
vihannes (pl **vihannekset**) vege-
  table
vihreä salaatti green salad
vihreät pavut French beans
  (US green beans)
viili processed sour milk
viilokki fricassée
viinietikka wine vinegar
  ~ **kastike** oil and vinegar dress-
  ing
viini/kukko chicken stewed in red
  wine
  ~ **lista** wine list
  ~ **marja** currant
  ~ **rypäle** grape
viipale slice
viipaloitu sliced
viiriäinen quail
vohveli wafer, waffle
voi butter
voileipä sandwich, usually open-
  faced
  ~ **keksi** soda cracker
  ~ **pöytä** large buffet of cold
  and warm dishes; "smörgås-
  bord"
voipavut butter beans (US wax
  beans)

voissa paistettu fried in butter
voisula melted butter
vorschmak minced lamb, herring
  fillets and fried onions cooked
  in broth, flavoured with catsup,
  mustard and marinated sprats,
  served with sour cream and
  baked potatoes
vuohenjuusto goat's milk cheese

vähän paistettu rare (US under-
  done)
välikyljys entrecôte, rib-eye steak
wienerleipä Danish pastry
wieninleike Wiener schnitzel;
  breaded veal scallop
yrttivoi herb butter
äyriäinen (pl **äyriäiset**) shellfish
öljy oil

Drinks

A-olut beer with highest alcoholic
  content
akvaviitti spirits distilled from po-
  tatoes or grain, often flavoured
  with aromatic seeds and spices
aperitiivi aperitif
appelsiinilimonaati orangeade
Finlandia a Finnish vodka
gini gin
glögi mulled wine (Christmas
  speciality)
hedelmämehu fruit juice
Jaloviina blend of spirits and
  brandy
jäävesi iced water
kaakao cocoa
kahvi coffee
  ~ **kerman (ja sokerin) kera**
  with cream (and sugar)
kalja a type of very light (1% al-
  cohol) beer, often home-made
kerma cream
keskiolut medium-strong beer
kivennäisvesi mineral water

konjakki cognac
Koskenkorva very strong *akva-
  viitti* made of grain
kuiva dry
  ~ **viini** dry wine
kuohuviini sparkling wine
Lakka Arctic cloudberry liqueur
Lapponia lingonberry (kind of
  cranberry) liqueur
likööri liqueur
limonaati lemonade
maito milk
  ~ **kahvi** coffee with milk
makea sweet
mehu squash (US fruit drink)
Mesimarja Arctic bramble
  liqueur
mineraalivesi mineral water
musta kahvi black coffee
olut beer
piimä junket
pilsneri lager; a mild, light beer
Polar cranberry liqueur
portviini port wine

punaviini red wine
rommi rum
roséviini rosé wine
samppanja champagne
siideri cider
sima beverage produced from cane and beet sugar, lemon, yeast, hops and water (May 1 speciality)
Suomuurain Arctic cloudberry liqueur
tee tea
  ~ **maidon kera** with milk
  ~ **sitruunan kera** with lemon
tonic-vesi tonic water

tumma olut porter
tuoremehu fresh fruit or vegetable juice
tynnyriolut draught (US draft) beer
vaalea olut lager
valkoviini white wine
vermutti vermouth
vesi water
viina brandy, spirits
viini wine
virvoitusjuoma lemonade, soft drink
viski whisky
väkijuomat spirits

Finnish Abbreviations

AL	*Autoliitto*	Finnish Automobile Association
ao.	*asianomainen*	person or thing in question
ap.	*aamupäivä(llä)*	(in the) morning
as.	*asukas(ta)*	inhabitants
ed.	*edellinen*	former, above-mentioned
eKr.	*ennen Kristuksen syntymää*	B.C.
em.	*edellä mainittu*	afore-mentioned
ent.	*entinen*	former, ex-
esim.	*esimerkiksi*	e.g.
fil.tri	*filosofian tohtori*	Ph.D.
ha	*hehtaari*	hectare
Hki	*Helsinki*	Helsinki
HKL	*Helsingin Kaupungin Liikennelaitos*	Helsinki Municipal Transport Authority
HO	*Hovioikeus*	Court of Appeals
hra	*herra*	Mr.
huom.	*huomaa, huomautus*	note, remark
hv	*hevosvoima(a)*	horsepower
ip.	*iltapäivä(llä)*	(in the) afternoon
JK	*jälkikirjoitus*	P.S.
jKr.	*jälkeen Kristuksen syntymän*	A.D.
jne.	*ja niin edelleen*	and so on
joht.	*johtaja*	director
kk	*kuukausi, kuukautta*	month(s)
kk.	*kansakoulu; kirkonkylä*	elementary school; small municipality
klo	*kello*	o'clock
ko.	*kyseessä oleva*	in question, under consideration
kpl	*kappale(tta)*	piece(s)
ks.	*katso*	see
l.	*eli; lääni*	or; county
lvv.	*liikevaihtovero*	VAT, value added tax
lääket.tri	*lääketieteen tohtori*	medical doctor
maist.	*maisteri*	master's degree, used as a title
min	*minuutti(a)*	minute(s)
mk	*markka(a)*	Finnish mark(s)
mm.	*muun muassa*	among other things
muist.	*muistutus*	reminder

n.	*noin*	approximately
nim.	*nimittäin*	namely
nk.	*niin kutsuttu*	so-called
n:o	*numero*	number
ns.	*niin sanottu*	so-called
nti	*neiti*	Miss
nyk.	*nykyisin*	at present
oik.	*oikeastaan*	really
os.	*osoite*	address
OY	*osakeyhtiö*	Ltd., Inc.
p	*penni(ä)*	penny, $1/100$ of the Finnish mark
puh.	*puhelin*	telephone
puh.joht.	*puheenjohtaja*	chairman
pv	*päivä*	day
pvm.	*päivämäärä*	date
rva	*rouva*	Mrs.
s	*sekunti(a)*	second(s)
s.	*sivu(t)*	page(s)
seur.	*seuraava*	following
synt.	*syntynyt*	born
t	*tunti(a)*	hour(s)
t.	*tai*	or
tav.	*tavallisesti*	usually
tk.	*tämän kuun*	inst., of this month
tl.	*teelusikallinen*	teaspoonful
toim.joht.	*toimitusjohtaja*	managing director
tuom.	*tuomari*	judge
tus	*tusina(a)*	dozen(s)
v.	*vuonna, vuosina*	in the year(s)
vk.	*viime kuun*	of last month
v.p.	*vastausta pyydetään*	please reply
VR	*Valtion Rautatiet*	Finnish State Railways
vrk	*vuorokausi, vuorokautta*	day and night (24 hours)
vrt.	*vertaa*	cf., reference
YK	*Yhdistyneet Kansakunnat*	United Nations
yl.	*yleensä*	generally
ym.	*ynnä muuta*	etc.
yo.	*ylioppilas*	undergraduate

Numerals

Cardinal numbers		Ordinal numbers	
0	nolla	1.	ensimmäinen
1	yksi	2.	toinen
2	kaksi	3.	kolmas
3	kolme	4.	neljäs
4	neljä	5.	viides
5	viisi	6.	kuudes
6	kuusi	7.	seitsemäs
7	seitsemän	8.	kahdeksas
8	kahdeksan	9.	yhdeksäs
9	yhdeksän	10.	kymmenes
10	kymmenen	11.	yhdestoista
11	yksitoista	12.	kahdestoista
12	kaksitoista	13.	kolmastoista
13	kolmetoista	14.	neljästoista
14	neljätoista	15.	viidestoista
15	viisitoista	16.	kuudestoista
16	kuusitoista	17.	seitsemästoista
17	seitsemäntoista	18.	kahdeksastoista
18	kahdeksantoista	19.	yhdeksästoista
19	yhdeksäntoista	20.	kahdeskymmenes
20	kaksikymmentä	21.	kahdeskymmenes-
21	kaksikymmentäyksi		ensimmäinen
30	kolmekymmentä	30.	kolmaskymmenes
40	neljäkymmentä	40.	neljäskymmenes
50	viisikymmentä	50.	viideskymmenes
60	kuusikymmentä	60.	kuudeskymmenes
70	seitsemänkymmentä	70.	seitsemäskymmenes
80	kahdeksankymmentä	80.	kahdeksaskymmenes
90	yhdeksänkymmentä	90.	yhdeksäskymmenes
100	sata	100.	sadas
125	satakaksikymmentäviisi	125.	sadaskahdeskym-
200	kaksisataa		menesviides
1 000	tuhat	1 000.	tuhannes
2 000	kaksituhatta	3 540.	kolmastuhannes-
3 548	kolmetuhatta viisisataa-		viidessadas-
	neljäkymmentä-		neljäskymmenes
	kahdeksan	156 000.	sadasviideskym-
156 000	sataviisikymmentäkuusi-		meneskuudes-
	tuhatta		tuhannes
1 000 000	miljoona	1 000 000.	miljoonas

Time

Although official time in Finland is based on the 24-hour clock, the 12-hour system is used in conversation.

If it is necessary to indicate whether it is a.m. or p.m., add *aamulla* (morning), *aamupäivällä* (before noon), *iltapäivällä* (afternoon) or *illalla* (evening):

kello kahdeksan aamulla	8 a.m.
kello yksitoista aamupäivällä	11 a.m.
kello kaksi iltapäivällä	2 p.m.
kello puoli kymmenen illalla	9.30 p.m.

Days of the Week

sunnuntai	Sunday	*torstai*	Thursday
maanantai	Monday	*perjantai*	Friday
tiistai	Tuesday	*lauantai*	Saturday
keskiviikko	Wednesday		

Muistiinpanoja

Muistiinpanoja

Muistiinpanoja

Muistiinpanoja

Notes

Notes

Notes

BERLITZ PHRASE BOOKS

World's bestselling phrase books feature not only expressions and vocabulary you'll need, but also travel tips, useful facts and pronunciation throughout. The handiest and most readable conversation aid available.

Arabic	French	Portuguese
Chinese	German	Russian
Danish	Greek	Serbo-Croatian
Dutch	Hebrew	Spanish
European (14 languages)	Hungarian	Latin-American Spanish
European Menu Reader	Italian Japanese	Swahili
Finnish	Norwegian	Swedish
	Polish	Turkish

BERLITZ CASSETTEPAKS

Most of the above-mentioned titles are also available combined with a cassette to help you improve your accent. A helpful 32-page script is included containing the complete text of the dual language hi-fi recording.